BIBLIOTECA ARAGNO

Luciano Luisi

Tutta l'opera in versi
1944-2015

a cura e con un saggio di
Dante Maffia

introduzione di
Giuseppe Langella

nino aragno editore

sede legale
via San Francesco d'Assisi, 22/bis - 10121 Torino

sedi operative
via San Calimero, 11 - 20122 Milano
strada Santa Rosalia, 9 - 12038 Savigliano

ufficio stampa
tel. 02.72094703 - 02.34592395

e-mail: info@ninoaragnoeditore.it
sito internet: www.ninoaragnoeditore.it

Chi legge un poeta vero
legge se stesso.

Giorgio Caproni

Nella mia poesia ho cercato licenziare l'ore rotundo, ma non licenziare del tutto perché allora dove si va a finire, dove?, nella spazzatura.

Eugenio Montale

Una poesia di pura riflessione e di puro gioco letterario [...] *è una cosa che rifiuto.*

Mario Luzi

INTRODUZIONE
di Giuseppe Langella

Il titolo stampato sul frontespizio di questo volume, apparentemente così neutro e referenziale, merita *in limine* una sosta. Per cominciare, non è priva di implicazioni la preferenza accordata da Luisi alla formula più estensiva di *opera in versi* rispetto a quella più consueta di *opera poetica*: essa ci ricorda, anzitutto, che l'autore ha composto anche opere "in prosa" (segnatamente un romanzo, *Le mani nel sacco*, e i racconti confluiti in *Donne e misteri*) e inoltre ci preavvisa che in queste pagine non viene accolta unicamente la sua produzione lirica, ma anche, sotto la costante della scrittura in versi, due oratori per il teatro di parola (rispettivamente *Eloisa ed Abelardo* e *Nella sua luce*, su san Paolo), una serie di stornelli, le filastrocche per bambini della *Farfalla vanesia* e le traduzioni poetiche di *Luna d'amore*.

Peraltro, il titolo prescelto definisce solo in parte la natura di questo *opus magnum*. È vero, infatti, che *Tutta l'opera in versi* costituisce un monumentale riepilogo, dove Luisi ha voluto dar conto di un'attività protratta senza interruzioni lungo l'arco di un intero settantennio; anzi, nella noterella bibliografica che accompagna la seconda parte del volume, ovvero *La sapienza del cuore*, si parla esplicitamente di «libro definitivo», come a stabilire un'ultima volontà editoriale, una sorta di *ne varietur*. Ma esso è poi qualcosa di molto diverso da una semplice, meccanica, sommatoria delle raccolte via via pubblicate dall'autore nel tempo. Al contrario, questa retrospettiva della sua *opera in versi* è il frutto di un intervento deciso, specie sotto il profilo architettonico: assimilabile, per intenderci, all'assiduo lavoro di selezione e sistemazione dei testi compiuto da Saba, di volta in volta, sull'assetto complessivo del suo *Canzoniere*; anzi, per certi aspetti, la chirurgia plastica eseguita da Luisi appare persino più audace, in termini di manipolazione o di restauro, rispetto a quella sabiana. In primo luogo, anche a non voler tener conto delle due sezioni finali del libro, che si lasciano accostare come una cospicua appendice, riservata agli esiti più estemporanei e occasionali (ma non minori, beninteso) del suo talento poetico, il criterio prevalentemente tematico adottato da Luisi per accorpare i suoi versi, se da un lato mette in evidenza la sostanziale unità d'ispirazione che lo ha sempre guidato, dall'altro finisce inevitabilmente per confliggere con la cronologia e con l'impianto delle singole opere, con dislocazioni, assemblaggi e smembramenti anche vistosi, che darebbero ricco pascolo ai filologi e agli studiosi in genere di storie testuali. Così, ad esempio, per limitarsi a un paio di casi emblematici, nella sezione *La sapienza del cuore* sono confluiti, fra l'altro, *Un viaggio in India*, proveniente da *Un pugno di tempo*, e le due serie *Messaggio a mio padre* e *Foglietti per me*, estratte addirittura da *Sere in tipografia* (1959); mentre i componimenti delle quattro ultime raccolte: *Il silenzio* (1998), *Nonostante* (2004), *L'ombra e la luce* (2010) e *Altro fiume, altre sponde* (2014), prendono due destinazioni diverse a seconda del tema trattato, alimentando ora la quarta sezione, quella che sotto *La sfida dei sentimenti* raduna le poesie d'amore di Luisi, ora la quinta, dedicata invece alla *Presenza della morte*. Una collazione più attenta tra questa e le precedenti edizioni potrebbe poi registrare, se non esulasse completamente dalla misura necessariamente parca di una premessa, non pochi e non poco significativi tagli o ripristini di porzioni testuali, esclusioni di liriche o spostamenti nell'ordine d'impaginazione; per non parlare delle varianti d'autore, sempre felici e ragguardevoli, introdotte nella trascrizione dei testi e perfino sulle bozze: un instancabile lavoro di cesello, che suffraga ampiamente l'idea modernista del *work in progress*. Basti l'aver accennato a questi mutamenti di cornice, di struttura e di lezione, croce e delizia della critica delle varianti, per riconoscere al presente volume la qualità di un'opera organica e a suo modo originale, tanto più che tutto lo struggente *Diario di una malattia*, con testi composti tra il 2013 e il 2015, a chiusura dell'*Amore coniugale*, è stato fino a ieri inedito.

Come si colloca la poesia di Luisi nel panorama della lirica moderna? Si può affermare, intanto, che, senza pur mai estraniarsi dalle esperienze contemporanee, Luisi ha saputo restare fedele prima di tutto a se stesso. Ciò non vuol dire – sia chiaro – che la sua opera poetica non abbia avuto uno svolgimento, né che insista su un solo registro. Luisi ha costeggiato, da giovane, i modi cordiali e popolari della poetica neorealista, ha orecchiato volentieri gli elegiaci meridionali, ha prestato attenzione persino agli esperimenti di «Officina» e dei *Novissimi*, pur girando alla larga dai loro gorghi ideologici e linguistici. Ha toccato, indifferentemente, la corda civile e quella privata, è stato realista e leggendario. Ha praticato il verso libero e le forme chiuse, intrecciando in particolare intere corone di sonetti con una scioltezza e una felicità, che raramente ci è occorso di riscontrare nella poesia contemporanea; è stato frammentario e laconico fino alla misura estrema, aforistico-epigrammatica, dello stornello e dello *haiku*, ma anche, alla bisogna, torrenziale, versando la sua vena narrativa o i suoi scarichi di coscienza in ariose e fluide forme poematiche.

Luisi è un poeta colto, sensibile e aggiornato, che attinge dalla vita la materia prima delle sue liriche, ma non rinuncia al filtro della letteratura (né, all'occorrenza, a quello dell'arte: si pensi, nello specifico, alla serie intitolata *Il doppio segno*). Il lettore esercitato ravvisa, perciò, nei suoi testi, le tracce di un dialogo discreto ma qualificante col più blasonato parnaso letterario del Novecento. Nel castello luisiano degli spiriti magni si distinguono, ad esempio, il Saba di *Casa e campagna*, il Gozzano entomologo delle *Farfalle*, il Cardarelli di *Giorni in piena*, il Montale degli *Ossi*, l'Ungaretti di *Sentimento del tempo* e della *Terra promessa*, il Gatto di *Morto ai paesi*, il Luzi di *Onore del vero* e di *Nel magma*, il Betocchi dell'*Estate di San Martino* e di *Un passo, un altro passo*, dei quali aleggiano, qua e là, lemmi, stilemi, movenze ritmiche, stampi sintattici. Nulla di esibito, s'intende, perché Luisi non ha bisogno di mostrare l'argenteria di famiglia, ma se ne serve con disinvolta, elegante, naturalezza. Si prenda, come caso limite, la stupenda *Teatro*, omaggio a Giorgio Caproni, suo illustre concittadino, scritta sulla falsariga del *Congedo del viaggiatore cerimonioso*, cui potrebbe essere annessa senza sfigurare.

Con le escursioni di cui si è detto, imputabili alla materia da svolgere non meno che ai mutamenti del clima letterario, la poesia di Luisi si dispone tuttavia, tirando le somme, sulla linea maestra che da Gatto arriva appunto al livornese Caproni, nel segno di un canto felpato, interiore, o appena accennato, come una cavatina o un motivetto a fior di labbra, ma sorretto da un giro armonico, da una cadenza musicale che si appoggia volentieri sulla misura sinuosa e però scandita dell'endecasillabo. Luisi ha saputo tenersi, quindi, al centro del canone lirico, in perfetta equidistanza, per riprendere una celebre categorizzazione pasoliniana, tra gli estremi del Novecento e dell'anti-Novecento. Ha evitato con ogni cura l'intellettualismo delle costruzioni a freddo, deliberatamente dimostrative, in nome di una schiettezza d'ispirazione che rifugge dagli *a priori* delle teorie e delle poetiche; né è mai caduto, d'altronde, negli abissi dell'oscurità ermetica, preservando una limpidezza di dettato che nasce da un desiderio di condivisione.

Luisi, infatti, non ha mai inseguito il miraggio dannunziano di un "vivere inimitabile", non ha mai praticato l'arte della parola in funzione ostensiva e discriminatoria, quale segno di una supposta superiorità di casta che distingue, separa ed esclude: al contrario, ha sempre inteso la poesia come registro delle esperienze comuni, come precipitato della natura umana, come deposito di sentimenti e pensieri in cui ogni uomo potrebbe ritrovarsi. Nelle sue liriche si affrontano, così, i grandi temi universali. Non per nulla, nei settenari doppi dell'*Autoritratto* che pone in cima alla sua *opera in versi* Luisi si definisce «schiavo d'ogni umana passione», facendo sua la celebre sentenza pronunciata dal vecchio Cremete nell'*Heautontimorumenos* di Terenzio: «humani nihil a me alienum puto». Questo spiega, fra l'altro, l'estrema versatilità della musa luisiana, capace di trascorrere agevolmente dalla sfera intima ai drammi sociali e della storia, perché in un caso come nell'altro all'origine c'è sempre un impulso di pietà umana, un piegarsi sulle ferite per lenirle, o almeno per compiangerle. Sono emblematiche, da questo punto di vista, nella sua penultima raccolta, *L'ombra e la luce*, le due sezioni intitolate *Nel male del mondo*, che intonano il canto del raccapriccio e della compassione sulle tragedie e gli orrori di questi anni.

Leggendo i testi di Luisi, si ha perciò l'impressione di sfogliare il grande album della vita, dove le circostanze biografiche del poeta s'intrecciano con gli episodi salienti della storia, dalle macerie del secondo conflitto mondiale ai recenti, drammatici, esodi di interi popoli, messi in fuga dalla fame e dalle persecuzioni. In questo senso, si potrebbe quasi parlare, in omaggio al poema ariostesco, d'«arme» e di «amori», con prevalenza, però, della componente sentimentale, all'interno della quale, semmai, l'altra dimensione ritorna in chiave di seduzione, di schermaglia fra i sessi o di ferita. Ma la tastiera luisiana del cuore comprende anche i registri più romantici e sublimi dell'innamoramento e del dono di sé, fino alla dedizione oblativa documentata dal commovente *Diario di una malattia*, in cui culmina il canzoniere dell'amor coniugale. Del resto, nell'ultimo appunto della serie *A tu per tu*, riconducibile alla metà degli anni novanta, Luisi aveva già stilato un bilancio esistenziale che suonava anche come una memorabile epigrafe ideale: «davvero / d'un progetto d'amore / dette testimonianza la sua vita / fino all'ultimo fiato».

La perdita della moglie accentua la drammaticità dei conti con la morte che il poeta aveva aperto in quel frangente, con *Il silenzio*. «Ingordo della vita», come si definisce in uno dei sonetti di *Senilità*, o suo «insaziabile ladro», per citare invece da *Altro fiume, altre sponde*, Luisi non si rassegna al *triumphus temporis*. Il titolo dato alla raccolta del 2004, *Nonostante*, esprime, con la sfumatura concessiva insita nella preposizione, anche questo attaccamento. La vita è troppo «ruffiana», per Luisi – e l'aggettivo va annoverato tra i lemmi più riconoscibili del suo idioletto –, perché lui si pieghi di buon grado all'idea di lasciarla. Nell'ultimo libro poetico, in una delle liriche della sezione *L'anima*, la implorava in questi termini: «ti prego / non andartene ancora / dolce vita che fuggi»; e poco più avanti, nella sezione *Il terzo giorno*, ribadiva col medesimo accoramento: «ora che nella mente / c'è un'estate che canta e non s'arrende / all'inverno che preme, / come si può / ora morire per sempre?». Se poi la ragione gli ricorda che la vita è una «clessidra / che non si può rovesciare» (*Le cose*), allora subentra, alla troppo umana protesta, la virtù cristiana della speranza, quella che poggia sulla fede nella parola del Risorto: «Chi crede in me, vivrà in eterno». Luisi se ne arma per lanciare, di nuovo nella serie *A tu per tu*, la sfida suprema alla morte: «per beffarti, per credere / che tu non prevarrai».

Il tema religioso s'intensifica, negli ultimi libri, proprio in vista del destino che ci attende oltre la soglia dei giorni terreni. Affacciatosi, a dire il vero, relativamente presto, tra i *Foglietti per me* (1951), nei modi ungarettiani di un tormentoso esame di coscienza, dove il sentimento del peccato, della carnalità, della dissipazione e del vuoto alimentava uno stato permenente di angoscia, esso era parso acquietarsi, all'altezza della *Vita che non muta* (1980), in una sapienza naturalistica di ascendenza sabiana, che assegnava a Luisi il ruolo di filosofo della sorte comune. D'altronde, espertissimo collezionista e fine cesellatore di poesie sui nicchi marini, per il quale rimando specialmente al catalogo lirico-didascalico del 1989 *Io dico: una conchiglia*, Luisi ha celebrato anche, nella natura come nell'arte, altrettante *Forme della bellezza*, riservando a tali implicite *laudes creaturarum* la terza parte di quest'*opera in versi*. Ma è appunto nelle raccolte della vecchiaia che la visione del poeta acquista un respiro eminentemente religioso. La disposizione tematica della presente edizione rende ancor più palese il rapporto biunivoco che sussiste, nella produzione estrema di Luisi, tra il pensiero dominante della morte e l'aprirsi di orizzonti metafisici. Alcuni titoli di sezione sono quanto mai sintomatici del terreno cristiano entro cui si è venuta spostando la meditazione del poeta, o degli spunti biblici che le hanno dato l'innesco: in particolare, *Lotta con l'angelo* e *Dal Libro*, in *L'ombra e la luce*, oppure i già citati *L'anima* e *Il terzo giorno*, in *Altro fiume, altre sponde*. D'altro canto, anche le *sequenze della vita di san Paolo* sviluppate nell'oratorio drammatico del 2008 traggono ispirazione dal Nuovo Testamento. In questa zona, ormai, l'esame di coscienza prende una piega consuntiva, quasi da *redde rationem*. Ma dalla profondità del raccoglimento scaturisce anche, per distillazione, da uno stato arreso di grazia, la parola tremante, purificata, umile e altissima, della preghiera; come il *Padre nostro* che Luisi risillaba, teologicamente interiorizzato, al termine della *Lotta con l'angelo*, dove lo sguardo del poeta s'innalza davvero a latitudini infinite: «Padre di tutti che stai / in quell'altrove inconoscibile / dei cieli, e qui in terra, / invisibile e muto, / e vedi il male che ci facciamo / con il corpo e la mente, orgogliosi / di questa nostra libertà di scegliere, / Tu che ti sei umiliato / nella carne dell'uomo, / [...] / fa' che sia / la nostra volontà solo il riflesso / del Tuo paterno disegno incomprensibile, / che nel Tuo nome si possa raggiungere / la concordia del pane fra le genti, / e che non sia la terra / con i suoi incanti, con i suoi legami, / l'ultimo nostro struggente pensiero, ma l'eterna / felicità annunziata. / E raccoglici / nell'infinita Tua misericordia / anche se tante volte, confusi noi T'abbiamo / dimenticato».

CRONISTORIA

Luciano Luisi è nato a Livorno, il 13 marzo del 1924, da Virginia Doveri, nata a Santa Luce (Pisa), ma di famiglia livornese, e da Luigi, nato a Ginosa (Taranto). Ha trascorso l'infanzia e la prima adolescenza fra Somma Lombarda, Gallarate e Parma. È sposato con Vera Siciliani, sua compagna di classe al liceo, e ha due figlie, Annalisa e Serenella.

La poesia si è affacciata prestissimo nella vita di Luisi.

A quindici anni ha partecipato ad un concorso promosso dalla sezione fascista del suo quartiere, e lo vinse. Era in borghese, senza la camicia nera, e c'era un gerarca tutto bardato che riteneva d'aver diritto al premio e invece arrivò secondo dopo quel ragazzino, e lo guardò con odio quando lo sentì leggere, in quel teatro gremito, il suo lungo Destino italico, *di cui si può immaginare il retorico contenuto patriottardo.*

Verso la fine delle medie i suoi professori si quotarono per pubblicare una sua raccolta cianografata. Fu intitolata Gemme *ed era rilegata in seta amaranto. Il pezzo forte era un lungo poemetto (la tendenza al poemetto o alle sequenze tematiche si era già rivelata allora) intitolato* Ripensamento in morte di Giacomo Leopardi *che era apparso nella rivista di un liceo sulla quale era scritto: "È una rivista fatta bene. Benito Mussolini". E ciò perché in quel liceo studiavano i suoi figli.*

(da L. L., *Lettera a un giovane amico,* Tracce 2011)

Ma si può davvero raggiungere la poesia nel suo orizzonte sempre più nascosto e sempre più lontano, soltanto con una determinazione che ci ricorda il "volli sempre volli" di Alfieri? Io diffido molto dei così detti poeti che hanno cominciato a scrivere nella maturità quando hanno già raggiunto una loro precisa fisionomia in altri campi della letteratura, ma che cercano la poesia per farsene un fiore all'occhiello. No, non è possibile perché se è vero che la poesia è la forma più alta di letteratura è altrettanto vero che attraverso la letteratura non si può arrivare alla poesia. Diceva John Keats che "se la poesia non nasce con la stessa naturalezza delle foglie sugli alberi, allora è meglio che non nasca neppure".

(da una intervista di Franco Fano)

Luisi vive a Roma fin dall'adolescenza. Al liceo ha avuto come professore di filosofia un giovane meridionale, Gioacchino Gesmundo, che ostentava una grande cravatta nera a fiocco sufficiente a rivelarne l'antifascismo. Era comunista, ma tormentato da molte inquietudini che lo facevano considerare non ortodosso dal suo partito. Nel suo studio aveva molte immagini del Cristo che come diceva si era sacrificato per l'amore per gli uomini. Una volta disse al professore di religione: "Beato te che credi". Durante una perquisizione trovarono tra i suoi libri un pacco di chiodi che servono per bucare le gomme. Fu arrestato e subì da eroe le torture del lager nazista di via Tasso, e poi fu ucciso nelle Fosse Ardeatine.

Profondamente addolorato Luisi scrisse un articolo (il primo della sua vita). Non sapeva dove pubblicarlo, ma un amico gli disse: sei cattolico, portalo al giornale della Democrazia Cristiana! Il direttore del "Popolo", Guido Gonella, lo accolse con benevolenza, ma gli disse: "I martiri sono tutti uguali, ma noi abbiamo i nostri". Luisi uscì deluso, ma il giorno dopo ebbe la sorpresa di vedere il suo articolo in prima pagina, di spalla sul “Popolo”. Fu quella la chiave che gli aprì poco dopo la carriera di giornalista proprio al “Popolo”: era il giugno del 1944.

Ormai finita la guerra, in quella strenua volontà di recuperare il tempo rubato alla vita, un grande fervore creativo di iniziative attraversò Roma come un vento di rinascita, un fervore che non può immaginare chi non l’abbia vissuto. Cominciarono ad uscire molte pubblicazioni anche letterarie, che volevano compensare il lungo silenzio. Fra queste un settimanale di grande formato, “Domenica”, dove apparvero, con bella evidenza grafica, poesie dei maggiori poeti italiani.

Con la baldanza propria dei vent’anni, una mattina mi presentai alla redazione di “Domenica” con una poesia. Mi accolse sgarbatamente un usciere che mi indicò una pila di fogli alta una trentina di centimetri.

“Mettila là” mi disse, dandomi del tu. Mi indispose, ma non dissi nulla.

Passarono quasi due mesi e, ormai senza speranza, tornai a chiedere notizie. Il solito usciere mi disse che tutte le poesie di quel pacco erano state scartate, buttate via. Alzai la voce dicendo il mio nome e chiedendo di parlare con qualcuno della redazione. Si affacciò dalla stanza accanto il redattore capo che, avendomi sentito, mi venne incontro con un sorriso cordiale e mi invitò ad entrare. “Ti ricordi quel grosso pacco di poesie?” – mi disse (e il suo tu mi lusingò) – “ne abbiamo scelte soltanto due, quella tua e quella di un certo... (cercò sul tavolo fra le sue carte) Elio Filippo Accrocca. In quel momento si sentì bussare e un giovane bruno con i baffetti disse all’usciere: “Sono Elio Filippo Accrocca, vorrei...”

Ci conoscemmo così in un modo che io non esito a definire magico, e così nacque la nostra amicizia che è durata più di cinquant’anni, fin quando Elio visse, senza mai un’incrinatura, cosa rara nell’ambiente letterario. Le nostre poesie apparvero in due settimane successive e incorniciate!

(L. L., da Maria Armellino, *Elio Filippo Accrocca, interprete e testimone del suo tempo,* Ed. Fermenti)

Nell'ottobre di quell'anno Luisi si presentò alla Segreteria dell'Accademia di Arte Drammatica di Roma con il sogno, che aveva nutrito fin da ragazzo, di diventare attore, ma sentito che avrebbe dovuto frequentare per diversi anni e che le prospettive economiche erano molto incerte, essendo fidanzatissimo con Vera, sua compagna di classe e volendosi sposare presto, vi rinunciò. Ma rimase nell'ambiente dell'Accademia iscrivendosi ad un corso di drammaturgia tenuto da un commediografo allora molto noto, Cesare Vico Ludovici.

1945. Il 16 dicembre esce su "Domenica" la poesia di Luisi *Frammento di elegia*, seguita il 5 maggio del '46 da *Notte di San Silvestro*.

1946. Il 29 aprile Luisi si sposa con Vera. Il padre di lei è il maestro Ulisse Siciliani, prima tromba nell'orchestra di Toscanini, autore di musiche classiche ma anche di canzonette e sopra tutto di colonne musicali per film, e forse per questo (quasi una sua presenza) sceglie come testimone della figlia un musicista, il noto pianista Marcello Fiorda. L'altro testimone è il professore di religione degli sposi, Gesualdo Nosengo, stimatissimo sociologo cattolico. Per lo sposo due testimoni: Giuseppe Sala, che diventerà direttore del centro sperimentale di cinematografia, e un giovane collega, prossimo sottosegretario alla presidenza del consiglio dei ministri, Giulio Andreotti.

Un cugino accompagnò gli sposi, con una sua approssimativa Topolino, ad Ostia. L'albergo che li attendeva era al centro della piazza sul mare e a loro parve bellissimo con quella sua brutta mole littoria, parzialmente sventrata da un bombardamento. Salire al secondo piano richiese un piccolo esercizio di equilibrio perché di gradini, su quella scala, ne erano rimasti pochi, ma questo non poteva avvilirli; e neppure il fatto che mancasse la luce: una grande luna, che faceva risplendere il mare, entrava nella stanza a illuminarli. Poi andarono a Livorno, dallo zio Beppino, fratello maggiore della madre dello sposo, che in quella città era nato. Il viaggio fu lunghissimo: attraversarono un paesaggio desolato che portava i segni della guerra, più visibili e sconvolgenti proprio in quelle strade che erano state una volta familiari e sembrava non riconoscere più. Il breve viaggio di nozze prevedeva ancora una tappa a Firenze da un altro zio, Dino, fratello minore della madre di Luciano e anche quel breve spostamento comportava molte difficoltà, ma lo zio Beppino, che era direttore della società elettrica, si ricordò che un'autobotte avrebbe dovuto fare proprio quel percorso. Gli sposi colsero subito con gioia e divertimento quell'occasione e partirono issati su quel mezzo. Fu – o così parve loro, trascinati da quel giovanile entusiasmo – un'avventura straordinaria. Allo sposo sembrava di essere uno dei personaggi di Steinbeck, di Furore, *di* Uomini e topi, *di* Pian della tortilla, *quei libri che lo avevano affascinato anche per le bellissime e nuove copertine di Bompiani, e con i quali aveva scoperto l'America che era preclusa.*

(da L. L., *Le mani nel sacco*, Camunia 1992)

Quando gli sposi passano da Livorno, il "Giornale del Popolo" saluta il giovane poeta e collega livornese, pubblicandogli la poesia intitolata *Livorno* il 10 maggio del 1946.

Dopo il matrimonio gli sposi vengono ricevuti dal Papa Pio XI. Luisi non avrebbe potuto immaginare che, dodici anni dopo, il 9 ottobre del 1958, sarebbe toccato a lui dare la notizia della sua morte, attraverso la televisione, e che poi avrebbe accompagnato, con una interminabile telecronaca, quell'imponente funerale che attraversò tutta Roma, e con il quale, forse si chiuse un'epoca della storia della Chiesa.

1947. La poesia premiata di Luisi *Desiderio sul fiume* (insieme alle altre e alla motivazione) esce sulla "Fiera Letteraria" il 13 marzo, nel giorno del suo ventitreesimo compleanno.

Nel 1947 la "Fiera letteraria" diretta da G. B. Angioletti bandì un concorso per una poesia, che aveva come commissio-

ne giudicatrice Enrico Falqui, Leonardo Sinisgalli e Giuseppe Ungaretti. Per sei settimane furono segnalati sempre gli stessi sei giovani, Elio Filippo Accrocca, Biagia Marniti, Margherita Guidacci, Luciano Luisi, Romeo Lucchese e Renzo Modesti. La "Fiera" chiuse il concorso dicendo di aver scoperto un gruppo di giovani poeti romani (anche se nessuno di loro era nativo e Modesti non viveva neppure a Roma). La motivazione diceva: "Fra i numerosi autori in gara, fra i quali non lieve si è dovuto riscontrare il gravame di poetiche recenti o alla moda, tre sono risultati più distinguibili e meritevoli di segnalazione. Il premio è stato pertanto diviso fra Elio Filippo Accrocca, Luciano Luisi e Renzo Modesti, ma la giuria si augurava di poter presto raccogliere qualche voce più inedita anche se più inesperta".

C'era dunque un'accusa al "precoce" mestiere di quei debuttanti. E quel mestiere fu forse il primo coefficiente che univa quei giovani poeti. E fu Giorgio Petrocchi che negli anni '50 cominciò a parlare di "scuola romana". Ad una domanda sull'argomento risposi: "Diventammo amici, ma non facemmo gruppo anche se eravamo accomunati non tanto dai contenuti che nel secondo dopoguerra potevano essere suscitati da uguali esperienze di vita, ma da un clima espressivo, dal problema del linguaggio che si apriva alla più diretta comunicazione". E diceva Margherita Guidacci (che consideriamo una delle voci più alte del secondo Novecento) con una dichiarazione che poteva essere condivisa da tutti: "Noi volevamo avere qualcosa da dire che interessi l'altro, e dirlo in modo che l'altro possa capirlo". Si enuncia così il tema della chiarezza espositiva che tenne lontani quei poeti romani dalle tentazioni avanguardistiche, dall'adesione ai gruppi che volevano fare tabula rasa della tradizione.

(da L. L., *Una vita di scorta. Panorami e voci di poesia dal dopoguerra ad oggi,* Ed del Premio Basilicata 2000)

A proposito dell'"accusa" di "mestiere" insita nel testo della giura del premio della "Fiera letteraria", negli anni 50 Luisi partecipa al Premio Città di Sinalunga, vinto da una ragazza che poi non ha continuato a scrivere. A Luisi tocca un secondo premio ex aequo con Pier Paolo

Pasolini. Per la complessità delle strofe la poesia di Luisi era intitolata *Esercizio di metrica*, che più esibizione di mestiere di questo non poteva essere.

1949. Esce la prima raccolta di Luisi, *Racconto e altri versi*. Con grande emozione lui stesso è andato a Parma a consegnare il dattiloscritto all'editore Ugo Guanda. Così ha raccontato quella sua esperienza.

Tornava a Parma, dopo dodici anni da quando la sua famiglia aveva lasciato quella residenza per trasferirsi a Roma. Ora ritrovava le immagini che erano rimaste sepolte, ma vive, in lui, già da quelle immutate della stazione. [...]

Aveva in tasca un fascicolo di poesie, e una gratificante lettera di presentazione di Giacinto Spagnoletti. Doveva incontrare Ugo Guandalini, l'Editore Guanda.

La Casa Editrice, che gli era familiare per i libri di Lorca, di Eliot e di tanti poeti stranieri che aveva imparato ad amare grazie a quelle collane, aveva la sede in prossimità della Piazza del Duomo. Lasciate le vie laterali, dove le luci e l'animazione rivelavano subito il carattere cordiale della città, entrando nella piazza, come allora, come la prima volta che la vide, provò un senso di smarrimento e fu risospinto indietro nel tempo.

Non c'era neppure una persona i cui passi risuonassero, come i suoi, in quel vuoto, e sotto la mole del Battistero, nell'incombenza del Duomo, la scarsa illuminazione elettrica non cancellava i tagli netti dell'ombra. Ricordava l'impressione che quei monumenti gli facevano da bambino, quasi d'incubo se a notte vi mandava i suoi riverberi la luna. [...]

Guanda lo ricevette con grande amabilità, lesse la lettera del critico, poi cominciò, in silenzio, a sfogliare il suo fascicolo. Lui taceva, in attesa, ma lo sguardo dell'Editore che, di tanto in tanto, levava dalle pagine, aveva una espressione sempre più partecipe, sempre più compiaciuta. Alla fine gli disse che le poesie gli piacevano e che avrebbe pubblicato subito la sua raccolta nella "Piccola Fenice". [...]

Era già stata superata l'ora di cena, e stavamo per lasciare insieme l'ufficio, quando suonarono il campanello. Guanda an-

dò ad aprire (i suoi collaboratori erano già andati via), e accolse con molto calore un giovane prete. Era certamente uno di quei preti che giravano intorno alla sua collana "Problemi d'oggi", dedicata alle "correnti spirituali più vive e moderne", ispirata da Ernesto Bonaiuti. Dopo aver detto al nuovo ospite che quel giovane era un poeta che avrebbe pubblicato presto, Guanda cominciò a leggere a voce alta la prima poesia del manoscritto. Continuò con la seconda, poi lesse la terza. E continuò.

Il giovane autore stava in piedi e man mano che la lettura, sempre più accalorata, proseguiva, si allontanava dal tavolo, fin quasi a nascondersi in un angolo in ombra, mentre la commozione gli bagnava gli occhi. Guanda aveva letto tutto il suo manoscritto senza accorgersi che era ormai notte.

(da *Le mani nel sacco,* Book,
seconda edizione accresciuta, maggio 2001)

Cultore, quasi maniacale, delle copertine, Luisi ottiene da Guanda di realizzarne, in sostituzione di quella della collana – grigio verde con il titolo nero – una più raffinata: bianca con un piccolo disegno di Renzo Vespignani che illustra il libro. Più di un critico gli dice di non aver capito, a causa della diversa veste, che fosse in quella collana in cui erano usciti Luzi e Parronchi, nel 1940. Il premio Lido di Roma autorizza Luisi e la giovane poetessa Biagia Marniti, di fregiarsi del titolo del premio anche se viene dato materialmente a Corrado Govoni.

1950. Alla fine dell'anno la rivista "Revue Neuve" di Parigi, edita da Debresse e diretta da Francis Guex Gastambide, pubblica le dieci poesie di *Racconto,* nella traduzione del direttore e con una sua nota critica. Il marzo del 1951, con lo stesso editore e lo stesso traduttore, esce *Après Guerre* che ripropone l'intera raccolta di *Racconto e altri versi,* con i bellissimi disegni di Vespignani.

1951. Ancora con disegni di Vespignani e la prefazione di Giorgio Caproni, esce, edita da Cappelli, *Piazza*

Grande con cui Luisi ricorda una delle pagine più tragiche della guerra in Italia, a Livorno, sua città natale.

Dopo la pubblicazione dei miei primi libretti, di tono prevalentemente narrativo, Geno Pampaloni, che dirigeva una collana di prosa per la De Agostini, mi chiese di scrivere un romanzo perché nelle mie poesie leggeva, intuiva, una possibilità creativa anche in quella direzione. Confesso fu la pigrizia, l'angoscia di dover scrivere tante pagine, a non farmi prendere in considerazione quella felice proposta: la stessa risposta la detti anni dopo a Valentino Bompiani che mi diceva, per invogliarmi, che un romanzo si scrive a piccoli pezzi alla volta. Riuscì invece a farmi piegare sulla pesante Olivetti con cui scrivevo, Raffaele Crovi, che mi pubblicò, nella sua casa editrice "Camunia", Le mani nel sacco. *Crovi era un uomo di molti ingegni, narratore, saggista, poeta e sopra tutto scopritore di talenti. Con la sua morte ha lasciato un grande vuoto, e io – e lo dico con stupore – mi sono accorto d'aver sentito la tristezza della sua perdita più di quella di altri amici che mi erano più vicini, e tuttavia proprio con lui ho avuto accesissime discussioni perché, da allievo devoto e collaboratore di Vittorini come era stato, aveva imparato l'arte dell'editor, che consisteva anche nel tagliare, tagliare ad ogni costo. Così delle trecento pagine che mi aveva chiesto (per le quali ne avevo scritte quasi settecento), ne rimasero poco più che 150. Mi disse allora che potevo rimetterci le mani ma avremmo perduto il Campiello che pensava potessi vincere. Ebbi infatti molti voti da quei giudici (che poi mi dedicarono recensioni davvero sorprendenti per un debuttante come ero), ma fui il primo dopo la cinquina, come appresi da una notizia del "Messaggero". Più tardi ho ricostruito in parte il romanzo per una seconda edizione, pubblicata da "Book" di Bologna.*

(da una conversazione con Franco Fano
al caffè Notegen di Roma)

1952. Giancarlo Vigorelli, direttore del settimanale letterario "Giovedì", invita Luisi a far parte della redazione dove trova Mimum Ungaretti, figlia del poeta, e, come critico d'arte, Lorenza Trucchi. Il compito di Luisi era, oltre le recensioni dei libri di poesia, quello dell'impaginazione che si faceva a Napoli. Così una volta alla settimana il suo orario era questo: stava al "Popolo", dove era redattore della terza pagina, dalle 17 alle 4 del mattino, e subito partiva per Napoli dove finiva il lavoro verso le 15. Riprendeva il treno e alle 17 era di nuovo al "Popolo" dove restava fino all'alba del giorno dopo. Ciò significa che, una volta alla settimana, lavorava ininterrottamente per 24 ore senza dormire mai, tranne quel poco sonno rubato durante i viaggi, per altro corti, di andata e ritorno. Ma dopo un anno e mezzo circa, lasciò quell'incarico, non soltanto perché, nonostante la sua giovinezza, era troppo gravoso, ma sopra tutto per un litigio con Vigorelli (il tempo ha poi cancellato quell'incomprensione).

1953. "La Fiera Letteraria" pubblica il poemetto d'amore *Ho viaggiato tutta la notte.*

1953. "Inventario", trimestrale diretto da Luigi Berti, pubblica il poemetto *Stanze alla linotype,* in tredici quadri legati da un refrain di tre versi ritmici che fanno come da commento al testo precedente. Nelle successive edizioni quel legame scompare, e muta anche il titolo che diverrà quello della terza raccolta di versi di Luisi: *Sere in tipografia,* Rebellato 1959. Già nel 1952 il poemetto che dà il titolo al libro, nella traduzione francese intitolata *L'imprimerie,* ottenne a Parigi un secondo premio ex aequo con Rosella Mancini, al Prix de la Mediterranée la cui giuria era presieduta da Gabriel Faure e composta da Pierre Benuit e Jean Louis Vandoyer, dell'Accademia di Francia, e da Gerard Bauer e Francis Carco dell'Accademia Goncourt, da Paul Fort dell'Accademia Mallarmé e da Henry Bedarida professore di letteratura italiana alla Sorbona. Il primo premio viene assegnato ad un vecchio poeta siciliano, Federico de Maria, che da molto tempo risiede a Parigi.

Verso la fine del '53 la RAI indisse un provino riservato a giornalisti professionisti per assumere i telecronisti della nascente televisione. E ciò evidentemente perché non voleva attingere alla professionalità dei radiocronisti, forse pensando che la TV avesse ancora un avvenire incerto. Si presentarono più di cento colleghi, molti dei quali (li conoscevo bene), con un tale spirito e una tale parlantina che in un salotto non mi avrebbero lasciato aprire bocca. Ma davanti a quel mostro di ferro pieno di lampadine (le telecamere allora erano quasi gigantesche) rimasero paralizzati. Alla fine restammo soltanto in due, ma l'altro (di cui non ricordo il nome) era un ufficiale di marina e tale voleva restare, pago di poter fare alcuni documentari sulla vita a bordo. Così entrai trionfante nella progettata redazione del telegiornale, e dopo poco mi dissero che avrei dovuto fare la telecronaca diretta della messa di Natale di mezzanotte, dalla cattedrale dell'Ara Coeli a Roma. La telecronaca? Cos'è? Nessuno sapeva darmi lumi, aiutarmi, perché non c'era nessuno che avesse mai fatto una telecronaca. Per una quindicina di giorni, con il regista Piero Turchetti, andammo ad ascoltare la messa, cronometrando ogni passo, e io cominciai a studiare la chiesa, leggendo vari libri, comparando notizie e giudizi con l'emozione che mi dava quella gloriosa cattedrale osservata centimetro per centimetro.

Fu un successo, salutato dal direttore generale (il commediografo Sergio Pugliese) con abbondante champagne per tutti i componenti di quella nascente famiglia televisiva. E io ebbi l'orgoglio d'aver battezzato un mestiere che in Italia, prima di me nessuno aveva fatto. Così che ho sempre detto scherzando (ma non troppo), di avere inventato la televisione.

Poi mi sono dovuto "costruire" un linguaggio televisivo, ho capito (nessuno poteva dirmelo) che una frase deve avere il "soggetto" suggerito dall'immagine inquadrata in quel preciso momento.

Ma la novità maggiore è venuta dopo, quando ho cominciato a "condurre" i grandi premi letterari e artistici (Viareggio, Strega, Campiello, Estense, Flaiano, Basilicata e il cinematografico Donatello). Fino ad allora, essendoci soltanto la radio, il radiocronista raccontava e commentava l'evento "dall'esterno", senza incidere nel suo percorso. Io ho portato il cronista "nell'e-

vento", condizionandolo (per esempio le interviste che bloccano la cerimonia, o un personale commento, o le recensioni ai libri in gara). Forse allude a questa novità Aldo Grasso, critico del "Corriere della Sera", che nella sua garzantina sulla televisione scrive: "Conduttore per antonomasia dei premi letterari, Luisi ha creato un genere che in seguito ha espresso solo modesti epigoni."

(da una conversazione registrata in una scuola)

1954. A luglio Luisi rischia di perdere il posto di redattore del "Popolo" per colpa di una poesia che il "Giornale d'Italia" gli ha chiesto per il suo supplemento domenicale. Luisi gliela dà con piacere, come, il giorno prima della pubblicazione, con ancora maggior piacere vede una bella "finestra" (come si chiama in gergo) con cui se ne annuncia la pubblicazione. Si trattava di un quotidiano, quindi di un concorrente del giornale dove lavorava, e a Luisi fu intimato di ritirarla. Ovviamente non fu possibile e la sua *Per un'attrice* esce, vistosamente incorniciata, il 25 luglio. Sono dovuti intervenire i probiviri dell'Ordine dei giornalisti per placare le acque. Comunque non sarebbe stato un dramma perché, alla fine del '53, era praticamente già entrato in televisione.

1955. Dopo aver lavorato per due anni come esterno, come collaboratore, accetta il contratto della RAI, e così lascia definitivamente "Il Popolo", quel giornale al quale aveva dedicato gli anni più fervidi della sua giovinezza, quegli anni in cui fu testimone di una Italia che si risollevava dalle sue macerie in una vera e propria rinascita che ha stupito il mondo.

1959. Salvatore Quasimodo vince il premio Nobel per la letteratura e Luisi va a Stoccolma per commentare in diretta alla televisione l'evento. Una grande amicizia lo lega al poeta con il quale ha frequenti incontri a Milano o a Roma dove Quasimodo scende quasi clandestinamente cercando soltanto lui o il comune amico Accrocca. Questa amicizia rende più emotiva la sua telecronaca anche perché dalla sua postazione vede vicinissimo il Poeta e legge la commozione nei suoi occhi. A Stoccolma, come altri inviati, Luisi cerca di ottenere una intervista da Anders Osterling, il segretario generale dell'Accademia, ma inutilmente, nonostante l'intervento a suo favore di Quasimodo. Poi all'improvviso viene invitato nello studio del vecchio critico. Ha saputo dopo che lo aveva ricevuto perché aveva letto su un quotidiano svedese una sua poesia che gli era piaciuta. Probabilmente (ma la rapida partenza non gli ha consentito di appurarlo) doveva questo favore al prof. Oreglia, direttore di una collana di traduzioni presso l'Istituto Italiano di Cultura.

1966. Il 6 ottobre "La Fiera Letteraria" pubblica il poemetto *Per un viaggio in India,* con una nota critica di Geno Pampaloni e con delle foto di Luisi a Bombay (come allora si chiamava).

1967. Giancarlo Vigorelli, che la dirige, invita Luisi a pubblicare nella "Grande Fenice" di Guanda la raccolta dei suoi primi venticinque anni di poesia. Entra così, come primo italiano, in quella prestigiosa collana che ci ha fatto conoscere i maggiori poeti di tutto il mondo. È lo stesso Vigorelli a suggerirgli il titolo: *Un pugno di tempo.* In una nota alla raccolta Luisi ha scritto:

Questo libro raccoglie quanto ho scritto dal 1944 ad oggi, cioè dalla giovinezza alla maturità, dal colore di un primo rapporto visivo con la vita (un guardare ad occhi aperti fuori per scoprirne le forme e gli inviti, anche se il paesaggio appariva sconvolto dalla guerra), sino ad un inquieto cercarne il senso ascoltando la propria natura di uomo nelle più segrete e sofferte contraddizioni; e, infine, a intuirne il vero significato nella storia degli altri in cui più compiutamente si realizza quella di ognuno. [...]

Ecco perché il poeta cerca il rapporto e il dialogo, la più vera ragione del suo manifestarsi. [...]

Il poeta è scoperto, indifeso. Il giudice, lo scienziato, il filosofo possono operare con il solo talento, dando la parte migliore e nascondendo se stessi. Solo chi compie l'operazione di scrivere poesie si consegna fino in fondo: non soltanto l'ingegno, ma il carattere, gli umori, la natura, la moralità: la sua intera personalità è in gioco. I suoi versi sono specchio e radiografia.

1968. Con *Un pugno di tempo* Luisi vince il Premio Chianciano la cui giuria è presieduta da Salvatore Quasimodo. Luisi e altri amici si intrattengono a conversare fino a notte fonda, e Luisi, che ha questa segreta attitudine, disegna con la biro un profilo del maestro. Poi, nel dicembre del '68, avrà la soddisfazione di vedere quel disegno nel catalogo di una mostra organizzata dal Comune di Milano, con i ritratti di Quasimodo (fra gli altri: Cantatore, Cassinari, Guttuso, Manzù, Caruso, Migneco, Sassu). Avrà poi il piacere di vedere quel suo ritrattino in quarta di copertina del libro di Curzia Ferrari *Una donna e Quasimodo* (Ferro editore). Ma una grande emozione – come racconterà tante volte – gliela dà il proprietario di una carto-libreria telefonandogli in albergo poco dopo l'alba per dirgli di scendere perché c'erano già tanti clienti per il suo libro. Nonostante il sonno Luisi, semivestito, scende in quel retrobottega dove gli portano le copie da firmare, quelle copie (ed è questo che lo commuove) che comprano e pagano!

Come a tutti i poeti anche a Luisi è stato chiesto che cos'è la poesia. Questa la sua risposta:

Non saprei dire che cos'è la poesia, ma so con certezza che cosa non è. Non è, come molti superficiali credono, una fuga dal mondo (il poeta acchiappa nuvole come dice il volgo). Al contrario: la poesia è una sonda nelle zone più profonde e oscure dell'uomo, dove il poeta cerca il senso della vita.

Da qualche anno la critica ha assunto un compito che non è il suo. Invece di commentare, chiosare, spiegare i testi al lettore, operazione che viene "dopo", dopo la creazione del testo, ora pre-

tende di precederlo stabilendo, per esempio, che la poesia debba essere "sliricizzata". Ora, se consideriamo che le due espressioni "poesia" e "lirica" sono considerate generalmente sinonimi, è come chiedere che la poesia diventi non-poesia. [...] Da quel dictat consegue che viene messa al bando la poesia autobiografica, la centralità dell'io. Ma generalmente i poeti parlano delle loro esperienze esistenziali e non voglio ricordare Walt Whitman: "Io celebro me stesso, io canto me stesso / e ciò che io presumo tu pure devi presumere perché ogni atomo che mi appartiene è come appartenesse a te". E gli fa eco il pensiero, incontestabile, di Giorgio Caproni: "Chi legge un poeta vero legge se stesso".

Cancellare l'io, nell'ampiezza del suo significato, significa cancellare la voce più alta della poesia di tutti i tempi, e implicitamente mettere al bando il grande tema dell'amore cui sono legati i maggiori poeti d'ogni epoca, il tema del dolore, il tema della morte, della ricerca di Dio, tutti temi che attengono all'uomo nella sua individualità. Se la poesia è uno strumento di conoscenza, come la filosofia, come la teologia, il poeta ha a sua disposizione, come strumento conoscitivo, soltanto se stesso. Ha scritto Geno Pampaloni: "L'autobiografia non è salvezza o rifugio, ma banco di prova".

(da L. L., *Lettera a un giovane amico*,
Tracce 2011)

1970. Per una collana di testi biblici tradotti da scrittori italiani, ideata da Papa Paolo VI per i suoi omaggi natalizi, Luisi traduce *La lettera ai Romani* di S. Ignazio Vescovo di Antiochia stampato in tiratura limitata dalla tipografia poliglotta vaticana, con disegni di Luigi Filogamo.

1976. Dall'Università Pro Deo di Roma viene offerta a Luisi la cattedra di giornalismo radiofonico e televisivo, cattedra che terrà per una decina di anni con grande entusiasmo. Su richiesta degli allievi aumenta il numero delle lezioni. Inoltre, per supplire un docente, tiene un corso sull'arte contemporanea.

Luisi è stato uno dei più assidui e prestigiosi componenti di giurie letterarie. Fin dalla fondazione ha fatto parte del "Basilicata", del "Penne", del "Lanciano", del "Fondi" e, quasi dall'inizio, del "Frascati". Del "Premio Fiuggi" (nella nuova edizione del 1982), oltre che segretario generale è stato anche ideatore e direttore della collana di saggistica dedicata ai vincitori. In tale veste Luisi ha curato le monografie di Mario Luzi (1983) e di Michele Prisco (1985), ed essendo il premio aperto anche agli artisti, le monografie di Renato Guttuso (1984) e di Emilio Greco (1985); monografie, queste, tutte edite dal premio stesso. Inoltre con Cosimo Fornaro ha diretto la collana dei testi monografici del premio "Gli ori di Taranto", curando quelli di Vasco Pratolini (1988) e di Leonardo Sciascia (1990), nelle edizioni Mandese. Luisi ha anche diretto la collana degli "Incontri di Lanciano", curando, insieme con Franco e Gianna Di Nenno, un testo a più voci (edito da Carabba) sul romanziere e poeta abruzzese Eraldo Miscia.

Molto intensa l'attività pubblicistica sull'arte. Luisi è stato il responsabile dell'informazione artistica e letteraria in televisione, con le "dirette" di grandi rassegne (le Biennali, le Quadriennali, il Premio Marzotto) o con servizi filmati per le mostre nelle varie città italiane e la rubrica "Arti e Lettere" in collaborazione con Antonio Donat Catten. Numerosi i suoi testi critici. Tra le monografie: *Norberto*, 1978, *Annigoni*, 1981, *Kokocinsky*, 1986 (Ed. "La Gradiva"); *I volti di Treccani*, 1974, *Coerenza di Renzo Morandi*, 1974, *Acquerelli marchigiani di Walter Piacesi*, 1975, *Capellini*, 1981 (Ed. "Ghelfi"); *Lettera a Marcello Landi* (Belforte, Livorno, 1971); *Il silenzio di Gulino* (I Volsci, Roma, 1972); *Bruno Guidi* ("Ed. Dell'Artista", 1982); *Leon Marino* (Bastogi, 1983); *Covili* (con Vico Faggi, Panini, 1985); *Tramonti* (La Ceramica, Faenza, 1986); *Federico Spoltore* (con Enrico Crispolti, Bellini, Milano, 1986); *Benaglia* (G.D.C., 1987); *Robazza* (Newton Compton, 1988); *Mezzacapo* (Lalli, 1998); *Fodaro* (L'Edizione, 1992); *Chieppa* (Schena, 1990). Suoi testi anche nelle monografie su Omiccioli, Gentilini, Miglietta, Greco, Colombini, Possenti, Frosecchi, Michetti, Beppe Guzzi, Monachesi, Agostini e decine di presentazioni in cataloghi di mostre. Nel 1993 Luisi scrive un testo introduttivo in occasione del restauro dell'affresco di Orfeo Tamburi *Il carnevale romano* del '39, che viene pubblicato per l'edizione Promoart accanto a quelli già editi allora di Severini e Guttuso. Ha inoltre curato presentazioni per cartelle di grafica di Tamburi e Caffè (Ghelfi). Ha scritto *Un secolo di arte* in *Cento anni a Roma 1870-1970* (Palombi Editore, Roma, 1970) e *Pittura e scultura in Italia* nell'Enciclopedia Universale Curcio (1974). Ad Abano Terme (Pd), ha organizzato e presentato la Mostra di tutta l'opera grafica di Emilio Greco, nel marzo dell'80, e a novembre dello stesso anno, quella di Renzo Vespignani. Ha organizzato per la Confcommercio, nel suo 40esimo anno di fondazione, *Un panorama di tendenze: 40 pittori scelti da 40 critici* a Castel S. Angelo a Roma nel 1986, e ne ha curato il catalogo edito dalla Newton Compton. Nell'estate dello stesso anno ha promosso e curato la mostra itinerante fra Foggia e altre località della provincia, del pittore e architetto messicano Manuel Felguérez, che avrà poi il piacere di frequentare a Città del Messico quando sarà invitato al convegno dei poeti latini. Nel giugno del 1991 è stato invitato in Malesia, a Kuala Lumpur, dal più potente fra i maragià che governano il paese, per introdurre la mostra di incisori romani (Pirantesi, Rossini, Vasi, Perboni ed altri) promossa dalla Olivetti, che ha in quell'area geografica una imponente presenza lavorativa. Nell'occasione Luisi ha scritto il catalogo per la vasta personale del pittore malese Ibrahim Hussein, sponsorizzata anch'essa dalla Olivetti per il Museo di Belle Arti di Santiago del Cile. E non bisogna dimenticare la mostra dello scultore e incisore italiano Pasquale Basile, invitato in Malesia con l'avallo della presentazione critica di Luisi.

1995. Scrive i commenti per gli altorilievi dello scultore Robazza su Dante, nelle Edizioni d'Arte "La Loggia".

A seguito di questa sua attività di critico d'arte gli viene offerta la Cattedra di Storia dell'Arte presso l'Accademia statale di Belle Arti con destinazione a Foggia. Luisi dovrà lasciare quell'insegnamento, che è a tempo indeterminato e che gli dà grandi soddisfazioni, per i molti impegni giornalistici oltre quello quotidiano con la televisione. Scrive su "Il Popolo", "Il Tempo", "Il Gazzettino" e successivamente "Liberal" e sulle riviste "Letteratura", "La Fiera Letteraria", "Oggi e Domani", "Pagine", "Contrappunto", "Polimnia" e altre, e dirige inoltre, per un breve periodo, il mensile "L'informatore Librario" dell'editore romano Lucarini.

La critica ha parlato spesso di "visibilità" nella poesia di Luisi, di quel susseguirsi di immagini scandite nella loro "concretezza". E ciò si deve anche all'assidua frequentazione degli artisti che fin da giovani hanno illustrato le sue raccolte. È un consuntivo che fa pensare: otto disegni di Renzo Vespignani per *Racconto e altri versi*, *Piazza Grande*, *Après guerre*; undici acquerelli di Aligi Sassu per *La vita che non muta*; diciotto disegni di Orfeo Tamburi per *Nella cronaca*; sette oli di Antonio Possenti per *Io dico: una conchiglia*; cinque disegni di Emilio Greco per *La sapienza del cuore*; dodici quadri di tecnica varia di Enrico Benaglia per *La farfalla vanesia*; undici disegni di Angelo Canevari per *Nella sua luce*; le quattro litografie delle cartelle di Sughi, cinque di Treccani, quattro di Basile e tutti i disegni che accompagnano le poesie dedicate agli artisti ne *Il doppio segno* (Schena, 1994). Che bellissima mostra verrebbe! E poi, quasi a voler riunire tutti gli amici artisti, i vivi e i morti, in un ideale banchetto, Luisi ha scritto *Piazza del Popolo: pittori e scultori a Roma dal dopoguerra a oggi* (Edizione RAI - ERI, 1988, premio Il Molinello).

Elio Andriuoli gli chiese (“Lettera in versi”, “Bomba Carta”, giugno 1990): “Cosa ti ha indotto ad intraprendere questo lavoro? Quali sono stati i tuoi antecedenti?”

Piazza del Popolo *è un libro che è cresciuto con me, dalla giovinezza alla soglia della vecchiaia. Rivivono sopra tutto i lontani anni del dopoguerra, in una Roma ricca di un irripetibile fervore creativo, di speranza, di progetti. Nella “sorpresa”, di sentirsi miracolosamente vivi dopo la parentesi buia della guerra, i giovani che avevano aspirazioni artistiche vivevano insieme, frequentavano gli stessi bar, le stesse trattorie, gli stessi salotti accoglienti. I poeti (riprendendo una tradizione che era stata gloriosa) scrivevano testi critici che accompagnavano i cataloghi delle mostre, i pittori illustravano le loro prime raccolte. Giovani pittori che si chiamavano Vespignani, Buratti, Attardi, Caruso e anche, di poco più anziani, Omiccioli, Gentilini, pittori che in quegli anni usavano il disegno (il colore sarebbe arrivato dopo) per dare testimonianza di quella stagione tragica e alla fine, a suo modo, bellissima. Compagni di strada e fraternamente amici. Un racconto che ha, sì, trentacinque comprimari, ma del quale posso anche dire di essere il protagonista, se, rileggendolo, mi accorgo in fondo che, sopra tutto la prima parte, che è la più omogenea, è anche il diario di quella mia fervida giovinezza.*

Voglio ricordare la stanza di Beppino Mazzullo, il suo studio, con due brande come divani, che accoglievano accanto a tanti giovani, artisti famosi: Ungaretti, Guttuso e perfino una volta Éluard. A tutti gli amici Mazzullo offriva un bicchiere di vino rosso.

Andriuoli gli ha chiesto ancora: “Tu hai insegnato giornalismo televisivo all’Università Pro Deo di Roma e Storia dell’Arte all’Accademia di Belle Arti di Foggia: cosa vuoi dirci di queste tue esperienze?”

Non so perché ma questa domanda mi ha suscitato due ricordi della mia infanzia. Quando stavo a Livorno scappai da casa per andare a Tirrenia, che allora era la città del cinema: volevo diventare attore e riuscii ad essere ingaggiato come comparsa. Credevo di dover restare fuori casa per poche ore e invece passò la notte e parte del giorno successivo quando, dopo affannose ricerche e tanta angoscia, mi trovò mia madre. Così quando mi arrivò un contratto, che aveva voluto proprio Gioacchino Forzano che mi aveva notato, quei fogli tanto desiderati furono distrutti. Anni dopo, trasferiti a Parma, la frequentazione di un parroco che era in odore di santità aveva destato in me la vocazione del sacerdozio. E mi vedevo con la tiara da vescovo! Un amico psicanalista, al quale, tanti anni dopo raccontai di quelle due aspirazioni che mi sembravano così palesemente contraddittorie, mi disse che invece erano analoghe: in tutti e due i casi io cercavo il pubblico. Aveva ragione. E quale pubblico, quale più vasta platea potevo trovare se non quella televisiva alla quale ho dedicato trentacinque anni della mia vita. Ma ancor più pubblico (non più astratto, quasi virtuale, nonostante abbia quasi sempre parlato da un palcoscenico), quello di un'aula, più vero perché dialogante, reattivo, e grazie al quale insegnando ho tanto imparato.

Avevo un'aula con una ventina di posti e me la ricordo gremita di ragazzi in piedi che mi ascoltavano anche per un'intera mattinata rifiutando le mie offerte di pause. Un'esperienza che non dimentico, che mi porto dentro fra le cose positive della mia vita.

Ma vorrei aggiungere che il poeta è sempre alla ricerca del "suo" pubblico: meno visibile, meno numeroso, ma che sa suscitare un muto dialogo che è la finalità della poesia.

1986. Luisi è invitato a Città del Messico per il primo incontro dei poeti del mondo latino. Esaltante, come ha detto poi, ma anche mortificante, di fronte ad una vera e propria folla che gremisce le balconate della Casa delle Arti, e per molte ore consecutive, dover pensare che in Italia, "paese di poeti", è quasi un successo riunire una ottantina di persone per una lettura di poesie. È stato mortificante vedere che un tassista, per cambiare i soldi compra su un carrettino il teatro di Racine! A metà convegno pochi dei poeti invitati vengono trasferiti a

Guanajuato, bellissima città caratterizzata da un barocco quasi aggressivo, e che ospita annualmente il festival Cervantino, in onore di Miguel Cervantes, e dove numerose strutture provvisorie consentono la contemporaneità di decine di spettacoli per gli artisti venuti da tutto il mondo. Ai poeti è offerta ospitalità nelle chiese dove le letture diventano più intense, più suggestive. Guanajuato è famosa perché in una grotta, esplosa misteriosamente, sono stati trovati corpi perfettamente mummificati e che ora costituiscono una macabra attrattiva. Ma nota anche per aver dato i natali a Diego Rivera, uno dei più grandi pittori messicani, e la cui casa-studio, perfettamente conservata, è molto visitata.

Pochi giorni dopo, nel pullman che ci riportava a Città del Messico, io guardavo con stupore (e con un sentimento, forse inspiegabile, di consolante fratellanza) quei volti diversi che mi ricordavano le pagine di geografia di quando ero bambino, che mostravano le varie tipologie umane. A un tratto una voce (in che lingua?) cominciò a cantare "Nel blu dipinto di blu" e subito un'altra si unì, e poi un'altra ancora, e presto fu coro dove quella babele di lingue sembrò unirsi in uno stesso sentimento. Per me era l'Italia che mi raggiungeva a migliaia di chilometri di distanza e non so come riuscii a trattenere la commozione (ma forse no). Ecco, qualcuno è arrivato a proporre che quella canzone Volare *– come è stata universalmente ribattezzata – diventi il nostro inno nazionale in sostituzione di quello di Mameli perché è indubbio che bastino poche note di quella canzone per far pensare all'Italia. Ma, nonostante il mio amore per Modugno, questo grande artista pugliese, grande come musicista, come cantante, come attore, dico che sarebbe un grave errore quello di tagliare il filo di una gloriosa tradizione, cancellare quell'inno che hanno ascoltato migliaia di italiani mentre stavano morendo per l'unità del nostro Paese."*

(L. L., da *Lettera a un giovane amico*,
Tracce 2011)

1986. A dicembre esce, nelle edizioni Rusconi, *La sapienza del cuore* che riunisce quarant'anni di poesia. Soltanto dopo molti anni, in un circolo di cultura romano dove si trattava il tema del rapporto fra autori ed editori, Luisi avrà l'occasione per raccontare il modo davvero insolito, e molto lusinghiero, con il quale si è giunti a quella edizione. Un amico presente ha registrato e trascritto:

In una calda sera di primavera dell'85, si è svolto, sulle bellissime terrazze del Castel S. Angelo, un favoloso ricevimento in onore di quella squisita persona, di quel geniale editore che era Valentino Bompiani. Si può dire che fosse presente tutta la cultura italiana: scrittori, poeti, illustri docenti, artisti e il mondo dell'editoria. Ovviamente c'era anche l'editore Edilio Rusconi. Rusconi aveva una grande stima di me, tanto da avermi invitato a dirigere una sua progettata televisione che poi non nacque. Era stata sua l'idea del Premio Campiello, che perciò seguiva con amore, ed essendone io l'abituale conduttore televisivo, qualche volta dopo la cerimonia andavamo a cena insieme, con mia moglie e con altri scrittori. Accadde che durante la festa per Bompiani, muovendoci tra i tavoli per salutare questo e quell'amico, mia moglie ed io ci trovassimo a qualche passo di distanza e io vidi Rusconi che le si avvicinava. A quella breve distanza riuscivo a sentire. Le diceva: "Signora, suo marito ha pubblicato Racconto e altri versi *nel '49, nel 1953* Sere in tipografia, *nel '68,* Un pugno di tempo. *È venuta l'ora che riunisca tutto". Poco dopo, quando lo vidi solo, mi avvicinai e gli dissi grazie. Lui mi tese la mano e quella stretta di mano fu la prima forma del nostro contratto.*

Andai a Milano nella Casa Editrice, ma quando vide come era grande il malloppo, il direttore editoriale mi propose scelte alternative che io rifiutai. Dovette allora obbedire al capo e fu pubblicato un libro di circa trecento pagine, rilegato in tela e con la sopracoperta plastificata. Naturalmente era costoso. Così, quando lo andavo a presentare nelle scuole, gli studenti che lo chiedevano, visto il prezzo rinunciavano. Ciò nonostante ne sono state vendute tre edizioni in undici mesi, anche grazie al fatto che ha vinto undici premi. Purtroppo con la morte di Ru-

sconi è morta anche la casa editrice e con lei la quarta edizione già pronta.

1996. Luisi viene nominato accademico della Insigne Accademia pontificia di Arti e Lettere dei Virtuosi al Pantheon, assumendo il ruolo di rappresentante della classe dei letterati, con i compiti, fra gli altri, di partecipare al Consiglio di Presidenza e di proporre i nuovi accademici che saranno poi nominati dal Pontefice. Nel 2004 l'Accademia onora Luisi di una pubblicazione *Poesia e vita: omaggio a Luciano Luisi*, a cura del presidente Vitaliano Tiberia che ne ha scritto l'introduzione, e con interventi di padre Bernard Ardura segretario del Consiglio della Cultura, dell'accademico Renato Civello, del critico e poeta Dante Maffia, e con un folto gruppo di poesie.

1988. Il 16 ottobre il Comune di Ginosa, paese dove nel 1895 è nato suo padre, dichiara Luciano Luisi cittadino onorario per meriti culturali. Quando il padre, Luigi Luisi, è nato, Ginosa era comune di Lecce, quando è morto, nel 1952, era diventato comune di Taranto. Così alla cerimonia sono intervenuti due vescovi e due provveditori agli studi. Essendo suo padre sedicesimo di diciassette figli, è immaginabile il grande numero di cugini e parenti che hanno contribuito a rendere memorabile quella cerimonia.

1989. Nelle edizioni Newton Compton, Luisi pubblica *Luna d'amore*, traduzione di duecento poesie d'amore di tutte le letterature.

La traduzione è un'operazione critica come ritiene nel suo famoso saggio, Il compito del tradurre, *Walter Benjamin. E del resto basta fare l'esperienza, la scommessa esaltante del tradurre anche una sola poesia per rendersi conto delle domande che pone, del ventaglio di soluzioni che suggerisce e che determinano scelte che spesso vanno oltre il testo specifico.*

Ho cominciato a tradurre da ragazzo, negli anni fervidi del dopoguerra. L'attore Achille Millo, molto apprezzato come lettore di poesia, aveva una rubrica di poeti stranieri nel terzo programma della radio e a lui affidai due brevi sillogi di Apollinaire e di Rimbaud. Dopo il caldo apprezzamento di Ungaretti che mi aveva chiesto di tradurre tutto Apollinaire, anche un giovane editore romano, Porfiri, mi offrì un contratto per una traduzione completa dei due poeti, e io lo rifiutai non soltanto per la mia pigrizia, ma anche perché avevo tradotto con un metodo insolito, cioè imparando a memoria quei testi e ripetendoli in me fino a quando la parola italiana si calava nella musica di quella francese. Questo – come dire? – "ricalco" è sempre stata la prima e più essenziale finalità del mio tradurre, con la necessità irrinunciabile di servirmi, per le lingue che non conosco, di gentili e pazienti "vocabolari viventi" che si prestavano a leggere e rileggere fino a quando non fossi entrato in sintonia con quel tono, quella cadenza, quella musica dell'originale.

Credo che nel tradurre la fedeltà vada cercata nell'aderenza all'emozione del testo originale che il testo italiano deve restituire facendo capire quanto un poeta vero sia sempre nostro contemporaneo. [...]

(dall'intervista a Andriuoli)

Dopo un lungo silenzio, è stata una occasione straordinaria a farmi riprendere il piacere del tradurre: l'incontro con Anna Achmatova. Era il 1964. La celebre poetessa venne in Italia per ricevere il premio Etna-Taormina avendo ottenuto, dopo diciassette anni, il permesso di allontanarsi dalla Russia. Sul suo viso luminoso, appesantito dagli anni, si leggeva appena la bellezza di un tempo. Fu proposto in suo onore, da Giacomo Debenedetti, che tutti i poeti presenti traducessero una sua poesia. Quella traduzione stimolò in me la voglia di continuare, come poi feci. [...]

Mi vengono in mente le parole che Giaime Pintor scrisse per la sua mirabile traduzione di Rilke: "La traduzione è libera: notizia forse inutile per chi sa che ogni traduzione è libera per natura. In alcuni casi è arbitraria" perché "la traduzione di fatto si risolve in un oscuro patteggiamento di concessioni, di

resistenze, di pretese senza prova di legittimità tra autore e autore", come osserva, dall'alto della sua esperienza, Mario Luzi.
(da L. L., *Lettera a un giovane amico*)

1998. Febbraio. l'Università di Pavia indice un Convegno internazionale sul tema "Poesia e infanzia". Luisi tiene la prolusione intitolata *I bambini e noi*, concludendola con la lettura di tre sue poesie tratte da *La farfalla vanesia* (Ed. Paideia, Firenze, 2000): *Sirio, Astolfo* e *Sognare.* I testi del convegno sono pubblicati dalla casa editrice Piemme nell'annuario sulla letteratura giovanile "al-Manacco" del 1999.

2001. Luisi riceve l'incarico di dirigere la sezione letteraria della mostra "Roma 1948-1959. Arte e Cultura dal Neorealismo alla Dolce Vita", a cura di Maurizio Fagiolo Dell'Arco e Claudia Terenzi nel Palazzo romano delle Esposizioni, dal 10 gennaio al 21 maggio. Molto di ciò che viene esposto – libri, fotografie, autografi – proviene dall'archivio personale di Luisi che, per realizzare il suo progetto, si è avvalso della collaborazione della professoressa Silvana Cirillo dell'Università "La Sapienza".

Nel monumentale catalogo di Skirà, Luisi pubblica un saggio sulla *Roma dei poeti.*

Nel giugno del 2002, Luisi è invitato a tenere una lettura dei suoi versi dalla Fondazione "Il Fiore" di Firenze. Al termine, una delle segretarie gli dice: "Da qui sono passati i maggiori poeti d'Europa, nonché ovviamente italiani, ma l'emozione che abbiamo sentito nel pubblico durante la sua lettura non era mai stata così palpabile: si sarebbe potuta tagliare col coltello".

2005. Luisi raccoglie in un volume tutte le poesie d'amore di tutte le sue raccolte (*Poesie d'amore,* Newton Compton). E lo fa in un tempo in cui la critica, dimenticando che il suo compito è quello di "venire dopo", pretende di stabilire, per esempio, che la poesia debba essere "sliricizzata". Da quell'assurdo diktat consegue che viene messa al bando la poesia autobiografica, la centralità dell'io.

Cancellando l'io nell'ampiezza del suo significato si cancella la tematica più presente nella storia della poesia di tutti i tempi, perché ancora implicitamente si vuole negare l'ispirazione amorosa. Non sono dunque ormai grandi modelli cui voltarsi Saffo e Catullo e Ovidio? E tutti i greci e i latini che ci hanno reso partecipi delle loro sofferenze d'amore? E Dante e gli stilnovisti e il Petrarca, che non per il suo sublime Canzoniere *pensava di avere a gloria, ma invece per il suo poema sull'Africa! Anche un poeta dei nostri giorni, Pablo Neruda, aveva forse creduto di affidare la propria immortalità ad un poema, cioè il suo* Canto general *e non alle sue struggenti poesie d'amore. In occasione del Premio Viareggio nel luglio 1967, gli dissi che lui era un grande albero del quale sarebbero sopravvissuti i rami più leggeri che portano fiori: le sue incomparabili liriche d'amore. Aggiunsi che anche un grande poeta spagnolo si era espresso in termini analoghi, e gli lessi poche righe. Mi chiese chi fosse, "Garcia Lorca" risposi... Ne fu stupito e compiaciuto. [...]*

Restiamo in Spagna. Sono poeti di profonda introspezione psicologica e d'amore il sommo Jiménez, premio Nobel, e Machado, e poi tutti i poeti della così detta generazione del '27 fra i quali giganteggia Garcia Lorca, tre poeti che sono, nella loro solarità, i massimi poeti del Novecento.

[...]

Dunque cancellare l'autobiografia? Ma la poesia è scavo interiore, ricerca in sé del senso della vita. Se la poesia è – e tutti concordano su questo – uno strumento di conoscenza, come la filosofia, come la teologia, il poeta ha a disposizione, come solo elemento conoscitivo, se stesso. E su di sé indaga per conoscere gli altri. La poesia penetra negli strati più profondi e inesplorati della nostra individualità. Ha scritto Geno Pampaloni: "L'autobiografia non è più salvezza o rifugio ma banco di prova".

I grandi temi della poesia, e i più trattati, sono l'amore, il dolore, la morte, la fugacità del tempo, il mistero della nostra estrema destinazione, e, per chi crede, la ricerca di Dio. Tutti temi che riguardano l'uomo. Il poeta non ha sentimenti o emozioni che siano un suo privilegio, egli prova ciò che prova anche l'uomo della strada, ma lui ha il dono, questo sì, di avere le parole che dall'inconscio portano quegli stati d'animo alla luce. E il lettore comune se ne abbevera perché in quelle parole si rispecchia, ritrova se stesso. Diceva infatti un grande poeta, Giorgio Caproni: "Chi legge un poeta vero legge se stesso". Chi potrebbe contraddirlo? E non aveva già detto, un secolo fa, Giosuè Carducci, parlando del poeta: "Pianse ed amò per tutti?".

(da *Lettera a un giovane amico,* Tracce)

Una domanda di Andriuoli: "Un tuo recente libro della Newton Compton, *Poesie d'amore,* riunisce tutte le tue poesie edite e inedite su questo tema fondamentale accanto a quelli della morte e di Dio. Vuoi parlarcene?"

Se giudico dalla molteplicità di testi su questo tema, devo dare ragione a Michele dell'Aquila che sostiene che io sia, più di quanto non voglia accettare, poeta d'amore. E me ne sono accorto quando, rispondendo all'invito della Newton Compton (per la quale avevo già pubblicato le traduzioni di Luna d'amore*) di realizzare questa antologia, mi sono reso effettivamente conto di come il tema amoroso abbia attraversato la mia vita e la mia ispirazione. Ma direi di più: se è vero che tutta la poesia è sempre d'amore, nel suo esprimere una volontà di comunicazione, di dialogo con l'altro da sé, lo è particolarmente la mia dove a piene braccia vi è effuso un sentimento d'amore per tutto ciò che esiste, per le cose che sono le impronte dell'uomo, per la natura che mi affascina in tutti i suoi aspetti (ne è un segno il mio collezionare conchiglie e, da ragazzo, insetti e foglie) e sopra tutto, come compendio di questo mio slancio vitalistico, l'amore per la vita. Persino là dove il tema della mia poesia sembra essere, ed è, quello della morte, questo amore della vita erompe in tutta la sua disperante intensità.*

Ancora da Andriuoli: "Sei considerato il poeta dell'amore. Nei tuoi versi l'amore è compartecipazione, amore a una vita vissuta insieme, cioè comprensione dell'altro. Qual è la differenza fra l'innamoramento e l'amore?"

Generalmente le poesie d'amore "raccontano" le due fasi estreme della vicenda amorosa, l'innamoramento e la fine dell'amore (più questa che l'altro), i due momenti in cui, nel segno della felicità (folgorante come un fulmine che brucia e sparisce), o in quello dell'infelicità, i sentimenti sono vissuti nella loro massima tensione. Anni fa tradussi duecento poesie d'amore di tutte le letterature organizzandole come le fasi della luna: dalla luna nascente (l'innamoramento, appunto) alla luna cinerea (il rimpianto, la memoria). Ebbene, le ultime sezioni erano le più gremite. Segno evidente che l'amore lo si rivive sopra tutto quando il ricordo si fa doloroso. Ma questo vale per ogni sentimento. Nella poesia sono molto più presenti l'infelicità e la malinconia, che la gioia. Spesso nell'innamoramento (e rispondo così alla tua specifica domanda) vi è la cecità della passione che può diventare compiutamente amore soltanto quando sia avvolta dalla tenerezza che non si esaurisce ma anzi cresce col tempo.

(da un'intervista a Anna Manna,
"Il convivio", giugno 2006)

2004. Pubblica *Nonostante*, raccolta di sonetti, per le edizioni Passigli, nella collana "Testi scelti da Mario Luzi". Vince quattro premi prestigiosi. Nel risvolto anonimo del libro (forse del direttore editoriale, il poeta Fabrizio Dall'Aglio) c'è questa breve nota critica:

"È stato sopra tutto Geno Pampaloni, in anni ormai lontani, ad attirare l'attenzione sul "fondo religioso" della poesia di Luciano Luisi, e si può dire senz'altro che questo fondo – che permea tutta la sua precedente produzione lirica, ma con una trama quasi nascosta – solo in quest'ultima raccolta viene decisamente allo scoperto, e proprio nel momento in cui Luisi sceglie una delle più rigorose e classiche forme chiuse, il sonetto, per riflettere e riflettersi nella sua storia personale. Un approdo tutt'altro che esteriore dunque, quasi il coronamento, invece, di un lungo viaggio poetico ed esistenziale che ora "*nonostante / io sia già sulla soglia*", rilancia le istanze di una poesia per nulla incline ai clichés negativisti, nel bene e nel male perché *"il fiume della vita è sempre in piena"*.

Con il passare degli anni si è fatto sempre più evidente il fondo religioso della mia concezione della vita. Sono cresciuto nella fede cristiana che mia madre mi ha inculcato insieme al suo amore, ma vi sono stati anni in cui il mio dominante vitalismo, la febbre di un lavoro che conduceva alla facile vanità, come è la televisione, ha fatto di me uno dei tanti cattolici italiani che hanno rari rapporti con la chiesa, con la preghiera. Dovevo arrivare ai quarant'anni quando, vincendo una puerile paura dell'aereo che mi aveva impedito fino a quel momento quei viaggi che avrei potuto fare, e dei quali avrei goduto più tardi, accettai di andare in India come telecronista per la visita pastorale del Papa Paolo VI. Sentivo che era un viaggio che dovevo fare, una chiamata alla quale dovevo rispondere. E l'India mi ha penetrato con la sua spiritualità che scavalcava gli steccati delle singole religioni, in una tolleranza che consentiva al mussulmano di entrare a pregare in una chiesa cattolica, all'induista in una sinagoga, ad un cristiano in un tempio buddista. Leggo, con grande dolore che oggi non è più così, e mi rendo conto, davvero con angoscia, di come l'avvento di un progresso che sta portando l'India fra i paesi più avanzati, una delle possibili nuove potenze economiche del mondo, abbia il prezzo di una grande sconfitta: quella della sua illuminata spiritualità, della sua lezione di tolleranza e di amore.

Elio Andriuoli ha chiesto ancora a Luisi: "Tu fai uso di un sapiente gioco metrico, con alla base l'endecasillabo, che ha trovato nella raccolta *Nonostante* del 2004, uno degli esiti più significativi. Cosa vuoi dirci delle tue scelte metriche e prosodiche?"

Da ragazzo ho vinto un secondo premio ex aequo con Pier Paolo Pasolini, per una poesia inedita che poi ha preso il titolo di Esercizio di metrica. *Ecco, in fondo anche con* Nonostante *ho voluto fare un esercizio di metrica quasi per rispondere polemicamente alla facilità con cui molti poeti d'oggi vanno a capo senza né motivazioni di concetto né di suono. Accanto alle rime che chiudono gli endecasillabi ho usato le rime dette "all'occhio" (vene : andartene) o le ipermetre (dicesti : prestiti). Io credo che la poesia abbia due momenti essenziali: l'ispirazione e il mestiere. La parola ispirazione è stata proibita, ma qualunque sinonimo si trovi il senso è sempre quello espresso da Verlaine: "Il primo verso me lo dà Dio, gli altri li scrivo io". Ma per scriverli occorre appunto il "mestiere" che l'avvento del verso libero sembra aver quasi cancellato.*

2007. Luisi pubblica con le edizioni Passigli *Eloisa ed Abelardo,* racconto in versi per tre voci. Nella quarta di copertina è scritto: "Una passione che divora, una lotta estenuante fra peccato e redenzione". La prefazione è di Alberto Bevilacqua. Il testo appassiona il regista e attore Alfredo Traversa, che dirige la compagnia del Teatro della Fede con sede a Grottaglie, dove si svolge la prima che ottiene una felice accoglienza da un vasto pubblico. Traversa porterà il lavoro in tutta la Puglia, nelle città, nei paesi, nelle scuole. Fra tutte le rappresentazioni resta memorabile, per la suggestione dell'ambiente, la rappresentazione a Bari nell'antica chiesa "La Vallisa", ora adibita ad oratorio. In una nota Luisi nel libro scrive:

In Eloisa e Abelardo ritrovo i temi portanti della mia poesia: l'amore con le sue gioie esaltanti e le sue indicibili pene; la morte, retropensiero che accompagna i nostri giorni, ma che ci fa amare più golosamente il dono della vita (avevo scritto: "Quanto ti debbo, sferzi / l'ora, il minuto, l'attimo, mi desti / da un torpore colpevole. Da te / prende forza la vita che mi resta"); e sopra tutto, Dio, interlocutore costante, presenza e assenza che ci conforta e tormenta.

2009. In occasione dell'anno paolino proclamato da Papa Giovanni XIII, nel nono volume degli Annali della Pontificia Accademia dei Virtuosi al Pantheon, Luisi pubblica un oratorio in versi a più voci, sulla vita del grande Apostolo. Nello stesso anno, revisionato nel testo, esce poi in un libro autonomo, edito dalla stessa Accademia, con prefazione dell'allora Vescovo Mons. Gianfranco Ravasi (ora cardinale), un commento del presidente dell'Accademia, Vitalino Tiberia, e drammatici disegni dello scultore accademico Angelo Canevari.

2013, dicembre. Mentre stiamo concludendo insieme l'assemblaggio delle notizie per questa cronologia, giunge a Luisi un calendario con una decina di poesie di Elena Clementelli e altrettante sue, pubblicato da una Associazione turistica di Campo di Mare, la località balneare sull'Aurelia, a una cinquantina di chilometri da Roma, dove ha una casa di villeggiatura da più di quarant'anni. Gli dico che Campo di Mare è ora un luogo importante, come Roma, come la Puglia paterna, e Livorno dove è nato, ma anche la Basilicata e l'Abruzzo che frequenta da tanti anni per i premi letterari e dove ha tanti amici.

E Milano, aggiungo. Milano che è stata molto importante per me. Sarà perché mi porto dentro, come un sedimento che ho nutrito, la mia giovinezza lombarda. Così ogni volta che vado a Milano, anche se ho lasciato a Roma un cielo luminoso e mi accoglie un clima tutt'altro che invitante, mi sembra sempre che la città mi sorrida. Sono i miei ricordi felici che mi vengono incontro. Il primo è la "clamorosa" presentazione del mio libro Un pugno di tempo *nell'autunno del 1967. Ogni volta che andavo a Milano per la televisione, come prima cosa passavo doverosamente alla RAI, poi andavo in piazza Cavour alla Libreria-galleria di Cortina, dove si potevano incontrare scrittori, artisti, giornalisti. Il gallerista, affettuosamente, mi offriva il suo studio dove io ricevevo gli amici che venivano a trovarmi. Fu lui ad organizzarmi la presentazione e salutandomi mentre partivo mi disse: "Allora ci vediamo giovedì sette". Nemmeno a farlo apposta dopo due giovedì era proprio il sette, per cui io aspettavo tranquillamente quella data. Ma dopo pochi giorni (sette in verità) mi sentii gridare al telefono: "Cosa fai a Roma, c'è la galleria piena che ti aspetta con Quasimodo e mezza letteratura milanese!". L'equivoco nacque dal fatto che a Milano, quel "sette", sta per "fra sette giorni" e io non lo sapevo. Sia pure con meno pubblico ma pur sempre con Quasimodo, i pittori Cassinari e Kodra (li vedo ora in una foto), si fece finalmente, nel giovedì 7!, la presentazione con Quasimodo, che aprì la serata, poi con il poeta e narratore Alberico Sala, e con quello straordinario poeta che è Enzo Fabiani (uso il presente anche se è scomparso perché i poeti non muoiono mai) e lui è straordinario perché la sua originalità è tale che – come è stato scritto autorevolmente – non ha padri a cui accostarlo.*

Mi ricordo poi con nostalgia le cenette, in piccole trattorie piene d'atmosfera, con Quasimodo e Curzia Ferrari; i pranzi con Montale (che mostrava tutto il suo spirito ironico), la sua fedele governante, e con mia moglie, durante gli annuali viaggi fra Milano e Campione d'Italia, dove lui presiedeva la giuria del premio omonimo, che io presentavo. E poi le serate nello studio del grande scultore Minguzzi, ancora euforico per aver realizzato una bellissima porta per il Duomo di Milano; e le serate a casa di Buzzati, diventato personaggio del mio romanzo Le mani nel sacco, *in cui racconto episodi davvero stupefacenti, delle sue abitudini quotidiane. Molto spesso, dopo una giornata di riprese nelle gallerie, portavo con me in quelle serate un giovane operatore, ma questo lo racconto in una pagina del libro* Lettera a un giovane amico, *che qui ripropongo:*

Di tutta questa televisione cosa mi resta?, mi chiedi. E devo risponderti: accanto ai bellissimi ricordi, una folla di volti, di nomi, la cosa che mi è più cara è una lettera. Sì, una lettera. È datata marzo 1968 e sono più di quarant'anni che io la custodisco gelosamente. Me l'ha mandata un operatore milanese, Sergio Arnold, un giovane intelligente e sensibile che lavorava con me quando io andavo a Milano per riprendere le mostre d'arte e le presentazioni dei libri. Mi scrive: "Io ti odiavo perché mi facevi lavorare troppo, perché mi mettevi in contraddizione con i miei principi sindacali, e invece la verità era che per causa tua si apriva una crisi in me..." e ricordando le serate che si allungavano fino a tardi in interminabili discussioni che in principio lo annoiavano quando eravamo in casa di scrittori come Buzzati, o di artisti come Brindisi, come Sassu o Minguzzi, mi dice: "Grazie a te ho imparato ad amare la pittura e le letterature... Tutto quello che posso dire è grazie, grazie per allora e grazie per oggi". Mi basta questo per farmi sentire che il mio lavoro non è stato inutile, così come mi basta un lettore solo (ed è più volte accaduto) che mi ferma per la strada per esprimermi la sua gratitudine.

Anche se il vitalismo di Luisi lo porta ancora, nonostante abbia superato il traguardo dei novant'anni, a progettare, a sognare, i suoi versi rivelano l'ossessione del tempo che passa, il suo sensuoso amore per la vita. Dice un suo verso che vuole esprimere la volontà di proiettarsi verso il futuro: "*Questo guardare avanti*", ma in un altro della stessa poesia: "*ma tu vedi, mi volto, mi volto...*"

2014. Esce nelle edizioni di Nino Aragno la raccolta di versi *Altro fiume, altre sponde* con prefazione di Davide Rondoni.

Nello stesso anno, su iniziativa di un gruppo di amici, per festeggiare i novant'anni di Luisi, da un'idea di Dante Maffia esce presso le edizioni della Mongolfiera un libro di dediche, poesie, fotografie, ricordi, intitolato *Caro Luciano*, a cura di Cecilia Perri.

Dall'intervista di Anna Manna: "Che cos'è la nostalgia? Che colore le daresti?"

Non so a che nostalgia ti riferisci. Se è quella per un luogo carico di ricordi, per una donna amata, per una lontana stagione felice, questa è nostalgia comune a tutti gli uomini. Credo invece che il poeta possa soffrire di una particolare nostalgia che definirei metafisica, e alla quale darei il colore del mare quando svaria nell'ora del tramonto. La nostalgia di ciò che è inconoscibile, irraggiungibile, inespresso. È una sorta di struggimento che assomiglia a quello che accompagna la creazione di una poesia che è sempre una strada verso l'orizzonte dove il poeta intravede la perfezione della forma, nella consapevolezza che l'orizzonte non si raggiunge mai.

D. M.

I LIBRI, I PREMI

Poesia

Racconto e altri versi
Guanda, Piccola Fenice, 1949. Disegni di Renzo Vespignani. Premio "Lido di Roma".

Piazza Grande
Cappelli, 1953. Premessa di Giorgio Caproni, Disegni di Renzo Vespignani.

Sere in tipografia
Rebellato 1959.

Un pugno di tempo
Guanda, Grande Fenice, 1967, 1968. Poesie 1944-1967. Copertina di Corrado Cagli, Premio "Chianciano".

Amar perdona
Quaderni di Piazza Navona, 1979. Copertina dell'Autore.

La vita che non muta
Edizione del Premio "Pandolfo" 1980, con undici acquerelli di Aligi Sassu. Una edizione rilegata con una incisione dell'artista.

Nove poesie
L'Upupa, 1982. Con cinque serigrafie di Sandro Angelotti.

Nella cronaca
Dossier Arte, 1982. Con diciotto incisioni di Orfeo Tamburi.

La sapienza del cuore
Rusconi 1986, 1987: Poesie 1940-1986. Copertina e cinque disegni di Emilio Greco. Premi "Ceva", "San Pellegrino", "Gargano"," Firenze", "Novecento", "Oggi e Domani, Pe-

scara", "Fregene", "Circe Sabaudia", "Minturno degli studenti", "Marradi" (con Bellezza), "Premio della Presidenza del Consiglio", "Levante".

Io dico: una conchiglia

Edizioni della Galleria Poggiali e Forconi, 1989. Con otto dipinti di Antonio Possenti.

Luna d'amore

Newton Compton 1989. Illustrato dai massimi artisti italiani contemporanei; seconda nei tascabili 1994, terza nei tascabili per conto del Ministero della Sanità. 1998, con il titolo *Poesie d'amore* e con l'aggiunta del *Cantico dei cantici* tratto da *La Bibbia concordata* (Mondadori); quarta edizione ristampata in nuova veste editoriale, come gadget dei quotidiani "L'Arena" di Verona, "Il Giornale di Vicenza" e "Bresciaoggi", con il titolo *Le più belle poesie d'amore d'ogni tempo e paese,* 2005.

Il doppio segno

Schena Editore, 1994. Prefazione di Elio Filippo Accrocca, illustrato dagli artisti ai quali le poesie sono dedicate. Premio "Sampieri-Marsa Siklan" 1994.

Per sempre

Comune di Terracina, 1994. Poesie d'amore tutte illustrate dai maggiori artisti contemporanei, Prefazione di Michele Dell'Aquila.

Stornelli per sette voci

Edizione L'Informazione, 1994, prefazione di Walter Mauro. Le altre sei voci sono quelle di Accrocca, Canducci, Clementelli, Ramat, Reale, Vizzari.

Il giardino e altri haiku

Marco Editore, 1998. Con premessa di Giuliano Manacorda, e sei incisioni di Pasquale Basile.

Il silenzio

Book Editore, 1997. Prefazione di Silvio Ramat. Premi "Brianza", "Marineo", "Torre di Castruccio".

La farfalla vanesia

Ed. Paideia, 2001. Poesie e filastrocche per bambini di tutte le età. Con tredici immagini di tecnica varia di Enrico Benaglia.

Nonostante

Passigli Editore, 2004. Premi "Il Ceppo", "Roberto Farina", "Caput Gauri", "Senigallia".

Poesie d'amore
Autoantologia, Newton Compton Editori. Premio "Pisa".

Eloisa ed Abelardo
Passigli Editore, 2007. Racconto in versi per tre voci. Prefazione di Alberto Bevilacqua. Una seconda ristampa per conto dell'Associazione "50&PIU". Più volte rappresentato dalla Compagnia "Teatro della Fede" di Grottaglie diretto dall'attore e regista Alfredo Traversa.

Nella sua luce
Racconto in versi a più voci della vita di Paolo. Edizione della Pontificia illustre Accademia di Arti e Lettere dei Virtuosi al Pantheon, 2009. Prefazione di Gianfranco Ravasi, disegni di Angelo Canevari.

L'ombra e la luce
Carabba Editore, 2010, nella collana diretta da Giancarlo Quiriconi. Prefazione di Mario Specchio. Premio "Gatto".

Forme della bellezza
Lepisma, 2012. Poesie sulle conchiglie da precedenti edizioni, con una "Vita delle conchiglie nella scienza e nella poesia".

Altro fiume, altre sponde
Nino Aragno Editore, 2014. Prefazione di Davide Rondoni.

Altri libri

Le mani nel sacco
Romanzo, Camunia, 1972. Seconda ed. riveduta e ampliata, Book Editori, 2001. Premi "Città di Genova", "Sila" opera prima, "Vanvitelli", "Antonio Sebastiani".

Livorno storia e memorie
Ed. Nuova Fortezza, 1994. Pref. Lorenzo Greco.

A mio padre
Antologia di poesie sul padre. Cura e prefazione, Newton Compton 1996. Seconda edizione ampliata, Newton Compton 2007.

Lo scrittore e l'uomo
Poeti e narratori allo specchio. Mucchi Editore, 2000.

In queste braccia
Antologia di poesie sulla madre. Cura e prefazione, Editrice San Paolo, 2003.

Piazza del Popolo. Pittori e scultori a Roma dal dopoguerra a oggi
Ed. Rai-Eri, 2006. Premio “il Molinello”.
Una vita di scorta. Panorami e voci di poesia dal dopoguerra a oggi
Edizioni del Circolo Silvio Spaventa Filippi di Potenza.
Lettera a un giovane amico
Ed. Tracce, 2011.
Donne e misteri
Racconti. Carabba 2011. Al primo racconto, “L’appuntamento”, è stato assegnato, nel 1994, il premio Luigi Antonelli-Castilenti.

Premi per l’inedito

“Vallombrosa” 1953, “Bergamo” 1961, “Botte di Frascati” 1968, “Piacenza”1972, “Tibur” 1975, “Giuseppe Carrieri” 1982, “Carmen Sabinum” 1984”, “Lodi” 1985, “Bari Palese” 1988, “Lentini” 1989, “Sant’Egidio” 2001, “Torre di Calafuria” 1993.

Premi speciali e alla carriera

“Silarus” 1972, “Europa” 1979, “Foyer des Artistes” 1979, “Targa Europa” 1983, “Camposampiero” 1984, “Palestrina” 1982, “Gotto d’oro” 1987, “Lanciano” 1988, “Lions Club Livorno” 1991, “San Valentino” 1991, “Lerici-Pea” 1992, “Via Regia“ 1993, “Camaiore” 1997, “Rosario Piccolo” 2003, “Sant’Elpidio Fiumerapido” 2005”, “Civitas Aurunca” 2005, ”Franco Costabile” 2007, “Molinello” 2009.

Premi per il giornalismo e la televisione

“Chianciano TV” 1976, “Calabria” 1978, “Capodieci” 1978, “Pontano” 1980, “Campione” 1981, “Brunello” 1984.

PIANO DELL'OPERA

Pubblicare tutte insieme le opere in versi scritte fra il 1944 e il 2015 è un'impresa che suscita molte perplessità anche, ma forse sopra tutto, perché le mie poesie sono state già antologizzate per tre volte. La prima, dopo ventitré anni dall'inizio del mio lavoro, con *Un pugno di tempo*. La seconda dopo quarant'anni con *La sapienza del cuore* che, ovviamente, ripropone tutte le mie poesie fino a quella data. La terza antologia è di carattere tematico: la Newton Compton ha riunito, sotto il titolo *Poesie d'amore*, le poesie su questo tema in tutte le mie raccolte. Pur cercando di mantenere il filo della cronologia, penso che il prevalere degli accorpamenti tematici sia quello più rappresentativo del mio percorso ed è per questo che ho scelto di mantenere quasi nella sua interezza *Poesie d'amore* come quarta parte di questo libro.

Naturalmente questo criterio tematico non può valere per *La sapienza del cuore*, poiché già accoglieva tutte le poesie pubblicate fino al 1986. Perciò, volendo salvare questo titolo tratto dai Salmi e nel quale mi rispecchio, ho pensato di mantenerlo aggiungendo alle poesie allora inedite alcuni testi come la sequenza "Messaggio a mio padre" e "Foglietti", che erano stati pubblicati in *Sere in tipografia*, e il poemetto "Viaggio in India" pubblicato in *Un pugno di tempo*.

Il criterio tematico riprende nella terza parte, “Forme della bellezza”, che riunisce i testi naturalistici *La vita che non muta, Io dico: una conchiglia, Il giardino e altri haiku* e le poesie per i pittori e gli scultori de *Il doppio segno.*

La quarta parte, “La sfida dei sentimenti”, è tutta ripresa da *Poesie d'amore,* nei due versanti “I possibili amori” e “L'amore coniugale”.

La quinta parte, “Presenza della morte”, riunisce sotto questa visione quattro raccolte: *Il silenzio, Nonostante, L'ombra e la luce* e *Altro fiume, altre sponde,* dalle quali le varie poesie d'amore sono state escluse per essere inserite nella quarta parte.

Dopo la sesta parte dedicata al teatro, con i testi *Eloisa e Abelardo* e *Nella sua luce* (vita di San Paolo), per ragioni di spazio ho optato per una selezione delle poesie per bambini *La farfalla vanesia,* degli stornelli da *Stornelli per sette voci* e dalle traduzioni di *Luna d'amore.*

L. L.

TUTTA L'OPERA
IN VERSI

AUTORITRATTO

Io, questa malattia   mortale che mi porto
cantando come fossi   un ragazzo incosciente
che non si volta indietro   ma vive sempre assorto
nei sogni e non ascolta   ciò che dice la mente;

peccatore e credente,   generoso ma perso
in se stesso, distante   dagli altrui desideri,
che non sa mai capire   il mondo nel suo verso,
sempre diviso, sempre   in lotta coi pensieri

contraddittori, schiavo   d'ogni umana passione,
nihil humani a me   alienum puto, *acceso*
d'ira per l'ingiustizia   ma nessuna eversione
lo troverà mai pronto   perché sempre difeso

dal dubbio che tormenta,   senza cedere al vento...
Io, capace d'amare,   e di piangere: amare
fino alla dedizione,   e pregare... ma sento
che dentro la mia fede   c'è il tarlo del peccare;

io, felice al risveglio,   e triste quando il fiato
della notte mi porta   della mia angoscia l'ora,
e dice è breve il tempo: ma quello che è restato
che è vita, la mia vita,   oh quanto l'amo ancora!

(da *L'ombra e la luce*, 2010)

PRIMA PARTE
NEL CLIMA DEL DOPOGUERRA

RACCONTO E ALTRI VERSI
Guanda 1949

PIAZZA GRANDE
Cappelli 1953

SERE IN TIPOGRAFIA
Rebellato 1959

RACCONTO E ALTRI VERSI

(1949)

PAGINE ROMANE

(1944-1948)

CAMPANE

È inutile che battano le campane
se nell'aria non rompono l'inferno
dei siluri volanti in picchiata.

A noi più non s'addice
questo sereno bronzo delle chiese,
ma l'urlo della sirena che taglia
la lunga notte di guerra lontana
e ci riporta, stanchi, ai nostri letti.

A sognare d'un lupo che si stana
e una città di case scoperchiate.

BOMBARDAMENTO A SAN LORENZO

A stento riconosco
questi uomini scalzi
– ombre incerte che vagano
nelle strade di polvere –
e torno a una visione che mi doni,
tra queste case rade,
il paesaggio amato d'una volta.

Eppure sulle rampe
malferme delle scale
fino all'ultimo piano saliremo
dove si staglia, croce solitaria,
un'antenna superstite e una trave.
(Batterà il sole sui tubi contorti
che sporgono come tendini
dalle colonne cave.)

Non importa se avremo per tetto
la volta del cielo che resse
le ali notturne degli Hurricanes
il rombo dei motori ascolteremo sereni
senza levare lo sguardo,
colmi di questo dono
dopo un inverno oscuro di minaccia.

(A noi faranno ombra i panni dei poveri
tesi su corde, tra muro e muro.)

AMORE IN PERIFERIA

L'amore nascerà in periferia,
oltre le case, oltre i fumi che segnano
l'ultimo lembo di città, sui prati
odorosi di felci.
Ce ne andremo
a fianco per le strade sconosciute
ove s'affondano i passi nella terra,
ci fermeremo in vista di borgate
quando solo per noi sarà discesa
la sera a consumare la città.

Forse in quell'aria leggera
non potrà più inseguirci la paura
contro la nostra voglia
d'essere ancora giovani.

Con un abbraccio sereno la notte
ci coprirà: nel buio
sola luce il tuo seno.

ELEGIA DI MARZO

Marzo il tuo cielo che chiama
col broncio la primavera,
porta gli amanti al fiume
dove l'ombra fa sera.

Vanno senza rumore,
hanno parole calme
come un puro silenzio.

Vanno sospesi a un gemito
che improvviso trabocchi
che traluce negli occhi
che dà pallore al viso.

APATIA

S'addormentano i treni a Fiumicino
accanto alle paranze sonnolente
snodati sopra il fuoco della darsena
e lento affoga il Tevere nel mare.

Senz'aliti di vento
si stende il pomeriggio di calura
e le bilance pencolano al molo
indolenti nell'aria che risplende.

È l'ora che l'estate chiama al sonno
i pescatori in ozio sulle reti
respirano il salmastro
le loro case immote nell'arsura.

Una ragazza torpida si scopre
i seni nella luce che l'abbacina.
Ogni cosa è creata a confortare
la mia calda apatia che si compiace.

BALLATA

Hanno bruciato la casa. Che importa?
Erano cielo e mare le mura
e il pavimento una terra sconfinata.

Hanno bruciato la casa. Che importa?
Le mani delle fanciulle evocate
restano immacolate nella cenere.

Hanno bruciato la casa e il campo,
ma le fuggenti mandrie poseranno
nei pascoli della memoria.

Tutto è bruciato. Che importa?
Ho innalzato bastioni giganteschi
a vigilare i sogni.

DESIDERIO SUL FIUME

Gli alberi fanno sera
precoce lungo il fiume
e tu discendi a questo
silenzioso richiamo.
Chi dirà
il tuo nome non sai quando la luna
che t'apre ai desideri taglia l'ombra
e ti guida all'approdo delle barche.

Attendi che s'affaccino nei lumi
a questa dolce riva i pescatori,
che i pugni stanchi sciolgano dai remi
e con i passi che non hanno suono
pestino l'erba macera del fiume.

Attendi che scompaiano
dietro la siepe d'ombra,

che solo resti il pescatore giovane
nei cui occhi si specchiano le reti.

ALL'IMBRUNIRE

Perché hai paura dell'ombra, ragazza,
e al limite dei prati mi respingi
se mi stringi la mano e già mi parli
col fiato sulla faccia?

Senti: la voce ti si incrina, sembri
supplicare che il giorno non resista
lascia che insista a condurti nel buio,
fan luce le tue braccia.

Voglio che tu discenda insieme a me
in un affanno che tutto cancelli:
con i capelli fammi velo agli occhi,
la mia tristezza scaccia.

Per un'ora d'amore sotto gli alberi
il tuo ricordo mi sarà struggente.
Non so niente di te, ma se mi guardi
la tua voglia s'affaccia.

RACCONTO

(1944-1949)

1.

Ancora
ritroveremo la strada che ci addita,
ogni anno, all'incrocio dei ponti,
la freccia rossa – tortuosa, in salita –
e le cascate sminuzzate e ripide
che s'adagiano in gore fra i sassi,
e le fonti ai paesi.
Fissità
d'un presepe d'infanzia nel ricordo:
le ragazze con l'anfore gialle
i lenti ciuchi protesi negli specchi
dei torrenti, e le case
bianche di calce, dai terrazzi bassi,
le capanne, i pastori...

Le capanne, i pastori, gli ulivi
ricolmi fra le viti,
l'abbaiare d'un cane alle ruote.
E un nugolo di bimbi che s'affolta
nella piazza a vociare.
(Voci che ricordiamo,
che meglio sapemmo una volta
che restano in noi
come le pietre nel fondo di un lago.)

2.

Per bagnarmi in Sabbiena
sono tornato un giorno a Santa Luce.
(Era a quel fiume che scendevo a pesca
con i ragazzi al tempo della piena.)

Sono tornato stanco a mezzo agosto
in cerca della fiera col suo strepito,
ma nel silenzio riposano le ombre
e i miei compagni non ho più trovato.

Dilagano i pantani al mio paese
e cancellano l'orme alle carraie,
tra case diroccate, aperte al vento,
dalle bianche facciate ancora illese.

Al fiume che scorreva giù nel greto
le macerie a valanga fanno l'argine,
ma già gli orti s'affossano in pozzanghere
sepolti d'acqua, fra inutili reti.

Qui sulle sponde per farsi capanne
sostavano a vespro i pastori:
ora del tempo mio lieto rimangono
le libellule oblique fra le canne.

3.

Voglio saltare la siepe,
voglio salire sul monte dove si abbracciano
con uno sguardo i miei paesi toscani:
le case abbarbicate alla roccia, i comignoli
che non fumano più.

Voglio gridare il bercio
di quand'ero ragazzo,
allungato nel fiato fra le mani,
verso la macchia a fondo della valle
per ascoltare l'eco che risponde.

Qui, sopra il monte Lupanello, un tempo
hanno sbuffato i treni festeggiati;
ora l'erba accestisce sui binari,

il ponte è rotto, non c'è
che uno squallore di prati.

4.

Oggi, senza campane,
è risorto il Signore al mio paese.
I superstiti non hanno più chiese
e solo il vento raccoglie le olive.

Forse i poveri morti rassegnati
sepolti quattro palmi sotto il grano,
potranno udire il coro di campane
dai campanili diroccati.

(Nell'alito d'aprile, sul sagrato
fioriscono le prime margherite
ma nessun passo le calpesta più.)

Sopra la nostra amarezza di vivi
Gesù sei ritornato:
                                        ora cammini
sulle macerie – scalzo.

5.

Da quali lontananze
sono venuto a cercarti
dove il paese degrada in una larga
pianura di saggine,
sono tornato alla fonte dei tigli
dopo l'ultima strada.

Anche se cinque inverni hanno piegato
l'albero che era nido al nostro amore,

sono venuto a cercarti
come nell'ultima estate.

Precoce già la sera spegne
la campagna nei gridi delle rane,
si fa umido il prato, lontane
dietro le siepi affondano le case.

Tu, immemore, non vieni.
E già una stella trascina la notte,
ma io rimango ancora ad aspettarti
chiamando il tuo nome, nell'ombra.

6.

A dorso di mulo
traverserò le zattere del ponte
prima che le sommerga per la piena
il fiume.
                (Un temporale
sale da oriente, le case si sfanno
fra dense brume, sull'opposta riva.)

Nessuno mi fa cenni di saluto,
più nessuno mi attende.
Altra gente fuggita da contrade
lontane, accende i fuochi abbandonati
e suona le campane per il giorno
della Santa Patrona.

Tu non mi vieni incontro sul pendio
della strada che porta alla tua casa,
non m'accoglie la festa
della tua veste rossa.
                                        Anche il tuo nome
lo troverò sulla collina, all'ombra
delle siepi di bosso,

accanto ad un ritratto dilavato
dal quale mi sorridi,
giovane ormai per sempre.
Oltre il cancello
dove la sera, come un tempo, stridono
monotone cerambici: il tuo nome.

7.

Dietro il pontile della Villa Magra
noi fuggivamo ad amarci su un prato.
La guerra era lontana
ma aveva segni sopra le tue mani.

Su quel prato (passavano in pastura
le greggi) non avevi
paura della sera
se volavano bassi gli aeroplani.

L'incubo delle notti
era caduto dal tuo sguardo perso,
ma se fischiavano i treni lontani,
in un sussulto aveva
brividi lunghi il tuo corpo riverso.

8.

Ha gridato il mannaro nella piazza
deserta al plenilunio,
e ravviva più cruda la tua pena.

(Luglio distende i cieli delle notti
quando per me cantavi sopra il lago
e al tuo canto scendevano i pastori.)

Mi ritorna la pena del tuo gesto
di saluto al mio treno che partiva,
perduto nello spazio
cui più non appartieni.

Ma se mordi la terra che ti chiude
e il tuo sepolcro a fiore della vigna
sulla collina, odora,
e nelle vampe dell'estate sale
il tuo giovane sangue versato,
io ti sento nel grido disperato
che fa fuggire gli uomini alle case.

9.

Mi resterà sempre amara la tua voce
come nell'ultima notte di gennaio
quando gridasti il mio nome.

L'ho portata con me sopra il fuoco
del rimpianto, a difendermi dal male
d'essere solo.
                La tua voce triste
nell'ultimo tuo grido desolato.

10.

Perché, se scende l'ombra
e il tuo giardino in collina s'accende,
ritorni alla tua casa sulla torre,
alla finestra chiusa contro il cielo?

(La luna guida il volo ai calabroni,
dona sentieri ai boschi,
intiepidisce il fiato della sera,
e il tuo sangue versato rifiorisce.)

Troppo umana sei ancora, con occhi
sgomenti del crepuscolo che nega
a grado a grado case all'orizzonte,
ansiosi d'albe che non più cadranno
sulla tua fronte.
Resta
dove t'accoglie una pace di sempre,
nella verde stagione
che non inaridisce.

PAGINE LIVORNESI
(1944-1948)

LA MIA CITTÀ

Anche questa è la mia città,
questi cumuli di macerie e polvere
che a margine di strade sulla spiaggia
mi dicono le case d'una volta.

Anche questi sono miei fratelli
che battono instancabili i picconi,
rimuovono con l'unghie le pietre
a ricercare i resti d'un amore.

Anche questi che giacciono nel limo,
in un abbraccio d'alghe, tra le asterie,
e guardano con occhi fissi
bucati dal salmastro,
scorrere eterno – denso cielo – il mare.

PRIMO AMORE A LIVORNO

Primo amore, schiamazzano i soldati
sull'angolo dov'era la tua casa:
tutte le strade cortili di caserme,
tutte le strade cortili sventrati.

Ma avevo tanta sete
di quell'estate ormai così lontana
e la memoria m'ha guidato ai Fossi
e non potrò fuggire sotto i ponti
se le case cadranno a una ventata
di fuoco.
(Cerco gli anni
che avevano il colore dei tuoi occhi

e il tuo profumo di vergine
troppo a lungo sognata.)
Ma dove
mio primo amore troverò i tuoi segni?
Il libeccio non soffia sulla polvere
della città devastata.
Se il tempo
si conta sulle mura,
le macerie fioriscono da secoli
queste aride ortiche (è lontana
la pietà dalla terra), i soldati
danzano a sera sulle piazze anonime
che seppero la gloria del tuo passo.

Tu forse fuggi fra i detriti a scampo
e la città più non ti lega, antico
amore sgomentato dalle raffiche.

Ma se l'incauta luna non si compie
a illuminare strade di minaccia,
ti basta il primo anelito d'estate
e ritrovi la via della marina.

Lo smarrito silenzio s'incrina
solo al fiato del mare,
e nei passi dei poveri che vanno
– nelle pause d'allarmi –
sulle barche, a fior d'acqua, a riposare.

SERA

Ora nel porto di Livorno levano
gli ormeggi le paranze, s'allontanano
verso Meloria a coppie,
accendono le lampade, diventano
vive stelle in un cielo capovolto.

Ora all'Ardenza corrono fra i pini
le giostre dei cavalli, inonda l'aria
da un recinto di canne, uno sfrenato
jazz, rompe a ridosso
della scogliera il mare.
(Ritrovare
i pensieri d'allora, il titubante
seguirti per i viali,
l'innocente avvampare,
l'amore detto a sguardi!)

Felici sere quando
era già sazio il cuore
per un cenno d'addio col fazzoletto.

PIAZZA GRANDE
(1953)

Queste sette poesie mi furono suggerite dai fatti drammatici del dopoguerra (Livorno rasa al suolo, esasperata dalla fame, avvilita dai lutti), fatti che mi raccontarono più tardi, o conobbi dalle cronache, o scoprii fra le macerie che duravano ancora nella città.

L. L.

1.
GIOSTRA NEL DUOMO

Perché sfrenati corrono i cavalli
della giostra?
                    I bambini
sono fuggiti dalle vie deserte
(e Piazza Grande allarga fra le case
divelte, fino al mare, i suoi confini).

La cavalcata accende
un disco di fanfara
fra le macerie del Duomo,
dentro la notte inventa l'allegria.
(Ma nei quartieri di fabbriche, a filo
del passaggio a livello, va via
dietro vigili palpebre, il sonno.)

E le mani dei negri, se danzano
nell'aria della luna,
fanno specchio ai lamenti
d'una accorata tromba solitaria.
(Le praterie si aprono nei voli
dei cavalli di legno dipinti.)

Ora una bianca prostituta sgretola
con i docili piedi, nel ritmo,
i Santi chiari delle vetrate.

Chi fermerà i cavalli della giostra
che corrono contro gli altari
e non hanno più angeli in sella?

2.
DELITTO NEL DUOMO

Uno sparo è una nota stonata
se nell'aria assonnata persiste
il gaudio dei clarini.

Ma due mani si stringono ai crini
d'un cavallo, la giostra continua
la sua corsa sfrenata.

(Funerale coi cavalli dipinti
per un negro di Kansas City
in una chiesa senza più altari.)

E non fermate. Lasciatelo
ancora vivo un giro!

3.
SEGNORINA LIVORNESE

Per una striscia di mare
e un platano svettato dalle schegge
che al primo amore ti faceva siepe,
sei tornata a cercare
la tua città devastata.
                                        Ma quando
la luna ti sbianca le mani
e tu non sei che un'ombra contro il Duomo,
offerta al primo che cerca
di non restare nella notte solo,
se la memoria t'investe lo segui.
Per te la piazza nell'ora più fonda
ritorna la piazza d'allora.

(Meglio che il mare cresca sopra i tetti
e la città s'illumini nel volo

dei colombi, quest'alito solo
fra tutti gli affetti perduti!)
Pensi: che inutile abisso
i nostri sogni spezzati dalle raffiche!

Nella tua solitudine
ti dà un po' di calore
solo quel povero negro
che con lo sguardo t'implora.

Sopra il suo corpo scuro
le tue pene si sciolgono.
(E gli angeli ancora sorreggono
un lembo di cielo su un muro.)

4.
RAPPRESAGLIA

Ma dove fuggi?
Gli alberi
non hanno braccia, l'aria non ha nidi
e gli occhi delle case non si chiudono.
La stoppa dei capelli fa segnale
e la tua veste rossa è come un fuoco.

È una marea tentacolare: vengono!
Hanno bandiere d'odio dentro gli occhi.
Il loro passo cresce sotto gli archi
e si gonfia il clamore nella piazza.

(Già nasce l'ombra fra le case, avanza
nelle macerie, sale dentro i platani,
già cancella le orme sulla polvere,
ma ancora non ha forza per nasconderti.

Fedele a te, da tempo
ristagna a fondo del tuo cuore, lievita

nei tuoi pensieri, è ruggine al tuo sguardo,
ma ancora non ha forza per nasconderti.)

Con le mani protese ti raggiungono.
Le mani che nell'aria erano foglie
fanno siepi di rami sul tuo volto,
t'accecano la luce, s'aggrovigliano
a frugarti il calore.
                    Nuda nasci
dai brandelli strappati della seta.
Spezza un filo di sangue
l'improvviso candore del tuo seno.

Tu non sei qui, non piangere,
e se piangi è una voce del libeccio.
(Mani che più non sanno le carezze,
mani che più non tremano ai contatti,
ma il tuo corpo di gesso non ha brividi.
Ti ricordi? Era estate, era sul fiume
di sera, e ti tremarono i ginocchi
ed avvampasti in viso: era una mano
calda che ti frugava nel segreto
e ti scoprivi donna al primo fremito.)

Venga la notte, avvolga
di tenebre la piazza, che non sappia
di tanto scempio, venga notte, porti
la stanchezza! Non corra più nessuno
nelle strade deserte, più non battano
i passi alle tue tempie! Venga notte!

Crocifissa ad un platano fai luce.
La tua carne spogliata
è più bianca del corno della luna.
Sfocati si allontanano
i desideri dagli sguardi, casta
sei come al tempo amaro dell'infanzia.

Ma tua madre non viene più a coprirti,
a rimboccarti fino agli occhi, scalza,
trattenendo il respiro, a segnarti
in fronte con l'ulivo perché l'incubo
si dilegui e non scenda il malefizio
sopra il tuo corpo in fiore.

Anche Tommy è lontano.
Era un cuscino caldo
quella sua nera mano.
Nell'aria profumava la melassa
e il tuo corpo era un tiepido prato

Ora hai freddo. Nessuno
è rimasto. Nessuno
questa notte a scaldarti con il fiato.

5.
SEGNORINA PUGLIESE

Ha sapore di menta quest'aria
che allontana l'azzurro dalle pietre.
La prima ombra inventa
una dolente tenerezza in te.

(Tra i pini dell'Ardenza
perdersi in questo fiato
che ha dilatato il cielo e riconduce
i sogni a una parvenza.)
Al tuo paese
l'estate è una campana
che chiama ad una festa.
Ma qui, sulle strade di polvere,
le viole non fioriscono, qui batte
le pietre il passo duro dei soldati
e cammini a cercare una freschezza
con una inquieta nostalgia di prati.
Cammini sui confini

della piazza, cammini verso il mare
tra gli archi ove s'impiglia
il vento della sera e ti protendi
all'inasprito volo dei gabbiani.

(Forse la vita è oltre, ove non giunge
l'ombra di queste guglie, ove finisce
un tempo e un altro s'apre all'imprevisto
e un evento è il domani, da tentare.)

Ma basta un cenno e torni senza pena
e dici parole d'amore.
(Vengono vanno gli stessi soldati,
non hanno nome, non sanno
come ti chiami.)
Torni
al giardinetto della statua equestre
(il mare è sugli scogli a disperare),
costretta come un albero alla terra,
ma dal tuo cuore sale
uno svolo di sogni sulla piazza.

Ora la bocca che conosce il fiato
di mille solitudini si placa
nel fuoco innocuo d'una sigaretta.
(Anche fumare è accendere nell'aria
un segno vivo, una bandiera umana
di speranza, se da lontano stride
l'ultima ruota in fuga lungo i Fossi.)

Tu sorridi a chi passa:
meno vuota è la notte.

6.
IN MORTE DELLA SEGNORINA PUGLIESE

Hanno abbattuto gli angeli

e sei come di pietra fra le statue:
nessuno potrà calpestare
questo tuo corpo che non ha più forme.

(Ora, di cielo in cielo,
da infinite distanze scende l'eco
del primo grido d'amore sul fieno,
del treno lento che lasciava i lidi
desolati nei lumi dei fanali.)

Non tornerai nelle strade pugliesi
avvolta nei mantelli dei pastori
a sospirare a notte le domeniche
nei paesi incendiati
di luminarie.
                    Dormi
dietro le arcate che guardano il mare
(l'estate è spenta fra i tuoi capelli)
il vento di settembre soffia
un odore di alghe.
                              Tua madre
è accanto all'uscio a contare le sere.
All'improvviso lascia la conocchia
e ascolta il gufo.
                         (I canti
d'una troppo remota fanciullezza
e l'ansia di chiarezza che allagava
segretamente il cuore, la memoria
della terra argentata dagli ulivi,
e il cumulo di sogni che t'oppresse
– cieli che il tempo per pietà non spazza –
sopra il tuo cuore posano.)

L'opaca solitudine dilaga
dalle tue ciglia al mare.
Solo per te si compie
la luna sulla piazza.

7.
LAMENTO DEL SOLDATO NEGRO

Perché più non sorridi
ad un soldato negro?
La tua bocca era festa
e il mondo non aveva più frontiere.

Ora il tuo corpo è latte
che non potrò più bere,
i tuoi seni feriti sono bianchi
e irraggiungibili come la luna.

Voglio che gridi il giorno
sul tuo fermo pallore.
Con la notte
è calata la morte a ricordarmi
che sono negro.
Voglio
chiamarti da questi confini,
fermare il treno che corre,
spezzare i ponti gettati
su strade inarrivabili,
io voglio
lavarmi mani e viso.
Voglio uscire da questa prigione.
Varco bianco perché ti sei chiuso?

Trascinerò il tuo corpo
sugli altari di polvere, in eterno
ti farò la mia donna.
Brinderemo
con le bibite rosse del chiosco,
i cavalli di legno tireranno
il tuo cocchio da sposa
e fioriranno zagare dai platani.

Ma se in me si ridesta il fanciullo

che correva nei campi di cotone
e il canto di mia madre
quando leggeva i salmi,
sono solo:
                    sei morta
in questa immensa piazza che dilaga.

SERE IN TIPOGRAFIA
(1959)

La magia della sera... galeotta
delle nostre anime oscure.
Dino Campana

Sere in tipografia *nella sua prima pubblicazione nella rivista semestrale «Inventario», nel 1958, era intitolata* Stanze alla linotype *perché fra le varie poesie vi era un refrain dedicato, riprendendo il tema dei versi precedenti, alla linotype. Nell'edizione Rebellato nel 1959 il refrain era stato da tempo abbandonato, così come, pur con diverse variazioni nel numero dei testi, nelle successive antologie* Un pugno di tempo *e* La sapienza del cuore. *Chi volesse più notizie sulle numerose varianti – anche ossessive – tra le varie edizioni, può consultare la monografia critica di Franca Alaimo,* Luciano Luisi. Una vita come poema, *Lepisma, Roma 2009.*

D. M.

1.

Qui da sempre mie sere
ho soltanto la vostra solitudine,
l'aria è perduta in questa
tipografia che mi ruba i pensieri.

Spegnete il mondo, *linotypes*, ma sento
che gravano le nubi sulla piazza,
scendere l'ombra alle fontane, e il vento
mulinare negli alberi, indugiare
l'ultima luce sopra il travertino.
Nascere un'altra notte non goduta
sento, e la luna che sale,
ma il mio cielo d'intonaco non muta.

2.

Ora che nelle stanze
già la sera si espande
a insidiare i contorni delle cose
che amiamo, e già per gli altri si avvicina
il dolce tempo del riposo, cara,
perché non posso accendere
la luce sopra il tavolo,
con te sfogliare i giornali, scoprire
negli occhi persi di Annalisa i sogni
– muta sopra le immagini fra noi –
o, nell'ombra giungendo alle tue spalle,
chiudere il libro che ti ruba a me,
solo colloquio ai tuoi lunghi silenzi?

3.

(*a mia figlia*)

E questa pace che adesso mi sfiora
(una carezza quasi cui mi volto
ansiosamente guardando nel vuoto)
sei tu che, scalza, ai piedi del tuo letto
pieghi i ginocchi e di me ti ricordi.
Anche per me, già sconfitto fra i giochi
i fumetti e le bambole, a quest'ora
hai la luce negli occhi.

Annalisa veleggiano i tuoi anni
protesi verso un'isola
che, cantando, affiorare dallo specchio
ogni mattina scopri se ti guardi.
E basta un fiocco rosso, un libro, un nulla
e il tuo mondo s'illumina,
dove gli echi non giungono
di queste aggrovigliate solitudini.

Lo so che ad ogni fiore
che accresce il tuo giardino
uno nel mio ne muore:
ma quando a casa la notte ritorno
mi chino sul tuo sonno come un ladro.

4.

Sere di guerra, il volto di mia madre
era lo specchio del vostro sgomento.
La paura cresceva sulle strade
se il vento si levava nel silenzio.

Se le case crollavano e dal cielo
aperto ritornava la minaccia,
nella sua intatta fede era la pace.

Ma poi nel sonno, quando
il tetro coprifuoco aveva spento
tutte le strade e tornavamo soli
nei nostri letti d'incubo, passava
dentro i suoi occhi spalancati al buio
l'angoscia del suo amore,
la nostra guerra allora era il suo pianto.

5.

Senza di te fuggivano le sere
inutili sui prati fatti gelidi
da un crudo inverno lombardo. Sentivo
che la città mi apriva una voragine
più fonda, ma venivo ad aspettarti:
tu uscivi dalla nebbia
con la bocca di sole.
                                        La paura
portavamo lontana dalle case
dove l'asfalto si perde nei prati
e si perdono l'orme dei soldati.
Ci sedevamo sulla terra madida.
Tu sognavi un mattino
arioso che ci aprisse un'altra storia:
era quel sogno già felicità.
Ma se per me cantavi
cantavi tristi canzoni di guerra.

(Non ti raggiunge il pensiero e tu non sei
– nell'ansima di queste *linotypes* –
che un gioco doloroso di memoria.)

6.

Le sere di domenica
erano in festa i prati,

restava all'aria pigra
solo un canto d'armonica,
felicità prendeva per la mano
le serve coi soldati.

E noi muti andavamo per non rompere
quella spera d'incanto:
l'ultima coppia era
un'ombra contro un albero,
solo una macchia nera.

7.

Io non amo la luce del mattino
che la sua biacca stende
sulle torpide trame della notte
e delle cose troppo nudo il volto
rivela. A me più cara
è la sera che viene ad avvolgere
l'anima inquieta, i sogni, e ne conduce
i fili alla sua rete.
È questo il tempo
che più acuti mi pungono i ricordi
e le passate dolcezze mi chiamano
e il sangue annebbia la mente e lo sguardo.
Ma solo questo è il tempo in cui trovare
posso di Dio la traccia,
che a me è concesso ascoltare il silenzio,
e la poesia più docile si affaccia.

8.

È salito uno squillo sopra il coro
delle macchine, irrompe una ventata
nell'afa della stanza.

Il tuo nome è più dolce
soffiato lungo il filo del telefono.
Io taglierò la notte per raggiungerti.
Verrò quando la luna ancora vive
e già il fiato del giorno la respinge.
Tu mi vedrai dalla finestra correre.
L'aria sarà più mite nel tepore
delle tue braccia aperte alle promesse
nel riquadro di luce.
Batterà
così forte il mio sangue che per vincerlo
si leverà nel silenzio lo strepito
del primo tram che passa sopra il ponte.

9.

Se la porta s'aprisse e a un soffio d'aria
la tua figura mi venisse incontro
si spegnerebbe il chiasso, sentirei
soltanto la tua voce nel silenzio.
Ti guarderei e d'improvviso sciogliersi
questa mia pena, il mio inquieto rancore
contro me stesso, sentirei: tu sempre
con un sorriso uguale.
Lentamente
il mare allagherebbe questa stanza,
saremmo accanto sulla terra rossa.
Oh, non esiteremmo più! Che importa
se un'ora o un anno e poi la fine? Logora
il tempo ogni promessa, spenge l'ansia
più accesa, ma i ricordi
nella luce resistono.
Di quei baci perduti ne ho fatto
il più cocente dei rimorsi. Quando
volevo amarti tu dov'eri?
Il vento
ora scuote la porta e tu non entri.

10.

A quest'ora sul Tevere si incontrano
gli amanti adolescenti,
si sfiorano con ansia,
hanno paura che un lume li scopra.
Io vorrei ritornare a quell'età
consumata dal fuoco della guerra,
dietro la greve coltre di quegli anni,
scendere ancora al fiume
a cercare una pietra per panchina.
Le ore più felici erano quando
appoggiavo la testa sul tuo grembo.

11.

Calde sere d'agosto, tu piangevi
con il viso affondato nel cuscino
dicendomi: "Finisce questo amore".
Ti mentivo, ma già sentivo un treno
che passava nel fondo della valle
e il fischio dilatarsi nel silenzio.

Vasti campi e le stoppie che bruciavano
e il mare che pareva consumarsi
nel fuoco del tramonto,
e i paesi adagiati nelle luci,
più tardi da quel treno a ricordarti.

12.

Ora che a un cenno rapido d'addio
la stanza resta vuota
e i ricordi si affollano nel gemito
degli ultimi rumori che il silenzio
della sera dilata, a me sembra

che amici e amori qui tornino
a riportarmi ad altre sere, e in ansia
un volto sopra gli altri si protenda...
Ma sono vani fantasmi che si sfocano
come i paesi a fiore delle rive
nel fumo in corsa d'una vaporiera.
E qui rimango solo fino a quando
non sentirò gli ubriachi che cantano,
sino a quando mi desti
la cupa rotativa ad annunziarmi
la libertà e la notte.

13.
(*Prostitute in Piazza Barberini*)

Tutti gli uomini dormono. Nessuno
scende più nella piazza a cercarvi
e voi restate sui portoni, agli angoli
della città notturna, come i gatti
a chiamare l'amore coi lamenti.
Da un marciapiede all'altro lo chiamate
indifferenti al giro delle ore,
la vostra solitudine non sa
che i rumori dei passi nel silenzio.

Dagli alberi ventosi di via Veneto
esala un'aria mite che vi leviga
come la pietra nelle braccia stanche.

Ora è l'estate amica
che fa dolce la notte e vi aduna
a schiere verso il Pincio.
(Cosa importa
se la luna ridesta la memoria
d'altre sere d'estate?)
Anche il lampo degli occhi

è un inutile fuoco che spengono
le prime luci sopra la città.

Nessun vento che gridi nelle strade
potrà scalfire la vostra fermezza:
voi nascete dall'ombra dei palazzi,
alberi umani al paesaggio, siete
le fragili cariatidi di un tempio
che si sgretola al sole.

14.

Esce anche lei, la "rossa"
dal locale notturno. È quasi l'alba
e il cielo si fa rosa. Trema. Ha freddo
nella sua giacca corta. È stanca, pensa
alla sua solitudine, a sua madre
che la vorrebbe sposa.

"Non t'illudere"
le sue compagne più grandi salutandola
"son tutti uguali gli uomini – le dicono –
godono e poi spariscono".
Ma lei
resta sul marciapiede ad aspettare
qualcuno che la cerchi. "È solo questa
– pensa – la riva che mi salva". E guarda
la grande piazza vuota.

Ma sta salendo ormai
piovoso e cupo il giorno
e più nessuno arriva.

15.

Vado solo, che importa? Sono mie
queste piazze deserte che dilagano.

Basta un'eco alle spalle
perché il mio cuore acceleri i suoi battiti
e le donne che passano
hanno sguardi d'amore.

Non credo più all'invito
delle vetrine illuminate al neon:
amo le quiete serrande abbassate
dove le guardie notturne si appoggiano
su biciclette in bilico
per accendere l'ultima cicca
e scaldarsi le mani con il fiato.

Domani sale il giorno
e il mondo è in una festa di colori,
ma le mie ore sono tutte spente:
sopra una notte senza fine battono
le *linotypes.*

16.

Non so come il mattino
sia dolce sulle cose,
come la prima luce scopra il mondo.
In un'ora di punta
prendere il tram gremito
per sentirmi fra gli uomini
e gioire al frastuono
della città che vive e non sia sempre
quello ossessivo delle *linotypes*!

17.

Così le sere passano,
sere interlineate
da giorni sonnolenti

come fermate in un cliché,
e nel crogiuolo col piombo si fondono
questi miei anni giovani implacati.

Pure tempo verrà che queste sere
sbiadite avranno luce
nella memoria. Allora cercherò
questa fumosa stanza, questo afrore
pungente, queste macchine
ad evocare volti nomi e i pochi
irripetibili anni che nutrirono
i miei sogni.
Non sentite
che in me la *linotype* diventa jazz?
Sulle parole di piombo io brindo
con un bicchiere di latte, mie sere.

SECONDA PARTE
LA SAPIENZA DEL CUORE

Le poesie che ho scritto dal 1944 al 1986 sono state pubblicate ne La sapienza del cuore. *In questo libro definitivo, per ricordare quel titolo in cui mi rispecchio, ho qui riuniti sia testi allora inediti a quella data, ovvero* I nostri giorni *e* Foglietti minimi, *sia due testi da* Sere in tipografia, *cioè* Messaggio a mio padre *(1952-1958) e* Foglietti per me *(1951). Infine da* Un pugno di tempo *(1967), cioè* Un viaggio in India *(1964).*

L. L.

Una manciata di gioia e una di dolore
con giusta mano mi soppesa la vita,
e più la gioia cancella le ombre della mente
più il dolore mi macchia col suo inchiostro indelebile.

Ma io come potrei non ringraziarla ancora
se fiume denso di detriti ormai, nel suo
scendere inarrestabile verso la quiete del mare,
all'improvviso al vento alza le schiume, s'anima,
torna quasi un torrente che ribolle.

Come non riconoscerla oltre il velo
che la nega, e le crepe e gli schianti,
nel suo intatto lucore, la vita.

1985

MESSAGGIO A MIO PADRE

(1952-1958)

Un uomo vivo col tuo cuore è un sogno.

Alfonso Gatto

Mio padre ha conquistato il paradiso
con le mani sfondate dalla vita.

Enzo Nasso

1.

Ora sei calmo finalmente, hai pace.

So che sei morto, non ho più paura
che tu debba morire, non ho più
paura del tuo cupo, lungo rantolo
che dilatava i muri della stanza,
del tuo respiro che chiedeva aiuto
al fiato del mio petto,
del pianto del tuo sguardo a supplicarmi.

Sono stanco, lo sai. Non ho paura
ormai d'addormentarmi,
di piegare la testa sul tuo letto,
di mescolare alla tua larga quiete
disumana, il mio sonno affannato.
E non ho più l'angoscia
d'esserti inutile come un nemico:
so che sei morto, hai pace,
è tornato il silenzio.

2.

Io ti correvo avanti: "Fate presto!
Un tassì! Fate presto!"

Tu, fermo il tempo t'era già negli occhi
e li volgevi, come mani, braccia,
alle tue amate stanze, al tuo portone
da cui fischiavi per dirci
ch'eri arrivato,
e al tuo mercato, a quel piccolo
caffè che ti ha visto invecchiare:
poche sbiadite immagini
nel vetro della macchina.

(Sempre ricorderò –
quando non voglio accettare e mi ribello –
l'amore della vita, disperato,
che lessi nell'abbraccio del tuo sguardo
in quel tuo addio, lunghissimo.)

3.

Cedevi. A poco a poco tu cedevi.

La tua mano stringevo fra le mani
con furia, quasi per dirti resisti,
resisti in me, per noi che ancora siamo
di qua vivi, caparbiamente vivi
in questo orgoglio dei sensi, resisti!
Ma già miseramente tu cedevi.
Nulla di umano ormai
nella tua faccia onesta dove un tempo
un'antica fierezza si posava.

Ti ho guardato morire.
Impotente ho assistito alla tua resa.
E tu che sei placato
non potresti comprendere
il rancore provato a quell'offesa.

4.

Da quanto tempo?
(Perché le campane
a martello battevano il silenzio,
annunciavano il giorno a mattutino,
perché di chiesa in chiesa
annunciavano l'Angelus?)
Anch'io
come te nella frana
d'ogni reazione umana,
indifferente a questo affievolirsi
d'ogni impulso davanti alla tua morte,
già morte mia, già morte d'ogni essere.

A un tratto, come quando
ad un'ala di vento s'attenua
la nebbia, e ancora incerta
nel chiarore dei fari si profila
un'ombra, e freni, e anche il cuore s'arresta,
così dal buio un'infermiera apparve
e su te si chinò.
Fu come un grido
una frustata a ridestarmi il sangue:
quel camice che si apriva.
In quel chiarore in me s'illuminava
un paesaggio sterminato, e limpido
si apriva il cielo, e il vento
sulle foglie degli alberi, il vento
sui dolci prati, il vento
perdutamente udivo, e allargarsi
in un canto la campagna, e rompere
contro gli scogli, come un tempo il mare.
Tutta in quel bianco mi si aprì l'immagine
della vita da vivere, da fare
mia con il fiato, da stringere
fra le mie braccia.
A te

più non corrono brividi nel sangue
se la bellezza effimera ti sfiora,
placato ornai riposi oltre gli affanni,
le guerre silenziose,
e d'essere solo non sai.

5.

Sta' in pace, non dolerti
se la tua morte desolata lascia
tutti gli eventi incerti: per la mamma
sta' in pace, che ti cerca
e ti coltiva nel cuore dei figli
e per la casa legata al tuo nome
dove il divano, i fiori amati, il tavolo
hanno voce che suona a ricordarti.

E altre cose vorrei poterti dire
degli affetti e del pane, ma tu vivi
dove non hanno più senso i rimpianti
né i legami, caduto
in un amplesso che ha il moto di un vortice.
Così proteso sei nell'infinito
che non ti può raggiungere
lo sbigottito mio pensiero umano
o solo, rare volte, se risponde
a una voce che chiama dal profondo
nell'improvvisa angoscia, solitudine,
trasalimento pieno d'ansia – il cuore.

6.

Lo sai, io sono vivo, abbraccio il mondo
coi desideri e mi abbandono ai sogni,
e già l'estate i suoi lacci mi tende
e chiuso in me posso dimenticarti,

laggiù lasciarti solo
a margine dei campi dove crescono
le margherite col fiato dei morti.
Ma perché all'improvviso tutto cede,
mi sei più vivo d'ogni vivo accanto,
mi isoli con te?
In ansia attendo,
vedo i tuoi occhi confusi dall'ombra
che non sanno staccarsi dalle cose,
ma restano murate le parole.

7.

E perché così certa ci sorprende?

Ma non a te che la sentivi crescere
nelle tue vene e l'ombra
ti metteva negli occhi,
opaco filtro sulle cose, a chiuderti
in un solo pensiero.

E forse anche il ragazzo che cantando
in bicicletta va lungo una strada
fiorita, verso il mare.
(ed è una giostra la sua vita, un disco
lieto che gira e non s'arresta, festa
ancora tutta invitante da godere),
se la morte l'agguata al crocevia
e accelera il motore d'una macchina,
rallenterà la pedalata, assorto
ad ascoltare un tarlo dentro il cuore,
l'assalirà il pensiero
della ragazza delle sue domeniche,
dei suoi giorni felici, di sua madre,
dell'Angelo di Dio che porta a fianco,
e smorirà il suo canto
nell'improvviso addio.

8.

Perché ci hanno interrotto nel colloquio?
Le tue parole non dette (se ancora
davanti alla mia soglia
tu esitavi ad entrare
con gli occhi pieni d'amore guardandomi)
ora, ad un tratto, diventano chiare
e ti vorrei rispondere, rifare
con te la strada camminando a fianco,
nel tuo viso scavato riconoscermi,
ascoltare la vita con uno stesso cuore.

Così come fui chino ad ascoltare
quell'ultimo silenzio, nostro dialogo:
non più tu padre, io figlio, ma due esseri,
non più tu ramo, io foglia, ma portati
da un improvviso vento in un paese
sconosciuto, spauriti,
noi due uguali davanti all'eterno.

9.

Quasi un anno è passato, la luna
leggera invade i campi, c'è nell'aria
mite che t'assomiglia,
precoce il segno della primavera,
anche il vento è placato.
Ritorna la stagione delle nostre
passeggiate serali, già le coppie
cercano la campagna per l'amore.

Sono qui solo, ma ho voglia di correre.
La natura non ha gli esiti incerti,
tutto ripete, fissa nel suo gioco.
Ma le nostre stagioni dove vanno,
e tu di me più solo in quale fuoco
muovi i tuoi passi fiochi in queste notti?

10.

Che senso ha avuto la tua vita? Amara
come è stata la tua meridionale
rassegnazione, il tuo mortificato
piegare il capo ai giorni senza luce.

Perché quei duri passi senza un'eco
nelle vie piene d'ombra
uguali, parallele
che mai neppure a un crocevia conducono?

Ti appoggiavi all'orgoglio
della tua antica razza contadina,
alla raggiunta fierezza borghese
che non si logorava come i gomiti.

Nelle grigie serate l'architetto
eri tu d'impossibili castelli,
e noi che pieni d'occhi ascoltavamo
ci sentivamo col vestito a festa.

Le tue rare speranze squillavano
soltanto sui biglietti delle tombole,
ma tristi e irraggiungibili
come le Veneri dei camionisti.

11.

Ti cercavo. A ritroso
ho ripercorso il tuo migrare a queste
rive etrusche che videro
il tuo frutto di uomo, la delusa
maturità, le tue speranze, i rari
trasalimenti e la tua triste morte.

Sono sceso da un treno a vapore
dove il binario si spezza nell'erba
e il tacco arso dell'Italia affonda
fra due mari.

Ho guardato levarsi
un sole denso di sangue sul grano
nelle vaste pianure dove crebbe
arida la tua pianta come i cactus.

Ho visitato i tuoi paesi bianchi
dove la calce delle case spegne
la ribellione, il grido, e amara l'anima
è sferzata dal vento delle Murge,
si comprime al silenzio delle case.

Ho percorso la terra
dove mio nonno col mantello a ruota
chiamava i figli dai campi, invocava,
pregando a gran voce, la pioggia.

Ho mangiato il tuo pane tagliato
a larghe fette, intinto
nell'olio denso del frantoio,
e i fichi d'India, tua sola dolcezza.

Le strade di Ginosa ho popolato
di voci spente, di perdute immagini,
ma a sommo d'una strada ho ritrovato
il corvo del Castello che eccitava
le sassaiole a gara dei ragazzi.

Tu con loro, una volta, nella lieta
gazzarra troppo breve. Adesso qui,
spento per sempre il chiasso, ti ritrovo.

Ma non mi vedi, passi oltre, segui
un tuo cupo pensiero.
"Aspetta, sono

tuo figlio... son venuto... stiamo insieme
per sempre: non importa, non nasconderti".

Scompari. Ed ora s'apre,
indifesa nel sole, la piazza,
e qui da sempre, immoto nell'attesa,
il tuo ritratto si ripete, sono
questi braccianti che muti mi guardano.
Negli spilli degli occhi, nei loro
antichi volti contadini assorti,
ho trovato le stimmate
del tuo volto scavato.
Ho scoperto
nella grande pianura una razza
lenta che m'appartiene,
una razza che induce
all'indolenza e alle furie il mio sangue.

12.

La luna che tu amavi
l'ultimo raggio esile consuma
nell'alba che già scopre
illividito dietro i vetri il giorno,
chiari i contorni delle cose, i tetti
a prima luce.
Ma non sono
più questi i cieli che t'accolgono. Ora
tua patria è il mio pensiero, il vento,
l'infinita natura. Ma perché
il profumo del mare che il libeccio
a folate ripete
non può giungere a te?

13.

Ci amavamo in silenzio come due
sconosciuti fratelli che si incontrano
dopo una lunga lontananza, adulti:
io, chiuso nei miei sogni, impenetrabile
nella mia assenza, e tu
in altalena su speranze povere
per una quieta giornata terrena.

A poco a poco il tempo ci divide,
tu, lontano, spazzato dalla morte,
io… la vita mi prende nel suo gioco.

Forse nell'ora in cui cadranno i limiti
fra i nostri chiusi mondi, torneremo,
come negli anni dell'infanzia, accanto.
Liberati dal tempo, non avremo
più paura che nulla ci separi.

Solo ora lo so che m'hai lasciato:
il tuo respiro m'aiutava a vivere.
Tu dilatavi questa mia caparbia
intatta giovinezza col tuo fiato.

14.

Forse tu sai, non io che qui mi affanno,
sconsolato, a riflettere, caduto
in una nebbia che non è dolore
ma fa velo alla quiete.

Conosco un'altra morte
feroce come il piombo che ha fermato
il cuore agli innocenti contro il muro
nelle giornate di sangue, staccate
dalla pietà fraterna, un'altra morte.

Sempre un agguato mi stringe
e soltanto il peccato aiuta a vivere.

15.

Anche se già sulla mia fronte batte
l'autunno, mi accanisco
a cercare i sentieri che mi illudano
che una stagione in rigoglio resiste.
E così nell'anelito di vivere
libero dai binari come un treno
che tagli a sghembo l'aperta campagna,
i chiari lineamenti si distorcono.

Eppure dovrei stare dove sono
– con la coscienza, con il cuore – chiudermi
nella misura esatta d'ogni cosa:
chiamare cardo il cardo,
rosa la rosa. Attendere
d'ogni stagione il fiore,
e se viene la morte con una
delle sue tante parvenze, accettarla
come la notte dopo il giorno, anch'essa
un evento scontato, prevedibile
come l'indifferenza
dopo il più grande amore.
Andar con lei, lasciare
quietamente le carte sul tavolo,
la frase a mezzo, l'equivoco irrisolto.
La lettera già chiusa, da impostare.
Questo forse dovrei: guardare avanti,
ma tu vedi: mi volto, mi volto...

16.

Tu che frenavi gli impulsi, levavi
la voce sul canto spiegato, non vedi

come oggi i miei passi sono lenti?

Sono già stanco. In queste
quattro mura di vivere porto
una mortale rinuncia:
per troppo amore che ho donato d'impeto
non trovo più un amore che mi salvi.

I frutti acerbi all'improvviso cadono
già sfatti.
                    Resto qui
deluso come tanti, come tutti.

17.

Solo per me, staccato
ormai dalle ambizioni che reggevano
l'anima un tempo, qualche volta scrivo,
resto solo, mi chiudo, ma se tento
le pagine di un libro, all'improvviso
chiamati dal silenzio,
i miei fantasmi insorgono
e torno, vinto, ai miei colloqui inutili.

Così passano i giorni
e come ormai la vita vuole, vivo.

18.

Aspetta. A liberarmi
– aspettami soltanto per un attimo! –
anch'io con te verrò
quando staccato da ogni affanno e fremito,
in una calma di prato,
uscirò per un transito d'ombra
da questa parvenza di luce.

19.

Dalla tua tomba ascolto
la musica dei treni
che riempiono d'ansia la campagna.
Al loro fischio un tempo
già ebbro andavo altrove.
Ora quel fischio non mi porta via.
Resto qui, sulla terra, accanto a questa
tomba di pietra dove leggo, sillabo,
desolato, il tuo nome.

Nessuno invoca in questa pace, o piange.
Già le bianche dimore silenziose
si arrendono alla luna. Ma la gelida
notte che avvolge e dà brividi, porta
un'eco di parole,
di voci che furono care
e tutto chiama...
Forse
dovrei seguirne l'empito, viaggiare
come un tempo alla musica dei treni.

Ma sono stanco, sono
sempre più stanco e resto
nella quiete lunare, qui con te,
a contemplare la sola certezza.

FOGLIETTI PER ME
(1951)

Sento gli strilli degli angeli
che vogliono la mia salvezza
ma la saliva è dolce
e il sangue corre a peccare

Scipione

◊

Contraddizione, mio segno
umano, appena offeso da un febbrile
amore della vita.
Io non so cosa voglio
né dove voglio andare, e l'inquietudine
come un fiume impetuoso mi trascina.

Vorrei che un solo amico mi scoprisse
(come per troppo amore
non ha saputo mia madre,
come non può mia moglie, come forse
le figlie non vorranno),
che un solo amico mi dicesse: "Guarda
questo ritratto è il tuo".

◊

Troppe volte nel Tuo nome abusato
ho consolato questa mia apatia:
uno scempio di inutili giorni
senza passato.
Lascio
che la vita mi porti
come il torrente un sughero.

◊

Tu lo sai che non amo
se non queste parole
che scalfisco sul cuore
di coloro che m'amano.

◊

Credevo di potermi soffermare
per una lunga sosta,
ma questo regno ha le mura di polvere
e i nostri passi sono troppo duri.

E forse già s'impiglia
tra i rami dell'inverno la mia corsa:
ma i prati nel cuore rimangono
ancora tiepidi come giacigli.

◊

S'è spenta nel fragore degli scoppi
un'eco di campana,
e nel rombo del sangue
questo grido del cuore.

◊

Il cielo che hai fermato in fondo agli occhi
non dà luce alla terra dei pensieri.
Anche la solitudine è peccato.

Nelle sere estenuanti d'arsura
ascolta voci dentro l'aria il sangue,
all'aspro odore delle siepi lievita.

◊

Tutte le ore nemiche,
ma queste in cui mi porto
l'estate nelle vene
sono senza speranza.
Viene la sera e invita. Lungo il fiume
i passi alle mie spalle
mi battono nel sangue.
Forse un lume
mi salva, che ha chiamato
una improvvisa luce
e le mie mani scopre sul selciato.

◊

Io Ti chiamo: perché
rimango solo?
(Quando
non mi cammini accanto
le strade sono buie.)

Una ragazza canta lungo il fiume
e la sua voce fa più calda, allarga
questa notte d'estate
troppo lunga a passare.

Inseguo la sua ombra sul selciato
verso la sponda che il vento lambisce.
E la luna asseconda
la malia che sfinisce
come un incauto piacere rubato.

◊

La fantasia mi danna.
Questa ridda d'immagini fa ombra

ad ogni sogno di freschezza, vince
anche lo slancio vivo del peccato.

Ho consumato la mia calda fibra
in tante prove inutili.
Ma se piove sul Tevere
dopo una stanca giornata di sole,
i miei pensieri ritornano a Te.

◊

Aspettami.
Mi ostino
a rimanerTi lontano, ma aspettami.
Questo importa, che ovunque mi trascini
io Ti senta vicino.

Lo so che sempre dove vado un'ombra
offende la Tua luce, che la luce
muore fra le mie mani, ma Tu aspettami:
Tu lo sai che ogni strada
verso di Te conduce.

◊

Abbi di noi pietà.
Tu vedi come siamo:
soli, ansiosi, in ricerca
d'una possibile felicità.

UN VIAGGIO IN INDIA

(1964-1966)

Ecco, ora scende. La grande ala scende
verso le luci che aprono la notte
come annunzio: è laggiù dietro l'anonima
luminaria la terra che m'attende.
Ed io da quanto tempo
viaggio? Chi mi ha portato?
E che paesi, ormai a me stranieri,
l'aperta via del cielo ha cancellato?
E perché la memoria si fa opaca
(è troppo alto il volo
per poter ricordare)
e un'ansia mi sospinge?

Già quelle voci care a salutarmi
all'alba, nelle tiepide
stanze assonnate, il brivido
delle strade deserte, e quel vento
che mi accorava dando voce agli alberi,
tutto è lontano silenzio.
                                        L'urlo,
soltanto l'urlo del motore ascolto
nel lacerante sforzo di respingere
tanto cielo che preme,
ed entro in lui, mi tendo
alla pista che avanza, e corro, e sono,
ora, con l'ultimo affanno, qui fermo.

Questa è la terra. Già la riconosco.

***

Sono qui a quarant'anni quando sta
l'anima appesa a pochi sogni

e inutilmente si volta,
in un chiuso rancore staccato
da me stesso e dal mondo,
ormai confuso nell'aridità.
Sono qui, dunque, a quarant'anni quando
non basta ancora la mente a salvare,
e qui, portando in me le ribellioni,
il vuoto, lo sgomento
di non trovare ragioni,
qui, ora, in questa difforme città
che mi penetra con il suo acre odore
nelle strade a fiumana che mi portano
via, sono scosso da un urto profondo:
è questo mite accettare, è la forza
di questa non-violenza: un persuaso
attendere.
                    Mi aggiro
lungo la grande spiaggia dove Gandhi
parlò d'amore alle folle,
in mezzo a questi poveri piagati,
seminudi, o vestiti di misere
tuniche stinte, e i bambini
mi sono intorno, tendono
– come ali che s'aprono a salvarti –
le mani. Guardo gli occhi
bistrati che sorridono
e gli occhi schivi delle madri e gli occhi
dei mendicanti che mordono le canne
e c'è una luce che mi parla, scopro
sconosciute ricchezze.
                                        Io sono un povero.
Io sono tanto povero: non ho
che dubbi, e le inquietudini,
e qui mi guardo attorno
e vedo. Questo è il viaggio. Ora lo adempio
e so: da dove vengo e dove vado
so, e lo accetto: lo comprendo in questa
serena moltitudine che al sole

attende che il giorno si compia, e il disegno
si compia, rassegnata,
tra una stazione e l'altra, ad una sosta.
Così su questa povera e infinita
riviera a perdita d'occhio sul golfo
che nel tramonto estenuante s'arrossa.

***

Le albe dei miei giorni
s'aprono tutte inutili:
io vivo come un albero. E misuro,
qui, ora, la mia crisi
di inanità con questa
morte sociale (o parvenza) che è vita,
non vita offesa, vita
più vera della mia che qui vestito
di panni borghesi mi illudo
(e l'Europa è al mio fianco come l'Angelo)
d'essere salvo in questo simulacro,
ma profonda, nell'intima vergogna
del mio egoismo, porto incipriata
una latente putrefazione.

Febbricitante mi aggiro (ed è febbre
di crescita di un'anima
che ancora tenta) e guardo,
e non capisco e cerco di capire,
e non capisco, e vado
nella notte impietosa tra gli esclusi
di questa grande città che li ignora.
In quei letti d'asfalto,
nell'ombra dei palazzi
vittoriani, o nel fango,
il loro sonno assomiglia alla morte,
reclusi nei bianchi sudari
con l'orecchio appoggiato sulla terra.
E, forse – penso – dalla terra giungono

voci lontane che il mio cuore impuro
da secoli non sente: a loro parlano
di un avvento d'amore,
e questo silenzio che ascolto
è un acceso colloquio.
Potessi
aprire il giorno anch'io
disteso sopra il grembo della terra,
accoglierne gli umori, da sentirmene
ricco! E senza più voglie, respingere
gli effimeri profitti in cui s'affanna
il mio pugno di tempo che si logora.

Questa è l'angoscia che mi ferma: ovunque
il pensiero mi guidi,
o il temporale dei sensi travolga,
o tenti la parola che profonda risuoni,
so che appartengo alla morte.

E sono ora, a quarant'anni, qui
dove la morte è il consolante crescere,
e il corpo, canna vuota,
nell'amplesso del mare si confonde,
scorre lento coi fiumi, profuma
di sandalo col fuoco. E quando volano
a larghi cerchi gli avvoltoi l'annunziano
nell'aria: la morte che non impaura.
È fra noi. Con pazienza l'attendono. (Così
essere pronti a morire in ogni ora.)
L'attendono e ritorna
e sconfigge la nascita,
ogni azione, il dolore,
e, ultima, la morte: eterna ruota
di un pozzo che riempie
un secchio e un altro svuota.
E continua a girare fino a quando,
con il perdono, porta requie, e annulla.
Più non sanno, ma sperano:

e sperare è già credere.
È un messaggio
scritto nel cuore dell'uomo: ha tentato
dal tenebroso inizio della vita,
parole incerte, incerte forme, il mito
per rivelarsi.
Ed io
stordito, ora, in questa moltitudine
di teste e braccia e gambe che si muovono
verso la piazza nell'alito
umido e caldo del vento...
come un vento una voce mi sommuove:
"Amore è vita, si fa carne, chiede
il dolore, la morte: e così salva.

Ama tutto il tuo prossimo, l'ostile
a ciò che credi, a ciò che ami, amalo
come te stesso. L'amore
è carità che unisce".
Si fa chiaro
nella pienezza il messaggio. Lo annunzia
ora Colui che viene, portatore
del dono, lungamente
atteso sulle soglie.
Erano già le sue parole scritte
da secoli. Fin qui
sono giunte. Lui le ripete: ascolto
– e la folla è un abbraccio –
per me nuove parole: *"Era in principio*
il Verbo".
E dov'è più la solitudine?

***

Non era lungo il viaggio. La mia casa
è qui, tra questi uomini
delle tribù avvilite dell'estremo
Sud che ora salgono a Bandra cantando.

Salve Regina Mater
Misericordiae...
Hanno la pelle scura,
i capelli annodati, un cerchio d'oro
pende agli orecchi che ascoltano il vento
delle foreste insidiose, le cacce
danno ancora bagliori negli sguardi,
ma io salgo con loro, m'intono
al loro canto, e ritorna l'infanzia.

La cercavo. Ma senza
più luce, ormai: quasi senza volerlo.
La portavo tra queste mie macerie.
Così come, affondato,
il Tempio è in me: costretto
nelle mie strade anguste,
soffocato dal peso
della carne che chiede, che vince:
chiuso in me, sconsacrato.

Eccomi: sono giunto, testimone,
come i poveri ignudi con le piaghe
al sole testimoniano l'offerta,
vivo Ostensorio che T'innalza. Ed io
tendo le mani vuote.
E invade: *Salve*
Regina Mater... la dolce collina
di Biandra, il coro...
È dunque – chiedo – ancora
il cuore a suggerire, che credevo
inaridito, i sensi
sono ancora le redini
al male e al bene, è sempre una passione
che mi guida, ora più forte a vincere
le inutili passioni
alla ricerca dell'amore?
A un tratto
non so più proseguire. Si ferma

il passo in questa via che dura sale
tra le palme piegate
dai corvi.
Resto indietro.
Sono così sconvolto in questa quiete
che, vinto (brucia in me come le mie
contraddizioni), alla mente ricorro.

Ciò che d'impeto il cuore ha conosciuto
(è l'amore che accende per primo
il vero) la ragione
possegga: voglio amare nel pensiero.

***

Ritorno. Volo verso l'aurora. Esco
da una notte lunghissima di tenebra.
Io sono il giorno che nasce a fatica.

Ora so: la mia vita
non può ricominciare
come ieri. C'è l'India
in me che morde come una ferita.
Scava nei miei pensieri. Mi volto
e la ritrovo come amica mano
che sorregge.
Lo sento ora che gli alberi
nitidi e secchi mi vengono incontro
nel cielo terso di questa invernale
alba romana che suona a distesa,
e dai tetti si levano
come fiori le cupole.

FOGLIETTI MINIMI
(1985)

Ci vengono incontro i pianeti,
ma quanto, più in ansia l'ascolto,
il cuore dell'uomo è lontano.

◊

Non c'è più amore, soltanto dolore
che ormai può fare la rima con cuore.

◊

Ho sempre meno gioia
dentro. Sempre meno
di tutto.
Covo un segreto lutto
che mi spia, che fa centro.

◊

Mi chiedi dove sono.
                    Io sono via.
Molto lontano da dove mi vedi,
da dove credi che sia.
                    Lontano
quanto è lontana la mente
da ciò che vorrebbe sapere,
da ciò che ascoltando non sente.

◊

Quel bimbo che disegna sulla polvere
non sa che disegna la vita,
non sa di disegnare il tempo,
né meglio potrebbe l'amore.

◊

Quella dimora che m'è destinata
stormisce ora nell'aria,
albero pieno di foglie.
Ma nessun vento più ci turberà:
saremo quieti insieme.

◊

Ho di tutto quel poco
che basta per soffrirne.

◊

La poesia
deve incontrare la gente,
se non si fa riconoscere,
vale meno di niente.

◊

È un ramo secco e a un tratto
sente un alito caldo e si veste
di un tulle rosa di fiori.
Poi soffia il vento e sparisce
quell'abito da sposa.
E viene il frutto.
Ma quale senso ha il frutto
se subito marcisce?

◊

Sento che sotto di me
profondo fino al fiato
dell'origine, all'alveo
del mondo creato, c'è il mare.
Mi culla, mi sospinge

indietro nel tempo, mi dice
che gli appartengo, e sento
nelle mie antiche vene germogliare
la linfa che dal nulla
mi ha chiamato alla vita.

C'è il mare che mi culla
come una madre che mi porta in grembo.

◊

Quand'ero a Somma Lombarda
in quel gelido inverno, appena alzato
andavo ad affacciarmi alla finestra
sulla punta dei piedi per vedere
se la neve caduta nella notte
avesse bloccato il portone,
così quel giorno non si andava a scuola.
Felice, ma un po' triste
perché restavo solo.

La Lombardia, nel ricordo
di quegli anni di favola,
è un grande bianco lenzuolo.

◊

Un treno nella notte
è una luce che corre nel suo affanno.
Tutto il cielo l'ascolta.
Forse non ha binari né stazioni.
È un desiderio, un incubo.
Prende per mano chi veglia
e lo porta lontano.

I NOSTRI GIORNI

PRIMO NATALE DI UNA NOVIZIA DI CLAUSURA

Ecco: il Natale scende coi pastori
dalle colline d'erba, va nel giro
delle strade affollate, è come un fiato:
accende nelle piazze le facciate
delle chiese che cantano e gli ori
sopra i carretti del mercato in festa,
resta impigliato ai sogni dei fanciulli
come alla bruma di dicembre.
Guarda:
già si fa sera Signore.
Al mio paese
ora attizzano il ceppo nei camini,
vanno gli zampognari ad annunziarTi,
i mandarini odorano nell'aria.
Mi consuma l'attesa.
Il mio Natale nascerà sul muro
di questa cella nuda dove ho spento
le voci, dove ho sfatto
questa mia carne pesa.
Ascolta: come tace
la terra. Immoto è il suo respiro. Ascolta:
anche il prato è di gelo,
nelle gole dei monti il vento ha pace,
nessuna stella ha moto.
All'improvviso
sento levarsi un coro, il mondo s'anima
di mille fremiti. Lunga notte, lunga
di tanti anni d'attesa, sei compiuta!
Dal grembo nero già si stacca l'Angelo
che scende ad annunziare. Qui, in ginocchio,
folgorata Ti chiamo nella luce.
S'avvera in me il miracolo
in questa cella che diventa cielo.

1951

IL SEGNALE

“Alcuni scienziati russi hanno affermato d’aver captato segnali interplanetari di natura tale da rivelare l’esistenza, su un altro pianeta, di una civiltà molto più evoluta della nostra”.

Dai giornali

Dunque voi siete o miei fratelli adulti!
Il sangue della terra profondamente palpita
dentro le antenne perfette, ci guardano
vivere e crescere i vostri occhi attenti
e mandate un segnale, chiamate
dagli infiniti campi delle stelle.

Di che segnale e prove avrò bisogno
per credervi, o sapervi come noi
nell’affanno d’esistere, se i prati d’erbe ignote
d’altra rugiada bagna il giorno aperto
sul nero cielo che vi avvolge,
e una forma diversa vi materia, immagine
diversa di quel Dio che non conosco
ma che io vesto del mio volto, Dio
che vi ama perché voi siete,
credervi
non come me, ma uguali
a me, perché pensate e amate.

Tutti avemmo un segnale e riconoscerlo
è la pena, capirlo, accettarlo,
se pure in noi qualcosa (forse l’anima)
ne vibrò, poi la mente lo respinse superba
senza soffrirne l’alterco, o già rabbrividendone.
Ma se nel dubbio, nell’argilla petrosa,
come radice che assorbe i dissonanti umori
e incomprimibile s’espande, germina
la domanda,
e ciechi andiamo questuanti d’amore,
questa è già fede: non che acqueta o appaga,

ma che arde, e sommuove e tende l'ansia.
Questo implacato chiedere è la fede.

Ed ora qui nel sordo silenzio di vetro,
ecco la stridula sassata, il fischio
metallico… ma in me voce, parola
alta che suona d'un comune anelito.
Noi come voi qui tesi, *ut unum sint*,
verso chi? verso dove? Rispondete
ancora, presto, il tempo che ci è dato
è troppo breve perché giunga a scriverla
l'equazione impossibile tra l'alfa
e l'omega, a scoprire
la formula perfetta che risponda
alla sua angoscia, l'uomo: può soltanto
credere.

Conoscenza oltre il visibile,
fiume che nasce dall'amore e bagna
la mente, largo fiume
che accoglie l'acque che scendono da vette
inaccessibili, avvolte in una luce
in cui lo sguardo s'abbaglia, fiume aperto
da navigare anche se al remo incerto
fa scoglio la corrente che conduce alle rapide,
ma che al suo delta s'adagia nel mare.

1966

EX VOTO

(*Nel santuario della Madonna di Montenero a Livorno*)

Un tram pieno di vento
che sale obliquo su una balza (e c'è
forse una mano a tirarlo) e allarga il mare,
bastava un tempo per giungere a Te.

Nel silenzio, quel lieto sferragliare,
i vagoni a scalini come quelli sognati al Luna Park,

mia madre con le sporte profumate
di merenda,
                    Tu dai
il nome alle felici scampagnate.
E in cima era una corsa a ricercare
nelle severe stanze
quel Tuo racconto così familiare.
Diceva: nave che affonda, cavallo
imbizzarrito, macigno che rotola:
e Tu che plachi il mare, e Tu che freni
l'impeto del cavallo, e Tu
che sai porre un ostacolo
al masso nel suo rotolare.
Ora Livorno è per me
un incerto disegno che scolora.
Non so più ritrovare
i becolini lenti contro i Fossi,
quel tram pieno di vento.
Eppure anch'io come la nave affondo,
anch'io cavallo imbizzarrito rompo,
come il macigno precipito anch'io.
Ma non salgo a trovarTi. Ho perduto
delle merende sui prati, quello struggente odore,
non mi raggiunge più
la mano di mia madre.
Ma se mi chiami (un fiato,
basterà appena un fiato: il silenzio
è così fondo!) tornerò lassù
fra le stampelle logore, le maglie
con i fiori di sangue, in un cielo
argentato di cuori come un incubo,
e in una stanza, a me solo visibile,
lo troverò, sono certo (se Tu
mi chiami), il mio ritratto:
e negli occhi che s'aprono sgomenti
vedrò il tuo marchio in cerchi luminosi
in fondo alla pupilla.

1966

LE COPPIE

(Nei giorni del conflitto arabo-israeliano)

Con tutto il peso della morte, guardo
all'imbrunire le coppie che fanno
teneri i prati amandosi
tra gli alberi caldi di foglie.

È tornata l'estate e mi trova
al principio d'un viaggio.

Così, stupito, in quest'aria
che d'ala in ala, di fiore in fiore desta
la terra dal letargo,
d'impeto corro sull'erba, ma i passi,
ora che ansioso mi volto illudendomi,
già sono il mio passato,
scavano un solco nel prato che pareva accogliermi.
La vita che vedevo
è divisa da un vetro.

Ma un uomo mi ridesta chiedendomi se porti
al paese il sentiero che s'infolta
nel bosco. Dice, confuso, che torna
a casa dopo tanto: e guarda gli alberi che non riconosce,
il profilo interrotto dei colli.
Con un gesto di mano gli rispondo,
più fraterno d'ogni parola: umano
come gli sguardi che a lungo ci accompagnano
ora che ognuno riprende la sua strada.

Ed io, le coppie, che già diventano ombre,
se ancora per un attimo mi volto
uscendo da questa magia, nitidamente rivedo.
E persino più tardi, ormai chiuso in una stanza
mentre sfoglio i giornali:
non ho la pace nel mio sangue – penso,
anche se l'ombra già vi cresce, e intanto

leggo titoli neri di guerra.
Urlano le sirene
contro i cieli d'Arabia.
L'uomo insonne stanato dai letti provvisori
con tutto il suo terrore d'animale
fugge. (La civiltà
come i palazzi di cemento armato
è inutile.) Ora sa, nella violenza,
d'essere nato solo. Ora scopre la fame
come un ginocchio gelido che preme sulle viscere.

Ma intatte sulle immagini di guerra
che deste al fondo della mia memoria
riportano, quasi alle nari, l'odore
acre di gas e morte tra la polvere,
ad aggredirmi, vivide, ritornano
quelle coppie che s'amano liberamente sui prati.

Sopra l'ombra del mio presentimento
o sulla furia che ci spinge in bilico
sul baratro, si stampano
le invulnerabili coppie!
E così
rasserenato accetto
il fastidioso sciame
di moscerini che danzano
tra il mio viso e la lampada.

1967

PER UN AMICO SCONOSCIUTO

Forse un giorno anche tu, passato il ponte,
incontrandomi lungo queste rive
che da ragazzi abbiamo amato insieme,
verrai con me per un tratto di strada.
E dopo tanto affanno,

tanto inutile correre, deposti
i consumati rancori
ci fermeremo come a prendere fiato.
In quella sosta, così, cominceremo a parlare
come due donne non più giovani che si incontrano in treno
e sapendo di non ritrovarsi mai più, nell'irrealtà dell'ora,
si confidano a lungo senza falsi pudori.
Anche per noi, dopo tanto silenzio,
sarà incerta la prima parola,
ma poi riconoscendoci come i rami staccati, le foglie,
davanti all'acqua del fiume che qui scorre da sempre,
parleremo (confusi e diffidenti nel guardarci
in uno stesso specchio al quale ci arrendiamo)
lungamente del viaggio, con ironia e pietà.

1967

LA TUA VOCE FRATERNA

(*Per la morte di Salvatore Quasimodo*)

Dovremmo dunque scrivere
Thanatos, nostra sola certezza
sulla tua pietra premuta dal piede
delle nebbie del nord
e credere spezzato per sempre
il tuo passo di viandante fra gli uomini?

Thanatos, Athanatos. Una tomba non basta
a seppellire un poeta.

Noi soltanto ti abbiamo perduto,
amici di ciò che è più fragile,
del tuo cuore scoperto di ragazzo così pronto
a riconoscere un seme fra le pietre,
e della tua rabbia d'amore;
noi ti abbiamo perduto
con la parola sommessa e lo scatto

dell'ironia nelle lunghe notti romane
attorno a un tavolo di un caffè che non chiude
nel silenzio delle piazze a ricercare il passato.
Ma nel mondo, ovunque gli uomini innalzano
barricate di sangue e di parole
contro il sopruso e la violenza, e più vita
si chiede alla vita, e più spazio all'amore,
dove una mano spegne
un falò di passione, ferma il cammino della storia,
dove le madri contano senza lacrime i lutti,
tagliano il pane a fette avare e i poveri
fermi nel sole che buca gli occhi guardano
nel vuoto, attendono da sempre
un segno nell'immobile destino,
e ovunque mare uccelli vento foglie, il battito
di quell'alveo perfetto che ci accoglie
è soffocato da un lamento, sale
la tua voce fraterna di poeta,
il profumo di gelsomino dei tuoi versi.

Ah, prostituta bellissima e laida,
Italia che ti vendi ad ogni mito straniero,
ora forse potrai riconoscerti
in quella cetra che fu appesa ai salici.
Chi più alto ha gridato la tua sorte
è uscito dalla vita.
                                        Ma sulle rive del Balaton
continua a crescere un giovane tiglio
che porta il suo nome.
                                                La morte
è un gesto soltanto. "Il poeta
è sempre in esilio".

1968

LA SIRENA

(Al poeta Elio Filippo Accrocca
dopo aver letto in macchina
la notizia della morte del padre)

Suona solare una sirena di pace
ed io – seconda terza – a stento sfuggo
la ragnatela del traffico mentre lontani battono
dodici colpi d'un cannone per gioco.

Un afrore di stampa è nel nome
di tuo padre al mio fianco, e mi saluta
con l'ultimo bicchiere di Frascati
genuino bevuto alla sua tavola.
(E continua
la sirena che già dispone al quieto
ritrovarsi, i più cari, per la sosta.)
Ma nel suo nome un'altra
lunga sirena d'incubo che taglia
l'ansia, risuona, e noi fuggiamo a scampo,
tu ed io insieme, e i nostri padri stanchi
e ognuno porta una pena e una speranza.

Da Via Catania a Viale Alfredo Rocco
dipana il filo la memoria: è ombra
dentro il fumo degli anni
l'asfalto dilaniato dalle bombe
e la terra sconvolta.
(Gli scampati
noi ci credemmo allora.)

Quali sirene ad ammonirli avranno
udito, quale allarme
a farne cauto il passo i nostri padri?
Più non hanno paura di quelle
che polvere ci chiamano alla polvere,

né questa più li rasserena. Stanno
ora assorti in una pura quiete.

1968

NOTTE A RAVENNA

(All'uscita di un cinema dopo aver visto il film Il dottor Zivago*)*

Chi alita al mio fianco, quasi vento
che appena accenni a modularsi, voce
esitante, ma già prossima a compiersi?

Sento quell'alito gelido, lo riconosco, ma dico,
per fugarne l'annunzio – battendo forte i piedi
sull'asfalto, ascoltandone il cupo risuonare –,
che è quest'aria d'ottobre già invernale
tra le umide pietre di Ravenna.

Ma quel ragazzo che ora,
le mani in tasca, attraversa la piazza,
portato da un pensiero
che posa un'ombra sul volto adolescente,
e a tratti, come cercando in un'opaca
memoria, fischia il motivo di Lara...
anche al suo fianco scivola quest'alito.

Hanno spento le luci dell'insegna, il cinema
non manda più il riverbero alle spalle,
ora il fischio si perde dietro l'angolo.

Più alta dentro i vicoli
agguata la voce del vento, negli spazi
si fa minacciosa. E dietro incalzano
quelle dolenti immagini: altro vento
piega betulle nitide in una luce bianca.

Anche noi forse portano
treni chiusi che vanno
verso un incerto destino, sospesi
ad un evento, a un gesto, ma protesi,
istante dopo istante, a consentire
con la vita anche dove non fiorisce.

Dopo è la morte, Zivago, quest'alito
che già appanna la luce, ma possono
cogliere gli occhi passeggeri un'ultima
felicità nella bellezza,
e chiudersi rubando
un'intima inviolata libertà
in quei fiori di neve ghiacciati sopra il vetro.

Ed ora che rincaso in questi vicoli
dove ogni lampada è spenta,
e all'improvviso è la luna
che inventa nelle piazze
le torri, le Basiliche (immutabili
ad ogni giro!, vedo
che la morte è apparente se può irriderla
questa ferma bellezza.
Qui più facile
è ritrovare una misura, un senso,
quietarsi in un disegno, riconoscersi.
Qui cercare un profondo silenzio.

1968

IL BORGHESE

Non posso più voltarmi.
Ho paura che, solo per un attimo,
fra tanti nella folla
uno mi guardi negli occhi

e mi riconosca, mi veda.
Camuffato
coi denti finti ed i capelli tinti
e con finti pensieri, nascondermi
posso ancora fra gli uomini,
parlando, sorridendo.

Ma accendete le lampade: tenete
la mia sera lontana dagli alberi.
Ho paura che crescano ad avvolgermi
le radici dell'ombra.

Fate chiasso, suonate tutti i clacson.
Voglio questo rumore delle strade
senza pause, né spazi di silenzio,
dove il pensiero non mi può raggiungere.

Ora venitemi incontro.
Mi difende
la spilla d'oro sulla cravatta,
il mio vestito borghese alla moda.
Cammino
sopra il mio palcoscenico...
Accendete
le lampade! (Chi chiama?
Chi mi chiama
da quel fondale buio?)
Riflettori!
Accendete!
Risplendo.
Più nessuno mi vede.

1971

IN ME

Da chi se non da me, da quella mano
che mi prende e mi tiene ed in lei s'opaca
la chiarezza che amo,
io tento debolmente di fuggire
se già s'insinua quella mano, e scende
profonda nel mio sangue.
E quando a stento abbandono la notte, resiste
nel doloroso risveglio se, guardandomi
con stupore nel vetro
d'una finestra, mi vedo fra gli alberi
sopra i tetti di nebbia, e sono nuvole
quelle che gli occhi ora invadono e passano
come le foglie con il vento, o al fischio
fioco del treno, il vapore che sale
dentro quel quadro che non voglio leggere.
Da chi se non da me, perché lo scatto
della mente misuri esatto il numero e nel passo
si riconosca e le cose
abbiano tutte un nome, un nome solo.

Ma quella mano che mi prende
e mi consuma mi isola, anch'essa
come il dolore è vita, abita in me.

1974

ALLA FIGLIA CHE VA SPOSA

1
Apro la mano e libero la tua
che spicca il volo e s'affida ad un'altra.
Dita che intrecciano dita
l'ininterrotta treccia della vita
che ci conduce.
E ad altre incerte dita

la tua mano, già lana che diventa
filo e s'allunga, filo
che si tende, aprirai,
dolce lana, mio filo.

2
Ora dal ponte guardi
sulle sponde i paesi
diversi nella luce, ma solari
in te d'uguale calore, e sta l'uno
nelle sue note strade, come un disegno nitido,
l'altro appena l'albore del mattino
rende d'opale alla mente, ma già
a quel suo primo disvelarsi tende
appagato il tuo sogno,
come quando al mistero, alla sua favola,
ci chiama l'insegna d'un cinema.
E noi
che qui restiamo
(nel giorno che ancora ha riverberi,
tenta il suo ultimo raggio),
stupiti ci voltiamo a salutarti.

1975

ABORTO

(Dopo aver letto una lettera di una donna
nella posta di un giornale)

Questo soltanto ti resta: un'immagine
straziata, senza volto: un puro anelito
alla vita, che ha chiesto d'esser forma
e di specchiarsi così nel suo segnato destino,
un sogno soffocato dentro un tunnel
che non porta alla luce.
E tu

ti pieghi nel dolore,
del gesto irreversibile, e le inventi
un nome, e cerchi in te
l'eco d'un fievole battito, e ti chiedi
di che colore avrebbe avuto gli occhi.

Per quegli occhi che mai non vedranno
ora i tuoi occhi piangono. Per sempre.

1980

PREGHIERA

Il bagno è rotto, il rubinetto perde,
la serranda è scoppiata nelle guide,
si è squarciato il cancello per la ruggine,
la radice dell'agave ha spaccato
l'orcio.
E nessuno grida per le strade
«Punti metallici per ogni vaso!»
Tu che aggiusti le piaghe purulente
e saldi le ferite,
e l'acqua che ha allagato la campagna
riconduci serena dentro l'alveo
del fiume,
compatire
la speranza che sempre si appiglia
ad ogni filo d'erba per resistere,
e l'amore che dura contro l'usura del tempo,
concedi
pietà per ogni fede che non muore.

1980

LA MANO

(Per un bambino ucciso dal terremoto)

Quella mano, così tenera e bianca
chiusa a pugno, che fugge dal sudario,
chiama la vita, si tende a invocarla
come dianzi a proteggere
gli occhi dall'ultimo muro. Ora stringe
il suo tempo spezzato, a trattenerlo.
Ma è inutile: si è fatta
d'alabastro nel gelo.

Qui si legge che presto
rifioriranno gli orti fra le case, e le strade
avranno ancora un disegno che dica
piazza chiesa stazione farmacia e campo
sportivo, e, ancora coi cipressi, dica
campo santo di pace.
Ma quella mano nessuno
l'aprirà più nella corsa, nel vento.
Nessuno desta i morti.

1980

MIA MADRE

Benedetta tu sia come le api
col loro lieve ronzio
che sciamano a suggere il polline
per dire grazie alla vita con il miele;

e come gli umili fiori dei campi
che nel breve apparire danno al prato
più luce;

e benedetta come questi passeri
che s'accontentano di ciò che trovano,
chiedono così poco per esistere;

e benedetta tu sia per lo stupore
che t'accendeva gli occhi di bambina,
la tua sola ricchezza
che m'hai lasciato, scusandoti, in dono.

1985

LA GIUSTA MANO

Una manciata di gioia e una di dolore
con giusta mano mi soppesa la vita,
e più la gioia cancella le ombre della mente
più il dolore mi macchia col suo inchiostro indelebile.

Ma io come potrei non ringraziarla ancora
se fiume denso di detriti ormai, nel suo
scendere inarrestabile verso la quiete del mare,
all'improvviso al vento alza le schiume, s'anima,
torna quasi un torrente che ribolle.

Come non riconoscerla oltre il velo
che la nega, e le crepe e gli schianti,
nel suo intatto lucore, la vita.

1985

IL GATTO

Godilo, immergiti
in questo sole d'agosto che rende
fragili i sensi e acquieta l'ansia
                    – dice

l'ultimo mio pensiero che si annebbia –
mentre lontano il battito
spegnersi sento nelle vene e affondo
– placato – nel sopore.
Il gatto
mi sta accanto, si crogiola
sul prato, a me fraterno
– come la mosca che a lungo lo insidia –
in questo stesso vento inconoscibile
che ci sospinge.

Ma lui vive e non sa. La vita è tutta
nel limite felice del suo corpo,
e non teme.
Lo invidia
chi chiude in sé l'angoscia
(anche se il sangue finge
di non sapere) di vederla in bilico
come sul ramo una foglia ingiallita.

Un'altra e un'altra estate
torneranno, non questa.
Non tornerà mai più
quest'ora; è irripetibile
quest'attimo che fugge.
Va come l'acqua chiara che m'illudo
di bere nella conca delle mani,
ma che si perde e imbeve
– mentre guardo sgomento – la terra.
(Scompare: come noi.
Noi che sappiamo, loro che non sanno.
Sospesi tutti ad uno stesso evento
che noi soli attendiamo.
Ed io mi chiedo: è un dono
la mente, a questo prezzo?)
Il gatto
ad un suon di clacson
è desto, si stira, fa un salto,

fulmineo allunga una zampa,
con uno scatto afferra una lucertola.
Ecco: farsene specchio! Fino all'ultimo
una partita tutta da giocare
per non tradirla negandola, neppure
dove perde lo smalto, la vita.
Non dubitarne mai, crederla certa
come lui fa: coi sensi
che più la soffrono, che più la esaltano.

1986

TERZA PARTE
FORME DELLA BELLEZZA
(*NELLA NATURA E NELL'ARTE*)

LA VITA CHE NON MUTA
Pandolfo 1980

IO DICO: UNA CONCHIGLIA
Poggiali e Forconi 1989

IL GIARDINO E ALTRI HAIKU
Marco 1998

IL DOPPIO SEGNO
Schena 1994

LA VITA CHE NON MUTA
(1980)

Queste poesie ("tempi" di un poemetto unitario) sono state scritte fra Roma e Campo di Mare (località balneare, sull'Aurelia, al chilometro 43,700 a nord di Roma) fra il 1971 e il 1979. Il giardino che le ha suggerite è quello di una casa di villeggiatura che si affaccia sul litorale.

D. M.

SULL'AURELIA

Vado incontro agli dei
che hanno per me apparecchiato i balsami
le bende con gli unguenti profumati.
Le loro mani che portano tregua
lievi si poseranno sulla mente.

Attorno a me una siepe
che mi difenda dai miei fantasmi
sapranno tessere col loro fiato,
gli dei che per me cantano
fino a spegnere il chiasso
e mi lasciano musica
dov'era il pianto.

L'EUCALIPTUS

Eppure fino a ieri non sapevo
che all'incrocio dei viali, al chilometro
quarantatré e settecento,
svettasse solitario un eucaliptus,
e ora da lontano lo conosco
e in lui so leggere il nome dei venti,
come cresce la luna, e la luce
delle stagioni ritrovate e so
come si piega al vento e abbrividisce
nell'inverno spogliandosi
e come erompe al suo verde più giovane.

Lo vedo e prefiguro il largo spazio
che annuncia, e già s'innerva
il piede nel pedale... Corro a gara incrociata
con il treno che sotto falcia il prato:
cavalcavia che a tuffo,
a larghe bracciate di luce
mi porta giù a nuotare

in un campo di mare a perdifiato!

(Chi disse patria e divise
l'acqua dei fiumi, il flusso
delle vene continue della terra?
Chi disse: oltre quel segno
Dio non è più con gli uomini, è perduta
la sua legge d'amore,
né più con gli altri, materna,
ci affratella la morte?)

Il mio paese è ovunque
passi il vento tra gli alberi. Ora è qui
tra questi che il libeccio
piega a monte nel dedalo
accennato di strade ancora calde
d'asfalto, all'ombra di questo eucaliptus
aperto a nuove albe.

ALL'ALBA

Vita che ad ogni svolta ti nascondi
"tana per me!" io dico a questa tremula
chiarità che s'espande e si fa luce,
e per le piante che dall'ombra nascono,
e per il mare che ora il cielo libera
del suo grigio profondo, e si svela.

"Tana per me!" io dico a questo frullo
d'ali dai pioppi, anelito,
ringraziamento che sale,
misterioso messaggio che fa coro e s'unisce
ad altre voci che soltanto ora
riconosco, e s'unisce
a questa mia che chiede
come loro altro volo, altra speranza.

"Tana!" dico per queste

gazanie che nel sole
si schiudono e s'arrendono
alle api, e per questo lombrico
che la lucertola uccide coi suoi denti
(morte che nutre la vita) e per ogni putredine
che si fa spiga.

E per Valeria che piange se una mosca
le ronza sopra il viso
e scopre d'avere le mani e le tende
incerte a un fiore-colore, "tana! tana!".

LE IMMUTABILI IMMAGINI

E come potrei non amarvi liberi uccelli di passo
e tu stento ruscello che a fatica attraversi
questa vallata per giungere al mare,
e voi, così indifesi,
alberi gravi di tempo: segni, forme
d'un comune destino,
immutabili immagini fraterne
in cui posso con pena riconoscermi.

Ma in voi come fiorisce,
dall'ombra che l'opprime liberandosi,
l'anima appesa sulla sua caduta,
ora che qui la guarda e qui l'intende
la vita che non muore, che non muta.

LA TERRA

Questa mano che ieri sul tuo corpo
abbandonato al mio fianco ha chiamato
i tuoi lamenti,
                    scava
ora dentro la terra a ricercare

il suo umore segreto, la linfa
che in lei porta la vita come in te
il sangue irrora il seme che fiorisce.

E così vita a vita si congiunge
nello stesso mistero, e la domanda
si ripete laggiù dove la macchia
cede alla sabbia, al mare,
e quei canti e fruscii e gridi e gemiti
che il vento porta ed allontana tacciono
a quel limite d'acqua.

Ma non muta
in quella notte gelida
di grembo in grembo il corso
di questo eterno evento: dal silenzio
che s'inabissa, un altro
pieno corale della vita giunge
al mio proteso ascolto.

Qui, in ginocchio,
tra fiore e fiore muovendo con le dita le zolle,
sento che batte all'unisono al polso
sulle mie vene l'humus della terra
– ultimo grembo a generarci adulti –
e se affondo la mano
entro profondo nella mia sostanza.

LE FORMICHE

Non ha tregua la furia delle formiche fameliche
che scendono nel nicchio a consumare i resti
d'una vita: così accanitamente che più nulla
ricorda il suo vagare nella libera
felicità del mare.

Ma frugando
in quella terra che per lei due volte

è morte, ecco apparire nella sua
incorrotta scultura una conchiglia.

Né mai tregua ha la fila
che all'ombra d'un susino
morde nella putredine
di un'ala che saliva oltre lo sguardo
portando in alto il trillo del mattino.
Ma l'allodola è viva nel suo canto.

Non tutto dunque porti via sorella
che ci accompagni in attesa, non tutto
si cancella all'ingresso del tunnel: la vita,
non la bellezza è labile: resiste,
resisterà sempre un'impronta, un'eco,
su cui non soffi il vento
del tempo inesorabile.

IL POLLINE

Questa fuga del polline nel vento,
il suo cercare senza sosta amore,
è la vita che sempre ricomincia.
Mi circonda. Dà anima al pulviscolo
che guardo sopra il vetro della luce.
Nell'ora immota del silenzio (l'ombra
delle foglie è un disegno che non vibra),
tutto si muove intorno a me: si chiamano
da immisurabili distanze, vanno
i semi della vita
nel talamo a congiungersi.

IL RANUNCOLO

Questo rosso ranuncolo che pianto
in poca terra, avrà

vita breve: vivrà
– ma nel prato splendente nel suo rosso! –
il tempo d'una estate.
"Stagionale",
mi dice il manuale che ho comprato
ieri all'edicola e porta il mio stupore
dentro folti misteri:
ciò vuol dire
che alla sferza dei venti dell'inverno
dovrà morire.
(Solo sulla pellicola
sensibile del mio ricordo
continuerà, sempre rosso, a fiorire.)

Ma, come l'erba, ora
che nelle crepe delle mura cresce,
porta vita, accestisce nell'arsura,
le mie segrete fibre
penetra il sole,
le esalta, le sfinisce:
e questo poco basta per non credere
e non sapere
che anche il caldo battito del sangue, musica
che m'accompagna, mia vita,
si spegnerà: fiore anch'esso
che perde il suo colore, "stagionale".

LE PRATOLINE

Non parlano? O si chiamano,
nel silenzio dell'erba, le pratoline innocenti?
Si chiamano. E si comprendono
più di noi che soffiamo parole, perché
con il loro silenzio si amano.

DOPO LA PIOGGIA

Forse sei tu, profumo della terra
dopo la pioggia, nel tepore, a dirmi
non disperare, ricordalo:
la joie venait toujours après la peine,
la morte non prevale, né il dolore,
rifiorisce la vita dalle spoglie,
dalle sue spine, e dal duro silenzio, e da questa
aridità che accoglie il nuovo seme.

La primavera che torna già preme
nelle gemme, e dentro il sangue, scioglie
l'ultimo gelo e il dubbio che attanaglia.
Eppure ancora sento – se perdura
in me lo sgomento dell'inverno –
che ovunque guardi è tutto inconoscibile
alla mente che chiede (o solo il cuore
folgorato, talvolta può carpirne
un segno!); e ancora mi dico: quel poco
che so, quel poco basta
a non avere respiro, a morirne.

FRA I TUFI

Non come queste piante
che rade e stente fra i crepacci dei tufi
verdeggiano, di poca terra appagate, ma liete
dell'aria, della luce,

non come loro
(noi scontenti, insoddisfatti
nell'inutile affanno di raggiungervi
vani spettri, caduchi simulacri),
fidenti
volgiamo gli occhi al sole, all'infinito
campo di nubi che ci dà misura

di ciò che siamo
(fra pecore e cavalli
che appaiono e s'impennano, in quel fiume fluente
è scritto ciò che appena per barlumi
si fa chiaro),
non come queste piante
grate della ricchezza dell'esistere,
ti accettiamo, per ciò che offri o neghi,
vita pur sempre nella luce e nell'ombra.

IL PASSERO

Lungo il muro dove l'erba è già stanca
di crescere, per troppa ombra, e s'arrende,
tra foglie secche d'*eucaliptus* e qualche
raro petalo rosso che dianzi
era la carne viva d'una rosa,
moriva.
Come nascosto
in quell'angolo freddo.
E non era
un passero nelle sue piume già intrise
di sangue e di terra, non era
più solamente un passero: la vita
era in quel tenue battito
sempre più tenue, in quel suo breve cielo
che si velava, a morire.
In me, negli alberi, in quell'alto stormire
a vortice, saliva il suo morire.
Eppure
se mi dicevo: il segno
è questo della vita, a ricordarmi
che ciò che è nato muore, mi stupivo
di questo mio stupore, come sempre
ha lo stupore negli occhi chi muore.

LA RONDINE

Non sparate sul vetro del silenzio
i vostri colpi gelidi (le nuvole
hanno le ali bianche), non rigate
col sangue degli spari
questo intatto colore di luce.

Qui tutto è fermo, il tempo
non ha radici d'ombra dentro il sangue,
non cresce più. Destandomi
non ridatemi a un tratto
coi vostri colpi incauti,
la misura dell'attimo.
Lasciate
libero in alto più in alto salire
quel volo, non dite presente passato.

Qui alla certezza mi assimilo di queste brune scogliere
che accolgono il tramonto da infiniti millenni,
ma voi sparate e tutto precipita in me
come la rondine a piombo
caduta qui a morire.

LA QUAGLIA

Ho veduto una quaglia. Camminava
con dolore, stupita, sull'asfalto
davanti al mio cancello.
Ho capito guardandola cos'è
il peso della vita.

Ed era il cielo così bello in alto
fra gli alberi e le case
che invitava a volare.
Ma ormai troppo lontano, irraggiungibile
per lei senza più fiato.

Sta affogando – ho pensato – nel mare
di quel suo grande salto.

MIGRATORI

Dopo quanto, di sole e di volo,
d'interminabili cieli senza rifugio di nubi,
l'ombra degli alberi! L'oasi
dopo il deserto dell'aria. Qui
senza più affanno si tuffano quietati.

Che ansioso volo anch'io dentro lo spazio,
le invisibili trame che i pensieri congiungono…
e posarmi nell'ombra di lei,
dentro quell'ombra avvolgermi.

SULL'ERBA

Oh amore com'è tiepida
ai limiti del corpo che la preme
l'erba! Non sa
il prato d'altro fuoco.

Il poco che mi resta
di cielo si rifugia
dentro i tuoi occhi mio segreto specchio.

Ma se ti levi e fugge via da me
l'ultima luce che chiedo
e tutto mi conduce verso l'ombra,
resistere la vedo incancellabile
– sopra l'erba già fredda –
l'impronta della vita che mi sfugge.

IL VENTO

È il vento, il vento che disegna viola
i monti della Tolfa – uno dice indicandoli
oltre l'Aurelia – mentre fra le nubi
in assolvenza emergono nell'aria.

Da che terra, da dove...
il vento che ora mi sorprende in questa
calma apparente? – io mi chiedo sentendone
la carezza sul viso, con un fremito.

Porta lontane mani. Ha l'inquietudine
dell'alba e del tramonto,
è malato di luce incompiuta.
E che voci dipana
questo vento ventriloquo che parla
coi lamenti degli alberi?
                                        In quel coro
di brividi, fra tante
che ha rubato nel viaggio, a che patti
scenderei per sentirla
– mi basterebbe solamente un fiato! –
la voce di lei: per un attimo.

L'ULIVO

Questo che ora con fatica innalzano
ulivo antico in un esiguo spazio
(non le aspre onde delle colline di sassi
e per confine le nuvole, ma il muro
di cinta e la casa), sei tu
padre che torni a ritrovarmi in questa
mia età che tenta, stupita, di raggiungerti.

È la Puglia matrigna
della tua giovinezza troppo rapida. E qui

con le pietre che pongo a corona
del suo piede, ricerco quell'immagine
che negasti per sempre con la fuga.

Ma nella chioma che già canta aprendosi
con dolenti rintocchi riecheggiano
i tuoi giovani anni macerati
dalla pazienza che soffoca il grido,
e la tua voce spenta
fa eco a quei lamenti.

Vedo ancora l'ulivo ad accoglierti
nel paesaggio mutato: più dolci
suonano i colli toscani
al tuo passo quietato.
E mia madre
è con te, mescola al tuo
il suo più chiaro idioma, t'accompagna
per un tratto di strada.
All'improvviso
tende le braccia, le mani, a trattenere
la tua mano già esangue che le sfugge.
Perché senza voltarti t'allontani
quando la mente ancora chiede e il sangue
corre al suo ultimo miele?

Qui soltanto ritorni. Ti plachi
nel mio pensiero, accanto a me che sono
tuo figlio che ha quasi i tuoi anni,
e che può amarti ora come prima non seppe,
e qui nell'ombra dell'ulivo tenta,
così, di ritrovarti.

LA PASSEGGIATA

(A mio padre)

Ti aggiungo gli anni che non hai vissuto,
accanto a me ti vedo
più vecchio e t'accompagno a passi brevi
dove per te non c'era
una casa sul mare, il giardino.
Ti guardi attorno, mi guardi.
I tuoi occhi si fanno più piccoli
di tenerezza e d'orgoglio.
"Qui potrei
stare bene – mi dici – riposare".
Timidamente tenti una carezza.

Il passato e il futuro hanno una stessa
misura di dolore e di dolcezza.

L'INSALATA

(A mia madre)

La tua ombra, se prego, quando scende
il crepuscolo, so che ritorna fra quelle
degli alberi che crescono nel buio.
Resto solo ad attenderla. Mi prende
la speranza per mano
come una volta mi portavi.
Lo sai
che lascio sempre aperta (il vento
che viene dal mare
la fa vibrare in un lungo lamento)
la porta a vetri della tua stanza?

Sei passata di qui solo per cogliere
l'insalata nell'orto: unica tregua
che ti concesse la vita. Forse è quello
– io mi dico, cercandoti –

il tuo rifugio ignoto.
Ma ci trovo,
ora che è notte, soltanto
il tuo vecchio coltello con la lama
arrugginita, ed un cestello vuoto.

L'APPUNTAMENTO

(Alle loro ombre)

Anche per voi
che solo un orto, a Parma,
ma stretto fra le case oltretorrente,
vi fece un giorno conoscere
come chini in tremore sopra un bimbo
appena nato, il sapore della terra,
ora s'apre un giardino, a perdita d'occhio,
che scavalca l'Aurelia e arriva al mare.

Qualche volta
passo in corsa fingendomi distratto
per non vedervi, né l'annuncio mi turba,
che da lontano svetta,
dei cipressi dal muro.
Ma stasera
(una voce?, un rimorso? – io mi chiedo frenando)
mi fermo, passo il cancello.
Era un tramonto
come questo, dell'anno... (A Gallarate:
"Ci vediamo a Milano", mio padre
ci disse salutandoci: il trenino, la Fiera ci aspettavano.)
Non ricordavo d'altri appuntamenti.

Fino a quando una sera
(era un tramonto come questo) vennero
due furgoni, da strade diverse,
qui sull'Aurelia, per posarvi accanto.

Perdonate se mentre vi aspettavo
guardando bocche vuote di cemento,
mi voltavo a quell'orto, a quel trenino lombardo,
ero lontano dalla vostra morte,
ma pensavo a due vite che si compiono
con un appuntamento sopra un prato.

AL TRAMONTO

Non andar via tu che ancora sai darmi
questo parvente calore, l'illusione
che la vita non passi, e disegni
più struggente il contorno delle cose,
come se fosse il mio
l'ultimo sguardo a lasciarle;

non andartene tu che mi tendi
rasserenanti le mani
e penetri nel sangue a farvi gora,
e prati e mare e spazio si dilatano
in te, come se fosse il mio sul mondo
il primo sguardo attonito a scoprirlo;

resta così sopra di me ad avvolgermi
sospesa,
come tutto che amiamo è sempre in bilico,

non andartene
luce del giorno in fuga dietro gli alberi.

DI NOTTE

O notte, o dolce tempo benché nero.
Michelangelo

1. *Gli alberi*

Son quasi qui. Se tendo
ora che è notte, la mano
dalla terrazza e mi sporgo,
posso toccarli gli alberi, non c'è
che una breve distanza tra quel segnato limite
e me che guardo, scoprendolo, il muro.
Di qua come prigioni stanno gli alberi.

Ma doveva calare all'improvviso
la notte e la luna fuggire
perché mi ritrovassi
qui con loro che incombono, nel chiuso di un recinto.

Come la tartaruga arranca al piede
del cancello, sognandolo uno spazio
senza confini, e batte e non si stanca,
io stretto nella morsa del giardino,
me ne vado, mi fingo
tutta la luce, la vita che mi manca.

2. *La luna*

Luna, torbido sole,
nella tua inquieta luce
meglio mi riconosco.

E il giardino mi prende
come se fosse un bosco impenetrabile
violato dai falò
che la tua fiamma accende.

Non ha confini il prato.
E qui si fanno veri
i miei folli folletti che non cedono,
e dolgono, più strenui, i desideri.

3. *Giardino nero*

Giardino nero, se penetro
in affanno, come portato lontano, nel tuo
umido grembo e mi annullo
dove la pena si placa nel suo tempo di requie
e sento (o credo?) con tremore un flebile
grido, e un lamento, e nel folto
della parete d'alloro un frullo d'ali,
un battito che subito si spegne,
scopro
di non essere solo: che in questa
compresenza di vite che respirano
anche la mia ha un senso, si fa coro.

IO DICO: UNA CONCHIGLIA
(1989)

Io sono ateo. Non ho mai capito coloro che vedono la presenza di Dio nella Natura. La sospetto solo nelle conchiglie.

Frank Lloyd Wright

Raramente la natura esprime le sue facoltà creative al solo scopo della bellezza come negli uccelli, nelle farfalle e nelle conchiglie.

Immanuel Kant

Le poesie di Cielo d'acqua *tratte da* Io dico: una conchiglia *oltre che* Quattro conchiglie per lei *e ne* La tibia fusus di Montale*, insieme ad un breve saggio* Vita delle conchiglie nella scienza e nella poesia*, sono state riunite in un libretto intitolato* Forme della bellezza *(Lepisma, 2012). Da questa edizione abbiamo mutuato il titolo della terza parte di questa antologia.*

D. M.

CIELO D'ACQUA

A PRIMA LUCE

Già si avvicina il giorno con gli uccelli
che cantano di ramo in ramo, e la terra
rinasce nei colori,
e in quei vibranti cori
gli alberi, i fiori ritornano
che prima l'ombra ha messo in fuga, e a poco
a poco, salendo, quasi sospinta
da un invisibile fuoco, s'espande
in trionfo, la luce.
                                        Ed eccole,
come portate da un fiato
dolce che le conduce (petali
di chi sa quali Elisi!), le bianche,
le gialle, le occhiute,
le splendenti d'azzurro,
le iridate farfalle si posano
a macchiare quel verde ridestato.

E giù, nel prato sepolto del mare,
fluttuante d'insonne vagare,
fra i merletti viventi, le trine
delle foreste gelide, si accendono
come tremule gemme, le conchiglie.

Segrete figlie della notte stanno
dentro il disegno arcano che le porta,
a far lume all'idea della bellezza
in quell'oscuro cielo capovolto.

Ma nell'aria o nel mare quei fuggevoli
splendori vanno ad una stessa sorte.
E la natura versa dal suo grembo
le sue forme perfette per nutrire,
non mai sazia, la morte.

LA CYPRAEA ROSSELLI

Le Cypraee sono conchiglie porcellanate e lucenti a forma di uovo. La Cypraea Rosselli è di colore marrone con una macchia biancolatte sul dorso.

O Dio che Ti nascondi
al mio sguardo che Ti cerca
sulla terra, fra gli uomini, e rispondi
con il silenzio alle nostre domande,
a questa fame insaziabile di Te,

Ti sveli al mio stupore nei profondi
abissi dove l'Amore
della Tua mente illumina
di bellezza la notte impenetrabile
e di effimere stelle vaganti,
e accende le silenti praterie
di conchiglie dipinte come fiori.

E il Tuo dito l'oscura
Cypraea punge di luce,
di una brace di sole.

Anche in quella
infima vita, in quel fioco
barlume dell'esistere,
l'infinita grandezza si compiace.

LO STROMBUS GIGAS

Lo Strombus Gigas è una conchiglia di circa venti centimetri, caratterizzata dal rosso fiamma della sua grande bocca, cioè la cavità da cui esce il mollusco che si muove a piccoli salti facendo leva sul suo corpo calloso. È dotata di numerosi occhi posti alla sommità di peduncoli che orienta in tutte le direzioni.

Non mi guardare, non tendere
verso di me tutti quegli occhi, spilli
che mi pungono il cuore, se la mia
mano rapace ferma
i tuoi salti, gigante Strombo, e ti strappa
dalla tua pace sul fondo, sollevandoti
nelle fiamme del sole.

Le tue pupille colorate arretrano
dentro il mantello, accecate
da quella luce nemica, e l'azzurro
dell'onda ha bagliori di sangue
nella tua grande bocca rovesciata.

Per rapire quel fuoco
gioco con la tua morte che ti danno
i miei cinque tentacoli.
                                        Meglio
per me sarebbe lasciarti
tornare giù ai tuoi pascoli e destare
la coscienza a quegli occhi, a quel monito.
Ma le mie mani prendono dovunque
il desiderio le porti, le mie mani
senza pietà fanno versare lacrime,
offendono, feriscono:
                                        non sanno
che nulla sfugge agli occhi che mi guardano.

LA CYPRAEA AURANTIUM

L'Aurantium è una Cypraea di porcellana lucente di intenso colore rosso arancio. Per la sua bellezza era considerata sacra presso alcuni popoli primitivi.

Di te che un tempo tutta in me raggiavi
(e quanta luce mi davi a difendermi
dall'assedio dell'ombra!),
di quel nostro naufragio ho salvato
l'Aurantium dal lucore inestinguibile
(la più cara agli dei ed ora sacra
solo per me) che tu hai rubato al mare
forse per dirmi addio addio ricordalo
che io t'ho amato tanto,
e la tua pallida mano per lo sgomento tremava
come la vena del tuo collo quando
la sfiorava il mio fiato.

Da allora, se il ricordo,
come un fantasma in agguato nel buio
per aggredirmi, riaccende
quell'ebbrezza sopita, la tua pelle
sento sotto le dita che accarezzano
la tua conchiglia, e mi sembra s'imporpori
come te se volevo la tua bocca. E invece
di porcellana è questa
che ora come in affanno ad ascoltare
mi piego, e non è il mare col suo murmure,
né un'eco di infinito che mi giunge,
ma nelle mute stanze dove ancora
non arreso mi aggiro cercandoti,
è il tuo respiro ad alitarmi in viso.

L'HALIOTIS

L'Haliotis è una conchiglia piatta e ruvida a forma di orecchio, e per ciò è detta "Orecchio di Venere". Il suo interno è di madreperla argentea. Quando muore si stacca dallo scoglio al quale aderisce e, cadendo sul fondo rovesciata, mostra la sua parte nascosta splendente come specchio.

Raggiungila. Il mio dèmone
mi sospinge: raggiungila,
cercala nel profondo.
M'inabisso
e il mare si fa cielo.
Ma il cuore non resiste e non mi basta
il fiato. Vedo il suo specchio rilucere
laggiù nella nebbia del prato. Ma il vento
– quel vento che fa navigare
come un fantasma un vascello affondato –
la nasconde nell'alga, la nega
alla passione ardente che l'insegue.
Come inesausto insegue
l'immagine di lei su questa riva.

Le impronte dei suoi passi sulla sabbia
erano foglie alterne
su un lunghissimo stelo
che svettava in un cielo senza nubi.
E salivo felice su quell'albero
come un acrobata ebbro per raggiungerla!

E ora mi chiedo: che vento
la portò via, che nebbia ha cancellato
dalla mia vita il volto che il mio dèmone
mi diceva nascondilo
nel profondo del cuore, custodiscilo.
E ora a me di tanto affanno resta
– come di quell'Haliotis che ho perduta –
nascosta in me, la luce del suo sguardo.

L'HARPA MAJOR

L'Harpa Major è una conchiglia tondeggiante, globosa, di un colore che va dal miele al bruno, con alte costolature ricche di disegni che ricordano uccelli in volo e farfalle.

Mi specchio in te, umilissima,
fra tutte le creature, che ora al sole,
con muti spasmi cerchi di salvarti
nascondendoti al fondo del tuo nicchio,
ma perdi l'acqua (la vita!) e vinta cedi
a quell'onda vorace che cancella
a tutti noi viventi ogni illusione.

Ma se il mollusco già si fa putredine
le mosche attirate da quei miasmi
ronzano ghiotte nell'aria putente,
l'Harpa maggiore, come sfida al tempo
– che ci consuma e dice basta arrenditi,
qui finisce per sempre il tuo viaggio –
oppone la perfetta architettura
della sua cattedrale, la radiante
cupola d'oro e miele dove volano
mille farfalle chiamate da un dio.

E io, se per un attimo mi vedo
spento nel lungo sonno che m'attende
(ormai inconoscibile quel viso
che fu mio), mi domando
– chinandomi sull'Harpa per scoprirne
l'inquietante messaggio indecifrabile –
cosa di me resisterà che sia
solo una traccia, un graffio
che scalfisca quel buio inesorabile?

IL PECTEN E LA STELLA

È qui descritta una lotta cruenta per la sopravvivenza. La vittima è il Pecten, bivalve noto per essere l'alveo da cui Botticelli fa nascere Venere, e anche perché è il noto marchio di una famosa benzina. La sua nemica mortale è una stella marina che, per nutrirsi di lei, disserra le valve della conchiglia grazie alla forza delle sue ventose. Il pecten si sposta battendo le valve che lo fanno sollevare dal fondo, quasi come volasse.

Viene avanti. La sentono.
E in quel silenzio gravido d'attesa,
lo strisciare del piede sulla rena,
quel rumore che annunzia
la vorace nemica già prima
di quando l'occhio atterrito la vede,
si fa tuono, pronunzia
la condanna implacabile.

E voi battete le valve, volate
dentro quel cielo denso, cercate
inutilmente scampo in fughe disperate.

Forse negli esili nervi s'annida,
dal primo giorno di vita, l'oscuro
presentimento? E sapete
che il tempo scivola, è un'onda
che lentamente corrode la riva?
E conoscete il dolore, e la paura,
quell'artiglio che stringe, paralizza?

Inutilmente lottate: si consuma
in quell'impari lizza, l'olocausto.

Anche il dolore è figlio
della natura. In noi l'anima sale.

Che cosa vale a voi?

UN MESSAGGIO

Non un canto né un grido attraversa
quel silenzio, né un pianto.
Anche il vento che rema nel profondo
non ha voce. Laggiù, dove non muta
il cuore del mondo il suo battito,
il viaggio della luce non separa
il giorno dalla notte.
E per voi, fragili
come lucenti vetri,
che potete resistere al peso
di un denso cielo d'acqua
solo un segreto monito è segnale
dell'ora della caccia e del riposo.

Che perdete morendo? Non il sole
di questa primavera che sugli alberi
fiorisce, non il canto degli uccelli
che al profumo dell'aria si innalza,
non la struggente musica
delle voci che abbiamo amato.
Tutto
si cancella per noi nella polvere.

Ma voi lasciate
una conchiglia tornita, lucente
che può sfidare il tempo, incorruttibile
a turbarci la mente. Vuole dirci
che la morte non vince la bellezza?
O che soltanto parvenza è la vita?

L'ULTIMA SPIAGGIA

Quale onda per me, su quale riva
trascinerà il mio corpo, come questa
conchiglia che ora qui
la violenza del mare condanna
a morire di sole?

Quale sarà la spiaggia, quale cielo
ad accogliermi dopo?
                                        Per lei
quello profondo d'acqua che le diede
vita, s'è fatto d'aria a soffocarla.

O mia sorella anch'io mutando cielo
cadrò smarrito in un gorgo, atterrito
d'un approdo deserto
                                        senza luce.

QUATTRO CONCHIGLIE PER LEI

IL MURICE

Le conchiglie della famiglia dei Muricidi hanno, in varie misure, la forma di una mano che si chiude e sono caratterizzate da un ricco apparato di spine. Nel Mediterraneo vi sono due specie note anche ai buongustai: il bolinus brandaris *e la* thais haemastoma *che popolarmente sono definite Sconcigli. Il Murice è dotato di un "tappo" corneo (l'opercolo) con cui, chiudendosi nella conchiglia (che è il suo scheletro esterno ma anche la sua casa), il mollusco si protegge dai predatori. Dalle due specie citate veniva estratta la porpora ed erano per ciò molto ricercate e apprezzate.*

Anch'io questa che già deve difendersi,
mia vita, dall'unghia del tempo,
dove fra ombre che crescono, raro
un bagliore serpeggia, questa già stanca vita
che, mi dico – guardandola come se in fuga passasse
sopra uno schermo sbiadito – non può
essere questa la mia già così lunga voltandomi.

Ora vorrei con umiltà nasconderla
al tuo sguardo impietoso che indaga, come fa
ad ogni allarme un murice chiudendosi
nel suo nicchio protetto dall'opercolo,
e come lui resistere all'affanno
dell'oceano che preme, al suo peso.

Ma tu scrolli le spalle e cancelli
le ombrose ubbie e mi sfiori con la mano
ridendo. E allora sia! M'inonda
la tua voglia di vivere,
né l'ironia più mi difende, sono
un arenile che s'arrende all'onda.

LA CYPRAEA

Le Cipree sono conchiglie porcellanate, lucenti, a forma di uovo. Ve ne sono di rarissime e quindi molto costose. Tuttavia per la loro grande bellezza, sono le più amate dai collezionisti. Quella di cui parla questa poesia, "maculata" allude a una delle tante specie che hanno fantasiosi disegni sul dorso.

Non il mare, ma l'ultima che ancora
come portata dall'eco resiste
lontana voce d'una vita che seppe
gli abissi e il loro mistero, ansiosamente ascolto
ora posando l'orecchio su questa
maculata cypraea per decifrarne
il messaggio immutabile, l'enigma.

A quel confine dell'ignoto, estraneo
ma fraterno mi volto
a chiedere ragione del suo esistere,
del mio così dissimile,
della mia voce umana che cadrà
per sempre nel silenzio.

E quando a me
ti ruba il sonno e tutta in sé ti chiude,
e sei lontana come in una immagine
sognata dopo l'alba,
nel tuo respiro, trattenendo il mio,
sgomento su un cratere impenetrabile
cerco la vita che da te mi esclude.

LA TELLINA

Chi non conosce le telline, o Arselle come le chiamano altrove (per esempio in Toscana). Basta affondare la mano nella sabbia, anche vicino alla riva, per trovarsi fra le dita questo piccolo bivalve (due valve che si chiudono come una scatoletta). Ne sono ghiottissimi i buongustai che non sanno che quelle che chiamiamo telline e che hanno il guscio molto robusto appartengono al genere Donax, mentre le Telline (numerose in tutti i mari e che possono anche raggiungere i quindici centimetri) hanno spesso le valve leggerissime, quasi trasparenti come quella (evidentemente oceanica) di cui parla questa poesia.

Ti ringrazio di questa valva bianca
di tellina che hai messo nella lettera.
Aprendola ascoltavo
soffiare il mare lontano fra gli alberi
e dal mare mi giunge questo petalo ancora
caldo delle tue dita che come un fiore lo colsero.
Lontano mare il tuo: eppure so
che un'anima continua, una perpetua vena
di vita a questo lo congiunge, e passano
nelle sue onde le onde del tuo pensiero a raggiungermi.
Così lo spazio che ci divide è vano
se guardo questa valva nel suo trasparente nitore,
ma penso all'altra perduta e mi strazio.

IL CONO

I coni, come dichiara il loro nome, hanno la forma di un cono gelato. Nel nostro mare esiste soltanto il Conus Mediterraneus, *ma in tutti gli altri sono numerosissimi, con ornamenti da fare invidia ai pittori astratti. Persino Rembrandt ne è rimasto affascinato e ha inciso una splendida acquaforte proprio sul sorprendente* Conus marmoreus. *I malacologi (gli studiosi dei molluschi) fanno dell'ironia su quell'immagine perché tutte le conchiglie hanno l'apertura (la bocca) a destra, ma nel procedimento incisorio si rovescia la lastra per stamparla, e così il cono di Rembrandt è diventato un rarissimo esemplare "sinistrorso".*

Soltanto mille lire questa conchiglia scovata
alla rinfusa in un cesto di vimini
fra tante davanti alla porta
d'un piccolo bazar di cianfrusaglie (il mare
è a pochi passi e ancora le inodora)
è un conus textile, appena
scheggiato lungo il labbro.

Avrà sentito,
– mi chiedo ora guardandone le trame
del disegno, alfabeto, labirinto
in cui mi perdo con le mie domande –
la mia mano cercarla, e forse un brivido
ha attraversato le sue morte cellule
nel ricordo di quella che dal suo
cielo d'acqua notturno
la portò in alto alla luce a morire?

Così tu

quel giorno non posare
la tua mano che brucia di vita
sulla mia fronte: potrebbe
a quella incauta carezza ricordarsi
d'altre, rabbrividendone, la conchiglia già immemore
che nascondo pudico: il mio scheletro.

LA TIBIA FUSUS DI MONTALE

Ogni volta che andavo a trovare Eugenio Montale, affettuosamente ricordandosi che io amavo le conchiglie, mi mostrava una spettacolare Tibia fusus che teneva appoggiata sui libri. Si tratta di una conchiglia il cui corpo conico, di lucente color mogano, si allunga in una, come chiamarla?, "spina" che può raggiungere anche i quindici centimetri, e che non è altro che il suo canale sifonale. Il Poeta scherzava su quella che definiva spada immaginando focosi duelli in fondo al mare. Né mai che quella straordinaria "scultura" gli abbia suscitato un pensiero (un dubbio) sull'ideatore-creatore di tanta bellezza così apparentemente inutile, anche perché non godibile dai nostri occhi terreni se non strappandola al suo habitat. E io ricordavo le parole dell'architetto Frank Lloyd Wright: "Io sono ateo e non ho mai capito quelli che vedono la presenza di Dio nella natura: la sospetto soltanto nelle conchiglie".

Il vecchio poeta la tiene
posata sopra i libri e me la mostra
con compiacenza estetica la lunga
tibia fusus armata d'una spada
(così dice celiando) che è tesa per difenderla
dagli ignoti pericoli del mare,
né quella forma perfetta sa incrinare col dubbio
la sua certa mancanza di fede.
L'osserva:
"elegantissima" – dice, non altro, ma cede
di fronte a tanta inutile bellezza
solo a qualche domanda sul mistero
degli abissi: non sa d'altri misteri o non li vede
neppure ora che l'ora è più tarda, né s'avvede,
pago di ciò che sa, di ciò che crede
la verità (la sola, la visibile)
di quanti pochi passi il nostro piede
avanza fra cortine che ci avvolgono.
(Come i suoi stanchi e brevi
nel chiuso di una stanza.)

1978

IL GIARDINO E ALTRI HAIKU

(1998)

IL GIARDINO

Gloria alla rosa
che assomiglia alla vita,
bella ma effimera.

Sogno una rosa
che non perda il profumo,
che non sfiorisca.

Senza più rose
il roseto d'inverno
è la speranza.

È primavera
e gli alberi e le rose
sono in attesa.

L'ultima rosa
ora che è sceso il buio
dà luce al muro.

Ricca è la rosa
che indossa lo smeraldo
della cetonia.

Una farfalla
si posa su una rosa,
crescono i petali.

Due dita incaute
sfiorano una farfalla.
Non vola più.

Bianche farfalle
volano, s'amano e subito
vanno a morire.

Una gazania
s'è aperta nella notte.
Sognava il sole.

Per un plumbago
s'è inazzurrato il prato,
s'è fatto cielo.

Le margherite
fanno macchie di neve
sul prato verde.

Le gemme scoppiano
diventano colore,
nasce l'estate.

È appena estate
e già soffrendo penso
a come è breve.

Cantano le cicale,
sinfonia dell'estate,
nell'aria è gioia.

Luglio, il tuo sole
che dà vigore all'anima,
m'illude eterno.

Tinge di rosso
il cocomero i piatti,
ride la tavola.

I pettirossi
cantano sopra il fico
lodi all'estate.

Una lucertola
marcisce: ora la morte
è nel giardino.

Di ramo in ramo
si chiamano le foglie,
le ascolta il vento.

Appena piove
assetate le ortensie
alzan le foglie.

Che acuta pena
l'amore per le tortore:
se ne lamentano.

Il girasole
guarda fisso la luce
fino a morirne.

Caduto è il ramo
con la tempesta. Un nido
sull'erba pigola.

Nel vaso piccolo
il pittosporo sogna
la piena terra.

Sopra il giardino
s'è fermata una nuvola:
le piante aspettano.

È morto un passero,
ma su in alto, nel cielo,
vola una piuma.

Solo per te
– dice la terra al sole –
io mi riscaldo.

Tuoni e saette,
ma dopo la tempesta
lieto è il sereno.

Qualcuno soffia
sulle nubi che corrono
lassù nel cielo.

La bouganville
mi porge un fiore rosso
dalla finestra.

L'edera sale
e, curiosa, alla fine
guarda oltre il muro.

Fa la bignonia
din don con le campane,
le vespe accorrono.

Cento formiche
trasportano un vespone.
Che funerale!

Fra due mattoni
è spuntata una pianta.
La vita vince.

Il maschio mantide
non sa che far l'amore
costa la vita.

I fichi d'India
portano in bocca il sole
della Calabria.

Un lucumone
forse potrà apparirmi
in fondo al pozzo.

La tartaruga
che è timida si cela
nel carapace.

Il vento strappa
i fiori al pesco: le pesche
non nasceranno.

Passato è il vento
ma le foglie dell'acero
cantano ancora.

Lo scarabeo
gioca con la sua palla
e non la giudica.

Viene l'autunno
la vite americana
se ne vergogna.

Ai primi freddi
già tremano i gerani.
La vita è il sole.

Penso all'inverno
e nelle vene il sangue
si fa di gelo.

IL MARE

Vedo oltre il mare
l'isola che non c'è
e a quella tendo.

Che svela il mare
con il suo moto insonne?
Quale mistero?

Nell'aria immota
le parole del mare
dentro il silenzio.

Mi chiama il mare
e penetro voglioso
in quell'amplesso.

Un'onda anch'io
che si perde nel mare
e non ha nome.

Io guardo il mare
e già sento che sono
nell'infinito.

Si è capovolto
il cielo in mare: barche
sono le nubi.

Scende la sera,
a poco a poco il mare
sale nel cielo.

Ne sono certo:
se il paradiso esiste
ci sarà il mare.

Tremava il mare
e la barca cullava
come una madre.

Guardo dal fondo
il mare in superficie:
è un denso cielo.

Poche bracciate
e la terra scompare,
tutto è lontano.

Giù in fondo, giù
fra i pesci e le conchiglie
vince l'ebrezza.

In fondo al mare
un frammento di specchio
attira il sole.

Fugge la seppia
nel suo nero. Potessero
farlo anche gli uomini!

L'attinia è in fiore
per porgere gli omaggi
ad una stella.

Serra le valve
il pecten: si avvicina
la stella-killer.

L'onda è salita
sugli scogli del molo,
godono le patelle.

Corre il bambino
sulla rena, veloce

come l'infanzia.

Durano un'ora
i castelli di sabbia
e le promesse.

Nei fuochi a mare
dura soltanto un attimo
la luce in cielo.

I MONTI

Socchiudi gli occhi
alla luce che abbaglia
o al suo mistero?

A cosa tende,
a chi lancia la sfida?
In cima è solo.

Il cuore a un tratto
è un paese sepolto
sotto la neve.

C'è una fontana,
mi disseta una ninfa
con la sua brocca.

Nel bosco gli elfi
parlano con chi è puro:
io non li sento.

Per uno sparo
l'aria non è più limpida,
la macchia il sangue.

Un campanaccio
scuote gli alberi, i fiori,
desta la valle.

E nel silenzio
da lontano il memento
d'una campana.

In cima, in vetta,
ma ho rimorso se penso
a chi sta in basso.

Penso salendo:
un passo dopo l'altro:
questo è il segreto?

È generosa
la montagna: la vita
non ha rifugi.

Fra le montagne
un lago: è il desiderio
di un po' di mare?

Il sole tinge
nel torrente le trote,
le mette in mostra.

Fermo nel tempo
nella bara di ghiaccio
ti so fratello.

Come la trova,
bianca fra tanto bianco,
l'orso la sposa?

Hai il naso freddo,
ti bacio, le tue labbra
sanno di neve.

Fanno i bambini
un pupazzo di neve…
C'ero anch'io, c'ero…

Quando il portone
lo bloccava la neve,
addio alla scuola!

La stella alpina
ha rubato la neve

per farsi l'abito.

Ghiaccia la neve
e ricama sui pini
i suoi merletti.

Di valle in valle
ripete un nome l'eco.
Non siamo soli.

VIVERE

È come stare
sopra un mare in tempesta
in una barca.

Ad aspettare
si sta tutta la vita
che arrivi o accada.

Anche la vita
ha i suoi salti, le gore,
come un torrente.

Non riconosco
i luoghi dell'infanzia:
sono mutato.

Ma dove vanno
le nuvole che passano?
Io dove vado?

Più il tempo passa
più da me s'allontanano
le amate cose.

All'orizzonte
c'è il traguardo. Chi mai
potrà raggiungerlo?

Non serve correre.
La sorte sposta sempre
l'ultima meta.

Serenamente
quando tutto è perduto
voltare pagina.

Se corre l'acqua
penso ai bimbi assetati
nel centro d'Africa.

Non canti più
"quel mazzolin di fiori".
Ora a te i fiori.

Sirene lugubri
gridano: ricordatevi
qualcuno soffre.

Il corpo è stanco
ma lo spirito resta
sempre ventenne.

Io sento un'ombra
che mi viene alle spalle
e frena il passo.

Queste lontane
voci spente da dove
vengono a me?

Salgono in alto
gli aquiloni ventosi:
salgo con loro.

Perché passate
senza portarmi via
ondosi storni?

Come t'invidio
libero uccello che vedi
nuovi orizzonti.

Volo notturno.
La luna è nell'oblò:
la guardo in viso.

Salta sul letto.
Afferma il suo diritto
d'esser bambino.

Abbaia il cane
contro il cielo stellato:
la luna è piena.

Posando il piede
Armstrong sulla luna
l'ha tolta ai sogni.

Luna, il mistero
non potrà più, guardandoti,
farci pensare.

Ormai, o luna,
come di vecchia amante
di te so tutto.

Come l'allodola
tento d'aprire il giorno
con il mio canto.

Cerco il silenzio
perché pura risuoni
una parola.

Vola col vento
il foglio appena scritto.
Nell'aria un'eco.

Ascolto in me
una voce che chiama
oltre i confini.

Una farfalla
s'è posata stanotte
sopra il mio cuore.

Felicità
non dura più che un attimo,
brucia e va via.

Non c'è presente:
tra passato e futuro
l'attimo in fuga.

Chi può sapere
quando scende la notte
se torna il giorno?

Più va la vita
come il fiume alla foce
più m'innamora.

Vorrei sapere
la cosa che più conta:
quando avverrà?

Ti chiedo questo:
fino all'ultimo fiato
voglio stupirmi.

O Dio, se ascolti,
metti pace nel cuore
di chi t'invoca.

IL DOPPIO SEGNO
(1994)

DUE LETTERE

A DOMENICO CANTATORE, DA RUVO

Ti mando il mio pensiero
da questa piazza, all'ombra
della tua cattedrale, fra le case
basse che stringono a cerchio, e nessuna
voce, né un solo passo turba
questo immoto silenzio.

Ma per me,
in quest'ora già tarda del meriggio,
una indistinta litania si leva
dai balconi deserti, e intorno vedo
le tue donne sedute sulle porte,
lontane negli scialli, e già s'affacciano
i braccianti con gli occhi di mio padre,
e a me, figlio che torna,
quasi in preghiera tendono le mani
rugose come ulivi, quelle mani
che sul tuo cuore pesano, e sul mio.
Ed un lontano afrore
d'olio che è caldo di frantoio brucia,
come un groppo, alla gola.

Scompare
quell'antico memento del mio sangue e già,
togliendomi il respiro,
ai miei piedi una donna si distende
con il volto appoggiato sulla mano,
di calde labbra e d'occhi
ambigui che m'invitano.
È nata dal tuo fiato e me la mandi
perché mi volti, torni
alle stagioni perdute.

Ma il cielo
di nuvole grevi s'addensa, come lingue di fuoco,
a ridestarmi: lo riconosco, è il cielo
marchigiano che ami, e a poco a poco
in una nebbia invernale si cancella
la cattedrale di Ruvo.

E ti vedo
lungo i Navigli (quanto
giovane ancora!) fuggito
da questa terra avara, dal suo male
innocente, con gli amici che parlano
– esuli anch'essi – il tuo fraterno idioma,
dentro gli stessi sogni che già volano
in un cielo immortale.

Ed io, da qui,
da questa cattedrale che è riparo
al vento della storia,
da queste pietre che guardano a sfida
i secoli passare, immerso anch'io
nella fiumana di ombre che il sagrato
hanno consunto: cos'è il tempo, chiedo,
mentre mi avvolge presaga la sera,
a te che l'hai negato
(tutto il profumo amato dell'esistere,
tutto il nostro morire sospeso
in un colore, in un segno)
a te che l'hai fermato
per sempre con le immagini.

1988

A RENZO VESPIGNANI

Renzo, la giovinezza è in un bicchiere
che noi bevemmo insieme sulle strade
di macerie e di polvere,

e lungo il fiume fra le ombre rade
e le vampe dei fuochi all'orizzonte
nelle sere precoci senza lampade.

E che viaggi coi treni abbandonati
nello scalo deserto a San Lorenzo
dentro quel fumo denso
delle tue vaporiere che partivano
dai binari divelti! Sognavamo
un ignoto paese dove forse
la giovinezza aveva ancora un senso.

Eppure con che fuoco
fra tanta morte in noi la vita ardeva,
né ci pareva poco in quella ragnatela d'incubi e agguati, il suo cantare,
se smemorati correvamo a cogliere
da una ragazza che ci sorrideva
un amplesso rubato
nelle povere alcove dei prati
dove Roma cedeva alla campagna.

Ma la città levava i suoi sinistri
altari di tubi contorti, di cubi
sventrati contro il cielo, e di parati
a fiori, come per umili, domestiche
esequie per le vittime innocenti,
e in noi spegneva fuggevole
la giovinezza il suo fiato in quell'afrore
di gas che dalle stanze
impudiche nei loro sudari
disfatti, si spandeva a ricordare
che lì vissero, e furono degli uomini
ad indossare quei panni che come vane bandiere
sventolavano quasi per chiamare.

E tu con che tremore t'accostavi
a quella pelle franta delle case,
e toccavi il vaiolo dei proiettili

come un disegno macabro,
e il tuo cordoglio e la pietà nutrivano
la tua mano fraterna accanita
sopra il bianco stupore del foglio.
E dava voce al pianto dei superstiti
e alla carne piagata, e scalfiva
il corpo di una donna mutilata
che si vendeva all'angolo, nel lume
livido della luna.
                                        In quella tua
mano veggente passava tutto il nostro
stupefatto dolore.
                                        Ma se mi volto sale
da quel dolore e da quell'ombra come
una diffusa luce: erano quelli
i nostri anni, Renzo, quelli i soli
in cui avemmo vent'anni, e in un diario
che più non si cancella,
ad uno ad uno li annoto, e a quel riverbero
il sangue opaco s'accende, ora che ormai
quel bicchiere che insieme bevemmo
è vuoto.

1991

A SPECCHIO

INCUBO

Dal quadro Mistero e malinconia di una strada *di Giorgio de Chirico*

Da dove? Chi la manda qui, nascosta
dietro i palazzi incombenti
e la costringe a riprendere il gioco
in questa strada dove fu spezzato?
Lei corre e non s'avvede
della livida luce, di quel gelido fiato
che la sospinge.
(Da dove?
– mi ripeto in angoscia cercando
inutilmente in quel fondo silenzio
una risposta.)
Correva
da sempre negli oscuri labirinti
del mio presentimento.
(E quella cassa
vuota che in ombra protende le porte
come un abbraccio, chi attende?)
Per me quel volto d'angelo? Per me
quelle sue mani pure? Un'acqua ferma
trema in fondo al mio cuore.

Con un mesto sorriso m'invita,
porgendomi il cerchio, a tornare
indietro, più indietro: ed io son là sul nastro
d'asfalto lungo il mare,
e ho l'affanno gioioso della gara
come ora al suo fianco nell'addio.

(O Dio, se questa è l'ora che sia lieve
come un gioco! Ma se Tu vuoi – lo sai
che T'ho pregato tanto –

lasciami ancora fuggire, soltanto
per un poco! Io, correndo, l'invoco
gridando, come in sogno, senza voce.)
Ma risponde – lamento pieno d'echi –
nella cometa dei capelli il vento.
E un'ombra nera che avanza mi ferma
il respiro nel petto.
Soffoco, smetto di correre, tento,
chiudendo gli occhi, di non ricordarmene
che lei mi resta accanto. Ma mi fissa
col suo volto di biacca, sorridendomi,
dalla mia oscura mente che la nutre,
e la paura già s'acquieta in pianto.

1987

TENTAZIONE

Da un quadro di Alberto Sughi

Mi guarda.
                C'è negli occhi,
dove affondano sogni che mi pungono,
una febbre che chiama;
                                in quella sua
bocca che è un miele che non sazia mai,
si fa dolce il peccato e scende arreso
a penetrarla il desiderio;
                                il seno
che dall'ombra prorompe si tende
con la sua luce a schiudermi
del paradiso/inferno che m'attende
le ambigue porte,
                        e i suoi ginocchi mandano
bianchi segnali per portarmi via.

Ma se m'accosto, ecco,
c'è lei – col ghigno che mi spia – la morte.

1992

ICARO

Da un quadro di Enrico Benaglia

Cadrò così, bruciandomi le ali
come l'Icaro ebbro salito
oltre i confini del pensiero, in alto
dove il fiato del sogno
contro vento conduce.

Cadrò così. Che importa?
                                Fino all'ultimo
respiro, dove mai potrà raggiungermi

la mente, salirò, perduto in questo
mio inesausto volare, fino a quando
sarà la dura terra a ridestarmi.

Ottobre 1990

DONNA CON GALLO

Da un quadro di Domenico Purificato

Di lei che l'aria accendendo passava
nel mercato di Fondi con la brocca
fiorita, e nascondeva nello scialle
per pudore la luce degli occhi,
ora vive soltanto
nello scrigno dell'aria il lungo fremito
dello sguardo furtivo che gettava
come sfida ai pensieri
che attorno la stringevano,
e in noi, gli esclusi spettatori, resta
una memoria dolente nei sensi.

Ora sarà già stipite di porta,
ad aspettare i figli che non tornano
sulla casa che s'apre alla campagna, e il gallo
più non canta per lei, né le colombe volano
nell'ombra che la penetra.
Ma in me
se qui la guardo, strappata
da te alla vita che corre, perché il tempo
non la tocchi, come ritorna libero
il vento fra le canne, come erompe
inconsumato il fuoco
del desiderio a illuminarle gli occhi.

1982

PRODIGIO

Da un quadro di Norberto

Norberto, quanta pace in questo afrore
di pane caldo e di brace nel forno
che aggredisce dai vicoli e stordisce,
come il puro silenzio che quasi
come in sogno a nascondermi m'induce
sotto gli archi deserti per sorprenderlo
San Francesco che scende fra le case
a inondarle di luce.
E che improvviso
desiderio di volo, anch'io funambolo
come l'angelica schiera dei frati
portato via dalle nuvole, sui tetti
leggero come sale una preghiera.

1989

IMMAGINI D'EUROPA

Dopo una mostra di Renato Bussi

Quale dolente e dolce soprassalto
a ridestarmi da un sonno colpevole
– i rossi i verdi i gialli –
la colorata memoria di quei lontani giorni
che ritorna, riportandomi al cuore della trama
da cui sono sgusciato pigramente
dimentico d'essere figlio
dell'Europa.
S'affollano
nei tuoi colori le voci
affievolite (fa dialogo
quel confuso brusio) e quei limpidi occhi
che ora nei miei s'incontrano
e quelle tese mani

fraternamente.
                    Giallo
sui tetti di Grecia,
grigio di Francia, ovatta
sulla Bretagna, rosso
di Spagna, e nel sangue la trovo
la mia non più divisa
patria di terre e d'acque, unica patria
oltre i confini che la luce ignora.

1972

LA DONNA E LA CONCHIGLIA

Da un'incisione di Pasquale Basile

Navigherò con te sui flutti della
tua fantasia che tanto mi somiglia.
Avrò per bastimento una conchiglia
e mi farà da guida, come stella,

lo sguardo di una donna. E non fa niente
se il tempo spegnerà presto la fonte
di quella luce: immota all'orizzonte
risplenderà per gli occhi della mente.

Ma tu ammonisci con il tuo disegno:
– È come il mare che a ogni vento muta
l'amore di una donna: nel suo segno

la vita è un'avventura sconosciuta:
se ti fa re non durerà il tuo regno,
la sua bocca sarà la tua cicuta.

1993

COME PARTITA A SCACCHI

Da un quadro di Antonio Thellung

Stanno davanti a me, chiudono a siepe
la strada che con pena
tento d'aprirmi: ostacoli
cui troppo spesso m'arrendo: e per viltà
(o timore che altri all'improvviso
sorgano a sovrastarmi)
fatto guardingo, un breve passo compio,
una timida mossa d'attesa.

Eppure in me s'impenna,
altro da me, ma non da me dissimile,
e non domato scalpita, un dissonante cavallo
che d'un balzo opponendosi
ai fatiscenti ostacoli
saprebbe farmi credere (ed è vita)
che tutto possa ancora rinnovarsi.
Non lascerebbe che io mi spegnessi,
andando avanti così
sordo a ogni voce, cieco ad ogni mano
che si tende, come fossi una torre
che non segue altra via se non il solco
dove è concessa qualche volta (a patto
di non uscirne, o violare il disegno)
una illusoria parvenza di corsa.

Lieto, un tempo,
quando s'apriva libero al mio passo
il campo, ed ogni scelta era possibile,
e mi tentava!, credevo fosse quella
la mia mossa d'inizio, l'apertura per vincere,
quello il mio vento, quella la speranza.

Ora (ma raramente) a me rimane
solo la fuga obliqua per uscire
da questa ambiguità, per liberarmene,

(il giusto, tutto il giusto
soltanto fra i binari?)
e provo ancora un passo per cercare
non la vittoria ormai, ma balenante
di verità un barlume nelle tenebre,
prima che sia la fine e debba arrendermi
all'ombra, prima che – scacco matto! –
scorga il confine.

Novembre 1975

UN PASSERO TRA I FIORI

Da una serigrafia di Ernesto Treccani,
inviata agli amici per gli auguri di buon anno

È nel giardino, fra questi che di rosso
accendono il prato, tuoi fiori
d'anima, còlti
oltre il vetro appannato del vero,
che in te l'ansioso amore della mente
si fa luce, diventa colore.
(Eri in giardino
– il tuo racconto ancora m'accompagna –
bambino felice che gioca, ma fra gli alberi
che t'avvolgevano in ombra, ti giungeva
– incomprensibile voce – il lamento
che dietro l'alto muro della fabbrica
– una lontana isola a te ignota –
saliva. E ti destava. E fatto vigile
il tuo giovane cuore in tumulto
sentiva altri lamenti.)
E questo passero
che tu mandi agli amici è il tuo ritratto, canta
la libertà, l'annunzia
con il suo volo,
e questo fiore rosso

è il tuo sangue fraterno che s'infiamma
di rabbia, di passione, per accendere
la speranza anche là dove più langue.

1983-1993

DALL'IMMAGINE

EMIGRANTE ABRUZZESE

Da un quadro di Remo Brindisi

Non ti destare: è un tram
che passa all'alba sul ponte di ferro,
non è il campàno che allargava i prati.
Questa tua amara transumanza ormai
non attende stagioni che ritornino.

Tua madre belava il suo pianto,
pastore dal volto di capra,
e tu partivi lontano.
Era un gran sasso in cuore la Maiella.

Si sfoca ora il paese come l'ultimo
rantolo di tuo padre
che indicava la mazza con lo sguardo.
La tua terra gentile che offre
pane e sale al viandante
t'ha lasciato fuggire dal tuo gregge,
non ha tane per te.

E tu che fai, pastore,
in questo labirinto di cemento
(i tuoi occhi correvano come giumente libere,
era il tuo orecchio una conchiglia all'eco
dei venti, scalzi i tuoi piedi sapevano
l'ora del giorno sull'erba),
                                        che fai
pastore in fuga tra palazzi di vetro?

D'un altro gregge annusi
eccitante l'odore. Ma non senti
l'ululato del lupo che ti morde

ai calcagni, e non vedi
la foresta che cresce e che ti chiude.

È lontano l'Abruzzo (amore amaro
e dolore) che non ti può soccorrere,
il tuo volto di capra si protende
ancora avanti...
Immote
restano le montagne, immoto è il mare.

Ah l'Abruzzo che duole nelle vene,
pane antico raffermo,
dura pietra su cui scivola il tempo.

1970

IL VECCHIO E LA RAGAZZA

Da un'incisione di Emilio Greco

Alita tu su me che già declino
verso l'autunno, la tua giovinezza.
Tu sei la tazza colma di quel vino
che infonde ebrezza.

Da te s'effonde (e nelle vene langue
da tempo ormai!) la febbre della vita:
e il gelo che mi cresce dentro il sangue,
Lei che m'addita,

raffreni, e in me che s'era già sopita
mentre guardavo quieto l'altra soglia
ritorna ora ad accendersi stupita
l'antica voglia.

Non te ne andare. E se non ha domani
quest'amore, tu lascia che trabocchi.

Tu puoi fugare l'ombra con le mani
sopra i miei occhi.

1989

SCULTURA IN GRES

Dopo una mostra di Carlo Zauli

Tendi i tuoi nervi, coglila
giù nell'informe, come un dio che crea,
quella sfera di lava, incandescente magma,
e portala alla luce: l'aria morda
dentro il suo fuoco e la raggeli e penetri
come una mano vogliosa nella sua carne vibrante.

Dalle vita con l'acqua, che s'amalgami
con la sua terra, e chiedi al vento un soffio
che tutta la percorra abbrividendola
come la pelle a una lunga carezza.
Soffiale
la misura del tempo, qui venuta
dalle ere lontane ad ammonirci
che la natura si specchia nelle sue forme immutabili,
e la bellezza e l'amore diventano
sfocata lontananza, pietrificata memoria,
e la vita e la morte si confondono.

1984

GLI "STRACCALI"*

Dopo una mostra di Renato Santini

Sulla spiaggia deserta gli straccali
l'onda ha lasciato andando alla sua quiete:
un pezzo d'una bambola, due occhiali
rotti, una lampadina, e d'una rete

un brandello e due valve: sono questi
gli umili tuoi segnali che tu cogli
per leggere la vita, i soli resti
che sai vedere, e del mito li spogli,

della bellezza che la mente ha illusa
(così gli anni ci mutano, non resta
nulla di ciò che fummo) e una diffusa

luce si spande di pietà su questa
marina grigia, cara alla tua musa,
dove anche il pianto del mare s'arresta.

1993

* *Gli "straccali" sono, nel gergo popolare toscano, tutti i rifiuti del mare.*

MEDUSA

Da un quadro di Bruno Caruso

A difenderla?
E chi mai non cadrebbe
sotto i morsi di quella chioma?
E quando
le cento lingue bifide, e il veleno
che può annullare la mente, saprebbero
mettere in fuga, spegnere
il desiderio acceso da quegli occhi?

Per difenderci, forse?
Oh, inutilmente
se solo nel vederla
siamo già posseduti, e non fuggiamo
attratti dal miraggio
di quell'estremo amplesso
in cambio della vita che non ha
più scopo se non persa nei suoi gorghi.

Se quello è il prezzo, chi mai tenterebbe
di non pagarlo, chi, vinto, di sottrarsi
a quel destino, a quella
follia sublime dei sensi, nell'ebbrezza
– a morso a morso – di quell'agonia,
purché col sangue il piacere supremo
a larghi fiotti sgorghi?

Gennaio 1991

LA DONNA ENIGMA

Da un quadro di Bruno Cassinari

Come fuggendo nel vento
delirante cavalla in una pianura vastissima,
di eco in eco nitrendo ripete nell'ombra l'immagine
(sempre diversa l'immagine ad ogni colpo di zoccolo
nella brace del sole che l'allunga)
così lei che riversa si lascia
prendere, subito fugge e in un lamento l'immagine
che certa pareva nella sua carne sontuosa,
scolora nel morire dell'amplesso
(ah con quale sgomento risalendo
dalla vertigine!) sfugge
persino agli occhi che increduli la cercano:
sfugge, mutata, sconosciuta immagine.
Tanto diversa appare
che il presente goduto dolcissimo
è già sfocata memoria (quanto effimero
quell'affannato presente di sangue!),
è già schermo lontano
sul quale appannato dissolvono
uno sull'altro i suoi volti, i suoi sguardi.
(Come diversi quei volti, quegli sguardi
nel melodioso concedersi e nel rapido
fuggire!)
                Ma chi è
la mitica cavalla irraggiungibile
che corre delirante frustata alle reni nel vento
e i nostri sensi inseguono innalzandosi
nel cielo del suo enigma?

1971

JACOPONE DA TODI

Da un'incisione di Corrado Cagli

Come parola che rapida
colga il pensiero che sorge, lei stessa
in quell'accensione nascendo,
così dal segno che sorgivo sgorga
e che stupito segue lo sguardo della mente,
ora è chiamato (emerge dall'intrico
l'irraggiungibile forma sfuggente,
astratta come l'idea nel suo continuo mutare),
ecco, dal segno
che già vicino alla meta l'insegue,
– nella prigione della sua antica carne rivelandosi –
appare, nasce: è l'uomo.

E chi lo trasse dall'informe ora
così lo vede: nudo
nel suo dolore: nudo
nella sua solitudine: nudo
nelle sue scorie, labirinto effimero
di passioni, di sangue, di putredine.
E gli chiude le palme e gli piega i ginocchi
e per pietà lo riporta nell'alveo
d'un lontano tepore.
Bosco pietrificato, atollo spento
disseminato di ossa
in cui non cantano uccelli né volano,
solo la voce della morte ascolta,
e sfinito il suo dèmone appende
ad una croce.

1971

ACQUE PROFONDE

Da un quadro di Federico Spoltore

Forse così, se assorto contemplavo
da uno scoglio battuto dalle onde
l'infinito del mare (e cavalcavano
gli sbrigliati pensieri
della vita in albore),
chiedendomi del mio, del suo mistero
la mia mente stupita vedeva
salire a me dalle viventi viscere
un iridato gioco di colori. E una lontana musica
m'avvolgeva, che mi pareva d'altro
pianeta, o d'altra vita, forse
– mi dicevo – compiuta nei suoi esiti
più vita mia di questa
ancora incerta come una sinopia.

E più tardi lo seppi: erano quelli
i labirinti oscuri da percorrere
a ritroso, voltandomi
fino al primo vagito, al primo palpito,
per comprendere. Ed io
ridestandomi acquatile alla voce
d'una madre perduta che mi chiama,
ormai straniero sulla terra, scendo
nel suo ventre, ricerco il seme schiuso
da cui emersi un tempo,
ritrovo la memoria dei millenni.

Novembre 1983

CAVALCATA

Da un quadro di cavalli di Aligi Sassu

Dal mare nascono, cavalcano il mare,
la terra è troppo angusta al loro cavalcare.

Ogni campo è battuto, ogni sentiero è noto,
cavalcano lo spazio, vanno verso l'ignoto.

Vanno dove il delirio in fiamme li conduce,
e l'ombra che disegnano diventa pura luce.

Vanno come la mente, i sensi, l'inquietudine,
vagano come il sogno in ogni latitudine.

Ma la corsa s'arresta a invisibili porte:
nitriscono, s'impennano, al fiato della morte.

1981

L'OMBRA

A Mario Ceroli per i suoi "Profili"

Ferma l'ombra!
Svanisce
nell'amplesso del sole
come un'eco nell'aria, ma tu fermala,
è soltanto nascosta ai nostri occhi.
Anche quando voltandoci
non sarà al nostro fianco taglierà
come un brivido il bianco della luce.

Puoi sentirla.
Se un alito ti sfiora,
ecco, ritorna, è l'ombra
che getta appigli alla tua mente e tende
le invisibili dita.

Piglia quell'orma,
col sangue verde di un albero, chiamala
dal suo limbo alla vita della forma.
E guarda come ancora ci assomiglia!

1991

I CANOPI*

Da una mostra di Angelo Canevari

Dove la voce? E dove il largo abbraccio
dello sguardo? E la forma del suo corpo
sospesa là dovunque sia passata?
E il suo pensiero? E il groviglio
di anima e di sensi,
felicità e dolore dove sono
ora che resta ormai soltanto polvere
della vita d'un uomo?
Un vaso e un volto,
effimere apparenze a ricordare
quel sembiante a chi vivo lo conobbe,
a chi l'amò e a noi che ci voltiamo
dalla fragile sponda.

Ma tu protendi, Angelo, le mani
sul segreto inviolabile
e già varcando l'Ade col tuo gesto
apri il canopo. Ed ecco: non la polvere
ma un lunghissimo fiato del tempo
a diradarne la coltre, e tu lo vedi
il mistero: si svela, prende forma.

* *I canòpi erano piccole urne funerarie, spesso con i coperchi a foggia di testa umana, in uso nel territorio etrusco di Chiusi. Nelle sue reinvenzioni Canevari le ha rese apribili scoprendo all'interno elementi che alludono alla vita di quei defunti.*

Di lui che qui passò prima che il Tevere
vedesse Roma, che monito
è rimasto, che dicono
gli amuleti, i batacchi, le campane?
E l'altro ch'ebbe croce e stella in petto
quale parola manda dal silenzio?
E chi lasciò come suo pegno il cuore?
E a lei quale presagio
vestì d'incubo i giorni
che la sua mano ancora l'allontana?

Anche di noi resterà solo un graffio,
numero esatto, irripetibile cabala
da decifrare sulla nostra polvere.
Ma tu osi e dischiudi il tabernacolo
della morte e del tempo
e vita e morte ancora si congiungono
e nel bronzo l'oracolo fa suono:
"Tutta la nostra vita è oscuro simbolo".

1973

FLASH SULLA CALABRIA

Da una mostra di disegni di Gabriele De Stefano

Una pianura deserta che un carro solca da ore
in un chiarore sospeso all'avvento del giorno,
e la sua ombra rotante, monologo che sale
dai tratturi che portano ai poveri campi d'intorno,
monologo che sale a farsi coro e dilaga: sempre questa
vieta consunta immagine
ricorderò immutabile di quella terra lunga
che dal silenzio dei monti scende al silenzio del mare,
dove ieri e domani sono parole che battono
a un orologio che è fermo, ma segni
che si posano duri, tenacemente incidono
sopra facce scavate in una pietra silenziosa.

Qui alla bambina che incontri lungo la strada, se leva
lo sguardo dall'asfalto dove si ostina il suo gioco,
non il tarlo d'un sogno nelle pupille, ma un quieto
abbandono alla vita, come un insetto, un fiore.

Anche il pianto petroso d'una donna che porta
un rassegnato dolore chiuso dentro lo scialle
nasce dal paesaggio, come un amaro cactus.

La piazza d'un paese
è il confine del mondo. (Una città è lontana
come un sepolto continente – dicono.)

Quale vento che scuota i verdi clivi
a picco sopra un mare di leggenda
cadrà sulla fierezza
degli uomini che attendono?
(Ciò che vedete dite, ripetono.)
E la sera
dopo un giorno di lunga pazienza
non rimane che un gesto: arrotolare
una precaria sigaretta, effimero
messaggio di speranza
e riposare al mito degli ulivi.

1969

LA BELLEZZA INTRAVISTA

Da una mostra di Ennio Calabria

Non un segno separa nella mente
la ridda delle immagini
e non un solco traccia
il confine marcato dalla luce
a dar vita alla forma.
Sopra il caos
della materia fluttua – nelle sue

contraddizioni rissose – l'idea
e dal suo magma esplode, e tenta, e indaga,
ed ecco:
            come uccelli
che attraversando l'ombra con il volo
lasciano d'ali agli occhi
rapido un bianco brivido,

o una donna che passa
e l'aria mossa con la veste è un fiato
che brucia, e il rosso
delle sue labbra fa una scia di fuoco,

così, intravista, la bellezza appare
fuggevole come un bagliore, un fremito,
come un vento che soffia e non ha rete
a trattenerlo, volto evanescente
d'un cieco anelito che dà tormento.

1993

BALLATETTA

Per Orfeo Tamburi

Piazza Melozzo da Forlì: da qui
il bus parte che a Montmartre vola.
Ammucchia donne stanze e gelosie,
le nostalgie cancella e le distanze,
fa la spola fra il sogno e l'avventura.
Tamburi avanza e nulla l'impaura.

Va sotto i ponti di Parigi l'acqua
del Tevere, la Senna taglia Roma:
è un solo fiume dentro la sua penna
che nell'uno e nell'altro si risciacqua,
e lega gli anni appesi fra due amori.
E va Tamburi con gli stessi ardori.

Son tutte belle le ragazze in fiore
sedute nei caffè o nei bistrots.
E non sanno, vogliose ed impudiche,
se stanno su un divano o sul sofà,
solo vestite della loro pelle.
Orfeo s'incanta alle dolci pulzelle.

Un lavandino è il lago d'una ninfa
che si specchia, si pettina, si lava.
Ogni donna che passa è una regina,
e un'alcova segreta ogni panchina,
e ride o piange nei prati l'amore.
Tamburi annota col suo colmo cuore.

"Cose belle e lontane dove siete?"
Ma tornano immutabili i ricordi:
come il vento non sentono lo spazio
e Tamburi li libera dal tempo
riportandoli vivi alla sua scena.
E va spavaldo con la stessa lena.

1993

QUESTO MATTO MONDO ASSASSINO

A Ugo Attardi per quella serie di disegni

Ugo, come vorrei che tu ed io
potessimo tornare lungo il Tevere
a quell'estate cui si volta il mio
rimpianto d'un fervore troppo breve.

Faceva eco ancora in noi la morte,
ma quel tuo cielo rosso che fasciava
il fiume era un segnale, apriva porte
ad un futuro che già s'annunziava.

E dopo? Dopo... la violenza scende
sul matto mondo assassino e tu penetri,
con la ragione di chi non s'arrende,
ma affascinato, in quelle turpi vene.

Anche quell'eros che ci fece desti
alla vita, non sa cos'è l'ebrezza:
ormai è gioco, è guerra. Tu vedesti
i sogni della nostra giovinezza

spegnersi, e col tuo fiuto preveggente
l'odio che cresce, e come irriso langue
ogni fraterno anelito. La mente
il rosso che ora vede è solo sangue.

1968

MALINCONIA

Per la prima mostra di Gabriella Colaiori, ventenne

Quale voce (se qui la giovinezza
sembra, quasi sconfitta, nascondersi)
ascolti e a noi ripeti: di un dolore
che tu non puoi conoscere, d'un pianto
che ancora gli occhi non ti bagna, appesa
coi vent'anni alla vita come un fiore.

E quale nube porta nei pensosi
occhi delle ragazze in riva al mare
questa malinconia che le fa sole?
E che presago tormento si posa
sul grembo ancora caldo delle madri?

Ecco l'umana condizione, dicono
i tuoi colori impastati nell'ombra:
anche la voce e il grido sono inutili

e la protesta è immota negli sguardi
di queste donne che tu chiami a vivere.

Ma in te quale sgomento,
quale rancore si nasconde in te
se ci accusi così con queste immagini,
se ci fermi: perché
fai luce dove più dolente è l'anima
se la pena del vivere non sai?

1965

QUARTA PARTE
LA SFIDA DEI SENTIMENTI

1) I POSSIBILI AMORI
2) L'AMORE CONIUGALE

Viene riproposta qui, quasi integralmente, l'antologia della Newton Compton Poesie d'amore *del 2005, ma in un ordine cronologico. Questa parte si apre, infatti, con "Angosciosi sensi", tratto da* Racconto e altri versi *del 1949. Altre poesie, che nell'antologia sono riunite sotto il titolo "L'amore nel tempo di guerra", hanno ripreso il loro posto nelle sezioni di* Racconto e altri versi, *dedicate a "Pagine romane" e a "Pagine livornesi". Analogamente le quattro poesie "Donne d'altri", suggerite da immagini femminili in quadri di pittori contemporanei, sono tornate nel loro luogo originario, cioè ne* Il doppio segno*; a loro volta le poesie sulle conchiglie, sebbene siano poesie d'amore, sono ora nella terza parte di questa edizione, cioè in "Forme della bellezza". Inoltre sotto il titolo di questa quarta parte, "La sfida dei sentimenti", dopo i versi dedicati ad un nipotino, vi sono due ampie sezioni, "I possibili amori" e "L'amore coniugale", che riuniscono, da tutta l'opera luisiana, le poesie dedicate alla moglie fino a quelle inedite del 2015.*

D. M.

1.
I POSSIBILI AMORI

Tutta la pena dei possibili amori
giorno e giorno ho sentito tornare ...

Rainer Maria Rilke
(trad. di Giaime Pintor)

ANGOSCIOSI SENSI

(1946-1948)

1.

Perché sei ritornata sulla strada
che conservava intatta la sua neve?
S'era sopito al suo candido ammanto
tutto il calore d'un'estate breve.

Ora sei qui a sconvolgere il presente
sofferto, tu straniera che mi guardi:
la tua febbre è un veleno che dilaga
come il sangue perduto sulla neve.

2.

– Addio per sempre. –
Il tuo
ultimo sguardo abbracciava le siepi,
ricercava i ricordi in quelle immagini.

Mentre passavi il ponte ti fermasti
ad ascoltare il fiume.
Forse esitasti. Ti vidi nel lume
fioco d'una veloce bicicletta.

3.

Sopiti fino a quando
resisteranno al gelo del rimorso
questi angosciosi sensi?
E tu che vai
via, come l'acqua del fiume,

non voltarti, asseconda la corrente.

E dalla mia lontana sponda anch'io
ritroverò le siepi che ci accolsero,
ad una stessa foce approderemo.

4.

Volevo dirti ritorna, ma tu eri
più lontana che gli occhi non sapessero:
una siepe a dividerci, i pensieri.

Ti volevo riprendere per mano
come le sere d'una chiara estate,
correre insieme al ponte
per il passaggio degli ultimi treni.

Se calava fra gli alberi la luna
ti scoloriva negli occhi la pena,
ma trattenevi il fiato
mentre il fischio del merci sbiadiva.

(Forse avevi paura che la vita
ti fosse tolta al limite del prato.)

5.

Se la memoria mi brucia ritorno
lungotevere a sera
dove il tuo piede seguiva il mio passo.
(Primavera fiorisce
e tu mi gridi ancora nelle vene.)

Il nostro amore è caduto
come l'ombra improvvisa in un giardino,
è rimasta negli occhi

la strada luminosa dei ricordi.

Ma dove sei ora che scende inutile
la notte di lusinghe?
Il mio sangue era un fiume d'amore,
le tue mani chiamavano la luce.

6.

Spesso la tua finestra illuminata
guardo, finestra aperta
ai panorami d'una breve estate
che ancora il tempo non scaccia...

T'ho lasciata fuggire.
Se t'avessi chiamata peserebbe
questo rimorso come una minaccia.

7.

Rimorso non affondi la sua immagine
più viva quanto più la notte scende,
è la tua voce che sempre riaccende
dei miei ricordi la dolente indagine.

Se lentamente l'oblio si distende
sopra le chiuse mie passate pagine,
intatta al fondo della sua voragine
riemerge, e la memoria a lei si tende.

E tu, rimorso, sfaldala – che accechi
i desideri – fa che venga sera
e quest'ansia struggente non mi rechi,
come nei giorni che incontro leggera
mi veniva correndo, e nei miei ciechi
pensieri si accendeva primavera.

(da *Racconto e altri versi*, Guanda, 1949)

HO VIAGGIATO TUTTA LA NOTTE
(*1952-1953*)

Ho viaggiato tutta la notte.
Ora
guardo levarsi quiete le colline
nell'aria, e la città è così distante
che l'affanno si scioglie in questo albore.
Passano fra le brume
le case basse su riviere in fuga
che già il mattino svela
con il suo incerto lume.

Come batte il mio sangue se s'attenua
dello stantuffo il gemito, se chiamano
dai marciapiedi e accorre gente e s'aprono
i finestrini, e ad un sussulto il treno
è fermo!
Ecco i giardini, il cancelletto,
e le fontane, e le carrozze: tutto
compone un quadro uguale, antico...
Cerco
quell'ultimo tuo sguardo
mite che s'abbuiava come il cielo
di questo giorno di tardo settembre.

Lo cerco lungo i Fossi
al Caffè sotto i portici,
fra i tavoli di vimini,
dove ti vidi per la prima volta,
e nel silenzio ritorna la musica...

Lo cerco fra le giostre
nella gazzarra della piazza. E salgo,
come sospinto, solo, in una rossa
vetturetta che corre per un giro
tra due suoni di clacson.

Ma un posto è vuoto. Torna indietro (il tempo
non esiste!) ch'io ti risenta accanto
– soltanto in una corsa! –
come in quell'ultima sera di agosto.

"Potesse questa macchina
uscire dal suo cerchio,
abbattere ogni ostacolo, trovare
una strada del mondo, farci liberi...
Vorresti?"
                    Mi rispose
il tuo silenzio e un brivido. (Mi opprime
un denso cielo livido da allora.)

Se la vita dovesse inebriarsi
d'altre notti, altri sguardi, altre parole,
o diventare una strada battuta,
(i tuoi sogni sciupati che tornano
a far lunghe le veglie!)
tu farai sempre luce ai miei pensieri.

Non senti il ponte che ci unisce quando
inquietamente vivi in altri cieli
e una rete di treni ci separa?
"Basta una fetta rossa di cocomero
per una breve freschezza – dicevi –
ma tanti inverni non spengono il fuoco
delle carezze rubate".
                                        Non spengono
quest'ansia che mi guida verso strade
che più non riconosco.
                                          Come muta
questo paese senza te! Settembre
già riporta l'autunno, la stagione
carica di presagi, di partenze,
avara d'abbandoni: e queste piazze,
desolate nell'ombra, sono gelide
se non m'accoglie il sole

della tua paglia di Firenze.
Il mare
– grigio, infido – che importa
se da troppe stagioni che mi sfuggono
morde sugli arenili la tua immagine?

Cosa importa se il vento fa deserto
il lido? Sulla spiaggia
dove corremmo insieme – vele! tende! –
io ti vedo al mio fianco come allora.

"A che servono i remi se il mare
ci porta via, ci libera
dall'eco d'ogni pena? Questa barca
che ci accoglie nell'ombra, è lontana,
staccata dalla terra anche se affondano
i nostri piedi scalzi nella rena".

Se tu vieni (e la luce si fa chiara)
la spingeremo in mare, torneremo
alle verdi scogliere. Erano quelli
i nostri prati, dighe
alle voci che inseguono!
(Ormai
tirare in secco il cuore
come una vecchia barca: di fermarsi
sopra la terra è tempo.)

Ma qui, dagli anni senza sogni, torna
il rimpianto a librarsi
con gli aquiloni, a chiedere
un asilo da questa che si ostina
furia di solitudine.
Tu vaghi
leggera fra le canne al tuo paese
di nebbia e aspetti che la luna sorga
per ricordarmi.
C'era

la luna nuova quella notte: a noi
gli occhi rubava un altro disco in cielo:
una lampada rossa si accendeva
al passaggio a livello. E tu scandivi
con i palpiti il tempo. Era il tuo viso
di cera a quei riflessi.

"Il primo amore non si scorda mai
– cantavi sottovoce –
il primo amore non si scorda…".
"Mancano
venti minuti – disse il guardiasala –
porta venti minuti di ritardo
il diretto per Roma".
Ci donava
un alito di vita. Ma per noi
quella lampada rossa era un incendio
che divampava in cielo. Il casellante
agitò una bandiera. Nel silenzio
un fischio acuto, stridulo, percosse
i tuoi fermi pensieri. Tu guardavi
il passaggio a livello… Il tuo ansimare
coprì l'affanno della vaporiera:
"La mia vita a che serve se tu parti?"
Volevo dirti: "Il mio cuore è diviso
fra tanti inutili amori, ma forse
questa tua tenerezza placherebbe
le mie fonde inquietudini…".
Ti dissi:
"Vedi, con uno scambio di binari
la sorte ci separa".
Nelle pietre
dei tuoi occhi, se muta
tu mi dicevi addio
tanto era perso il mondo
che poco più è la morte. Come un fiume
raggelato, il tuo pianto.
(Nel tuo sguardo

s'addensa ancora l'ombra
della mia mano dentro l'aria.)
Ho pianto
tra i fogli di giornale,
nell'odore di stampa che chiamava
ad altri amori.
Ormai
eri distante, dietro un velo, come
dietro la pensilina lontanava
nelle sue luci il paese.
(Per te
ad ogni luna nuova che s'affacci
partirà sempre un treno
che ti gridi un addio.)

Io ti rivedo qui, ti sento ancora
in me, come un tepore che cancella
il male, tu che sorgi
dal passato e mi chiami, sola immagine
che il mio rimorso non affonda. Un treno
ti ha negata per sempre, ma qui sei
più vicina che allora, se il mio cuore
si distende placato
su un prato di ricordi.
Ho viaggiato per te tutta la notte.

(da *Un pugno di tempo*, 1967)

UNA VALLATA APERTA AL TUO RESPIRO
(1955-1956)

Già di lamenti è piena la vallata,
già l'ombra, come un'ala
che lungo i colli scivola, fa sera:
e l'aria luminosa si rifugia
tutta nel bianco d'una grande luna.

Sospinto dalla luce che s'estenua
cammino nel silenzio
dell'erba, nell'odore
della mesta campagna che s'allarga,
perso nel fiato che la investe vado,
ma non so dove i passi mi conducano
e solo il tuo pensiero mi accompagna.

E tu, lontana, camminando – strade
dietro strade – nella convulsa festa
delle luci e dei clacson,
tu quale pace possibile cerchi
a te stessa sfuggendo, a questo erompere
della tua carne giovane,
se il battito del sangue non s'arresta?

Ma un giorno tu verrai nel mio silenzio.
Di' soltanto il mio nome,
ma dillo con la febbre
del tempo che hai trascorso disperata
negandomi, se già nel sangue urgevo,
dillo come chi vede nel naufragio,
stremato, una scialuppa sopra il mare
e s'abbandona.
Allora piegherai
la testa alla mia spalla, ce ne andremo,
portati dalla notte lungo i viali

deserti, che costeggiano
il fiume, saliremo
in affanno le rampe del Gianicolo.
E la città distesa fino ai colli,
quasi da una memoria che si perde,
come sfocati manderà i suoi brividi
di luce, a noi già ciechi d'altri brividi...

* * *

Cosa importa chi sono e tu chi sei
e come d'amarezza è già segnato
il tuo viso che amo,
e come siamo: bruciati dall'ansia
di questo inquieto desiderio.
"Amarci,
a che scopo?" – mi chiedi.
A che scopo
estate, autunno, inverno, primavera
passano e si rinnovano,
e sempre la ginestra
cupi dirupi illumina,
ed è falciato il giorno dalla nebbia
della sera precoce senza luna,
e crescono i torrenti che straripano,
poi fioriscono effimere le primule?
Anche l'amore non ha scopo, vuole
essere amore, farsi gioia o pianto.
Che duri un giorno o un anno cosa importa?

Guarda come i cavalli
liberamente si amano
lungo i prati arrossati dai papaveri!
Non hanno paura dei treni.
E noi
quali treni minacciano?
Da quali gallerie profonde il gemito

ti giunge, se tu fuggi
a nascondermi ancora questo amore?

* * *

Già sale il vento, già l'autunno preme
sugli alberi: ti copri
le braccia, il seno: il tuo mistero cresce.
Un presagio di pioggia è nelle nuvole.

Tu sei l'estate, muore
la speranza di te sopra la terra
bagnata, in questo odore di vendemmia.

Non negarti all'amore: cederai
al tempo, sfioriranno
le tue mani, il tuo cuore: segni d'ombra
cadranno sul tuo viso.

Solo i tuoi occhi d'acqua non sapranno
il logorio dei giorni, fermi in questa
chiarezza che si esaspera...
Con te
vorrei scendere ora nella conca
dei prati che sconfinano...
Il tuo bianco quartiere di cemento
nell'improvviso verde s'allontana.

Questa musica è il vento tra le canne
che i lenti treni falciano,
e tu assorta l'ascolti dalla tua
finestra e ti sovviene d'altre voci
del vento in altre sere.

Ancora un treno sotto il ponte, ancora
l'affanno nel silenzio
e la vallata si fa larga al cenno
d'una mano, si leva una folata

di passeri dal grano.
I pascoli si perdono nell'ombra
del gazometro e sfumano le stelle
soffiate dalla fiamma del petrolio,
bandiera sul castello d'alluminio,
empia luna sui prati delle fabbriche.

È un lamento la sera,
e l'aria si fa rossa nei riverberi.
Calano a lento giro
a chiamare la notte i pipistrelli
nella vallata aperta al tuo respiro.

(da *Un pugno di tempo*, 1967)

LA PIANTA CARNIVORA
(1957-1961)

Amore, amore, come sempre,
vorrei coprirti di fiori e d'insulti
Vincenzo Cardarelli

1.

Mi scavo, mi comprimo:
vorrei respingerti nel mio passato,
vivere, non sentire
il tuo morso nell'anima.

2.

È inutile – ma tento, ma mi ostino –
questa affannosa corsa per riprenderti.

(Più t'inseguo più manchi come quando
si corre in sogno e la strada s'allunga.)

E so che nulla muta
come la ferma geometria dell'Orsa.

3.

Anche tu mi hai lasciato
che d'essermi legata come l'ombra
dicevi. Ora non ho
di te che la memoria in queste sere
d'ultima estate e solitario vado
per i campi che un tempo seguivamo
in cerca d'un rifugio.
E qui mi torna
della tua voce il brivido

se le coppie mi sfiorano furtive
nel loro fiato assorte
e dove ieri ci amavamo indugio.

Qui abbandonata contemplavi il lento
volgere delle nubi sulla luna.
Ma ora attendo invano che le nubi
passino e accenda i prati desolati
la luna: il tuo pallore
io non misuro più nella sua luce.

Porto una spiaggia in me
deserta al primo scroscio dell'autunno,
dove l'estate poco fa era in festa,
una languente spiaggia d'ombrelloni
chiusi.
            E senza te
la mia vita divisa inaridisce
come un limone stento
nell'ombra d'un balcone.

4.

Quando c'eri e mi davi giovinezza
e camminavo nel verso del mondo
nasconderti era facile, portarti
nell'impeto infantile d'una corsa
sospinto dalla voce ancora viva
che mi batteva dentro il sangue: facile
era difenderti agli sguardi e vivere
sulla tua calda riva.

Ma ora sei sulla mia fronte un'ombra,
dentro il mio sguardo che si opaca passa
scoperta la tua immagine, si legge
nelle mie mani che tremano il tuo nome.

E non so più, mi chiedo
se avevamo ragione di piangere
quando la nostra vita ci appariva
un cielo inquieto di foschia su un lago,
o, come un incubo, se ci coglieva,
col suo stupore, la felicità.

5.

I giorni, i mesi, e sempre qui rimango,
immutato, ad attenderti.
La sera
scioglie nel rosa carico le nubi,
fa più larghe le strade, piega il vento
sulle terrazze e tu, portata via,
spinta dal vento vai,
cammini e non sai dove e più non sai
che io vivo aspettandoti.

Vento anche tu, chi può
fermarti (vento la tua gonna, vento
i tuoi capelli), se non senti più
la mia voce che un tempo
era riparo altissimo del vento.

6.

Passi quest'ora rosata,
quest'ora inquieta che porta la sera,
e troppo a lungo, in bilico, trattiene
l'ultima luce sulla notte.
Tutto accende gli aneliti,
io mi comprimo nella rinunzia.

È piena d'alberi la mia finestra:
vedo ombre di coppie verso il Pincio,

le macchine lente che salgono.
Tutto si muove, io sono fermo.

La città si prepara per accoglierti
(presto più presto ti vesti esci)
diventi il perno della sua girandola.
Vorrei correrti incontro, farmi largo
– chiamandoti a gran voce come in sogno –
nel frastuono che tenta di respingermi:
così salvarti, ma sono fermo.

Passi quest'ora rosata,
questo opprimente spasimo.
D'averti scordata mi fingo,
ma l'anima s'espande
e ti vuole raggiungere.

7.

Altera vai dove la folla s'apre
al tuo passaggio. Ai tavoli
dei caffè di Via Veneto
il tuo fittizio esercito è schierato:
spegni il fiato coi fianchi
e porti i seni come una bandiera.

Da lontano ti guardo, escluso al mondo
amaro che t'invischia.
Passa un ragazzo, fischia
sulla tua scia, ripete
il gesto che t'elegge
regina, e così scendi
nell'euforia la china, ti protendi
al tuo salto mortale senza rete.

8.

Mi suoni dentro, ostinata campana:
nei tuoi rintocchi che dolenti brividi!
Se canti, o piangi, o nel tuo lamento
in me tu vivi.

Anche se gli anni deserti allontanano
la mia esistenza dai tuoi giorni lividi,
dentro il mio sangue, col mio scontento
la vita scrivi.

9.

Inutilmente gli anni ci respingono
come la prua inutilmente il mare
taglia, o l'aratro violenta la terra
che la pioggia livella.
E nulla ferma il fiume alla sua foce:
una soltanto in quell'amplesso è l'acqua.

E il tempo
che muta il cielo, i paesaggi, porta
dolcezza qui dov'era il gelo, il tempo
solo contro il mio cuore sperimenta
il suo passare inutile.

La tua assenza moltiplica l'attesa
il desiderio e il lamento.
Da sempre
ti presentivo in questa solitudine:
ora una voce rompe il mio monologo,
si posa sul silenzio. Forse
è solo un'eco, è l'anima
che voltandosi ancora l'ascolta,
forse gli occhi si illudono,

ma le mie braccia che sono di terra
sanno che tu sei qui.

10.

Tutto, se ho amato, sofferto, goduto,
ora è caduto dalla memoria.
Sono stordito di meraviglia:
mordi sul mio passato.
Mia terra nuova, mio dolce pascolo,
in te rinasco, non ho più ricordi.

11.

Non tremare, non è la mia mano
che t'accarezza sui fianchi, è l'estate
che in noi arde, è la luna
già nel suo colmo, come il tuo seno.

Vieni, tra le cabine balleremo
isolati nell'ombra
sull'eco della musica
d'un juke-box tra le canne e sarà musica
anche il vento che a tratti la disperde,
anche il mare acquietato dalla notte.

Musica non per ballare
ma per tenerti stretta,
e giri giri il disco è la vertigine...
bianco il tuo collo come è bianca l'iride
in cui si spegne la pupilla e il fiato
fra i capelli affannato ti farà
protendere la tenera conchiglia
alla mia bocca che s'annida, e musica
la tua bocca sarà

musica la tua bocca
la tua bocca una musica...

12.

Vorrei baciare la tua cara voce,
lo sguardo in cui m'avvolgi,
i tuoi colori, la luce degli occhi,
il tuo sorriso, il passo...
tutto ciò che le mani
ancora ansiose non potranno prendere...

13.

Questo amore che chiama la morte
quando profonda ti prendo
e già sento che fuggi
inesorabilmente,
                    questo amore
è la mia sola zattera.

E tu stringimi ancora, ancora illudimi
resista oltre l'affanno
quest'attimo,
se nel tuo sguardo che naufraga lontano
vedo sgomento la vita che passa
come l'ombra di un'ala sul muro.

14.

(Lei, al telefono)

Offendimi, se offendermi ridesta
la chiara donna che tu ami e libera
dal torbido richiamo della notte

la sopita coscienza
a dar misura ad ogni passo incerto,
a scoprire al tuo fianco
un nuovo senso della vita.

Hai ragione di offendermi se ancora
sonnambula mi lascio trascinare
e stremata m'arrendo
di me a me nemica più che il tempo.

Lo specchio è la mia gloria: sole effimero
che mi consuma. Ma mi guardo e sono
già posseduta. Le pupille accese
ecco già si dilatano
si dilatano a cerchi come l'acqua...

L'immagine si offusca, ecco nel verde
degli occhi cresce il mare... il mare... Piove!
Perché piove? Perché piove dal tetto
e dalle mura? L'acqua sulla bocca
a scroscio... No, non voglio! In un gorgoglio
l'acqua scende giù in gola, giù, mi soffoca!

Mi gonfia il seno il cuore coi suoi battiti
celeri lenti celeri più spenti...

Aiutami! La stanza
gira ondeggia precipita...

Ho paura, ti aspetto:
tu sei la mia speranza.

15.

Aiutami a conoscerti (l'amore
è conoscenza), aiutami,
come la spaurita
tortora che tu celi

vorrebbe (se la mano che ti stringo
è percorsa stasera da un brivido),
a ricercare il filo nebuloso
di quella vita che di giorno in giorno
inventi.
A dipanarlo
aiutami, se soffoco
il dolore, esaltandomi
di penetrarti in fondo a quell'ignoto
bosco dove non giunge chi più ama.
Aprimi voci, stanze, e sere accese
di musica: ritorna
dove la mente vuole: accetto, sono
il tuo diario segreto.

Questa, non altra, nell'ambigua luce
che ci alimenta è la culla
da cui rinascere insieme.
E se scopri
che tremo, e chiedo, e indugio in quell'immagine
che più ferisce, e di ferirmi godo,
non ti trattenga la pietà:
riparati
per sempre in me, io sono
la capanna, il rifugio.

16.

(Lei, al telefono)

Prendimi, sono fatta
per chiudermi su te come una pianta
carnivora sopra l'insetto ancora
caldo di sole, e gode
nel sentirlo morire con un fremito.

Ma sono sola, resta

ogni mio slancio sterile.
Ho la tristezza d'una culla vuota.

17.

Passerai, passerai? – chiedi – T'aspetto!
E resti dietro i vetri
a specchio dei miei passi.

E un'ombra lungo il marciapiede lenta
passa, ripassa, si nasconde come
fanno le nubi basse dietro i frassini.

18.

(Lei, al telefono)

Fa' che i minuti diventino ore
e fuggano a riempire la tua assenza
e questa solitudine,
la casa piena dei miei passi, il tavolo
dove nessuno accanto a me si siede
e il letto troppo grande per me sola.

Insonne chiamo te da questa vuota
stanza cercando un'ombra:
fa' che la voce tua che m'accompagna
resista nel silenzio.

19.

Io di me stesso a me vado parlando
lungo il viale che porta alla tua casa
e una voce dolente mi accompagna.
E sopra il tuo lamento sale l'ansia

del treno che allungando la campagna
tra queste dure pietre di città,
fuggevole nel vetro del tuo specchio
passa a chiamarti ad altre terre dove
una stazione è ferma nella luce
di un'alba che non cresce...

20.

Ora che il giorno declinando volge
precipitoso verso la notte
che a te delusa e inquieta si prepara,
a quali – troppo a lungo custodite –
segrete immagini chiedi conforto?
A quali spiagge stordite dal vento
nel languore d'un torpido risveglio
con i vigili sensi ritorni
e la caparbia memoria a ricercare gli istanti
che nella loro luce si dilatano?

Pietre miliari per noi condannati a vagare
di ombra in ombra, di rinunzia in rinunzia
– senza domani, provvisori sempre –
il nostro incerto cammino rischiarano.

E quando ci coglie la notte
per strade opposte, divisi,
eccoli i bianchi ricordi:
nostre mani sgomente
che da lontano in ansia si congiungono.

21.

Troppi silenzi pesano
sui nostri rari colloqui.

Le mie opposte nature
che in te si riconobbero
non trovano più specchio.
I tuoi peccati,
complice un tempo, mi esiliano
in una fonda notte.
Dell'amore
che mi fu corda e petalo mi resta
una ruvida pietra fra le mani
da scagliare lontana.
Si è spenta
l'ostinata memoria dei sensi,
ciò che la mente custodiva è morto.

Io non so più chi sei. E se talvolta,
su un filo teso, ti cammino a fianco,
col mio silenzio porto
i fiori su una tomba.

22.

Non t'amo più!
La vita si ripopola!

23.

Dopo tanto dolore,
le notti uguali ai giorni...

Fra me e te c'è stato,
lo sai, più che un amore.

(da *Un pugno di tempo,* 1967)

TUTTO D'UN FIATO
(1966)

Perdonami, ho telefonato per dirti è impossibile:
ho visto la tua solitudine come una grande spada
il tuo assurdo equilibrio su un filo che si logora
la luce al neon della tua forza fragile tremare
al solo gioco delle mie parole,
mosto di vino che chiama fantasmi,
e alla mano che tenta così sottilmente un tuo brivido
sgretolarsi il tuo fiero nuraghe
castello in bilico, ecco
per dirti ho sentito tutto questo e ho avuto paura
di me di te
del mio egoismo che chiede senza lasciare un pegno
della tua dorata distanza di idolo indifeso
che attende l'incenso e le offerte.
Per dirti addio torna indietro dimentica
le parole le attese le ansie e l'andare e venire
la pioggia sui vetri le strade che ci isolavano nel traffico
gli incerti abbandoni la rabbia la dolcezza
dimentica, non esisto, hai sognato, sono un altro:
ti chiamerò domani per dirti buongiorno
l'aria è fredda, hai riposato? Che pensi
dell'ultimo libro di Carlo, alla prima non c'era molta gente,
oh, gatta, abbi cura di te, e dunque buon lavoro
arrivederci.
Ho telefonato per dirti
questo soltanto, sono
un amico che passa e si ferma a scambiare
quattro chiacchiere e basta, ma ora
mi dici – pronto, sei tu? come stai? – e qui intorno
il viavai il rumore delle macchine il grido
del venditore ambulante si spengono, è notte, e tu sei
in una stanza in penombra... mi chiamano ho
fretta ma debbo

diamine fartelo questo discorso! Sei tu? – mi ripeti
dal fondo
e la chiarezza precipita, il giorno non ha più
la sua forza, ti dico perdonami
sono stato egoista a destarti
dalla tua quiete paziente, e lo sono,
perdonami perché non so non posso
fingere
e dico tutto d'un fiato troppo ho aspettato ti voglio,
accendi la mia estate
sul tuo tenero prato.

(da *Un pugno di tempo,* 1967)

AMAR PERDONA
(1979)

Ancora (e sempre) l'amore, esile filo
che resiste, se pure svela la sua trama, filo
a legare i miei giorni, a farli vivi, filo

che mi sorregge in bilico sul precipizio, e chiede
che questo fiato non si spenga, e chiede
vita alla vita che altra vita chiede.

◊

Mai così fragile parve
a me l'amore, e disperato (mare
che non s'acquieta neppure alla riva) come quando
dalle mie braccia già morte fuggivi
ed io ti chiamavo inseguendoti.

In altra luce sconosciuta allora
nascevi al mio stupore doloroso
e mi spegnevi la parola e il gemito,

ma era il mio silenzio un alto grido.

◊

Non ho più cielo, affondo
sempre più nella terra.
                                        Ma la luna
che nel suo lume torbido ti scopre
e come un fiore notturno t'accende,
la luna alza le sue bianche tende
sopra di noi, e tu
col tuo glorioso corpo che s'appaga
d'essere vivo, come l'aria, l'acqua,
come l'erba che complice ci accoglie,

rendimi per un'ora inconsapevole,
che non veda quell'ombra,
che non senta quei passi.

◊

La tua giovinezza è un giardino
che io calpesto con piedi pesanti.
E scuoto le tue fronde, agito i rami,
ma non sale un lamento da te,
anche il vento si spezza se a folate ti sfiora.

Di ali che s'aprono nuove sei viva, e di canti,
e d'un mite parlare di foglie,
tu calda e stupita di nidi.

Meglio sarebbe per me
non averti destata
dalla tua quiete di prato,
in un albero in fiore a mutarti,
e non sapere il brivido
che taglia la tua schiena.

◊

Perdona le parole che ti parvero orgoglio
perché non la mente (l'amore
è una lava infuocata
che dell'orgoglio brucia la pianta)
ma soltanto i miei sensi mi guidarono.
Ombre cupe che offuscano
i limpidi contorni delle cose
della loro demenza accecante
non accusarmi colpevole se sono
la vittima. E perdonami
per la mia sofferenza
sterile, inutile, quasi una colpa.

◊

Io t'invento ogni giorno: nasci in me
già con le incerte luci
che vengono a destarmi ancora in bilico
sulla notte, nell'ansia di trovarti
viva come i fantasmi che mi lasciano.

E vieni, vai, ritorni,
mi calpesti, ti muovi
come fossi una stanza
vuota ai tuoi passi liberi,
alla tua inquieta danza.

◊

Io resterò per te
– equilibrista che rischia – sempre in bilico
su un teso desiderio, specchio incredulo
che s'appanna al tuo fiato, quando il fiato
ti manca, foglia che subito trema
se coglie il fremito della tua foglia, al refolo
che il tuo limpido lago ha increspato.
Ma resto sulla soglia, vile, lesto
a ritirarmi dopo aver bussato,
e se appena si schiude, pavidamente arretro
anche se ho voglia di tuffarmi e rompere
con queste mani avide il tuo vetro.

◊

Soltanto dolore, mi dici, non posso
che darti dolore. Ma quando
a me che lontano t'ascolto
giunge il tuo fiato affannato e dilata
il silenzio, e mi parla più di quanto
le tue incerte parole non vogliano,
so che anche il dolore si fa sangue,

muta la zolla più arida in fiore,
attizza il fuoco che langue, fa scorrere
i fiumi che ristagnano alle gore,
è anelito che dà vita alla vita.
Chiamo felicità questo dolore.

◊

I miei occhi, che mani! che bocca!
quando ti guardano: corrono
di qua di là di su di giù s'insinuano
dove è più ombra e tepore, si tuffano
negli abissi che chiari si schiudono
e su che vette, in che vallate indugiano!
E che gusto se scoprono uno spazio
inviolato, il più angusto, e mai nulla
che nella corsa felice li arresti.
Cercano inutilmente di difenderti,
pudiche (fino a quando?) le tue vesti.

◊

Come l'asfalto imbianca
nell'aria di dicembre
così sbiadisce il tuo colore appena
la mia mano esitante ti sfiora.

E non serve il diniego, l'accanito resistermi:
tu sei già mia nel gesto
che incerto m'allontana.

◊

All'impazzata spende gli affannati suoi battiti,
ma vivo, il cuore nell'aspettarti:
gli ultimi, forse, di giovinezza battiti
all'impazzata nell'aspettarti.

E tu come una gatta che guardinga
appaia dietro l'angolo chiamando
con la luce degli occhi, mi raggiungi furtiva.

Ma subito ti perdo nei cristalli
delle vetrine, te ne vai lontana
a navigare un mare che mi esclude.
Ed io per ritrovarti
cerco i tuoi occhi in fondo a quegli specchi
in gara con le perle e i lapislazzuli.

◊

Vorrei quietamente parlartene
camminandoti a fianco fra la gente,
come d'evento naturale che appaia sotto il cielo,
stella cometa a solcarlo di luce,
o folgore o tempesta, o furia della grandine che buchi
le tenere foglie dei cactus, squarci i segreti tendini:
come d'un grido improvviso nel silenzio
che fa voltare con un soprassalto,
una voce che chiama lungamente, un vetro
che esplode a una sassata. E dirlo senza
tremarne, senza più precipitare
in un lago di buio o in un fuoco accecante.

◊

Ti ricordi, da brutto
che mi vedevi, com'ero diventato
bellissimo
quand'hai cominciato ad amarmi.
Ti dicevo ridendo: l'amore è questa lente
che cambia il colore del mondo.
Ti ci stizzivi e giuravi "per sempre",
"eternamente",
nella tua provvisoria certezza.
Finché un giorno (e non era passato
neppure un anno!) per una carezza

che non ti piacque, forse (me lo sono
da allora tante volte domandato)
con la più femminile indifferenza
hai smesso di guardarci in quella lente,
l'hai lasciata cadere.

◊

Vorrei vederti ora, subito, corro
giù per le scale a precipizio,
tutta la strada d'un fiato, ma dubito
che mai, se potessi incontrarti, saprei
riconoscerti: ho il vizio
– ambiguamente m'accusi – di pensarti diversa.

Meglio allora restare
chiuso in casa, tappate le finestre, spenta
la luce, ad aspettarti: e subito
tu vieni in me come se fosse un flash
che ti ferma così come ti voglio.
Ma dura solo un attimo e m'accorgo
che per sempre t'ho persa.

◊

Quella parola è un seme e tu non dirla
– pavidamente mi ammonisco ricacciandone l'impeto –
se non vuoi che s'espanda come un albero
fino al tetto e lo sfondi, quel tetto
di tegole pazienti cementate a riparo.
Troppo a lungo hai mandato i tuoi incerti segnali,
torna al silenzio, riparati
nella memoria con i suoi rimpianti.

Ma se prorompe dal profondo e chiede
di farsi vita (parola in cui la vita
eternamente nasce,
che cerca un'eco per esistere), dilla

senza paura, abbandonati
al suo flusso, al suo gorgo. L'ascolterai stupito.

◊

Una pagina bianca, una lavagna, e non altro, ti dico
sommessamente al fuoco della musica,
crocevia troppo rapido
delle nostre due strade. Ti chiedo
soltanto questo dono: ritrovare
per te quelle parole che credevo
morte per sempre, e liberate ascoltarle:
mie parole non dette, miei perduti aquiloni, meteore
che salgono in alto e poi subito
svaniscono.

◊

Quella tua fissità mentre la vita
esplodeva, straripava dagli argini,
era un torrente che ribolle sotterraneo
nelle sue vene segrete, era il magma
incandescente nel cuore della terra,
era una mano che serra la gola.
Ti ascoltavo nei brividi
di quel silenzio. E avrei voluto infrangere
quel tuo pallore di astro irraggiungibile
che mai si desterà dalla sua orbita,
chiamarti con un gesto
alla tua creta, alla tua verità.

◊

...a questa età che sai
né giovane né vecchio...

Mario Luzi

In questa età sospesa
come un fragile ponte fra due mari,
in questa età indulgente
e ricca come un bosco

che sente ogni voce e la chiude nel suo intrico,
dove ogni fiamma può accendersi
ma si può spegnere a un soffio della mente,
in questa età che nulla può ingannare,

io posso amarti come un ragazzo confuso
nelle sue inquiete incertezze, e come un vecchio
che in te si volta e ti legge guardandoti,

e amarti come un uomo
che fa di tutti i petali caduti
un solo fiore nuovo per offrirtelo.

◊

Non è che un tuffo, mi dici (ma quanto
dall'alto il volo
come se il mare sfuggisse!) nel mio
ostinato sognare, mentre tutto
mi è contro. Non ripeterlo
tu, impietosa, che stai
coi piedi sulla terra, mentre cerco
così affannosamente di fermarti,
vano spettro, visione inutilmente inseguita.

E non importa se passi e non ti volti.
Anche nel tuo negarti,
già così amaro di sconfitta, c'è,
come sotto la cenere, la vita.

◊

(Per un addio)

Non fu l'ebrezza che si spense al gioco
arido ormai dei sensi già saziati,
né la coscienza amara cui si arrese
il nostro fioco slancio, o l'abitudine:
la tenerezza fu che ci divise.

ASPASIA
(1982-1985)

Un amore che dona e che non chiede

"Pronto!
Chi?
Mi ripeta.
Ma in che lingua ha parlato?
È certo sia così
che va pronunziato quel nome?"

"Aspasia, Aspasia!" ora
senza accorgermi grido.

"È proprio certo, anzi,
che esista davvero quel nome?"

Ed io, come smarrito, dubitandone,
mi dico forse mi sono inventato
un nome che volevo rispondesse
al volto che tanto ho sognato.
E ancora mi dico che forse
non è fatto di lettere, non è
parola, non ha suono,
ma è soltanto, in me,
un pensiero struggente che mi porta da te.

Rifaccio il numero, provo
per la millesima volta
a chiamare il tuo nome nel vuoto,
ma sono troppo stanco per insistere
e troppo per pensare.

Senza neppure accendere la lampada
mi spoglio, m'infilo nel letto, mi copro
fino agli occhi, e così
– libero d'inventarti –
ti continuo a cercare.

◊

(Ti cerco dove non sei
sapendo di non trovarti.

– come sognando si voltano al canto
delle sirene a lungo i marinai –

Perché tu solo in questo
esisti: nel mio cercarti.)

1.

Era quell'ora d'ombra in cui si volta
alle strade percorse per cercarne
l'oscuro senso, già piagata l'anima,
quando nel fioco lume d'una lampada
(un fantasma? un'icona?) m'apparve.
Ed io strappato a me da quei suoi occhi,
da quel loro stupito riconoscermi,
come se anch'io l'avessi attesa sempre
– chiudendo in me la porta del passato –
le dissi: eccomi, andiamo.

Ed ora penso: Aspasia quanta vita
e quanta morte è in te. Io non avevo
paura di morire,
ora tu dai misura alla mia carne
che si ribella al tempo,
numeri i giorni che ancora saranno
vivi di questo amore,
rimuovi in fondo alla mente che in sé
già cercava la quiete, i suoi torbidi
disperati perché.

2.

Si è chiuso il cerchio. Fuori
né parola né segno
né gesto che rimuova ciò che è immobile,
né impronta che ancora resista.
Si è chiuso
in sé, impenetrabile alveo, matrice
d'ogni pensiero, cellula
da cui nasce la vita, che fa esplodere
la luce.
Il cerchio
che ci contiene, increduli di questa
nostra sgomenta felicità
che a rinascere insieme ci conduce.

3.

Non ha più spazio la mente
che per un solo pensiero,
mi accorgo con tremore, eppure in ansia voltandomi
verso l'oscuro labirinto al quale mi conduce,
regione ancora, e per sempre, sconosciuta.
Ieri che folla i pensieri a turbarmi! Facevano
ressa in tumulto se ascoltavo il mondo,
il suo mistero nel fiato dell'erba, e compitavo
il canto degli uccelli per seguirli nel volo.
E che fermento se il cielo mi stupiva!
Ora è il silenzio d'un solo pensiero.

In questo nasco, in questo
segreto nutrimento mi consumo.

Ma è – mi chiedo – il vuoto senza limiti,
l'impietosa cesoia che pota i rami
già prossimi al frutto?
O qui soltanto

una mano m'addita nella nebbia
la luce d'una fiamma?
La sola cui tendevo, la più vivida?

4.

Disegno della vita, tu dai nome
alle cose. Fioriscono gli anemoni
nel tuo sguardo.
Chiamo gli uccelli, le piante, le pietre,
e le pietre rispondono
perché ti amo.
                                    Tacciono
i limiti, non hanno più confini
questi sogni che nascono dal sangue
dove la morte è in germoglio.
Sono immortale, eterno,
perché ti voglio.

5.

"Si porta bene questa borsa, vedi,
non è grande, né troppo pesante, passa
senza fatica da una mano all'altra"
mi dici ringraziandomi.
                                                Così
io ti vorrei portare appesa a me
in ogni strada dove vado, come
se la mia mano diventasse borsa,
io tutt'uno con te, da non poterti perdere:
e dal lato sinistro
passarti a destra, e poi, cambiando mano
velocemente il contrario,
così che più nessuno,
se non voglio, ti veda.

6.

Quel tuo dirti non bella
fa di miele la mia tenerezza.
E vorrei ti guardassi in uno specchio
che ti dicesse come io ti vedo.

Non bella tu! che rubi gli occhi agli uomini,
ed io sorrido, fingo indifferenza,
ma poi ti stringo il braccio a denti stretti
perché ti copra le ginocchia e il seno.

Non bella tu che t'ergi dalla vasca
inargentata di gocce sugli occhi
e scuoti i seni e i fianchi
come una Venere che nasce dal mare.

7.

Penetro in te, amore, mia conchiglia,
come il murice al fondo del suo nicchio,
fino a confondermi, fino a farmi cieco,
e non mi giunge più l'eco del mondo.

Ma che tristezza e sgomento nel morirti
dentro, e quietarmi e cominciare a perderti
quando riapri gli occhi sulla vita.

8.

...e come avvinti restavamo a lungo
sconvolti dalle lame della luce
sfiniti di pianto e d'amore.
Ahi l'alba che ritorna
ahi come presto aggiorna!

Ahi l'alba che si posa
sopra i tuoi occhi offesi
e due rose fioriscono
sopra i seni indifesi.

Ahi l'alba come morde
sulle tue braccia stanche,
come le scopre nude,
come le fa più bianche!

Ahi l'alba che su te
suadente si rifugia,
ahi sull'arco dei fianchi
come trepida indugia!

Ahi la mano dell'alba
che al ventre si protende,
cauta s'espande, scivola
al pube che s'arrende.

9.

Troppo abbiamo sfidato. Non ha senso
– dicevi – questa morte che chiamiamo.

Non darmene, non dartene una colpa.
Che tu voglia o non voglia noi dobbiamo
amarci.
            Non cade neppure una foglia
che non abbia il consenso.

10.

Ti porterò dove fiorisce l'*hibiscus*.
Io lascerò il dolore, la stanchezza dei giorni,
il male della mente,

tu deporrai su me come un tuo dono il peso
dell'inquietudine che t'accompagna.
Ascolteremo il mare. Alle sorgenti
faremo sosta a bere. Avremo gli occhi verdi
di scogliere e di prati. Tornerai
dove il tuo cuore vuole, senza ombre.
Cadrà dalla memoria la città. A coniugare
t'insegnerò il futuro e non avrai
più paura del tempo che c'insegue.
Le mie braccia saranno una conchiglia
alle tue notti leggere
di sogni e senza incubi.

11.

Questa luce, e la quiete che s'adagia
a perdita d'occhio sui prati, e questo afrore
di terra e di piante: una campagna
che porta a sera un silenzio che è un fremito,
una malia che sfinisce,

così ti sento quando
tu fai l'ombra al mio fianco,
e ovunque approdi il mio peregrinare
(piccolo hotel, motel)
mi fai la casa, il nido.

Ma tu sei il mare che svaria:
limpido e senza vento
nella ferma chiaria della bonaccia,
e all'improvviso denso di foschia
torbida che minaccia,
ed io riemergo a stento
dai gorghi in cerca d'aria.

12.

È la polvere, è soltanto la polvere, ti dico
passando a cerchio la mano sopra il vetro
che subito svela profonda la valle, il serpente del fiume
che scivola, s'insinua, si nasconde e scende
a tuffi, a salti.
                    È soltanto la polvere
– ti ripeto guardandoti – ma basta poco a spegnere
la luce, a cancellare la chiarezza.

E mentre su pei tornanti la macchina
s'affanna, gli occhi le gore limpide
cercano dove posarsi, dove chiedere aiuto
al paesaggio che si snoda dolce
persino là nelle sue gole d'ombra
anche se già una nuvolaglia torbida
ci viene incontro con la sua minaccia.

E questo nostro amore che ci dà
la vita e ce la toglie,
che s'impenna e precipita,
è come i monti che sembrano
a noi inquieti negare l'orizzonte,
ma d'altre valli, d'altri nuovi prati
già sale il fiato, e noi
ci sfioriamo le mani turbati
come l'erba sul ciglio che ora
al breve vento delle ruote trema.

13.

Ho sempre meno vita per amarti.
Il mio domani è un fioco
barlume nella nebbia.

Ed io mi volto ad un paese immoto
nell'estate, a una spiaggia deserta
dove struggente resta appesa a un cielo
che non muta, la luna a illuminare
i nostri occhi stupiti.

Ma tu mi cresci dentro il sangue e il sangue
è già malato d'ombra, e più s'oscura
ai rintocchi funerei di campane
che un altro anno, dicono, è passato.

Ho sempre meno tempo per amarti.
E so
che nulla è più che perderti la morte.

14.

Non scordarti Venezia
se quel treno che odio ti ruba
e nega già ai tuoi occhi case e ponti
e la città scompare nella rete
di fabbriche e già suonano
i clacson, dal silenzio ti ridesti.

Non scordarti Venezia
quel nostro vagare noi soli
nel mondo, disinibiti d'amore,
i tuoi passi già stanchi, il tepore
d'un piccolo bar che non chiude.
A capofitto con l'ultimo sorso
nel desiderio.

Non scordarti Venezia, le corse
da ragazzi nei vicoli, il tuo nome
ripetuto dall'eco dietro gli angoli,
i tuoi capelli al vento, le mie dita
a scompigliarli.

Un alito di prati si scioglieva
nei campielli, fioriva sui balconi
la primavera.

Non scordarti Venezia,
la sveglia nella notte per non perdere
neppure un'ora d'amore, le carezze
da non contare come le ciliegie
comprate un giorno all'angolo, e la luna
che entrava a farci lume.
Non scordarti: tu eri la mia gondola;
come la culla il mare
fra le mie braccia non avevi peso.

15.

Felicità che m'hai sfiorato, tendimi
ancora una volta la mano,
quella tua incerta mano che così rara balugina
dentro la nebbia, e destami
da questo duro silenzio che ha il gelo della ghisa.

Tra le foglie e le spine se concedi
l'effimero bagliore della rosa
che accende il prato del suo lampo e muore,

al tuo prezzo, al tuo più esoso prezzo,
ferendomi dove più duole, rendimi…

16.

Dico all'anima: resta
qui dove sei. Ma lei
si fa pensiero e supera
ogni distanza inutile per poterti raggiungere.
E ti vede. E mi chiede

(da me divisa, ostile)
perché sia tanto vile da nasconderti,
da spegnerti nell'ombra,
tu che sei tutta luce.
Ti prende, se ne imbeve
fino quasi a morirne,
e da me che fuggivo ti conduce.

17.

Tu preghiera, tu sesso, tu delirio,
e voi mari
                    conchiglie
                                        alberi
                                                    prati,
e tu vita,
                aiutatemi
a distrarmi da lei per un attimo.

Che questa spina non penetri, non sanguini
a ogni passo, a ogni fiato.

18.

Quei gridi, quei lamenti, quella piccola
folla davanti alla porta
del caffè. Ti ricordi? Stringevi
il mio braccio: "Ho paura".
Un ragazzo, la bava
alla bocca, era steso
sul pavimento.
                        Guardavi
quegli occhi spenti, ma i tuoi
videro a un tratto lontani
i nostri giorni rubati: "Non si può
costruire la gioia sul dolore

degli altri!”
Ci sedemmo
ad un tavolo in fondo, turbati
(ormai distanti per sempre)
da quel presentimento.

19.

Sempre più ti allontani, la luce
si è fatta avara nei tuoi occhi, resti
gelida, indifferente
al mio dolore,
alla voce che un tempo ti fu cara.

E il tuo pensiero è una serpe
che mi cammina sul cuore.

20.

Non ti cancello. Hai scritto
con inchiostro indelebile sull’anima.
E se talvolta tento,
invento un’emozione per resistere,
sopravviverti, e credo per un attimo
che una giovane pianta mi doni
altri fiori che attendo,
o l’ombra che m’acquieti,

il pensiero di te mi torna addosso,
mano che porta brividi alla pelle,
e a quel tuo volto evanescente, fisso
su me con occhi muti che non piangono,
quell’effimera voglia si spegne
come una rosa in boccio che reclini
senza fiorire il capo.

21.

Sei divisa da me non più che un passero
dall'aria, che sempre lo avvolge
ovunque salga nel volo, e ne porta
l'odore nelle piume.

Sei lontana da me
come dal cuore il polso che ne ascolta
fedele tutti i battiti, e la notte
dal giorno, che inseguendosi
a lungo si confondono.

Ti separi da me come la vita
che d'un passo ogni giorno s'allontana
ma quanto più mi lascia più mi chiama.

22.

La mia vita e l'amore
insieme se ne vanno,
ma non provo dolore
a lasciare la vita.

Sarebbe peggior danno
vivere senza amore.

23.

Amarti – dicevo – fino a morire
per troppa vita.
E invece,
cambiata la sorte,
(ma era un sogno, sapevo)
piangere fin che la vita
sia tutta un fiume di morte.

24.

Certo, l'ho visto.
Era
(sembrava dormisse) accanto al marciapiede,
quieto, mi parve, col capo reclinato
nella gora del sangue, e quel viso
(oh, quel viso!) a lampi si accendeva
e si spegneva nei fari che correvano
senza fermarsi.
Ne sono passati
di anni! Eppure, in quel tratto,
anche se tanta pioggia ha dilavato
l'asfalto, e tante gomme l'hanno levigato,
io sempre vedo quella macchia rossa
incancellabile.
Così lei:
quell'amore che ha ucciso (ma è morto?)
è un cadavere sepolto nel pozzo
dell'anima, e sempre,
anche se non vi guardo
(o non volessi) lo vedo.

25.

S'è inaridito il frutto che insaziabili
mordemmo a lungo avidamente insieme.
E a che vale, se manchi,
ch'io tenti inutilmente di riaccenderlo
quel profumo che inebria,
quell'umore che arde e che disseta.

Ed io, ancora incredulo, mi dico
(ma come chi si volge alla sua casa
lasciandola per sempre): via, cancellala
dalla tua vita: Aspasia,

la tanto amata Aspasia,
non fu che un sogno d'incubo, ridestati.

Via quel suo viso d'angelo dal cuore, via
quella sua tenerezza dalla mente,
l'odore del suo corpo dai miei sensi,
via dal sangue il furore
che riattizzava il fuoco dalla cenere.

E respingendola grido: Aspasìa,
togliti dal mio sguardo,
prenditi la tua ombra che m'insegue,
o bifronte Aspasìa che affondi spade,
aspide che mi inietti atroci spasimi;
mio inguaribile morbo, malattia.

26.

...e allora sia
ciò che la vita vuole, ma ricordalo:
qualunque cosa accada sono stato
nella tua vita, e tu sei nella mia.

PER SEMPRE
(1987-1994)

Così hai potuto davvero scordarlo
che tanto a lungo mi hai dato il tuo cuore?
Heinrich Heine

IL RIFUGIO

Io sono il tuo rifugio.
Benvenuta
l'anima mia accogliendoti dirà
quando placata vi entrerai per sempre
e della notte non avrai paura.

Forse soltanto allora capirai
che in te comincia la mia vita come
dal canto dell'allodola il mattino.
Il mio bene e il mio male sono in te
così come ogni nascita
la morte in sé contiene.

IL TUO NOME

Basta che dica il tuo nome
e uno svolo di ali nello sguardo
dei miei pensieri libera
il mio breve orizzonte dalle nubi,
fa i miei passi già stanchi più leggeri.

Al tuo nome risorgono
le speranze perdute
e le amarezze patite scolorano
al rintocco festoso
di quelle sillabe.
E quando le ripeto

sul tuo collo abbracciandoti
m'illudo che il fiato del tempo
che già m'incalza, si fermi per sempre
al talismano del tuo nome.

LA LUCE

Come gioca la luce sul tuo volto,
cara, se ridi davanti allo specchio
e la finestra inondata ripete
le tue braccia levate nel gesto
di pettinarti.
E le mani che giocano
con i capelli indocili si perdono
tra le foglie che un refolo leggero
muove sugli alberi.
(Così
possa tu rimanere per sempre
ignara del tempo che ancora
ha il passo lieve su te!)
Ed io che sono
escluso dal tuo rito, mi sorprendo
stupito ad invidiare
la luce che ti prende e ti moltiplica.

LE SPALLE

E disse addio. Poi quando si voltò (la strada
sotto quel sole, deserta, sembrava
annunciare quel gesto) si spense
per sempre quella sua vivificante
luce che mi portava.

Ma intatta, rilucente
contro il tempo che spende inutilmente
tutti i suoi sortilegi per sfocarla,

come un balsamo (o un incubo) crebbe
la sua crudele memoria.

E qui cercando ancora la sua ombra
fra quelle della sera che disegna
d'ora in ora i suoi spettri,
accanto al letto, al tavolo,
o laggiù nello schermo dello specchio,
come quando, furtivo, alle sue spalle
mi nascondevo a rubarle un abbandono,
quelle sue spalle su cui piansi vedo
allontanarsi, svanire
senza eco di passi in quella strada.

LA VOCE

Attendo la tua voce dal fondo del silenzio
come l'allodola triste nella notte
attende il giorno per tornare a cantare.

Ma ti nascondi pavida nel folto
delle parole e non mi parli. Tace
quel cuore che mi seppe
monarca di un fragile regno e soltanto
la mente ora conduce (ed io mi perdo
in un paese straniero) il tuo gioco
prudente con cui tieni a bada
la memoria che preme,
il delirio sopito dei sensi.

Meglio non ascoltarla
la tua voce che finge di parlarmi
e dissolverla in quella che nell'anima
avrà un'eco per sempre.

LO SCRIGNO

“Un fiore… io?” – ridevi sollevandoti
sulle punte dei piedi per porgermi,
rovesciando la testa, le labbra,
e mi spegnevi gli occhi dentro i tuoi che cantavano.
Un fiore, tu – pensavo già perduto, baciandoti –
che ho colto nella nebbia dell’autunno
e fu, contro tempo, l’estate. Ma già portava la felicità
(dovevamo saperlo!) per la mano
come sorella la malinconia.

Ed io, da preveggente, dispogliarsi
vidi quel fiore, e i petali nel vento
ad uno ad uno andarsene,
come vedessi i miei giorni morire
ad uno ad uno.
Ma, lassù nell’aria
vuota solo per noi che non vediamo,
in quello scrigno segreto che la ruggine
del tempo non scalfisce, eternamente
resiste ogni gesto, ogni immagine, lassù
dove è scritta la vita nei suoi attimi,
splende intatto quel fiore
ed io continuo a coglierlo piegandomi
sulla sua bocca, per sempre.

IL TRENO

Forse è una voce, o un gesto che attraversa
lo sguardo, o un’ombra, a farmi ora voltare
con una pena sorda che mi ferma,
e a riportarmi a quel greto solitario
lungo i binari sul mare
dove resisti nella mia memoria
perduta a te, abbandonata
alle vogliose carezze già tristi.

Ma se passava un treno
e quell'alcova rubata aggrediva
(scoppi di voci e mani e fazzoletti,
lieta festa nell'aria a stanarci!),
ridestata fuggivi dal mio abbraccio
per quello d'ombra delle tamerici
e il nostro breve cielo
d'una striscia di fumo s'incupiva
a cancellare per sempre
gli ultimi istanti rubati felici.

LA BORSA

Chi sa che un giorno tu non la ritrovi
dimenticata in fondo ad un armadio
quella tua vecchia borsa, quello sgualcito sacco
di paglia, che s'apriva
come una grande bocca, come un cuore,
in cui infilavo la mano furtivamente a frugare (e mi mancava il fiato)
per saperne di più, per conoscerti meglio.
(Quale illusione avrebbe mai potuto
più di quella dannarmi!)
                                E chi lo sa
che all'improvviso tu, come sfiorando
sorpresa, con la mano la mia mano,
ti soffermi a pensarmi per un attimo
intenerita.
              E forse capirai
per quella vecchia borsa ritrovata
fra le scarpe e i vestiti, che le cose
restano a dare immagine di noi
per sempre,
               e a dire che siamo esistiti.

L’OASI

Ti penso con il mio corpo come le piante pensano
nell’ombra al sole che sta per raggiungerle.

Ti penso con le mie vene che al tuo odore fremevano
come la linfa dell’albero all’acqua che la penetra.

Non ho che pensieri per te nelle mie mani vuote,
nelle mie braccia inutili come le ali spezzate:

e nelle gambe inerti che alle tue si intrecciavano
come l’edera al tronco che l’accoglie già vinto.

E con gli occhi ti penso dove tu vivi al fondo
della pupilla, per sempre, marchio che non si appanna,

e con l’anima spenta, deserto che non sa
trovare più miraggi, oasi perduta, ti penso.

UN POSTO

Ci sarà pure sulla terra un posto
(penso chiedendo aiuto
al sonno che non viene)
dove nessuno sappia
quale esile filo separi
felicità e dolore?

Mi rigiro nel letto. Non si acquieta
la memoria dei sensi.
E mentre quasi giorno fa la luna
nello specchio che invade mi sembra
che passi la sua immagine
e scivoli guardinga
nella stanza e mi avvolga.

Mi desto di scatto. Spalanco
una finestra. Cerco
così, ma debolmente, di sfuggire
al mio implacato desiderio, a quella
tentazione estenuante che mi insegue
da quando lei mi ha marchiato per sempre
con il suo fiato.

L'OLTRAGGIO

Quando fa giorno e l'oltraggio
della luce mi strappa ancora incredulo
a quelle dolci trame della notte,
quasi in trance vi supplico: "Tornate
miei fantasmi, ridatemi
l'illusione che il sogno sia la vera
vita, non questa che senza
la sua forma nell'aria mi attende".

E mentre esitante, diviso
mi guardo attorno, muovo i primi passi
nella stanza e mi affido
al profilo sicuro delle cose
che con certezza conosco per uscire
da quella vischiosa malia (la realtà
batte ai vetri, mi manda i suoi segnali):
"Oh, torna indietro – prego –
luce del giorno che la neghi, rendimi
al mio sogno per sempre, dove ancora
ritrovi la sua voce che lontana mi chiama,
quella sua pallida mano
che supplice mi tende".

NELLE STANZE

Mi volto, cerco. So che c'è quell'ombra
che mi spia (o lo spero) al soprassalto

della luce che viene a destarmi,
se strappato dal sogno
come un sonnambulo vago
per le stanze deserte e già in affanno inseguo
la sua presenza che mi sfugge, ed io:
“Ancora un poco restami
vicina – dico, guardando le porte
che il vento socchiude – rimani
al mio fianco, ti prego...”
le ripeto aggirandomi quasi in pianto fra i libri,
i quadri, i dischi, a cercarla
dove la vedo ancora come quando
io riempivo il suo cielo.
“O cara ombra
stàmpati in me per sempre, non sbiadire
come l’attonita luna che svampa
nel suo gelo”.

IL TUO FIATO

Mi dicevi: “Non posso farti male
perché sei invulnerabile”.
Ti rispondevo: “Penetri per sempre
con il tuo strale nella mia ferita”.

E ti pregavo: “Rendimi le redini
della mente, è soltanto un’ombra labile
della mia vita, questa in cui cavalchi,
insonne, i miei pensieri”.

Mi dicevi: “Ho davvero sbagliato,
ma chi ama non vede,
io ti credevo quello che non eri.
Forse il dolore t’ha così cambiato”.

Ti rispondevo: “Il dolore non muta
l’anima, la rivela. E tu non sai

che ormai senza il tuo fiato
sono una spenta vela".

UN SOGNO

"È tornata!" impietrito mi dico
a vederla apparire evanescente
al fondo d'una strada desolata.
"Sei qui per me?" le grido senza voce.
"Lo sai, da tanto tempo ti aspettavo".
Ma la sua vaga forma
ondeggia dentro l'aria e resta muta.

"Dove sei, con chi, che fai?" le chiede
il mio pensiero in affanno, la memoria
ostinata del cuore che non cede,
che non accetta. E come
se la speranza fosse alle mie spalle
quasi un soffio che sprona,
io cerco inutilmente di raggiungerla,
ma risucchiata dal vento
al mio moto scompare.

Ed io mi dico
(ma è per vincere il pianto): "Ricordalo,
è l'offesa che ancora ti duole" e per pietà
(di lei? di me?) "Lascia che vada – dico –
e viva a un'altra riva la sua vita".
Ma non mi ascolto e m'illudo
dissennato, di correre
dietro quell'ombra che è da me fuggita
perché voglio legarla
per sempre alla mia febbre, come fosse
fermata da uno spillo
una farfalla arresa sotto un vetro.

IL MALE

Se tu mi fossi questa sera accanto,
ritornata da me, tu che fai
ombra alla poca luce
che m'accompagna ancora,
se tu fossi
qui non saprei più dirti le parole
velenose, o d'amore, o di sgomento
che ti dico ogni giorno pensandoti.
Ti guarderei soltanto, ormai quietato
alla tua chiara immagine che in me
non è mutata, da potermi illudere
che non per sempre t'ho perduta.
Nulla
ricorderei del male che mi hai fatto
e "Ti prego – direi – non ricordartene
del tanto male che t'ho fatto amandoti".

L'OMBRA

D'altro la mente non avrà memoria
più vivida di quando,
già morta alla mia vita,
senza parole uscisti dalla stanza
e vidi l'ombra attraversare i fiori
abbandonati sul tavolo.
Quell'ombra
è calata per sempre sull'immagine
che hai lasciato di te:
non ho che il vento in me
di quel tuo aprire e chiudere la porta.

PER RICORDARMI

Pensami morto,
guardami
dentro i tuoi sogni che un tempo
straripando abitavo,
su quello stesso letto dove il giorno
sorprendeva la notte e la luce
che ci era nemica scopriva
sospese le parole dell'addio.

Pensami morto, gelido
su quel caldo cuscino sgualcito
dal nostro vivo sudore,
con la mia mente spenta
(immobili per sempre gli sfrenati ippogrifi),
con le mani serrate che chiudevo
a coppa sul tuo viso e scivolavano
sopra il tuo corpo come l'acqua corre
alla terra che s'apre assetata,
chiusi allo sguardo quegli occhi
dove ieri leggevi stupita
la verità che non volevi credere
(non ora che sai leggerla e mai più
potrai starmi vicina dove il tempo è immutabile
nell'infinita distanza della morte).

Oh, pensami così per ricordarmi,
per ricordarmi per sempre.

PENSARTI

Pensarti è ritornare
indietro,
cancellare
tutto il dopo.
Non vivere.

Fingere ormai per sempre
d'essere vivo.
                Eppure
quello che allora parve
diamante, era soltanto,
ora lo vedo, un vetro.

(da *Il silenzio,* 1997)

PER NON PIANGERE

Non voglio ricordarla per non piangere,
ma il passato ritorna e m'invade
(la memoria è crudele) e lei viene
ostinata a ferirmi col suo fisso
sorriso che sa infrangere
questa legge del tempo che la respinge lontana.

E la chiamo sgualdrina per non piangere,
cerco tutti i possibili pretesti
che ogni giorno mi offriva:
le sue telefonate misteriose, i tanti
sotterfugi, i silenzi, gli ammicchi
con lui, con lei, suoi perversi
strumenti di tortura
per legarmi di più.

E allora sgretolo, demolisco a pezzi
quel piedistallo su cui la misi, imbratto
quel ritratto che il cuore dipinse:
per non amarla.
                                        E mi dico dimentica
– e mi aiuti il rancore! –
quella sua tenerezza avvolgente
come il tepore invitante d'un amplesso
che sfinisce,
                                e mi dico cancella
l'immagine di lei che a passi brevi
s'allontana voltandosi,
e quei suoi occhi d'addio già velati.
Non voglio ricordarla.
                                                  Per non piangere.

(da *Poesie d'amore,* 2005)

NELLA MEMORIA
(1999-2004)

L'ORCO

...in me Eros
che mai alcuna età mi rasserena...
Ibico (trad. di Quasimodo)

Amarti oltre ogni limite è possibile
nella mia età già tarda in cui la sorte
ti ha inventata per questa incomprensibile
cieca passione che sfida la morte?

E tu verrai a portarmi la morte
ma io non la vedrò, resa invisibile
dalla mia mente ormai persa e più forte
sarà il delirio dei sensi, temibile

come tempesta che scuota dal fondo
della terra una quercia, ma esaltante
fiammata viva che nel cielo sale

senza più freni. Io come un orco immondo
godrò di te, mio agnello, che ogni istante
rendi eterno, tu mio bene, mio male!

IL CONFRONTO

Non mi offuscare nella tua memoria,
di me non fare una cosa lasciata
in un cassetto d'albergo, una storia
(come tante) finita, cancellata.

Non esitare, voltati. È illusoria
la tua speranza d'esserti affrancata

dai tuoi ricordi. Non è una vittoria
quella tua fuga vile. Sei dannata

a ritrovarmi in te quando esitando
imboccherai una strada sconosciuta
e cercherai un confronto ricordandomi.

Non si ritorna indietro, ma tu invano
vuoi scordarmi: se nulla più t'aiuta
sono al tuo fianco a tenderti la mano.

QUEL PROFUMO

1.

Perché ad un tratto il suo profumo? Lei
è lontana nel tempo, la memoria
la disfa nella nebbia. E non dovrei
dimenticare (ormai la nostra storia

era finita) che disse: "Tu sei
così, non cambi, e se resto che gloria
c'è in un amore già stanco, vedrei
sempre il tuo sguardo annoiato, la boria

che ti rende distante. Ti libero
dal mio fardello. Vado via. Ritorno
dove non ho ricordi e dal pensiero

dovrò riuscire a strapparti, ma senza
morire dentro, e finalmente un giorno
passarti accanto con indifferenza".

2.

Non lo dovrei dimenticare, ma
ecco, ad un tratto, il suo profumo ed io,

nel mio egoismo che chiede e che non dà,
m'accorgo che ora non ho più quel mio

controllo che invidiava. Sono là
dove c'è lei, nella sua onda, devìo
dalla strada che ho scelto per viltà
e mi manca, si sgretola l'addio

che credevo per sempre. In me cadono
i pregiudizi, le astiose intolleranze
che ostentavo. Come otterrò il perdono

per il suo lungo pianto? Di lei sola
– ora lo so – ho bisogno, e nelle stanze
ormai vuote mi aggiro, chiamandola.

QUELL'ANSIMA

Ti scrivo, mando fax, chiedo al telefono
di rubare al silenzio la tua voce
ma non rispondi. Eppure sai che un trono
io t'ho innalzato, e non avrà mai foce

il fiume dell'amore che ti dono.
S'è dunque spento in te così velocemente il delirio, quel nostro abbandono
che gli amici invidiavano? Ora è atroce

immaginare in questa solitudine
che un altro scopra su di te tremando
quei segreti... E nella mia inquietudine

sento passare nella notte un treno
e in quell'ànsima torno indietro a quando
io morivo in affanno sul tuo seno.

ALLA FINESTRA

Sono arrivato tardi ad affacciarmi
e tu eri già scomparsa dietro l'angolo.
Mi ha fermato uno squillo del telefono.
Forse quel suono ha voluto destarmi

dall'ultima illusione: tormentarmi
per vederti andar via! Ormai rimangono
amarezza e dolore, e l'incredibile
abbandono non riesce a riportarmi

alla realtà. Ma, ecco, ora un barlume
– rosso come il vestito che indossavi –
traluce dietro il vetro, e illuso il cuore

pensa che sia un messaggio che fa lume
alla speranza. Ma tu non mi amavi!
S'oscura il cielo e la speranza muore.

LA CIOCCA

Qualche volta passando fra la gente
nel chiasso, c'è qualcosa che mi blocca:
un volto, forse, o una voce, o quel niente
che basta perché il cuore salga in bocca

con uno spasmo, e sento l'insorgente
ansietà che ora cresce e che trabocca
chiedendo inutili lumi alla mente.
Ma, all'improvviso, ecco a fuoco una ciocca

bionda. E lei torna. E m'accorgo che è in me,
lei che credevo negata dal misero
cieco rancore! E non so più perché

delle nostre esistenze lacerate
non capimmo la frana. Ci divisero
le parole rimaste in noi murate.

LE ALTANE

Già ritorna l'estate con le altane
verdi che sfidano il cielo con gli alberi,
e se levo lo sguardo che pensieri
mi danno spasimi al cuore, che lontane

tormentose visioni! E sembra ieri
che ti destavi a un suono di campane
fra le mie braccia. E spero che s'inveri
il sogno di riaverti, ma le mani

stringono il vuoto e non porta prodigi
l'estate in questi vichi, fra le piccole
tue trattorie di quelle settimane.

Ma tu che vivi sotto un cielo grigio
lo senti ancora sulla pelle il sole,
te le ricordi le notti romane?

L'ATTESA

Come la pioggia che batte sui vetri
e ad uno schiaffo del vento s'arresta
e poi scroscia, è il mio cuore alla festa
del tuo sguardo. Sei qui, son pochi metri

a separarci. Faccio un passo e arretri
appena un po': il desiderio si desta
più imperioso. Il tuo fascino è in questa
naturale malizia: vuoi che impetri

il tuo dono, fino a soffrirne, e senta
che il piacere è l'attesa, ma l'ignora
l'amante sulla soglia! E dunque rendimi

la pace. Non essere più ambigua. Ora
sei tu che muovi il passo che mi tenta
e gli occhi arresi mi dicono prendimi.

(da *Nonostante,* 2004)

DONNE E LUOGHI

(2005-2014)

A FERRARA

Veloce come un battito di ciglia
sei passata nel vento
della tua bicicletta,
e nel mio sguardo si sono fermati
a darmi struggimento i tuoi colori.
Così poco è bastato
perché una mano mi stringesse il petto.
Ora ti cerco solo per rivivere
quel tuffo al cuore che m'hai regalato.

Ma se l'acciottolato
e le mura e le pietre
ti dicessero i passi infaticati
in su e in giù dal Duomo
al Castello, con gli occhi
nei caffè, nei negozi,
nella speranza che come un ritratto
il tuo bel viso appaia dietro al vetro,
per me ripasseresti in quella strada.
Ma forse non esisti, e t'ho sognata.
A me basta per vivere sognarti.

A LUCCA

Lascio il mare e m'inoltro
fra le vigne e i giardini. (Dove vado
lo sa la mia memoria che conduce.) Torno,
e non dovrei, per te che sei fuggita
per te che avevi il volto
d'Ilaria (e quanto

te ne vantavi d'essere – dicevi –
come lei pura nella sua bellezza).
Ma non potrò rimpiangerti
se qui, dove risuonano
i passi nel silenzio delle strade, ancora
la tua risata fa strepito
e ferisce il mio cuore che si offriva.
Eravamo (ma in te si sarà spento
ogni ricordo) ai piedi della Torre
del Duomo, dove avremmo
dovuto – dicevi – per sempre
unire i nostri destini.
Ma ti frenò la paura della porta
dischiusa su un domani sconosciuto:
ma non può amare chi non sa soffrire. E ora
che in me rimormora il Serchio
guardando l'acqua che scorre ho capito
che tu sei come il fiume
che ci respira accanto continuando a fuggire.

PRIMO BALLO A LIVORNO

E come avrei potuto
se non a te che stavi
timidamente in un angolo, confusa
dai brufoli d'acerba adolescente,
avvicinarti per chiederti
un ballo in quella pista dove noi
eravamo i più giovani?
Tacevo
guardando altrove e forse ripassando
i passi che il maestro
m'aveva da un mese insegnato.
Eppure quel tuo viso
arrossato, e le scarpe
basse ai tuoi piedi, e quel lieve
profumo che portavi, sono ancora

un'immagine viva, incancellabile
nella memoria di questa
malinconia che si volta.

IN CALABRIA

Era come se il mare non finisse
mai, né quell'azzurro che bruciava gli occhi.
Sarei tornato laggiù
chiamato dal ricordo, dalla febbre
che il suo filtro d'amore tiene accesa,
col lento, lungo treno
che bagna le ruote nel mare.
Laggiù nella Calabria
dove è più rosso il sangue, e grida
nel canto dei pastori, nelle voci
che chiamano vendette, nei lamenti
delle donne in amore.
                                        Non volevo
tornare più, lo sapevi,
ma tu mi hai intossicato nelle vene
col tuo sguardo che viene da lontano,
con quei capelli neri di Medusa,
disposto ormai a diventare di pietra
per poterti guardare.
                                    A piedi scalzi,
ebbri di desiderio e di salsedine
salivamo in affanno sulle torri
abbandonate. E tu, dall'alto
invocavi i tuoi morti gridando
fra le mani protese alla luna,
e la tua voce rubava
il vento che infuria i gabbiani.

SUL MARE

D'altre non ho memoria che di lei,
di lei che sorgeva
dall'abbraccio del sole, dal mare
e a me veniva incontro, a me
che sempre stavo in guardia
come un soldato che teme un agguato
perché ad ogni istante
avrebbe potuto rubarmela il vento,
quel vento che un giorno, chi sa
perché (chi può saperlo?)
l'aveva portata per me.

NEL BISTROT

Non ferirmi, non farmi sanguinare
contro mia voglia restandomi accanto,
ricordo che m'illudo di annebbiare
(come una luce guardata nel pianto)
bevendo.

Bevo
perché non torni ancora
ad eccitare incancellati brividi
della sua pelle l'odore, e la mente
non ridesti impietosa
le struggenti dolcezze scordate.
Bevo per soffocare quell'immagine
nel vano fondo del bicchiere, rosso
come il sangue che preme
le mie vene già arrese, accecate.

A CASA DI LEI CHE NON VEDE

Le sue mani mi guardano.
Mi guardano il viso, disegnano
il mio profilo, si fermano
più intense sulla bocca.
Mi muovo, non vorrei
farmi scoprire come sono, ma lei
mi dice, imporporandosi
di gioia, eccoli qui
i lineamenti che amo! E allora io,
quasi per gioco,
con pena e tenerezza,
la guardo con le mani (amata mia
che non mi vede e non sa),
e le carezze diventano un altro
modo di dirci parole d'amore.
Ma ad un tratto si ferma, ha scoperto
sotto le palpebre i segni
della stanchezza, e una ruga
sulla fronte, che prima non c'era,
e le si spegne il paradiso nel leggere
con le sue mani il tempo sul mio viso.

2013

ALLA STAZIONE

Non rimanere
in questa tua infinita lontananza
ferma sul marciapiede
ad aspettare che il mio treno parta.
Va via, riportati
indietro i nostri sogni che non hanno
sbocco, che ci distruggono,
va via
prima che il fischio tagli la mia vita
e sia tentato di spaccare il vetro

e di gettarmi, e raggiungerti.
Vattene,
lasciami solo che io possa,
come tu fossi morta,
ricordarti.

2014

NELLO STUDIO, SFOGLIANDO UN ALBUM

Sì, lo ricordo quel nostro
fuggevole amore come un uccello di passo,
quel tuo ancheggiare impudico
che mi lanciò la sua rete.
E come potrei
dimenticarla quella coppa del pube
con cui brindavo alla mia giovinezza
fino a sbronzarmi,
e ora
che ti ritrovo in questa vecchia foto
(quanto tempo
è volato!),
e rivedo
quei tuoi capelli rossi,
e mi ricordo il tuo seno,
tua esibita bandiera da civetta,
mi arrovello,
ma inutilmente, cara,
per ricordare il tuo nome.

2014

AI CIMITERO

Non so dire se il mio fu vero amore
e non so se fu vero
quello di lei
(con tutte

le distrazioni che ci separavano!),
ma so che ogni anno, da tanti,
in questo triste giorno di novembre
io vado a cercarla fra i viali
profumati di bosso, là dove
il suo sorriso mi accoglie
fermo dal tempo in cui
io credetti di amarla.
Qui per lei
porto quei fiori che predilesse,
le rose gialle, e guardandola,
come se fosse questa
la mia preghiera, dico
a bassa voce più volte il suo nome.

IN INTERNET

Tu vieni e vai
senza volto, irreale
come un fantasma notturno che mi lascia
quando la prima luce del mattino schiara
la mente e il cielo.
Mi porti
la tua voce di vento
e nel tuo caldo fremito ritornano
le memorie del sangue,
e il desiderio s'accende.
E su ciò che è reale si distende
un velo di nebbia.
Non sai,
non puoi sapere,
quale sottile struggimento
rimane in me, sospeso
sul tuo mistero,
sconosciuto fantasma
che vieni e vai.

2014

CAFFÈ CON SIGNORA BENE

Chi sei, cosa nasconde
questo sereno distacco del tuo impeccabile viso,
quali pensieri insidiano
il tuo freddo enigmatico sorriso?

Immagini sfuggenti salgono
dalla memoria, ti pungono
lungo la schiena sensibile, ma tu
soffochi imperturbabile il loro afrore suadente
e stai nel tuo elegante
tailleur alla moda, un po' stretta
come dentro l'età
che ancora brucia di voglie che temi
si spengano (e in te le covi), ma tremi
al pensiero che possano vincere
se non le freni, e incrinare
la tua raggiunta borghese rispettabilità.

1970-2012

(da *Poesie d'amore,* 2005, e *Altro fiume, altre sponde,* 2014)

L'AMORE CONIUGALE

DISCORSO A VERA

(1947-1948)

RITRATTO

Vivi nella tua luce
come un piccolo specchio
che s'appanna ad un alito ed è chiaro
a una carezza lieve.

I tuoi passi non sanno
dove la via conduce,
si scoprono a uno sguardo
come sugheri in mare, i tuoi pensieri.

EGOISMO ACCORATO

Poterti amare d'un amore umano,
semplice come il sogno
d'un giovane pastore
quando fa melodia sopra lo zufolo
e chiude l'eco nel palmo della mano.

Il mio nascosto tormento, lo sai,
si fa parole se alita il tuo fiato,
ma io vorrei non essere poeta
perché da te non mi divida mai
questo muro d'immagini,
il mio egoismo accorato.

ABBRACCIATI COSÌ

Dormiremo abbracciati così
fino all'ultima delle nostre notti.

Alla fuga veloce dei giorni,
uniti in sorte, resisteremo.

Non saremo più soli.
Vivrà sempre
una serena voce che consola.
Forse soltanto ci farà paura
la morte.

IMMAGINE PERDUTA

Dove sei, cara immagine perduta
nel tempo, confinata nello spazio
d'una quieta memoria
e ancora intatta fra le vecchie stanze?

Eri vera nel sogno e t'ho negata
chiamandoti.
Ogni giorno
mi vivi accanto, scolori
nel tuo presente, e ricercarti è pena.

GIACERTI ACCANTO

Come mi chiudo solo
se mi cammini a fianco e sei lontana.
A te io devo che a volte s'illumini
la combattuta mia vicenda umana.

Giacerti accanto (ascolto a lume spento
il tuo cuore che batte nel silenzio)
e mentre dormi non poterti raggiungere
è lo sgomento.

QUESTE NUBI

Queste nubi che corrono al fiume
si fermeranno un giorno nei tuoi occhi,
si placherà nei tuoi capelli il vento,
anche la nebbia vi discenderà.

Ma torneremo insieme
come una volta al Pincio:
le primavere cadute fioriranno
e avranno fremiti le nostre vene.

IL VERDE DEI TUOI OCCHI

Dopo giorni di pena,
e questo cielo che muta di colore,
la tua mite dolcezza che mi chiama
verso strade precluse.

Se morire
è ritrovarmi solo
con le ceneri spente dei miei sogni,
il verde dei tuoi occhi
è come un calmo
lago che rasserena.

(da *Racconto ed altri versi,* 1949)

DISSOLVENZE

IL TUO PROFILO

Lungo il mare, se complice la luna
ci guidava sul filo dei binari
gettati verso il mondo come i nostri
poveri sogni tenaci, camminare
scoprendo a tratti il tuo profilo pallido
era per noi il solo avaro dono
della nostra sciupata giovinezza.

Tutto questo ricordo, trasalendo
– anch'io legno che corre alle rapide
con la fiumana di macchine – all'improvviso fermo
allo stop del rosso,
in un sapore di vento che nasce
dietro i palazzi, dagli angoli d'ombra
(o in me: come un affanno in fondo al petto?)
se al mio fianco incornicia un finestrino
un profilo distratto (ciglia finte
sigaretta macchiata di rossetto)
e, dietro, più sfocato di un ritratto
ingiallito dal tempo,
mi appare un altro, e un altro ancora in una
dissolvenza da cui emerge, e lo vedo,
quel tuo mesto profilo di allora.

1968

ALLA MOGLIE PORTANDOLE IL MIELE DALLA CALABRIA

Perché non sei con me, questo che inonda
l'abitacolo quasi a stordirci, odore
di miele, acuta fragranza di gelsomini d'Arabia,
nella strada che ora s'innesta

tra *bouganvilles* quasi aprendosi un varco,
buchi accecanti azzurri
nella parete di foglie – e la polvere
che ci avvolge nel sole (ma senza
che tu sollevi la mano
a riparartene) e le case che salgono
dall'acqua, e tra i giardini degli aranci
le barche *pigghiualu pigghiaulu*
lu pisce spada (mentre al volante al mio fianco
Gino Marotta inventa pirotecnico
i suoi alberi-luce più veri
di questi che laggiù...) – perché non sei
qui accanto a me,
tutto è soltanto immagine,
astratta forma in fuga dietro un vetro,
non la vita di quando ci sei.

1979

AUTUNNO

"Ormai... ormai..." dicevo.
E l'acqua ferma
rabbrividita in pozzanghere,
e le foglie pestate che già l'afrore esalano
del marcio, e i rami secchi, e sul muro
l'impronta quasi animale
della vita che muore... "Ormai..." dicevo
tanto sfacelo guardando,
e gli occhi si velavano voltandosi
alla perduta stagione.

Ma tu la fronte con mani pietose coprendomi
"Torneranno a salire sul muro
i tralci, le campanule".

1981

DALLA TELEVISIONE

A CENA

(*Seguendo una trasmissione televisiva sulla guerriglia nel Vietnam*)

Ti dico “mondo mio” mentre apparecchi
mezza tavola, solo per noi. E la TV
che l’ultima difesa è stata vinta
– dice – e il villaggio è tutto in fiamme,
e una donna che fugge dal suo destino di morte
e per un attimo si volta a quel rogo, ora guardi
posando i piatti: e quegli occhi
senza più odio né dolore, gelano
il nostro rito sereno, lo sconvolgono i pianti
dei superstiti in fuga.
                                        Ti siedi
davanti a me già stanca, e dalle stanze
silenziose ti giungono altre voci
lontane, spente, e s’anima (la vedi)
una tavola grande imbandita.
                                        Anche il lento
mutare della vita che non sbaglia
ha il suo dolore. E spengo. (Ma cancello
quelle immagini ormai dentro di noi?) Ripeto
a difesa (ma è giusto?) “mondo mio”,
poso una mano sulla tua mano
da un capo all’altro della tovaglia.

1977

NELLA CITTÀ DEL FUOCO

(I giorni "caldi" dell'eversione a Roma seguiti alla televisione)

Amore, come posso
chiamarti amore
mentre qui intorno nel quartiere sparano
le P38, assaltano le banche,
la spesa proletaria costa sangue
giovane a macchie lungo i marciapiedi,
e le sirene sono ormai la nostra
rabbrividente musica.

E come posso
rimuovere la terra dentro i vasi
sul balcone, aspettare
– in quest'odore che mi porta via –
nell'aria invernale già tiepida, il tramonto,
e l'ora della cena, la tua rassicurante
voce che chiama, accarezzare il gatto
che fa le fusa, e mentre al fuoco delle nubi vedo
dietro i vetri levarsi uno svolo,
dirti (ma come posso?): "La vita
è amore", se a uno scoppio saltano
alla Volkswagen le serrande, e ai gridi
dei ragazzi che fuggono è il dubbio
– nebbia che mai li acceca –
che scoppia in me a dilaniarmi.
Eppure
ora che è notte e nel silenzio i battiti
del tuo cuore tumultuano al mio orecchio,
dentro l'eco dei passi d'un uomo che rincasa
(che soprassalto al portone che sbatte!),
o al pensiero di quelli che vagano
– inafferrabili mani in agguato –
nel fiato della luna,
sento che ovunque l'ansia li sospinga

tutti sono una sola
comunione di anime che cercano.

E come posso, ora quieto, nel riverbero
della strada ovattata dai suoi lumi
– se fra i rari passanti
fugge un'ombra inseguita dagli spari –
ripeterti cercandoti
nel tepore del letto: "Tutto è vita
e la vita è la luce degli uomini".

Ma tu pensi: ecco il credo immutabile
di chi non vuole invecchiare. Ti dico
– quasi sentendoti – "Credo
nelle gemme sui rami
che parevano morti". E tu,
col tuo sguardo che dubita
e la paura che ti fa serrare
a doppia mandata la porta, non destarmi
da questa fede, nel tuo grembo accoglimi, anch'io
gemma che vuole la vita, e non dirmi
che tutto è vano, è una speranza inutile
come chiudere l'acqua fra le dita.
Tutti
siamo braccati, non c'è scampo, ma tu
che mi ostino a chiamare
amore, anche se il mondo irride e il tempo
è già contro di noi, ascolta
questa parola fra tante che insidiano, e credimi
mentre ancora illudendomi sfido
non la morte, la vita.

1977

LA SERPE

(Seguendo la trasmissione televisiva “Quark”)

Si dimena. È percorsa da uno spasimo.
Quasi così s’annunzia
nell’estrema fatica di respingerla,
nella suprema offesa della carne,
la morte.
Ma non è
forse così che s’apre, con il pianto
d’un disperato strappo,
una vita alla luce?

E questa serpe che ora
dallo schermo trasmette a noi stupiti
il suo ultimo tremito, nasce
nuova nella sua pelle, e il simulacro
di ciò che è stata lascia
al deserto, ai monsoni.
E tu
che volti la testa, divisa
tra il fascino e l’orrore,
ti sorprendi a guardarmi, mi scruti, ti poni
quella domanda che già so e non vedi
il mio cuore che muta, questo mio
faticoso rinascere, e non sai
nella prova dei giorni, nell’affanno
di cominciare da capo (è sempre nuova
la luce ad ogni alba),
quale lungo coltello mi attraversi,
e non sai del miracolo
che si ripete d’ora in ora in questa
vita che pur morendo si rinnova.

1985

(da *Il silenzio,* 1998)

IL TUNNEL
(1995)

1.

"Non si deve aspettare: bisogna
anzi, affrettarsi".
E le parole cadono
fulminee in un attonito silenzio
come un vento tagliente che investe
un vascello che naviga sereno.
"Eccomi – dici – sono pronta. Andiamo".
Poi mi guardi: anche tu
– sembri accusarmi – anche tu
mi lasci portare al macello? E già sei
fuori di qui, lontana
da noi, da me. Ti chiudi
nel tuo mutismo, e non mi vedi più
accanto a te: al tuo fianco
c'è soltanto la tua solitudine.

2.

Ecco, la borsa è lì, posata ai piedi
del letto. Non contiene
soltanto qualche crema, la camicia
da notte, la vestaglia,
c'è il calore del tempo che hai vissuto, c'è
l'adagiarsi dei giorni
nella quieta memoria, c'è la casa
che hai lasciato, quel tuo
piccolo mondo che ti segue, il filo
che ti lega alla mia, alla nostra vita.

3.

Come un agnello sacrificale, placida,
ti consegni, t'arrendi.

E mentre già la tenebra del sonno
su te scende – e il tuo bianco
letto, come regale
portantina in corteo,
s'allontana nel lungo corridoio –
alzi gli occhi a una lampada che splende
e con l'esile fiato l'invochi.

(Ed io, cercando in me
la preghiera che acquieta e che rigenera:
– O Vergine che tanto hai sofferto,
fa' ch'io capisca il senso
del dolore. È una prova?
E a quale traguardo conduce?
Lo chiedo a Te con la mia fede fioca.)

Mi saluta il tuo sguardo, come un rivolo
morente che si perde nella terra.
Che vedono gli occhi già assenti? Quale addio
mi lasciano, mentre scompari
dietro la porta proibita?
Ma sono anch'io sotto il fuoco
delle lampade, anch'io
in quella sala, e incide
il bisturi sull'anima già pronta
per liberarsi dalle sue metastasi.
E ora, nel mio tardo pomeriggio
che già trascina le ombre della sera,
nasce stupito un uomo nuovo in me,
dal mio dolore, qui dove la vita
si fa scommessa, azzardo.

4.

Come guardarti, resistere, come
riconoscerti, chiamarti per nome?
Dove ti cerco in me, nella memoria
dei giorni, della vita,

ombra di te, sfuggita
alla morte, ma ancora non viva,
tu legata alle vene di una macchina
che hanno per sangue un'onda
che alimenta i tuoi fiacchi
battiti, e scende profonda
fino al tuo cuore.
                                        Più nulla
d'umano c'è nel tuo volto, più nulla
d'umano nel corpo raccolto
immobile dentro la culla
che porta la tua sfinita
vita a tornare alla vita.

5.

Che ne sanno i dottori
di come affondi in un gorgo se il cuore
ribolle, quasi fiume che straripa.

Che ne sanno di come il tuo respiro
si dilati in un rantolo, e la vita
sembri voler fuggire.

Che ne sanno i dottori della nebbia
che sale agli occhi e spegne
la luce, che ne sanno

loro, i dottori, di quanto
sia impotente l'amore che lotta
con il dolore.

6.

Tutto di te conoscevo,
non il tuo sangue,
il tuo sangue perduto

nel duro sonno senza sogni come
nella morte,
il tuo sangue
che ha lasciato, a memento,
oscuri fiori sopra il tuo corpo.

Fiori offerti all'altare
del tuo dolore,
per grazia ricevuta.

7.

Guardi dal vetro le primule
che sono nate sul balcone. È questo
– ti dico, già sfiorato dalla gioia –
l'annuncio che cancella col tepore
dell'aria gli ultimi spettri
dell'inverno, e tu accoglilo
come il segno che in ansia attendevamo
e dimentica il male, il dolore.
Ma tu quasi non credi
ai primi incerti passi che ora fai
fuori dal tunnel, venendomi incontro
a fatica, ma ormai non più sospesa,
come ti ostini a pensare, sull'abisso
dov'era sola luce la speranza.
E anche qui la ritrovi (ringraziano
i tuoi occhi che abbracciano
le cose in questa stanza),
la vita non perduta.

(da *Il silenzio,* 1998)

ANNIVERSARIO DI MATRIMONIO

"Sorrida, ferma!"
Ed io
sento un'eco lontana che ripete
quell'invito, e mi volto a cercarti
in una piccola foto in bianco e nero
e ritorna a soffiare
leggero il vento della primavera
che ti scompose i capelli (il tuo gesto
di fastidio: ricordi?),
e sento voci che confuse salgono
dal fracasso gioioso della festa e vedo
sguardi velati che ci accompagnano.

La guerra era finita, ma c'era
ancora in noi, nei poveri
nostri vestiti comprati
da un ambulante; c'era in quel rubato
viaggio di nozze in Topolino a Ostia
(albergo bombardato, senza luce
ma con la luna a illuminare il letto),
e il giorno dopo via su un'autobotte
per strade amate verso la dolcezza
dei miei colli toscani. (In quel nostro
viaggiare avventuroso come gli umili
personaggi di Steinbeck
c'era tutto il fervore
di quella irripetibile stagione.)
E dopo?
Dopo, nel rotolare
degli anni, quanta ombra
ha offuscato la luce, e quanta pioggia
è caduta insidiosa contro i nostri
cieli sereni? Tu puoi
voltarti vittoriosa a ricordarlo,
che del coraggio hai fatto la misura

della vita, tu che appena sentivi
farsi l'aria pesante
aprivi le finestre a rinnovarla.
Io posso
dirti soltanto perdonami
e ancora grazie per il lungo viaggio.

Alla partenza (che odore
di maritozzi fatti in casa!) eravamo
noi soli i giovani, gli altri tutti vecchi
(o così ci sembravano). Ora
l'anniversario ribalta l'immagine:
ospiti nuovi ci guardano
con una tenerezza in cui leggiamo
l'amore e forse una segreta pena,
e sono loro il nostro calendario.

E ti chiedo: davvero
si è tanto speso insieme
per giungere a questo traguardo
conteso dalla vita?
Davvero
è all'arrivo, saltando
tra i sassi, i tronchi e le gore,
il nostro fiume
di clivo in clivo?

18-29 aprile 1996

VITA INSIEME
(1989-1997)

LO SCONOSCIUTO

Che cosa ancora posso dirti di me
che tu non sappia, o abbia
intuito con gioia o con dolore: tutto
io porto sopra il palmo della mano.
Ma tu forse non sai
di questa mia inquietudine, sospinta
da un fiato che sommuove antichi spettri,
agita ombre sgualcite, e porta l'eco
di tante voci che chiamano, e non sai
il mio sentirmi perso
dentro quel labirinto.

Aiutami, se più d'ogni creatura
che m'abbia amato mi tieni
in fondo al cuore, tu
che qualche volta all'improvviso un'ombra
hai negli occhi stupiti che s'oscurano
e nel tuo muto chiedermi
chi davvero io sia
ti fermi con sgomento
a guardare quest'uomo sconosciuto.

DI SERA

Mi chiami. Brontoli: "È tardi,
vieni a dormire". E spegni, per un ultimo
drastico invito – come a teatro – la luce.
E le cose scompaiono, svaniscono
le immagini su cui posavo gli occhi
senza cedere al sonno.

Ma tu non sai di dirmi (e con che lama!):
"Questo giorno è finito, cancellalo
dalla tua vita, è andato
via per sempre, né mai potrà tornare".
Ed io riaccendo, tento
d'oppormi a questo addio, per non arrendermi,
e centellino i secondi che mi restano,
gli ultimi, irripetibili,
di questo giorno bellissimo,
di questo che fu mio.

NEL SONNO

Mi precedi nel sonno, e guardo i segni
della stanchezza sul tuo viso, polvere
che per poco t'appanna.
Ma appena sei placata nel tuo viaggio
dove non posso raggiungerti
e la carezza della quiete scende
da quella misteriosa lontananza,
sulla tua bocca dischiusa s'accende
quasi un sorriso. Ma non può bastarmi
a placare quest'ansia, a placare
lo struggimento di quando
vedo crescere un'ombra a minacciarti, e prego
che avvolga solo me (e delirando insorgo
contro la mia impotenza) e chiedo
che solo tu non sia sospinta mai
nel gorgo.

AL TRAMONTO

Qualche volta la sera, quando il vento
dopo un giorno di furia
si placa, e già la luce
sta per mancare, e quasi sembra a me

che, ad un tratto, fermandomi, il silenzio
mi mandi la sua voce, una sfocata voce
di lontananza, d'assenza,
ecco, in quell'ora penso che sarebbe
meno triste morire, lieve il passo
che salta il muro, più limpido
l'occhio che guarda ciò che finalmente
può vedere.
                    Ma è quella l'ora in cui,
per cogliere l'ultimo sole, più in alto
sollevi le serrande ed il crepuscolo
rosato va nelle stanze, e in quella mezza
luce (non è più giorno
ma non è notte ancora)
torna a bussare un ricordo, e un altro, e un fuoco
di memorie s'accende ed io mi volto
quasi lieto all'invito, a quel richiamo
d'una perduta musica che da lontano mi prende,
mi porta via. E così in quel tramonto
che ancora splende mi conforto e acquieto.

GLI ALTRI

Tutto il dolore che s'aggruma attorno
alla mia, alla tua, a tante vite
fatte ormai più di polvere che d'anni,
nel fiato della sera sembra perdere
il suo vigore, sfuma in una quieta
malinconia che sa d'erba, di terra
bagnata, si rispecchia
nella natura che s'effonde in pianto.

Tu chiudi la finestra, lasci fuori
il chiasso, il fitto battere sui tetti,
e tutto appare più sereno in questo
tepore, nel chiarore della lampada.

Ma gli altri, gli altri? so che pensi, voltandoti
da me al vetro appannato da cui guardi
giù nella strada correre, inseguiti
dal vento e dalla pioggia, tanti in cerca
almeno d'un portone, a ripararsene.

IL CAFFÈ

E al risveglio, passata
con fatica la notte
senza portare riposo,
ti ritornano addosso i tuoi fantasmi,
a farti male al cuore, ed io incapace
d'altro per aiutarti
inutilmente canto
perché possa la luce prevalere
che sale trionfante nelle stanze.
Ma tu resti distante
dentro i tuoi sogni d'incubo.
E a me ora giunge
dalla cucina a tratti
quel tuo roco parlare con te stessa
come il caffè che brontola sul fuoco.

(da *Il silenzio*, 1998)

HAIKU PER LEI

(1998)

Tengo il tuo braccio
sempre stretto al mio fianco,
la strada è lunga.

Leggo il tuo sguardo
come un libro segreto
scritto per me.

Allungo un braccio
se mi desto la notte
e tocco il tuo.

Suonano un tango
e nel sangue s'accende
la giovinezza.

Grazie d'esistere.
La tua dolcezza è scudo
alla mia febbre.

Se devi piangere
non nascondere il pianto,
piangiamo insieme.

Guardo le foto
scolorite dal tempo,
nulla è mutato.

Quando fa notte
e le stelle s'accendono,
gli anni feriscono.

Vale più un'ora
con te che cento vite
senza il tuo amore.

Quando la voce
mi annuncia che ci sei
mi trema il cuore.

(da *Il giardino ed altri Haiku,* 1998)

CONTRASTI

(1999-2004)

SEMPRE LEI

Non vuoi parlarne – mi dici – per fingerti
staccato, come se la cosa fosse
estranea alla tua vita, per convincerti
che il tempo a te risparmia quelle scosse

che dà agli altri, e tu tenti d'illuderti
di non doverti voltare, rimosse
le delusioni, le angosce, e di crederti
eterno, indifferente alle percosse

che cerchi di negare. Ma spiando
il tuo silenzio, io lo sento che preghi,
e nelle ore tue più vere, quando

del tuo controllo son fiacche le scorte
e, ormai te stesso, su un foglio ti pieghi,
eccola torna, sempre lei, la morte.

LA FERITA

Mi sforzo, ma capisco che non bastano
le mie parole a quietarti. Parole
vuote – m'accusi – inutile catasta
di menzogne. Ma è solo perché duole

la ferita, e mi chiedi di che pasta
io sia fatto, se ho l'anima, e non vuole
illimpidirsi il tuo sguardo; contrastano
i rugginosi rancori quel sole

che nei tuoi occhi splende. Eppure in te
– ma ti ostini a negarlo – la mia voce
ti dice sei la regina, e lo sai

che non t'illude. Ascoltala, non c'è
un'altra verità. Non potrò mai
perderti: non vivrei con questa croce.

LA LINFA

Credimi, tento. Ma forse potresti
aiutarmi! Lo so che non concedi
attenuanti, mi accusi di pretesti,
non mi vuoi dare fiducia e non credi

che cerco di correggermi. "Dovresti
cambiare – dici – ormai mettere i piedi
per terra". "Alla mia età! Ma tu sapresti
farmi tornare indietro? E non lo vedi

ciò che ogni giorno escogito per fingere
che l'armonia fra vivere e sognare
non abbia scosse, e come sappia tingere

d'azzurro ogni orizzonte. Ma noi siamo
ciò che sogniamo. E chi la può strappare
l'essenza della linfa dentro un ramo?

ALL'ALBA DEL MILLENNIO

Che ore sono? al mio fianco chiederai
come ogni notte e, desto, con le lame
delle persiane che diffondono ormai
la luce già nascente, nelle trame

del sogno ancora avvolto, guarderò
la sveglia, ed ecco a poco a poco il suono
salirà della strada e voci udrò
farsi già chiare delle donne che escono

ciarliere dalle case, e ridestarsi
la città, e dal balcone del vicino
l'abbaiare del cane, e vedrò farsi

pieno il giorno che, come sempre, chino
mi troverà su un foglio, e dilatarsi,
come sempre, la luce nel giardino.

(da *Nonostante,* 2004)

INTERNI
(1997-2010)

DI NOTTE

La sveglia luminosa
dice che sono le cinque
e ventotto.
                    Sei desta, vedi
che la luce già chiama dalle stecche
della persiana.
                        A fatica
ti alzi dal letto.
                        La stanza
si dilata nel suono dei tuoi passi.
Cerchi qualcosa (che cosa?)
che non trovi.
                        Un pensiero
ti chiede spazio.
                            Guardi
le immagini sacre
sulla parete di fronte.
                                Preghi.
Grida il vento
nel tuo silenzio.
                        La sveglia
dice che sono le sei.
Ritorni a letto, invochi
l'aiuto del sonno, ma il sonno
non viene.
                Aggiorna.
Sulle tue spalle si posa
la stanchezza.
                    Ti dico
(e ti fo nido
con le mie braccia):
                                riposati
nella mia tenerezza.

IL GIORNALE

Ti cadono gli occhiali
sul giornale,
ha vinto
per una volta il sonno
tanto avaro con te.
È ancora aperta la pagina
e io mi piego sul letto
dalla tua parte e continuo
ciò che prima leggevi,
e così è come se insieme leggessimo
le stesse parole,
e comuni pensieri
attraversassero le nostre menti, come
se di due che leggono
ne facessimo uno,
con emozioni uguali
e i battiti
d'un cuore solo.

GLI STORNI

"Dolore"
sempre questa
oscura parola ripeti
nel lungo interminabile viaggio
da un capo all'altro della stanza
ed io,
per attenuare la pena, ti ricordo
di un'estate lontana in cui ti vidi
venirmi incontro correndo felice
in una piazza romana piena d'alberi (e intorno
tutto per te fioriva),
dove gli storni impazzivano
di musica, danzando dentro l'aria
nel fiato luminoso della sera.
E m'illudo. Vorrei che questa immagine

ti facesse levare gli occhi in alto
a cercare risposte, quietandoti...
Ma sei lontana, c'è un'ombra
dentro i tuoi occhi che non sanno il tempo.

Io ti chiedo perdono se non posso
rubare la tua sofferenza e farla mia.
Forse ne sono indegno,
perché il dolore – e lo sai –
conduce sulla via della salvezza.
Anche il dolore è un dono.

AFASIA

La parola che tanto ho amata,
tanto
da fare siepe, muro
ad ogni passo che altrove conduca,
mia sola freccia segnaletica
sulla mia strada,

ora mi porta nell'impenetrabile
voragine della mente,
verso quell'alveo, quel nido
misterioso in cui nasce,
ora che, all'improvviso,
nella mia donna, mia vita, s'oscura,
che a fatica la cerca
per dare forma al pensiero,
lei
che con i suoi grandi occhi atterriti
mi parla.
Non tradirla mai più
parola, che lei possa
dirmi l'amore e la speranza,
sempre.

IL SORRISO

Tornerà il tuo sorriso,
pieno d'echi, di foglie, di rugiada,
a riportare la luce del giorno
e sarà come un vento
che da una stanza all'altra
sopra il macigno duro
del silenzio, rinnova
piante, divani, mobili, e le cose
ritroveranno lo spazio perduto.

Tornerà il tuo sorriso a ridare,
cara, vita alla vita, a fugare
l'ombra che insidia.

IN DUE

"Bisogna essere in due
per vivere – mi dici
mentre stendi con cura sulla tavola
la tovaglia coi gialli limoni che a me
quasi sembra di sentirne il profumo,
e, a mezza bocca, guardandomi –
per non essere soli".

E io vedo mio padre e mia madre
in quegli ultimi giorni di settembre
in quella poco goduta campagna,
passeggiare a braccetto lentamente
come volessero riempirsi gli occhi
di quelle fuggevoli immagini,
le ultime, forse, che videro insieme
a dare luce a quel tramonto.
"In due" –
soffrendo in me quel ricordo – ripeto,
con un sorriso, guardandoti,
quasi una muta carezza,

mentre al tuo fianco poso sulla tavola
le forchette, i coltelli.

I SOVRANI

"La vita stanca" – mi dici.
"Ma stanca
come il vento in faccia, e come
correre a perdifiato lungo il mare,
o nelle notti d'estate ballare
fin quando l'alba ci scaccia.
Sì, ci stanca cercare
il senso di ciò che vediamo, capire
ciò che siamo, e ci stanca l'amarezza
delle parole perdute, o accettare
passivamente il dominio degli stolti,
l'ingiustizia, l'eclissi
dell'amore fra gli uomini.
Ma niente
può cancellare la gioia
di respirare fra gli alberi, o guardare
di notte il mare che trema
alla carezza del vento, o destarsi
con gli uccelli che fanno
musica il prato.
Noi siamo
i sovrani di questo
mondo incantato, di questo
dono che ancora ci stupisce.
E chi si stanca, cara, di bellezza?"

CAPIRE

"Fammi capire!"
quasi gridando invochi,
sconvolta, appena chiuso il telefono,
come stessi vedendola.

È una ragazza! Ha trent'anni
e sta morendo.
Il marito piegato sul suo letto
a cogliere l'esile voce
di lei che dice parole
di tenerezza e conforto.

"Fammi capire! Perché tutto il male,
tutto il dolore del mondo,
perché tutti imperfetti invece d'essere
simili agli angeli?"

"Fammi capire!", chiedi ancora quando,
mentre stiamo cenando, la TV
ti porta nell'Africa nera
che muore di fame e di sete
come i bambini con gli occhi stupiti
a cui nessuno scaccia più le mosche.

Domande
del tuo cuore che piange e che trascina
la mente così umana nei suoi limiti
così che sembra scalfiscano
la tua granitica fede,
                                        ma in te,
nel tuo spirito inquieto risuonano
le parole che dici ogni sera
e a quelle in fede t'affidi.

NEL TEMPO

Siamo nel tempo, cara,
e solo il tempo
tiene in mano la spada che separa.
Tutto tende al semaforo
che segna rosso al fondo della strada.
                                                                      Anche l'Angelo

a quella legge si arrende.
E dunque sia
fatta quella superna volontà e ci dia
la speranza di stare ancora insieme
in quella vita eterna che ci attende.
Ora insieme,
beffando lo specchio, invecchiamo,
e stiamo alla stessa finestra a guardare
scorrere calmo il fiume della vita.

IL BELLISSIMO VIAGGIO

"Come sei ancora ostinato
nel tuo cieco sperare,
nel fare illusori progetti
come stessi sognando
lungo viali fioriti sul mare,
nel costruire – mi dici –
castelli in aria, ma senza
le fondamenta, a piantare
alberi che non hanno
le radici. A non volerti voltare
per non accorgerti quanto è passato,
che la bilancia pesa
tutta da un lato. A non voler sapere
cosa ti devi aspettare".

Ma io lascio che gli occhi
mi copra, portandomi via,
perduto nel suo volo,
la fantasia.
E non potrai,
col tuo saggio pensare da Vergine,
amore, farmi credere
giunto agli ultimi spiccioli
il mio bellissimo viaggio.

DOV'È?

Egli è qui. È qui fra noi come il giorno della Sua morte.
In eterno. Tutti i giorni.

Charles Péguy

Ora che è giorno e la luce
ha messo in fuga con la notte gli incubi,
e come palchi s'aprono
in festa le finestre:
"Guarda, c'è il sole – ti dico – il sole è come
un imbianchino che rinfreschi il muro
e nasconda le ombre che incombevano".
Ma tu, senza ascoltarmi,
resti spaurita dietro i vetri, resti
dentro il nodo irrisolto dell'ultimo
nostro colloquio amaro sulla soglia
del sonno, le tue pupille ancora
perdute in quello schermo che ci porta
il mondo dentro casa.

"Il mondo, sì, ma quale?
Quello che d'ora in ora
manda i suoi spettri? E Lui,
e Lui dov'era quando
ne cancellavano i passi, spegnevano
l'eco della Sua voce?"
con sgomento mi chiedi, se non vedi
nel tuo assiduo cercarlo,
neppure un fioco barlume d'amore.

"È inutile – ti dico –
l'ostinato rifiuto che ti chiude: ancora
non è appannata la speranza, gli uomini
non si negano alla prova, non cedono
al dolore del mondo che li assedia".
"Ma Lui dov'è? Tu fammene toccare
come Tommaso il costato", sembri chiedermi

col tuo silenzio, mentre nelle stanze
operosa t'aggiri, ripeti
i gesti consueti come fossero
quelli di un rito sacro.
E ti vorrei rispondere: "È in te,
nel tuo umile spenderti, nel dono
che fai della tua vita,
in questo insonne anelito
della tua fede inquieta che s'interroga".

LA TUA MANO

Terrò la tua mano
come si tiene un germoglio, una spiga,
per custodire il seme della vita
che nutriremo insieme.
E non importa
se il suo passare è un volo. Tu non dirmelo
così come fai quando la sera ti coglie
pensosa ad abbassare le serrande
su un altro giorno finito che non torna.
Né ti consola nel tramonto questa
luce che ancora porta in sé la luce
che poco fa splendeva.
Anche il male
che la mia inquieta natura t'ha dato,
e i dolori patiti – ti dico –
portano nuovi fiori
nel nostro breve giardino senza vento,
come il torrente che dopo tanto affanno
dentro limpide gore s'acquieta.

Non siamo soli in questo andare. In noi
vivono, e a questa tavola
seggono ancora, le ombre
che tu piangi voltandoti.
E con noi

vengono gli altri che guardano un prato
più verde: anche per loro mette legna
la nostra pianta, anche per loro vive
in noi la vita.
Fino a quando? – chiedono
i tuoi occhi che il tempo non oltraggia.
Io non posso risponderti, ma so
che terrò la tua mano a proteggermi
fin che lo specchio s'appanna al mio fiato.

IL TRAM

Hai ragione, non serve più rincorrere
il tram quando è passato.
Fermarsi: nulla muta
ormai quello che è stato.
Allora meglio
non rinunciare al dono
dei tramonti sul mare,
e del giardino quando
al primo sole che accarezza il prato
già l'inverno s'arrende,
meglio non rinunciare
alla piccola mano che si tende,
a quella voce tenera
che impara a compitare.

Vengano in allegria
le sere con gli amici
fra chiacchiere vane (che importa?
mette in fuga gli spettri
la compagnia),
o accanto a te davanti alla TV (che c'è
stasera? Colombo, Costanzo, il dibattito...)
nel tuo tepore che libera la mente
dal pensiero incombente
che come queste mie parole è fatto

di vuoto vento:
accettarlo
un sereno destino diverso
perché quel tram che accanito inseguivo
l'ho perso.

LA FOTO

Ti guardo, a me abbracciata, in una foto
di non so quanti anni indietro indietro
fino a sfocarsi nella mia memoria.
E siamo tanto giovani
da apparire, per gli altri, sconosciuti.
Non ricordo chi fu che l'ha scattata
né in che luogo. Ma gli occhi
e il tuo sorriso, e la testa che reclini
sulla mia spalla, mi fanno sentire
il vento, il vento gioioso
d'una giornata d'autunno con il sole.
E vedo gli alberi, un viale, e forse accanto
a noi due biciclette: perché nel nostro sguardo
c'è l'ansia della corsa, come se
quella foto ci avesse fermati
mentre già vedevamo – e a quello tesi –
un lontano traguardo felice.

PIÙ NULLA

Cosa resta? – mi chiedi – cosa resta?
E ti volti a guardare nella stanza i quadri,
i souvenir che parlano di giorni
felici
(l'aereo che scendeva fra le case
di Hong Kong, il mare
in ogni lato a Rio, le bacchette
che ti donò un cameriere a Sciangai),
le cose

come le pagine di un diario.
E chiudi
la finestra perché non si perda
quel poco calore. Il mondo è fuori, la vita,
come una foto sbiadita è lontana,
                                                            più nulla
rimane, ormai.
Più nulla.

(da *L'ombra e la luce* e da *Il silenzio*)

QUINTA PARTE
PRESENZA DELLA MORTE

IL SILENZIO
Book 1998

NONOSTANTE
Passigli 2004

L'OMBRA E LA LUCE
Carabba 2010

ALTRO FIUME, ALTRE SPONDE
Aragno 2014

GLI ADDII
2013-2015 (inediti)

IL SILENZIO
(1986-1997)

...the rest is silence.

William Shakespeare
(*Amleto*, atto V)

Solo memoria è ormai
quella estenuante luce
che le volute voluttuose accese
e il gioco sensuale delle forme, al tempo
in cui ero una tronfia
cattedrale barocca.
E spenta è ormai
quella trionfante musica che rese
fiume in piena il mio sangue e ragnatele
stese sulla ragione.
Ora ho soltanto
lo stupito silenzio
d'una chiesa romanica nel vuoto
della campagna.

A TU PER TU

(1993-1996)

Non nasce in me un pensiero ove
non sia dentro scolpita la morte.

Michelangelo

Un soffio sono i miei giorni.

Giobbe

So che appartengo alla morte.

L. L. (da *Un viaggio in India*)

1.

Mi scruto nello specchio e si riaccende
il colloquio con te che m'era parso,
per l'ebbrezza accecante di un'ora,
d'aver dimenticato.
A tu per tu
mi parli, mi ossessioni con le ombre
che ho sotto gli occhi, e le umilianti nebbie
che metti nel cammino del mio sguardo.
Spengo la luce di scatto, cancello
il mio viso, così non sono più
quello che gli altri vedono, che tu
sai: immutato dentro, con le stesse
voglie che non s'arrendono,
posso persino illudermi
d'una diversa immagine di me,
da non poterlo credere
che tu mi spii,
aspettando.

2.

Ignorarti.
Nel tempo
che già teme il tuo sguardo è qualche volta

questa la fuga illusoria,
questa l'incauta bandiera
che sventolo (come un alfiere
negli spasmi dell'ultima battaglia
già perduta) per continuare a correre,
per non farmi raggiungere
dai miasmi del tuo fiato.

Per ignorarti qualche volta mi fingo
quello che più non sono,
e così vado avanti e la vita
mi tende ruffiana il suo volto
che mi sembra immutato:
tanto da non sentirlo
avvicinarsi il tuo fiato.

3.

Finire. Che cosa vuol dire "finire"?
Uscire di scena, chiamati
all'improvviso, una voce che dice "ora basta:
lei deve partire".
È tutto qui. E senza neppure che venga
prima qualcuno che sa, che può dare
con bel garbo un avviso, un preavviso:
"Domani forse, ma guardi
se avesse qualcosa da fare
si potrebbe più tardi". E invece via
lasciare la compagnia
senza neppure un saluto.
La frase a mezzo, l'equivoco irrisolto,
la lettera già chiusa, da impostare.
Non c'è più tempo, che importa?
Tutto è sempre incompiuto.

4.

Ma all'improvviso, a mezzo della notte,
se fugge il sonno, il pensiero di te
come una piovra stende i suoi tentacoli
a soffocarmi. E ormai lo so: è inutile
che io cerchi di metterti in fuga
con il clic della lampada.

Sono le ore tue, queste le ore
in cui, come un affanno, un ansimare
che cresce nella mente, da quel gorgo
sale il tuo assiduo chiamarmi,
mi sbarra gli occhi, ferma
il flusso del mio sangue.

Mi volto su un fianco, la bocca
premuta sul cuscino per nascondermi,
e non vedere quella mia dimora
che già m'additi, e l'anima
implora Lei che preghi
per noi ora e nell'ora…

5.

E quando mi avrai posseduto,
tuo rassegnato cibo,
che senso avranno gli alberi,
gli alberi che ora tingono
di verde l'aria della mia finestra,
prato che ancora m'invita
come una volta a una corsa a perdifiato?
E che senso avrà il mare
che subito allaga la mente e dilaga
nei sensi, al primo raggio
di sole fra le nubi?
E in quel tunnel che senso

avrà la luce?
                                        O forse
soltanto allora, quando
sarà spenta negli occhi,
portato da una mano che conduce
in quei passi leggeri nel buio,
saprò davvero cosa sia la luce?

6.

Sii pietosa con me, e con loro che amo,
quando al tuo fiato ogni fiato s'arresta
e s'apre il viaggio che porta lontano
e tu sarai nel guidarci maestra,
noi così impreparati come siamo.
E fa' che per la tua materna mano
a noi solari non appaia foresta
inestricabile e buia la valle che temiamo,
ma che la luce ci sia manifesta.

7.

Quanto ti debbo! Sferzi
l'ora, il minuto, l'attimo, mi desti
da un torpore colpevole. Da te
prende forza la vita che mi resta.

8.

E quello che più mi sgomenta
di quando senza bussare tu varcherai la mia porta
è che basti un tuo flebile soffiare sulle pagine
per cancellarle, vane rese ormai le parole
che per anni ho inseguito con una lunga pena
perché il loro inchiostro fosse davvero indelebile.

Diventeranno al tuo fiato solo una spenta cenere
come sarà di me, loro di tanto più tese
a sconfiggere il tempo, a non volerti accettare.

9.

Ti sento qui vicina, una presenza
alle mie spalle, e trema
la mia mano levando il bicchiere
con lei che nello sguardo
ha una chiara promessa e m'invita
all'ultimo colpo di dadi.
Ma la tua ombra che cresce recide
il fiore della gioia, e nulla serve
a liberare la mente che invadi.

10.

Le sento ormai come appassite foglie
soffiate dal tuo vento lungo l'argine
della mia strada, le inesauste voglie
che spegni con le ombre che tu spargi

nell'anima, che ancora un fioco illude
barlume di speranza, ma che appanna
il tuo pensiero che ogni porta chiude
e fa vano ogni sogno che m'affanna.

Ed io mi volto, non placato, a quando
era uno scampanio di festa il cuore
e non frenava le furie del sangue

il tuo spiarmi; eppure, con stupore,
io vivo ancora la mia vita amandola,
esile fiamma che s'avviva e langue.

11.

Non ho più voci che a chiamarmi vengano
dal mio passato, dai sogni lontani,
né quelle vane illusioni che spengano
l'angoscia con cui mordi il mio domani.

Anche se già respiri alla mia nuca
guarderò quieto il sole all'orizzonte
fin quando la speranza mi conduca,
né tremerà il mio passo su quel ponte.

Lo sai che ad incontrarti già m'appresto
dove al tuo fiato ogni volo si spiuma
e il tuo volere si fa manifesto,

ma io l'ultima fiamma nella bruma
cerco, e il sangue s'accende ancora in questo
mio tardo dì che mi stringe e consuma.

12.

Quando mi avrai disperso nella tua moltitudine
e potrà penetrare il mio sguardo oltre il muro dei secoli
– immoto il tempo ormai come un fiume gelato in eterno –
e non vi saranno più età a farci diversi,
quando
non avrà più mistero quella cupa foresta di folla
dove mi specchierò negli altri uguale all'infinito,
forse mi sarà dato, se la Grazia mi sfiorerà col Pensiero,
riconoscere i volti che avevo amato e quei numi
che dettero luce alla vita, perché diano luce a quel buio
anche solo con l'eco di quelle fulgenti parole.
Ma forse
saprò soltanto, e per sempre,
cos'è la solitudine.

13.

E ora, a poco a poco,
come fossi un ruscello
che si prosciuga nel suo lungo viaggio
mi rubi i nomi dalla mente, quasi
per annunziarti: via
quelle mie care sillabe che furono
i miei fili col mondo, e via, svaniti,
gli occhi, le bocche, i visi dentro un gorgo,
foglie disperse al vento del tuo fiato.

14.

Come se fosse questa
la prima volta, a un tratto
mi sorprendo a toccarmi la fronte;
e la percorro, e scoprendola scivolo
con le dita sugli occhi, e premo, e sento
il bordo delle orbite che vuote
saranno il muto sguardo del mio teschio.
Poi fra le mani mi stringo
il viso infuocato a cercarvi
le mandibole, e ad uno ad uno conto
i denti che già mancano (e ricordo
la loro fine negli anni ad uno ad uno)
e vedo quel sorriso
che sarà il mio per sempre.

Forse sei tu ad istigarmi in questo
disvelamento, e come se il mio corpo
fosse il corpo di un altro, mi abbraccio
il torace (e con calma ne computo
nella gabbia le costole), il torace
che sentì tante volte
d'altri abbracci il calore, e la mia mano
che tu spingi ora cerca

le ossa delle gambe e scende ai piedi
dove un tarlo s'annida nelle falangi.
È questo
il mio vero ritratto – mi dico –
che nessuno vedrà, né io potrò vedere,
ma che ora la mente disegna, lei che sa
le prove, le ferite:

il mio solo ritratto che non muta.

15.

"A chi le lascerai queste conchiglie?"
un amico mi chiede. E certo pensa
che tu sia alle mie spalle. "Non lasciarle,
per carità!, alle figlie,
la tua fatica sarebbe dispersa,
né, se pure li amassi alla follia,
ai nipoti. Potrebbero, mai sia,
giocarci a sotto muro
come fossero sassi. Meglio darle
ad un museo, con la targa d'ottone
che dice *donazione di...* e, scalfito
a vincere il tempo, il tuo nome.
Ma decidilo presto perché
quanto ti resta non sai".

Ed io turbato guardo,
quasi che ormai non siano più mie,
le mie conchiglie.
Ma è proprio
questo – mi dico – che voglio:
le conchiglie al museo dove nessuno
possa mutare l'ordine che ho dato,
e nel giardino per sempre quegli alberi
che ho piantato negli anni... e le poesie, e quella

epifania luminosa della fede
in cui mi ridestai...

per beffarti, per credere
che tu non prevarrai.

16.

Sentirò forse voi
in quel puro silenzio, e ascolterò
musica che si perde
qui nel chiasso del mondo, e capirò
d'altre parole il senso.

(Quelle mie che mi davano
felicità e sgomento, cancellate
come aquiloni al vento.)
Confuso
in quella luce accecante ridestato
le saprò riconoscere
quelle mie voci amate
che non hanno mai smesso di parlarmi.

17.

O piangerò?
E vedrò fra le lacrime
distorti i volti che amavo
così mutati da non riconoscerli
per me sospeso alle soglie
del mio continente lontano.
E sentirò parole che non hanno più senso,
né amore, né dolore, ma che risuoneranno
come sfiniti accenti, quasi di ali
che battono, e di vespe che ronzano,
e un murmure, una nenia,
come pesasse sul mio cuore il mare.

18.

La stringe, la strofina
fra l'indice e il pollice: "Senta
che morbidezza! – dice – E può durarle
per tutta la vita".
D'istinto
allontano la mano già tesa
a toccare la stoffa. Mi ferma
il pensiero di te che ripeti
con un sogghigno: per tutta la vita!
E con un soprassalto mi ricordo
di quell'inverno freddissimo quando
mio padre mi portò con sé per scegliere
il suo cappotto, e il commesso
con quel vacuo miraggio lo convinse.
Ora è riposto, lontano dagli occhi,
quel bel cappotto scuro dentro un sacco
trasparente, nel fondo di un armadio.
È ancora nuovo, ha sotto, inutilmente
a proteggerlo, un po' di naftalina. Ed io lo vedo
pavoneggiarsi mio padre in uno specchio, mio padre
che fece pochi passi in quel cappotto.

19.

Alberi miei, ilari passerotti
che fate il nido fra i rami, pianticelle
di basilico sul davanzale, di voi
mi resterà memoria, e del profumo effimero,
dell'ignaro festoso cinguettare,
quando anch'io come i vostri rami spogli
sarò mutato.
Memoria
dentro l'essenza stessa
dell'essere che fui,
diffuso, sparso in tutto l'universo,

lontano dal tuo sguardo ormai,
invincibile.

20.

Ho salutato ad uno ad uno gli alberi
del mio giardino, stregato
dalle gemme, dal loro
esplodere all'avvento della dolce
primavera che torna.

È tutto un melodioso
pulsare, come di vene
che battono, come di ali
ancora implumi che tentano
il primo volo. E ogni anno
s'inebria il cielo a questo appuntamento.

Anche su me si apriranno
nuove gemme al tuo abbraccio,
ali nuove per crescere
nell'infinito che chiama.

21.

Quando io sarò via
e la magnolia comincerà a fiorire,
quell'albero che piantai
stento come un bambino
rachitico, qualcuno
fermo al cancello vedrà
bianche colombe posate nel verde.
Dirà agli amici: "Quel giorno,
vi ricordate quel giorno d'inverno
– ne parlarono tutti i giornali –
che cadde tanta neve inaspettata,

io quel giorno lo vidi
salire in cima a una scala di legno
per liberare quei rami dal peso.
Se chiudo gli occhi mi sembra
di rivedere la scena. Lassù
in cima alla scala parlava
a voce alta con l'albero. Diceva:
Non piegarti, ti prego, non cadere".

22.

Cosa potrai svelarmi
che la ragione accolga
senza sgomento?
Quando
la tua mano avrà fatto
cenere spenta di un fuoco che ardeva,
libero ormai di te
della mia mente non avrò paura,
tutte le angosce placate.

Ma io non saprò più
se è tornata l'estate.

23.

Cerco di dire al mio spirito: aiutami,
dilaga; ma c'è lei,
la carne nel suo chiedere incessante,
nel suo pretendere, tesa
solo al suo brivido…
E sento
che sempre più stretta è la porta.

Ma tu non afferrarmi a tradimento
mentre il rombo del sangue

come un torrente sotterraneo ingorga
il mio pensiero spento,
prima che sorga a diradare l'ombra
dal mio silenzio il vento.

24.

"Non mi ghermire": questa
fu l'umile richiesta del poeta.
Così ti prego anch'io: "Non mi sorprendere
come fa all'improvviso la tempesta
che s'accanisce sul ramo
che taglia il vetro della mia finestra.
Mandami un cenno, ti prego, ch'io possa
con garbo prepararlo
il cuore che ha sognato tanto invano.
Ti aspetterò con la coscienza desta,
nel respiro del tempo che mi resta,
come s'accoglie un amico fraterno,
sulla porta, tendendogli la mano".

25.

Ogni giorno uno schiaffo. Così
la vita mi prepara
per consegnarmi a te.

È il sangue che s'opaca, che s'arrende,
è l'amore che cede alla stanchezza,
è un amico che volta le spalle.

Verrai. Di giorno in giorno
tu così t'avvicini,
ultima amica mia
che non mi tradirai.

26.

Vieni d'inverno, ti prego,
non quando primavera
ammiccando da complice mi inietta
la nostalgia;

o quando nell'estate
più struggente è la sera
e il sangue non t'accetta,
nelle vene s'accende di follia.

Non venire d'autunno
quando le foglie e l'anima
hanno l'ambigua distanza, il colore
della malinconia.

Vieni d'inverno, ti prego,
quando la vita s'arrende
come una malattia.

27.

Non resterà di me neppure un graffio
nello spettro dell'aria,

e non un'eco che attraversi il tempo
vincendo il tuo silenzio.

Così scompare nel suo cupo vortice
una stella che muore.

Ma il cielo che l'accolse avrà memoria
del brivido di luce

che esalò nel morire. Io di me spero
che un giorno ricordandomi

qualcuno dica agli amici: davvero
d'un progetto d'amore

dette testimonianza la sua vita
fino all'ultimo fiato.

IN MEMORIA DI TRE POETI

A PIETRO CIMATTI

(*e al suo libro inquietante*
Intervista al discepolo)

Pietro, ora che sei andato via
riapro il tuo libro, riprendo
con te il tuo stremante colloquio con l'Altro,
il tuo inesausto cercare.

Lo so che sempre una luce sulla strada
dove correvi senza prendere fiato
si accendeva e spegneva, come lampada
che stesse per morire, ma in quei bagliori,
in quei riverberi di chissà quale fuoco,
ti affannavi per leggere.
Lo so
in che porti sei giunto navigando
nel mare torbido del nostro mistero
scandagliando il suo fondo impenetrabile.

Ma ora là dove tu sei per sempre
i tuoi occhi vedranno
indietro indietro nel tempo, in quell'oscuro
abisso dove precipita
la mente che non può
varcare quella soglia, e avrai la chiave
per ritrovare l'eterno presente.
Là "qualcuno
che ti voleva parlare" (lo sapevi
fin dagli anni lontani) sarà al tuo fianco a dirti
ciò che da sempre attendevi. Chi porrà
allora le domande? E chi dovrà rispondere?

I tuoi occhi vedranno.
Nessuno spettro del dubbio fluttuando

nei cieli della luce
potrà rendere incerta la parola
né più le voci e i gridi soffocarla
come un'onda di fango
può cancellare un prato.

Quelle voci che ancora frastornano
chi nello strazio di quelle domande
qui si dibatte sopra questa sponda.

1992

A FRANCESCO TENTORI

(per ringraziarlo del dono di una "povera" conchiglia fossile)

Francesco, la tua "povera"
è accanto a me, a ripetermi
i tuoi versi che l'hanno accompagnata
quando, in quell'ultimo inverno, una sera
sei venuto a trovarmi per donarmela.

Su quel misero guscio
corroso, dove il tempo aveva aperto
i suoi crateri,
t'affacciavi, turbato, al mistero
che in sé portava della vita (anch'essa
lucente forma della vita un tempo),
e dei gelidi abissi imperscrutabili
dove la mente si perde.
Ma ora
– guardandola –
quella parola "mistero" che dicemmo
a bassa voce, il mio pensiero chiama
a più inquietanti spazi, a quel silenzio sordo
che mai s'incrina, da dove

la mia speranza attende
una voce, un segnale,
e all'infinito che t'accoglie, anch'io
qui teso inutilmente a interrogarlo.

1995

A ELIO FILIPPO ACCROCCA

(passeggiando di notte in via del Babuino)

Elio, la notte porta
finalmente la pace qui dove mai di giorno
si placano il traffico e il chiasso, e come un balsamo
in me scende il silenzio, e assorto vado
lungo le strisce e quasi esita il piede
a calpestarle come fosse il tuo
vivo cuore che ora mi si porge.
E accompagnano i passi (o è forse lui,
il Babuino, a suggerirle?) amare
le tue parole a memento:
"*...brace d'esistenza,*
cenere da raccogliere".
Ed io: "Non solo cenere!" ti dico
e già cede il dolore all'orgoglio,
e in questa via dove vengo a cercarti, qui dove
con speranza ponevi domande,
a voce alta pronunzio il tuo nome.
E all'improvviso, come fosse l'eco
io lo sento chiamare da altre voci
che ti furono care,
"*che più non sono ninnoli del suono*"
ma in me brividi d'anime, e nel mio
puro evocarle, ecco, oltre le strisce
pedonali, sull'altro marciapiede
(quanto lontano?) vedo
ombre che insieme vanno e in me la pace

della notte fa nido ad acquietarmi, e sento
come sia giusto quell'attraversare,
come sia giusto quell'andare, e umano.

1996

NEL RESPIRO DEL TEMPO

TEATRO

Signori, prego, uscite.
La commedia è finita, non si replica.
Non sperate in un altro spettacolo.
Sono già spalancate,
laggiù in fondo, le porte.
                                        Il sipario
è calato per sempre, ma quell'ombra
non potrà cancellare
i fantasmi che avete dentro gli occhi.

Siate gentili, uscite.
                                Non saranno
duri con voi che siete stati gli ultimi
a battere le mani, ma nessuno
si illuda di restare.
                                Hanno già spento
le luci della sala. È stato quello
l'ultimo perentorio avvertimento.
Ora basta.
                Si chiude.

MESSA FUNEBRE PER UN AMICO

Fra la tua vita, che ora qui piangiamo,
e quella di tuo padre,
che irridente destino: un solo inutile
affanno ad inseguire
un impossibile sogno che pure
accese i vostri sguardi, dette impulso
ai vostri passi.

A questo penso mentre già si levano
lamentose le esequie, e ad altra musica
torno indietro con gli anni, a quella che
noi ragazzi andavamo ad ascoltare
(stavo per dirti: ricordi?)
nella terrazza sul mare.
E ad altra musica
cruda, violenta, che fermò le nostre
giovinezze sciupate, e delle strade
dove corremmo insieme, fece campi di polvere.
Dopo di allora quale
musica mai ti destò
dal tuo caparbio sperare? O solo in quello
la tua vita ebbe un senso? – io mi domando
mentre al mio fianco uno distratto mi tende
la mano per dirmi (ma lui non può sapere
su che vuoto mi sporgo)
che deve andare, davvero, che proprio
non ha più tempo, è tardi, ed è già troppo
quello che ha speso per questo dovere.

GLI OCCHI

Quando sarà caduta
la nebbia sopra il cuore
a spegnere anche l'ultimo pensiero,
Ti chiederò non la vita che Ti rendo
ma pregherò: concedimi
ancora gli occhi, nascosti
nel petalo di un fiore che si affaccia
dal balcone più alto, o nelle piume
di uno storno che libero nel vento
va sciabolando nel cielo, o nel polline
sospeso sopra il fiato della luce,
o soltanto sull'ala variopinta
d'un aquilone effimero, ma ebbro
di spazio e sale e vola

oltre i tetti e le nuvole.
La tua misericordia mi conceda
per un'ultima volta, per un attimo,
ch'io veda.

POCO FA?

Qui, poco fa, dove ora il temporale
ha scavato trincee dentro gli orti,
piegato gli alberi, sconvolto i giardini,
resi i recinti inutili, era estate
e tu passavi nella tua grazia voltandoti
al mio sguardo che ti seguiva.

Poco fa? O sono io
che nella foga di vivere,
perduto in quel miele non mi accorgo
di chi mi ha messo le mani sugli occhi
per mutare le immagini, farmi cambiare canale
e dirmi guarda è già inverno.

BRINDISI PER IL PROPRIO COMPLEANNO

Ancora qui, mi dico, mentre guardo
la mia faccia che l'acqua
risciacqua dal sapone, e dallo specchio
mi fa una smorfia. Quanto
mutata oggi la scopro! Ma non muta,
mi dico mentre chiedo aiuto al pettine,
l'ansia di vita che ancora mi porta.

Sei ritornato, marzo,
inquieto adolescente
che m'assomigli, e passi
dal riso al pianto,
non trascinare l'inverno,

non impigliarti nel vento,
e col tuo fiato che eccita le gemme
anche di me ricordati.

Brindiamo, amici, leviamo i bicchieri
a questo anniversario che mi trova
a far di conto, avido usuraio
che vuole ancora ciò che ha avuto ieri.

Se troppo lesta una mano ha svuotato
il mio salvadanaio,
facciamo festa agli spiccioli che restano.
Mi dico: è sempre mio
tutto ciò che fu mio.

Cominciano gli anni patetici
di languori struggenti,
di tenerezze che hanno
un sentore d'addio.

LA CHIOCCIOLA

Le lettere sbiadite del tuo nome,
un lumino che trema consumandosi,
le rose secche che il vento ha disfatto,
e sulle ragnatele polverose
come coriandoli dopo la festa i petali:
solo questo restava a ricordare
che sei di qui passato.
Ma una chiocciola
con infinita pazienza salita
sul muro dalla terra attraversava
lentamente la lapide, lasciava
il suo filo lucente di bava:
un segnale di vita.

RICORDO

Sei passata fra noi come una nuvola
di sole e di speranza, una speranza
che si è fatta accanita nel dolore
e pregava la vita. E mai la vita
m'è parsa dono come in te, sfinita
nel tuo lottare con fede, avaro dono
da conquistare ad ogni ora, fiato
dopo fiato, inventandola
come si inventa accendendo una candela
nell'ombra che già grava nella stanza
una pallida luce. Quella tua
lotta con l'ombra – se appena taceva
anche per poco il dolore – era vita,
la tua vita nutrita di speranza.

PER UN BAMBINO NON NATO

Non un bambino, un fiore
è appassito stanotte nel tuo ventre:
ha perduto il profumo, si è spento
quel suo calore che già in te sentivi,
e non saprà l'amplesso della luce,
ma nessun vento mai lo piegherà.

E tu che lo nutrivi col tuo sangue
nel sangue ancora accoglilo (è la mente
che dà nome alla vita), lascialo
crescere ancora in te, esile stelo
che alle tue fonde radici s'attorce.

Non negargli d'esistere
con il tuo pianto, se ancora nei tuoi
giorni doglienti i suoi continua a scrivere:
viva finché tu vivi.

LA META

Fin dove giunge lo sguardo (l'anima
non ha limiti al suo penetrare), laggiù
dove l'arco dei monti segna in ombra
il confine, cosa è possibile vedere, che luce
si leva dietro la vetta come una vampa accecante?
E che dicono
quei segnali, a chi va quel messaggio?

Così al viaggiatore che le scorga appaiono
tenebrose nell'aria, alzate a chiudere
un mistero insondabile, a spegnere
le inutili domande che rimangono
senza risposta, a rendere
tetro e pieno di incubi quel luogo.

Eppure noi,
anche sospinti dall'ansia, o cantando,
o con gli occhi perduti in altri occhi e il cuore
confuso come la mente,
le abbiamo sfiorate ignorandole,
tutti almeno una volta, senza accorgerci
di quelle luci e quei segnali. Ma
– a un tratto –
eccole qui incombenti quelle vette a tagliare
il nostro spazio,
a misurare i passi che separano
da quell'ambiguo anfratto. E siamo in fila
come aspettando un turno, e non c'è più
– non rimane – che un solo viottolo
di tante strade che correndo ci parvero
larghe e infinite, e va
a quella meta oscura. E non ci è dato
sapere nulla, nulla più di quanto
sia concesso sperare o immaginare.

Ora (o ci sembra) siamo tutti uguali. A quale
milizia apparteniamo?

Il luogo
è questo. Ormai è certo. D'altri
non abbiamo sentore.

A ROMA

(Scoperta di una consonanza)

Si infila a Ponte degli Angeli il vento
dalle case di Borgo: io sono fermo
nell'insulto dell'aria che mi affanna.
Perché – mi chiedo – qui, come se fosse
ora la prima volta, mi sorprendo
a guardarti, miraggio evanescente
nella luce, assopita sulla sponda
come una donna torpida,
e mi turba quest'acqua limacciosa
che tende, a salti, a vortici,
all'anonima quiete del mare.
E cos'è
questa malinconia dello stupore?
Il passato e il presente si confondono,
come nel Tevere, in me.

Caldo ventre materno che mi accogli,
città che accetti il mio idioma e m'hai dato
l'amore e il tetto, ancora vedo i loro
teneri piedi tentare
nei tuoi giardini i primi passi. Ormai
di tante impronte aggrovigliate il tempo
popola le mie strade e in quelle cerco
la mia giovinezza nell'ombra
della sera calante, e porta il fiume
con l'inno l'elegia. E come il fiume
scende il mio sangue al nirvana del mare,
né più potranno dissetarmi ormai
altre acque da queste.
Qui si scrive

la mia storia di uomo, ed io non voglio
seguire più le nuvole che passano
ruggenti sopra i pini del Gianicolo:
d'altre tempeste non ho più memoria.

IN "VENEZIA"

(Nome popolare di un quartiere di Livorno caratterizzato da fossi e ponti)

Voi gente livornese che passate
frettolosa sui Fossi, fermatevi
a quel piccolo ponte a schiena d'asino
e guardate nell'acqua: fra le case
capovolte c'è ancora,
come un miraggio tremulo, l'immagine
di mia nonna che attende
un bambino che esce dalla scuola.

Non la cancella il tempo e non cancella
con il suo vento le ombre: mia madre
– una ragazza sciupata dall'urto
della vita – che trepida mi guarda, il babbo,
come sospinto da un presentimento,
che da lontano mi chiama.

Lungo i Fossi, tra i ponti, nell'affanno
gioioso della corsa
lo sconosciuto bambino giocava,
o si fermava assorto a contemplare
i becolini che andavano,
come i suoi sogni acerbi, verso il mare;
il bambino, di quell'altra mia vita,
che in me ha fatto il suo nido ed è cresciuto
da diventare ormai quello stupito
estraneo che senza più riconoscerlo
lo guarda dal suo declino.
Tutto

era da scrivere ancora
il suo destino, ma certe
le estenuanti giornate felici
in quella Livorno di perla
nella luce d'acquario dell'estate.

Da lì ricominciare (fossi, ponti,
tapis roulants che mi portate indietro!),
dal silenzio che l'odio ha sconvolto,
e da quel puro afrore di salsedine
che è ancora intatto in me sotto la polvere.

LE POZZANGHERE

Non ti devi voltare – mi dico
buttando alla rinfusa le foto nel cassetto –
a quel ragazzo che sorride spavaldo, le mani
in tasca, la sciarpa gettata
con noncuranza sulle spalle,
e che sembra sentirsi immortale.
Non durerà per sempre quell'incauto
atteggiamento di sfida,
la presuntuosa certezza di salirle
fino in cima le scale. Non voltarti
non può che farti male.
Tieni a bada la voglia di cercare
sotto i cieli *d'antan* l'antico batticuore;
non voltarti a quel sogno d'aureola,
al sangue che bruciava, alle insensate
speranze dissipate
lungo la strada, nelle pozzanghere.

PAGINE DI STORIA

NEL CIMITERO EBRAICO DI PRAGA

Il vecchio cimitero ebraico di Praga, che è situato al centro della città, risale alla fine del '300, o forse ai primi del '400. L'impressione che il visitatore ne prova è indescrivibile per quelle migliaia di pietre tombali alte, basse, spezzate, storte, rettangolari, a cuspide, generalmente di pietra arenaria, infisse nel terreno ondulato a pochi centimetri l'una dall'altra, su piani diversi, disordinatamente, come poste a caso, a rappresentare quel grande popolo di morti che vi è sepolto in piedi su dodici strati... Solo su poche stele, risalenti al '600, fra decorazioni barocche, vi sono incisi animali o strumenti di lavoro che alludono al cognome dei defunti o al mestiere che esercitavano...

(*da* Praga ebraica *di Bedrich Nosek*)

Un sommesso brusio, come di foglie
che qui, di vento in vento, a noi plorando viene
da chi sa quale altrove,
subito a questi incauti
passi nei dissestati
percorsi fra le tombe
mi avvolge, già contrito
di violare il silenzio della morte
mentre i miei occhi increduli si posano
sull'esercito insonne
delle stele sconvolte.

Sgomento, per sfuggire a questa pània,
laggiù alla porta nel muro mi volto,
chiamo il mondo che venga a liberarmi
col flusso della vita, col tumulto del sangue.

Ma le lapidi, ora, queste povere
sconnesse lapidi – come tentassero
una impossibile fuga, sbandite
da un nemico implacabile –
non mi lasciano andare, affatturato

dentro questo angoscioso mareggiare.

Che mani le hanno spinte risalendo
dalla cupa voragine, da quella
pietrificata foresta di braccia?

“Shalom, – io dico
col mio nascosto pianto –
la pace sia con voi”.
Ma come potrà scendere
col suo fiato che penetra, che acquieta,
la pace sotto gli alberi innocenti, quale
pace fra le radici che s’attorcono
come sudari ai corpi? E quando requie
troverà quella folla compatta, gemente
sotto i piedi di chi per lo scatto
d’un flash profano s’attarda
davanti a una stella di David a calpestare
questa terra dolente?
E chi vede
quel Leone, quel Topo che ci guardano
dalle lastre d’ardesia, e il Pesce e l’Orso
che col pane, le forbici, i compassi,
di quel veloce viaggio ci raccontano?

“Sono sepolti da secoli
in piedi nella terra
fin giù dove la terra sfiora il corso
delle acque profonde”, stancamente
una anonima voce ripete.
E gente viene
e gente va seguendola
senza che un’ombra fermi
il pensiero già fuori.
E a me da fuori
giunge un’altra città che piange e fugge
e non sa di che colpe piange, e vedo
lunghi treni che vanno

sulle strade d'Europa ad una sorte:
una città di morti che non hanno
nomi né segni a ricordarli, polvere nel soffio
dissennato e crudele della storia.

E quel brusio che udivo
ora è un coro di voci che sale,
un lontano lamento che invoca
quella pietà che come pietra è spenta.

1991

IL FORO ROMANO

(da una finestra del Campidoglio)

"Aprite – disse il sindaco –
la finestra sul Foro per gli ospiti".
Ed io
che tante volte nell'indifferenza
ero da lì, sempre correndo in macchina,
passato senza posarvi lo sguardo, come fossero
muti quei resti, ora,
in quella fredda aria decembrina,
sentii levarsi, soffiarmi nella mente,
la lieve brezza di marzo, e da lontano
udii:
"A te! A te! E prendi
anche questi!"
Ma chi
parlava?
Da che scena, a un tratto,
emergevano a fuoco quelle immagini?
Chi l'aveva destato
da quell'inquieto sonno secolare
quel suo fantasma vivo?
Si copriva
con il manto già rosso del suo sangue

gli occhi, per non vedere quelle mani
che aveva stretto e amato, pugnalato
da quell'amore che mutava il volto.
Ma viene l'ora e quell'ombra
nessuno può scansarla.
(Né lo scricciolo
che con un ramo d'alloro nel becco
volava nella Curia e tanti uccelli
in furia dilaniarono, né il lugubre
boato di quel tetto che crollava
nel sogno di Calpurnia ad ammonirlo,
né la voce presaga dell'aruspice
Spurinna: "Guardati
dalle Idi di marzo!"
lo trattennero, incredulo
da quell'appuntamento con la morte.
O forse, a lei, già chiamato, tendeva?)

Non un lamento. Vide
lui: lo guardò. E allora non l'estrema
notte che gli mostrava il tetro varco,
ma quegli occhi lo vinsero, e con l'ultimo
fiato già spento, disse:
"Anche tu, Bruto, figlio mio!" E cadde.

(Ed io sentii nel suo morire un'altra
morte, e quel volto ch'era già spogliato
d'ogni colore, mi parve
che fosse quello di mio padre quando,
guardandomi, s'arrese.
Sua quella testa calva, suo quel naso aquilino,
e quella stessa età rubata agli anni
per dire addio alla vita.)
Ed ecco, ora,
un nereggiare di folla, un mormorare
come battesse sugli scogli il mare.

Portava Antonio il corpo insanguinato
fra le sue braccia forti come fosse

un figlio appena nato,
e con pietà lo adagiava in quel luogo
che vide il trionfo di Cesare, la sua esaltata gloria.
E diceva ai romani sbigottiti:
"È stato un uomo onesto
(come usciva
la voce dal suo petto?), è stato un uomo
che amava Cesare, ma più la giustizia,
ferocemente a infiggere il pugnale
nel suo costato, un uomo che sapeva
ciò che faceva, e queste bocche
che piangono sangue non gridano
perché la mano che le aprì è di un giusto".

(Vedevo. Quella mano
colpiva ancora, ancora. Era la mano
di Charlotte Corday, era la mano
che spegneva la voce di Gandhi, l'amore
di Luther King, e raggiungeva Trotzkij
nel suo esilio, la mano
sulla lupara, sul fucile a canne
mozze, sul mitra,
contro quel mite capo...)
La folla
cresceva, s'addensava
fra le colonne, gli archi, come sempre
in attesa d'un cenno a ridestarla. Ed ecco
animarsi ora il Foro che pareva
morto di quella morte. E ognuno porta
un fuoco che si attizza,
e tutti, ad uno ad uno, in quell'incendio
d'anime, i congiurati (la rivolta
che uccide se stessa) periscono.
Sentivo
come vento fra gli alberi che scuote
le foglie, i rami, salire, prorompere
un uragano...
Una voce

mi ridestò: "Vi prego
accomodatevi di là al buffet".
Rimasi
in un attimo solo. E fu chiusa
quella finestra nell'indifferenza.

PIAZZA A BAGHERIA

(Morte di un "picciotto")

Bagheria è un paese in provincia di Palermo, molto vicino al capoluogo, noto per le sue belle ville fra le quali la Villa Palagonìa ricca di grandi statue mostruose che agli occhi del picciotto assumono l'aspetto terrificante dell'immutabilità del potere, così come, all'opposto, i fichi d'India diventano la visibile immagine dell'impossibilità di evasione da una condizione di miseria altrettanto fatalmente immutabile.

Quale mare più mare
– a segnare più aspro l'orizzonte, a rendere
più lontano un confine invalicabile –
di questo: all'impazzata fichi d'India
– orda povera, folla, moltitudine –
filo spinato alle fughe, clausura,
sabbia mobile in cui il passo s'arrende.
Quale mare più ostile da vincere
per evadere e crescere.

Di un ragazzo
le donne a veglia raccontano,
con l'anima già triste bruciata
dalla violenza del sole, che guardava
dalle bianche terrazze calcinate
di Bagheria, gli spazi irraggiungibili
e dal suo cuore anelante già saliva
– come la nera lava che si gonfia –
la ribellione.
E quando a volte a sera
con i compagni entrava nella villa
Palagonìa, nel giardino

degli antichi signori, si voltava
a sfida contro i mostri aristocratici,
indifferenti a quel primo vagito
della sua cupa consapevolezza.
(A chi fanno la guardia?
In questo tempo già desto,
chi vogliono accecare
con l'oppio barocco del gioco?)
Ma c'è una mano che si tende
e altre mani che chiamano.
E sembra facile il viaggio, spalancate
tutte le porte. Nessuno
gli aveva prima parlato d'onore.

E come può resistere
a quell'invito? A chi sa offrirgli certa
la libertà d'esistere, il miraggio
finalmente di crescere
anche davanti a se stesso con quel suo
fucile a canne mozze che lo fa
uomo.
E via, corri, la moto
è tua! (E si ricorda
di suo padre sfinito sul mulo
per ore a passo lento nei tratturi
accecanti di polvere.)
"Spara!"
grida il compagno che è al suo fianco: "Spara!"
(E non importa la ragione, importa
l'ordine ricevuto e l'obbedienza.) "Spara!"

Non sa. Spara a quel vuoto
che porta dentro da sempre, all'inedia
degli anni perduti in quel campo
di terra dove mai
scendeva l'ombra, a tirare
calci accaniti a una palla
con i fratelli scalzi fino a quando

la stanchezza vinceva sulla fame.
"Spara!"
grida ancora il compagno al suo fianco.
Ma ecco, all'improvviso
(non poteva
temerla così presto, era soltanto
il suo battesimo di fuoco!)
arriva
la sua morte dall'aria.
E non basta la moto per fuggire
da quel tunnel.
(Oh, se l'avessero
i fichi d'India stretto
nel loro abbraccio, per non lasciarlo andare
per fargli ritrovare – lui che aveva
lo sguardo di suo padre –
la sua antica fierezza a salvarlo,
e le radici del sangue.)
Perché
il vento non ha teso le sue mani
contro quel colpo a scansarlo, perché
non si è alzata la nebbia a fargli muro?
E come è invece limpido,
puro incredibilmente
il cielo su Palermo.
Lo taglia una nube di storni
che sale dagli alberi a volo.

La gente grida, fugge, e non si volta.
Ma poi neppure il battito
di un cuore turba il silenzio calato
sulla piazza deserta che sconfina
nella luce.
Sei solo
– un fiore rosso è al tuo fianco
sul lenzuolo d'asfalto –
povera foglia fragile
che l'uragano ha strappato
da un ramo.

VERSO STRADE D'OMBRA

(frammenti di memoria)

The art of losing isn't hard to master
Elizabeth Bishop

Non è troppo difficile, davvero.
Ho distolto lo sguardo dall'acqua
quando s'è aperta al tonfo
dell'orologio che amavo,
non sono ritornato in quell'albergo
a chiedere se avessero per caso...
Così le amiche cose
dentro di me s'allontanano.
E sono riuscito persino
a chiudere gli occhi, impassibile
senza voltarmi a quel treno
che la portava via.
A poco a poco
non duole più che il vento
disperda voci e volti
che custodivo geloso: stupito
mi affaccio alla moviola
che solo a flash sa rendermi
le mie svanenti immagini.
Davvero
l'arte di perdere non è troppo ardua.

1.

Se mi volto: dov'era – mi chiedo –
(attraversavo un ponte sopra i Fossi)
la mia scuola d'allora?
C'era sempre la nonna ad aspettarmi.
Tremava il suo corpo riverso
come un fantasma sull'acqua, cullato
fra i tetti, nell'ombra dell'ala
del suo cappello nero.

2.

Ed io dov'ero
(una chiesa incombente: era Roma?)
in quella latteria
con i tavoli tondi di marmo? Guardavo
grandi biscotti in una vetrinetta
sul banco.
Quando sale
da un forno quel profumo
la mano di mia madre me li porge
dietro il vetro appannato degli anni.

3.

È scalzo sulla porta e le manine
tende a quei doni ma senza
fare un passo, fermato
dall'emozione.
E io mi vedo in lui (ma c'era
tanta neve in quella mia befana)
già con in testa un cappello piumato
da bersagliere, che tento
tremando, incespicando, di salire
sul mio triciclo, fino a cadere.

Felice età, si dice, ma è felice
l'inconsapevole felicità?

4.

Quella mano... (io dormivo, era notte) in cucina
cuciva con la Singer
il mio costume da Pierrot
per il veglione dei bambini al Regio.
"È uno straccio, è soltanto uno straccio
– i miei ricchi compagni
mi dissero con scherno –
nemmeno un soldo vale!
e dieci mani addosso mi strapparono
quella povera blusa.
                              Una corsa
sul fiume nella nebbia
del pianto che saliva
fu quel mio carnevale.

5.

Mi chiamava mia madre: "Luciano
vieni a tavola, è pronto: non restare
più al sole" (quell'agosto
la campagna bruciava).
Col cuore in gola, immobile
fra i giocattoli inutili, guardavo
oltre il prato, lontano
scoprirsi a tratti, bianche
le gambe di una donna su una scala,
e ne tremava il grano.

6.

Come state? Chiedevano
con il cappello in mano, dalla porta.
Nonno Francesco assiso
in quel letto di ferro come in trono
ebbe uno scatto d'impazienza e urlò
con ira: "Com nu fess, stoc a more!"
fendendo l'aria con il braccio teso.
Così mi ricordavo con spavento
di quando, alto su un carro, fra le zolle
spaccate dall'arsura,
forte e nodoso come un vecchio ulivo,
contro il cielo imprecò perché piovesse.

7.

Cosa voleva dirmi? La sua voce
era un lamento, un rantolo: ma, sgomento, sentii,
tutto capii di mio padre che nel vento
scivolava alla foce.

8.

Qual era il nome
di quel compagno che mi cadde accanto
dopo una corsa fra gli spari? Aveva
soltanto vent'anni: in quella sua
giovinezza sgualcita
credeva ancora negli uomini, beveva
alla fonte di Dio. Piangendo, offeso
per quella spina nel cuore della vita,
io mi chinai sulla sua fronte madida
indegnamente a benedirlo.

9.

Chi era
– ancora sento i passi alle mie spalle –
quell'uomo? Chi pensava
ch'io fossi?
Mi fermai
a guardarlo negli occhi. Fuggì via
spaventato. Da lontano
una pattuglia tedesca avanzava
a spegnermi il fiato.

10.

Le sirene, le bombe. Io fuggivo.
Senza pensarti fuggivo, tu mi seguivi in affanno.
Ma quando a una traversa mi fermai per voltarmi
mi accorsi che nel fumo io t'avevo già persa.

11.

Il mio grumo di sogni non s'arrese
a quell'odio, a quei roghi.
Al porto schiamazzavano i soldati,
ma il tuo vestito corto era la mia
prima febbre, il mio solo delirio
in quell'estate bruciata dalla guerra.
E non so più il tuo nome.

12.

E qual è il nome
– mi chiedo ricercandone l'immagine
negli specchi ossidati, nel tepore
dei divanetti stinti,

in quel caffè deserto sotto i portici –
di quella donna che mi disse amore
la prima volta e non mi perdonò
la giovinezza ingrata.

13.

E ho già scordato
di quell'albergo di Manila spinto
come una tolda sul mare,
da tanto tempo il nome, ma rimangono
come azzurri barbagli, la cascata
gigantesca nel cuore delle scale, l'isola
sulla piscina e una nave
che giace capovolta a rammentare
che c'è guerra fra gli uomini.

14.

E qual è il nome del viale già segnato
nel libro della storia, dove a Bombay parlò
dopo Gandhi, alle folle, il Pastore?
Un pugno che chiude lo stomaco, un afrore
denso, un sentore d'incenso nell'aria. Confuso
fra quella gente misera in preghiera
la stupita vergogna portavo
di quel rassegnato dolore.

15.

Mi chiedevo: son questi gli orizzonti
che sognavo? E sono questi gli alberi
i frutti, i fiori, i prati insanguinati
di bouganvilles?
Salivo,

come perduto salivo
dentro l'abbraccio di quel cielo d'Africa
con la nuvola rosa d'uccelli
ventosa sopra il lago.

16.

Oh, inutilmente
la ricerco nei sensi: si è spento
della bruna carioca che danzava
sulla spiaggia di Rio
quell'ondeggiare del corpo
come del mare, si sfoca
quel penetrante sguardo,
quel desiderio inquietante.

17.

Che città, che stazione,
nella luce esitante dell'inverno,
quella volta che il cuore
parve fermarsi vedendola
corrermi incontro lungo i binari, lei
che conosceva il mio pianto.

18.

Come ho potuto allora
– era una larga strada di Milano –
chiamarla a piena voce fra la gente
che passava distratta, chiamarla
ma senza più sapere se laggiù
– dove la nebbia a folate
già portava la sera
e a me la cancellava dallo sguardo –
lei c'era.

19.

A via Catania,
cerco in me quei tuoi occhi già lontani
di quando, voltandoti a guardarla,
lasciasti la casa per sempre.
Non parlavi, eri teso, come assorto
in un altrove che tu già sapevi.
Fu quella l'ultima volta
che ti vidi di qua dalla porta.
Poi dopo averla varcata mi sembrasti
sereno ormai, disteso, come chi
s'addormenta ascoltando una musica.

20.

Io correvo in quel lungo corridoio
e mi seguiva mia madre. Si era sciolta
l'attesa in quel cenno. Dalla porta
mi venne incontro un'infermiera a dirmi
che ero padre.

21.

Portava folti baffi
sul viso scarno e pallido
su cui leggevamo le stimmate
del martirio, quel nostro troppo giovane
professore di filosofia
che tanto amavamo.
Ci guardava,
posava sulla cattedra la borsa
e in piedi, ispirato, parlava.
Con le parole, lui così indifeso,
scrisse la sua condanna.
Ma quanto fu forte, un eroe,

davanti ai suoi carnefici!
Senza tradire i compagni, o negare
la sua fede di laico ("Beato
te che credi" – mi disse),
soffrendo impavido fino alla morte.

22.

Dove? (Era forse
una spiaggia di Bali?) Qualcuno
accese una lampada contro
la nera lastra del mare, e uno corse
là dove l'onda moriva, e gridò.
A quel grido altri allora sbucarono
dalle tane dell'ombra e come a gara
raggiunsero la riva.
Molte donne fuggirono
per non vedere. E così rimanemmo
in pochi, muti, a guardare
quel corpo che tornava
livido, gonfio, arreso
nella sua bara d'acqua.
Ma, a un tratto, sul silenzio
piena di gioia si levò una musica
da una nave lucente che passava.

23.

Anche di te, di te che tanto amai
– né tu fino a che spasimo
sapesti mai! – perdona, non ricordo
l'odore inebriante del tuo corpo,
e non ho più memoria del dolore
delle tue assenze a negarmi la vita,
e non ricordo più
quei graffi di piacere sulla pelle,

il tuo disarmante sorriso,
ma struggenti resistono
le piume delle dita sul mio viso.

24.

Questo afrore pungente
mentre il meccanico cerca
sotto il cofano il tarlo, mi riporta
a uno stanzone fumoso. E sono io
curvo sopra un bancone che mi sporca
con il grasso del piombo il bel vestito
nuovo, senza badarvi, preso
da quel fervore. Io che non sapevo
più come a poco a poco
mutasse il cielo, calasse la sera
sul Tevere, col vento sotto i ponti
e il profumo dei tigli nell'aria,
e se le stelle accendessero
quelle bruciate mie notti romane,
io che levavo gli occhi
a un cielo di piastrelle.

25.

Mi estenuo a ricordare,
ma "i ricordi sono corni da caccia
il cui suono muore nel vento",
labili impronte che il mare
livella sulla sabbia
e solo pochi barlumi rischiarano
il viaggio cui mi volto.
                    Impietosa
la memoria cancella le sequenze,
le fa più rade.
                Il passato è un cavallo
che io cavalco verso strade d'ombra.

NELLA TUA CUNA OSCURA

(Per un nipotino prematuro sopravvissuto al fratello gemello)

Ogni creatura vivente è nata dal desiderio
del non essere di diventare vita.
Antico pensiero indiano

1.

Chi ti guidò, chi spinse la tua fragile
barca alla riva del tempo?
Non fu il caso,
o la forza del filo che non cede,
o l'ignoto disegno, o l'ostinato
amore che ti volle,
so che fu
il desiderio, l'ansia dell'informe
di farsi culla:
il desiderio del Nulla
d'essere vita, che qui ti ha portato.

2.

Ti ha sfiorato la morte, ha tentato
con la sua mano impietosa di spegnere
il tuo fiato. Superba! Non sapeva
che non può vincere contro la sorte.
Ma ora sai quali occhi
ci guardino e, più forte,
non ti farà paura, ora che è stata
al tuo fianco, compagna
nella tua cuna oscura.

3.

Sei nato.
Per un attimo
da clandestino in questo
limbo che ti dà vita a grammi, a fiati,
posso guardarti nel tunnel
che fa muro alla nostra tenerezza.
Ma non mi basta, ancora non s'acquieta
l'ansia di averti accanto, se non sento
sul viso il tuo respiro, se non sfioro
con le dita i tuoi petali.

4.

Sei già vivo, ma come in una sala
d'attesa: è appena schiusa
la porta stretta del tuo nascimento.
E nella vitrea campana – madre, ventre
che ti protegge – perché
pulcino senza peccato, fiore stento,
ha posato il suo artiglio la violenza?

5.

Ancora non sei nella vita.
Solo cielo
è una mano che lenta ti sfiora
come un'ala che vola, sospesa
sul tuo fiato, carezza trattenuta
che scende al cuore, ed è
l'alito, l'aria, il vento,
il tuo nutrimento d'amore.

6.

Ero anch'io come te in quella buia
sprofondata stagione
delle domande impossibili, i perché?
Non altro tempo, altro essere
da cui per sempre sono uscito:
nulla
che più rimanga a chiamarmi
di quell'acceso stupore.
Nulla nel mio voltarmi.

7.

Cancellerai nel tempo
l'immagine di te che forse sola
saprò, questo struggente
nido di tenerezza.
Sarai farfalla. Il bruco
che tentava la terra, chi potrà
più ricordarlo quando volerai.
E io cerco guardandoti
oltre quel molo che mi fermerà
l'ombra di quel tuo volo.

8.

Ti imprimo negli occhi e mi chiedo
dove è nascosto l'uomo che sarai
e che io non vedrò, dove la casa
che un giorno abiterai, quali saranno
i tuoi sogni, gli amori
che ti accompagneranno,
e se a una foto, a un verso che riporti
l'ombra di me al tuo fianco
io sarò ancora vivo
nel tuo pensiero.
E ti bacio, ti stringo

con una tenerezza che si fa
struggimento, pietà
di me che devo arrendermi, staccarmi
dalla piccola mano che mi tendi.

9.

Ti guardo così piccolo e ti vedo
già grande che corri su un prato.
Cerchi qualcuno, chiami,
nascosto dietro un albero,
il tuo fratello non nato.

NONOSTANTE

(1999-2004)

SENILITÀ

Cominciano gli anni patetici
di languori struggenti,
di tenerezze che hanno
un sentore d'addio.

L. L.
da "Brindisi per il proprio compleanno"
ne *Il silenzio*, Book, 1998

ANIMA

Anima che mi guardi, nonostante
io sia già sulla soglia, non andartene
verso i lidi nebbiosi che ogni istante
m'appaiono. Che importa? Le mie vene

frementi sanno che il passo è distante
se ogni speranza ad illudermi viene
e desidero ancora, e in me un amante
che non tradisce ha la vita, e le pene

dimentico se il giorno che s'affaccia
mi chiama nella luce. (E in quella luce
mi frastorni da quell'appuntamento!)

Anima non andartene, ma scaccia
pietosa ogni ombra che all'ombra conduce:
resta con me sulla terra, nel vento.

IL DONO

Affido ormai la mia speranza a questa
manciata d'anni (o di mesi? o di giorni?)
ma tutti tesi a godere la festa
della vita, con gli scenari adorni

d’azzurro e verde, e con la sua foresta
di passioni, e gli struggenti ritorni
della memoria, e l’attenzione desta
ad ogni appello che la mente storni

dalle sue angosce. Essere vivi, vivere,
e che a nessuno sconforto mai ceda
la bellezza del dono a farmi scrivere

che sarà sempre più spenta, avvilita
la mia giornata, così che non veda
che ogni minuto, ogni secondo è vita.

COMPLEANNO

Ancora un marzo che mi tocca, questo
fra i duemila passati e che verranno
nel tempo e poi scordati, ed io mi appresto,
stando ai patti, a goderlo. Anche quest’anno

vedrò le gemme e i fiori che il funesto
inverno ha condannato, e da quel danno
sorgeranno i colori, e udrò l’incesto
lamentoso dei gatti, e canteranno

di ramo in ramo i passeri, e sirene
avrà il mare a chiamarmi. Ma il vento
a riportarci il suo memento viene:

siete foglie che fanno un solo volo
dal breve cielo alla terra, uno stento
rapido volo per toccare il suolo.

L’ALBERO

Qualche volta mi chiedo: se potessi
tornare indietro, da capo, rifarei

tutto quello che ho fatto, quegli stessi
miei dolcissimi errori, e cercherei

ancora i viali d'ombra che concessi
ai miei sensi? Per quali falsi dei
quand'ero ricco di tempo, quei miei
anni ho perduto come se credessi

immortale la vita? Ed ora cedo
al rimpianto che è nebbia, non placato
nella strada in discesa dove vedo

tutte disperse al vento le mie voglie.
E sono come un albero bruciato
che non ha più memoria delle foglie.

COSA RESTA

Cosa resta di me, di ciò che fui
– bimbo, ragazzo, giovane – (stagione
sfocata, cancellata) in questi bui
tornanti della vita? La ragione

indaga inutilmente su colui
che più non riconosco. Che passione
bruciava cuore e sangue ai tempi in cui
non potevo sapere in che burrone

cadono gli anni, fino a quando cedono
allo sconforto! E non importa allora
che a volte un'illusione chieda spazio

se i miei sensi, anche all'erta, più non credono
nei prodigi, non credono che ancora
qualcosa torni, e di questo mi strazio.

IL DESIDERIO

Il desiderio? Dov'è la sorgente?
In che recesso? Chi può ormai stanarlo
quando il sangue appannato non le sente
più le frustate alle reni, quel tarlo

che a poco a poco ottenebra la mente?
Non vale allora solo stimolarlo
con la memoria, non ritorna niente
dal passato, più niente. Ricordarlo

– come bruciò le vene, come parve
immortale la vita nel suo fuoco –
questo solo rimane, arido gioco

tra svanenti fantasmi, vane larve.
Ma non s'arrende e in questa età sfinita
chiama. E quell'esile voce è la vita.

CARTA VELINA

Passi regale nella tua bellezza
e non mi vedi. Io sono trasparente
come carta velina per te. Niente
c'è più in me per piacerti. Mi disprezza

il tuo corpo superbo. Non c'è ebrezza
con il mio sangue stanco, la tua mente
vede soltanto un paradiso ardente
nel fuoco fatuo della giovinezza

e nulla esiste oltre quel mito. Un tempo
solo al mio sguardo le avresti sentite
le mie mani vogliose accarezzarti

e un brivido le avrebbe inorgoglite
quelle tue forme inquietanti. A quel tempo!
Ora tu passi senza più voltarti.

LE COSE

Le ho amate tanto – e so che non avrei
dovuto – le mie cose, quelle cose
che ho conservate negli anni, preziose
solo per me. Ma ancora non saprei

fare a meno di questi vacui dei
domestici, effimeri come rose
ma che sono una fuga dalle ansiose
gare col mondo. Eppure ora dovrei

senza pena imparare a lasciarle,
scordarmi dove e con chi le trovai
e in che luce: mio diario. Guardarle

(non è cristiano amarle, mi dicesti)
pensando: ad altri appartengono ormai,
come la vita sono solo in prestito.

IL DIVANO

Quel vecchio grande divano tarlato
che ora gli uomini stentano (la porta
s'è arrugginita) a fare uscire, entrato
in casa mia quando l'età conforta,

ruba di me qualcosa che è restato
nelle sue molle rotte, nella smorta
tappezzeria che una volta era un prato.
E guardo con stupore chi mi porta

via quel pezzo di vita per le scale
senza voltarsi. E chi l'immaginava
allora la sua fine (ero immortale),

che il tempo uccide gli uomini e le cose
– io come quel divano – e chi pensava
che sfioriscono subito le rose.

L’OLIVETTI

Via, decidi – mi dicono – buttala,
non serve più, è solo un rudere. Ed io
la guardo, e indietro mi volto a quel mio
primo sognare, a quella così anomala

passione a quindici anni! e al ticchettio
che dispiegava nell’umile sala
da pranzo, mio scrittoio, quasi l’ala
d’una sublime musica. E disvìo

l’idea di abbandonarla a chi la vende
come una cosa inutile, sfrattata
da un lucente computer. È fuggita

tanta mia vita in lei, ma me la rende
quando scorrono (se grazia m’è data)
le parole dal sangue alle mie dita.

LA GIOIA

Dammi ancora la gioia! La freschezza
dell’erba ai piedi nudi in una scena
d’armonie che ristorano, e l’ebrezza
di tuffarmi nel mare e sulla rena

camminare nel sole, e che una brezza
d’aria lucente allontani la pena
del vivere: una gioia che l’asprezza
mitighi dei contrasti e la catena

recida che ci lega all’ossessivo
pensiero della fine, e in me la voglia
torni di dire domani, e sia vivo

il sangue finché è vita. Non lasciarmi
in attesa davanti a quella soglia.
Dammi gioia che venga a liberarmi.

IL VIAGGIO

Saperlo! Ma a chi rivolgersi, a chi
chiederlo? Poter guardare in faccia uno,
uno soltanto che è tornato qui
dal viaggio a raccontarlo. Ma nessuno

che è entrato in quella stanza ne scoprì
l'uscita mai. Né mai da quel raduno
silente, voce sfuggita salì
a darci la certezza che ad ognuno

toccherà la mercede che gli spetta
per l'amore che ha dato (e c'è lassù
una mano che giusta lo soppesa);

per come il vento che l'investe accetta,
sordo al sangue, alla terra, senza più
paura, ormai, sul viale della resa.

LA MADRE

E quando ormai non vivrò più di corsa
mi fermerò (chiamato?) alla bottega
dove ogni giorno entravi con la borsa
della spesa, e se il tempo non mi nega

la memoria, ti chiamerò (chi prega
può cancellare la vita trascorsa)
pure sapendo che quella bottega
da tanto non c'è più. Tu nella borsa

le caramelle affannata cercherai
per il tuo bimbo, reggendoti i fianchi
dolenti, ma guardandomi vedrai

– povera mamma coi capelli bianchi –
che è più vecchio di te tuo figlio, e avrai
ferma una lacrima negli occhi stanchi.

UN SOGNO

È un treno, sempre quello stesso treno
che sogno, e che ritorna puntuale
tutte le notti. E quando parte io freno
per fermarlo, perché non prenda un viale

d'alberi, oscuro. E non posso nemmeno
gridare, non ho la voce, e m'assale
il terrore, e vorrei che adesso al seno
mi stringesse mia madre, ma il fanale

buca il buio e la scopre evanescente
con un sorriso triste, e la mia mente
dice al treno raggiungila, non vale

più esitare, dunque imboccalo il viale
dove m'attende (quel che deve sia!),
lo sprona, corri, vai, portami via.

DAL TRENO, D'INVERNO

All'improvviso che voglia di piangere,
che indefinito struggimento appena
vedo dal treno che corre le frange
luminose del mare sulla rena

e la risacca furiosa che s'infrange
sulla scogliera. Una luce serena
m'invade, e già il cuore rimpiange
l'estate che è fuggita, e più la pena

lo stringe ora che il treno ha cancellato
con le montagne quell'oro, e negli occhi
c'è ormai l'inverno che gela col fiato

quelle spiagge che avevo un tempo amate.
Per quante volte sarà che mi tocchi
di poter dire è tornata l'estate?

INSIEME

Lo dicono tutti (ed io come potrei
non crederlo?) che noi ci si riveda
lassù, insieme, quel giorno, e che saprei
trovarvi tra la folla, e che succeda

come fossimo al bar: tu coi trofei
sul buffo cappellino, il babbo in preda
all'emozione, commosso, come ai bei
giorni lontani... E accadrà poi ch'io veda

– io che sono di voi ormai più vecchio –
per compensarvi del lungo aspettarmi,
me tornato bambino in quello specchio

dove mi chino alla vostra sembianza
ascoltando quel trepido chiamarmi
che accende, inconsumata, la speranza.

ALL'ALBA

È appena l'alba e già desto mi trovo
a piedi scalzi, stupito, in giardino.
Ciò che lo sguardo scopre è come nuovo
dentro quest'aria immobile. Cammino

in un silenzio immacolato e provo
come la sensazione che mi guardino
le piante, i fiori, il prato. Mi commuovo
a quell'amplesso d'anime, mi chino

ad ascoltarne le voci. Già s'aprono
al primo sole le gazanie, intorno
sento inneggiare alla natura un canto

e a quel magico flusso m'abbandono:
"Buon giorno luce che sali, buon giorno
mia vita!" dico. E mai l'ho amata tanto.

LO SPECCHIO

Non voglio dirla mai quella parola
né pensarla, ma a un tratto, nello specchio
mi guardo e come vapore s'invola
la mia coltivata illusione: vecchio

mi dice. Ma io sorrido e faccio orecchio
da mercante, e rispondo che è una fola:
in un'altra misura mi rispecchio!
C'è nel mio spirito inquieto un'aiuola

di fiori, e il sole tutte le mattine
smalta i colori, e i profumi s'esaltano,
e mi fa l'eco degli uccelli il vento.

E cosa importa ch'io sia sul confine
se canto al mio risveglio e ancora accampano
diritti i sogni e la vita m'invento.

IL PENSIERO

La vita del pensiero a quanta morte...
Giuseppe Rosato

La vita del pensiero a quanta morte
conduce! A enumerare le sofferte
speranze che ci illusero (e la sorte
giocò ai dadi); a rileggere le incerte

vane parole che scrivemmo, assorte
in quella eternità che la deserta
plaga dell'anima cerca con accorte
rivelate credenze; ma più forte

è la paura a vincere, se l'ombra
della lama che taglia, che recide
già ci sovrasta, e ci minaccia, e ingombra

la mente e il cuore. Solo noi sappiamo
fra i viventi (è il pensiero che ci uccide)
e non possiamo sfuggire a quell'amo.

DAVVERO?

Davvero non si torna? Ma neppure
per un'ora, da ladri, per rubare
ciò che più amato lasciammo, le pure
emozioni d'infanzia, le rare

epifanie della gioia? Per cercare
quella strada, e la casa e le bordure
d'alberi che l'annunziavano, e il mare
che nascosto chiamava? Ma neppure

per vedere, magari da lontano,
te che sempre con ansia m'aspettavi
dietro i vetri, vedere la tua mano

e – per un attimo solo! – che aggiorna
come quando al mio fianco ti destavi.
Ma non si torna, cara, non si torna.

UN BRIVIDO

Non lo so, non saprò mai quante volte
nel suo cieco capriccio mi ha sfiorato,
ma in quell'istante ho sentito le scolte
delle difese inermi, attraversato

da un brivido; ma posso aver pensato
che forse era un richiamo delle molte
voci che ancora assediano, turbato
da immagini lontane già sepolte

nella memoria. Ma dopo ho guardato
la luce e, quasi destandomi, pieno
di gioia, d'una improvvisa immotivata

gioia, ho sentito che andavo, staccata
la mente dagli affanni, più sereno
nel flusso della vita, nel suo fiato.

I FIORI

Voi lo sapete: non vengo a trovarvi
in quella gelida città di morti
e non vi porto fiori. Ma a cercarvi
in me sono raccolto, e non fo torti

alla vostra memoria, se nei forti
slanci del cuore che sa d'incontrarvi
vi ritrovo al mio fianco. (E mi conforti
sempre questa speranza!) Ora sognarvi

posso senza dolore perché il viaggio
in cui m'avete preceduto muore
anche per me, e breve è la distanza

che ci separa. E mi date coraggio
quando pregando vi porto il mio fiore
e in me fa luce la vostra sembianza.

ESSERE CIELO

E non avrà il mio corpo il camposanto,
ma il vento, e sarà polvere che spazia
nell'infinito, e che non chiede pianto
né fiori. Via dall'artiglio che strazia

la carne arresa che conobbe il canto
della vita di cui non fu mai sazia!
Forse così ritroverò l'incanto
della luce, dell'aria, e quale grazia

sarà d'essere cielo, essere nuvola
eternamente in un'eterna danza.
Forse vedrò come l'anima vola

verso l'ultima meta che l'attende
(che già prevede questa mia speranza)
e del mistero scioglierà le tende.

QUEL VELO

LA NUVOLA

Sette miliardi i viventi, ma loro,
loro, le moltitudini che vanno
di cielo in cielo, quel superno coro
d'anime, o gaudiose o nell'affanno

di salire, loro che più non sanno
che cos'è il tempo, io qui dove dimoro
per poco, o gli altri che dopo verranno,
come poterle immaginare? Imploro

misericordia per quella che penso
vagante nuvola spinta dal vento
di quella volontà cui tutto cede,

ma anche per me che presto dell'immenso
popolo sarò parte, e in quel concento
godrò della certezza di chi vede.

IL RICHIAMO

Perdonami, vorrei, se mi chiamassi
poterTi dire: "Sono pronto, vedi
come senza esitare muovo i passi
più duri per seguirTi", ma Tu chiedi

che non mi volti, come se lasciassi
non la vita, la vita che concedi
come dono, vorresti che scordassi
le impennate del sangue, i verdi arredi

della terra, le lusinghe che mordono,
ma mentirei: io posso solo offrirTi
la fidente speranza d'un ingordo

della vita. Lo so che vorrei dirTi
che al Tuo richiamo non sarò mai sordo,
ma ho ancora tanta voglia di tradirTi.

L'ALLEANZA

"... la nuova ed eterna alleanza". E se io
rompo, per debolezza, non sto ai patti
pur sapendo che leggi negli anfratti
dell'anima; e se dico guarda il mio

proponimento fermo, e poi devìo
tutti i giorni (lo so), così che fatti
i conti è quasi blasfemo che accatti
la Tua misericordia; e se nel mio

vivere Ti dimentico, per me
c'è ancora la speranza? M'accarezza
la mente, i sensi, tutto ciò che vede

il desiderio inesausto. È ostile a Te
la giovinezza del sangue che non cede
al tempo: Ti è nemica la bellezza.

CONTRADDIZIONI

Perché quando pregando più vicino
mi sembra di sentirTi, incontrollato
si trascina il pensiero in un giardino
di proibite delizie, e il Tuo invocato

aiuto s'allontana? E se persino
in quei momenti, allora?... Dimidiato
dalle contraddizioni, è il mio destino
cercarTi e non incontrarTi? Il Tuo prato

m'additi, e m'incammino, ma mi volto
alle strade a me note ritornando
al chiasso che m'invita, e cedo, e ascolto

il mio sangue che complice si fa
del silenzio dell'anima, anche quando
la mente chiama alla Tua verità.

LA PORTA

Non per i brevi miei giorni mortali
prego, che come l'acqua del torrente
passano, e niente lasciano, più niente
se non rimpianti; o per tutti quei mali

che con il tempo assediano la mente
strappando ad una ad una alle mie ali
le penne, e non per gli attimi finali,
ma prego per la porta che è sorgente

di salvezza, perché s'affacci l'Angelo
ad accogliermi, l'Angelo servile
che come l'ombra era stato al mio fianco.

Prego perché quell'abbagliante bianco
della luce dischiuda a me quel velo
che ha negato ai miei occhi l'Invisibile.

DIES ILLA

Sento gli strilli degli angeli
che vogliono la mia salvezza...
Scipione

Ma questa fede che mi porto addosso
dall'infanzia (mia madre che cantava
l'Ave Maria nei primi banchi), addosso
come una pelle che non mi lasciava

altra scelta che lei, cucita addosso
nonostante la mente che turbavano
le domande sospese, sempre addosso

anche quando i miei sensi sembravano

dimenticarla nella mia insaziabile
febbre di vita, questa che m'è addosso
fede paziente come l'Angelo vigile

che nel sonno dell'anima strilla
per destarla, mi sarà ancora addosso
e saprà dirmi "sono qui" dies illa?

L'OMBRA

Vegna ver noi la pace del Tuo regno
che noi ad essa non potem da soli...
Dante, *Purgatorio,* XI

Dirada l'ombra Tu che puoi, diradala
per Tua misericordia, non perché
l'abbiamo meritato, non c'è strada
senza il tuo aiuto per giungere a Te.

Rompi il silenzio, conforta chi vada
quasi ostinato a cercarTi anche se
sembrano perse le Tue impronte, e cada
la sbarra della porta quando c'è

tanta fede che vuole spalancarla.
Quale salvezza se resti lontano?
L'anima attende un Tuo gesto a mondarla

con quell'acqua che sgorga da Te solo.
Come potrà se non tendi la mano
staccarsi dalla terra nel suo volo?

DEDICHE

ALL'AMICO MARCELLO, PITTORE

Per tante vie può ritornare a me
la giovinezza a sorprendermi, e questa
"spiaggia" di tinte cupe (Cosa resta –
dicevi – cosa resta?), dove c'è

soltanto solitudine, ridesta
con soprassalto i ricordi, e senza che
lo voglia chiamo "Marcello!" come se
fossi nella sua strada, e lui la testa

alza per dirmi: "Vedi come sono
morto davvero", ed io vorrei abbracciarlo,
d'essere vivo chiedergli perdono,

d'averlo lasciato andar via. Ma rimango
fermo davanti al portone a guardarlo
e nei miei occhi scompare, che piangono.

A UNA RAGAZZA CHE SCRIVE

Mi chiedi, con stupore, cosa sia
che fa nascere i versi, in quale terra
più docile attecchisca la poesia
e se per coltivarla c'è una serra.

Non puoi sapere che perduta guerra
se non s'annunzia per sua cortesia
– con quel profumo raro che rinserra
nel suo mistero – a indicare la via.

E poi seguire quella via che oscura
sale tra curve e ostacoli, avventura
che più t'affanna se ti manca il fiato.

Ma qualche volta, se l'anima vola
alta, il silenzio diventa parola
e tutto nasce che non era nato.

ALL'AMICA RISANATA

Non quell'ombra che temevi era scesa
su di te per annunziarsi: era la vita
a una svolta, e di fronte alla sorpresa
di quel male strisciante, alla sortita

di forze avverse, già pronta alla resa
sembravi, senza lottare, sfinita,
e non vedevi che in quella contesa
s'annunziava nel buio una schiarita.

Ora il dolore che la notte allunga
chi t'ama sa placato e grato chiede
che il suo pregare il suo fine raggiunga.

E l'amico che muta in un sorriso
il suo pianto nascosto, lieto vede
una rosa fiorir sul caro viso.

A UNA COMPAGNA DI LAVORO

Da scrupolosa mi esorti a rileggere
perché tu sai che è sempre correggibile
la parola, il pensiero. E così armeggi
con gli strumenti che hai nel perfettibile

mondo in cui credi. Io, per te incomprensibile
e fatalista, accetto che si scheggino
la tazza, il piatto, e che tutto lo scibile
abbia errori, refusi, e che le leggi

siano ingiuste, perché noi lo sappiamo
che solo questo dà la spinta a vivere
e infonde la passione per correggere

l'equilibrio tentato che non regge,
per un domani che si possa scrivere.
Quando tutto è perfetto in che speriamo?

A UNA POETESSA MISTERIOSA

P.O. BOX 46. Cosa nasconde
questa criptica formula? Un ossario?
Una setta segreta? Lo schedario
d'un polveroso archivio? Chi confondere

vuole impedendo che sia scritto il nome
d'uno scrittore, d'un santo, o magari
di un caduto di qualche guerra – fari
d'esempio per i giovani! – e poi come

senza quel "Piazza", senza più quel "Via..."
poterlo col pensiero accompagnare
a una casa che sempre chi l'invia

immagina. Ed è come consegnare
la lettera – e poi sia quello che sia –
a una bottiglia che s'affida al mare.

A UN AMICO DEPRESSO

La vita è fatta di giorni, ricordalo,
e ogni giorno è la vita. Ogni giorno
che ha un'alba e un tramonto, che accorda
l'ombra e la luce che nasce, che è adorno

di tutti i doni della terra, è corda
che lega il passato al futuro, e ha intorno

le speranze e i ricordi. Vivi, scordalo
ciò che fa nebbia al cuore, ogni giorno

la vita ricomincia. Guarda il volo
dei passeri sul fico, ascolta il canto
che ringrazia, che accetta: questo solo

deve contare a sbiadire la pena
del vivere, a ritrovarne l'incanto:
il fiume della vita è sempre in piena.

FATTI DEL GIORNO

IL RAPIMENTO

I La madre alla figlia

Anche se c'è il silenzio nella stanza
dov'era la tua voce, non sai quanto
dissennata ti cerco: ho la speranza
che tu sia qui. Perché questo mio pianto

non suscita pietà? Di che sostanza
sono fatti quegli uomini? A che santo
chiedere che sia un sogno la distanza
che ci separa, e tu mi torni accanto?

Era già pronto il pranzo sulla tavola
e stavi per tornare dalla scuola...
Angelo chi ha potuto condannarti?

Non chiudo più la porta. Sto qui sola
e t'aspetto. Non devi allontanarti.
Torna. Ho tanto bisogno di abbracciarti.

II La madre a Dio

Tu che m'ascolti e m'aiuti se il cuore
frana, perché, dimmelo Tu, le viscere
che tanto l'hanno nutrita, il dolore
me le strappa, quasi volesse svellere

dalla mia la sua vita, o che un errore
sia stato – colpa mia da non far crescere
come pianta malata – e non l'amore
che me l'ha data, che l'ha fatta nascere.

Vedo i passi, per strapparla dal nido,
senza pietà implacabili avanzare,
sento su me quella mano che il grido

spegne sulla sua bocca, e l'alitare
del suo fiato... Io non odio. A Te l'affido,
ma perdona, non posso perdonare.

MORTE DI UN POETA

Erano pronti, stavano aspettando
soltanto un cenno d'assenso per chiudere
(un ultimo sguardo) il coperchio, quando
una ragazza a un tratto riuscì a eludere

l'attenzione e, tremante, pose aperto
sopra il suo corpo un libro: le poesie
d'amore che lui scrisse. Lo sconcerto
durò soltanto un attimo. Le vie

dell'anima trovò quel gesto, e chiaro
fu per tutti che lei: non prevarrà
– voleva dire –: al poeta una croce

non chiude il viaggio, questo nostro avaro
tempo che ci consuma, e non potrà
quella falce reciderne la voce.

LA FUGA

Non fu mancanza d'amore, non è questo
il problema, che fosse innamorato
si vedeva a distanza. Un pretesto,
dunque lei prese un pretesto insensato

per andar via. E nessuno l'ha più vista
dopo la fuga. E lui? Sconvolto è andato
dai parenti a cercarla, sola pista

da seguire, ma già neppure un dato

che servisse, un indizio. E gli sembrava
d'essere quasi il solo al mondo certo
che lei fosse esistita, ancora aperto

ad un'assurda speranza. Ma sognava
come un bimbo che scrive sulla sabbia
a un passero fuggito dalla gabbia.

NEL VENTO

La vestaglia: solo quella, strappata
sotto le braccia. Una vestaglia in mare,
un fantasma vagante ad evocare
la sua bellezza presto cancellata.

Era uscita nel vento, ed era andata
sola, di notte. Che ansietà guidare
poté gli ultimi passi, rabbuiare
la mente, la sua anima turbata

d'altre nebbie? Chi era, che misteri
hanno nascosto la sua vita, oscura
come quella d'ognuno? Può la morte

svelarla? E chi saprà quali pensieri
nell'ora estrema della sua avventura
ormai vicina alle superne porte?

GLI SPONSALI

Diciotto – da non credere! – diciotto
coltellate nel petto, una corona
attorno al cuore come fosse sotto
quel capezzolo bruno che ossessiona

l'anima, i sensi, lì proprio l'icona
dell'amore tradito, e giù a dirotto
piovono i colpi, e dentro gli risuona
– ora nel rosso dell'estremo fiotto –

l'eco della sua voce, e nella mente
perduta, in quell'ebbrezza, forse sente
che sono quelli i sognati sponsali.

Ma l'Angelo? Perché non è venuto
l'Angelo che l'accolse a darle aiuto
qui sulla terra a insanguinarsi le ali?

IL MATRICIDA

I

Non mi turba quel killer belluino
che in treno uccide una donna e allo specchio
della toilette la soffoca chino
sul collo e sottovoce nell'orecchio

le dice frasi d'amore… quel vecchio
che gode guardandola morire, fino
all'ultimo spasmo. In altro specchio
mi affaccio per sapere che destino

ci attende, dove andremo, e in quello vedo
la mano di un ragazzo che accoltella,
accecato, la madre; e allora cedo

all'angoscia. Guardo, cerco, non c'è
più un segnale a guidarci, una stella.
È il vuoto: e affonda quel coltello in me.

II

O lontana incantata adolescenza
che bussavi alla porta del futuro
per spiare, per cogliere l'essenza
della vita, in quale tunnel oscuro

ti sei perduta? Perché alla partenza
del lungo viaggio con il cuore puro
ti ha marchiato impietosa la violenza?
Guardo l'albero verde e spauro

immaginando il suo fiorire ucciso
dalla folgore. E vedo i tanti lutti
dove l'amore tace: che malessere

ti ha attraversata e ha spento il tuo sorriso
e il dialogo che dovevamo tessere
noi? Noi che siamo colpevoli, tutti.

CONFESSIONE DI UN ASSASSINO

Vent'anni fa? Che dici? È stato ieri.
L'ho impresso nella mente come un chiodo
che ad ogni passo penetra, e i pensieri
ne sono sempre invasi. E non c'è modo

di smussarne la punta che non faccia
più sanguinare. È lì. Eppure a volte
m'illudo, o voglio illudermi, che taccia
il mio rimorso e d'averle sepolte

quelle visioni... Ma questo silenzio
che m'opprime, che mi trasmette il pianto
non placato dell'anima, è l'assenzio

che bevo sempre. E non so più chi sono.
Ma so che una speranza ho sempre accanto:
che tanta pena mi porti il perdono.

DOPO IL DELITTO

Io non volevo farlo, ma non ero
più in grado ormai di fermare la mano
che colpiva, colpiva. Quale nero
velario attorno alla mente! Lontano

io mi sentivo, e come assente. Invano
m'accuso, e dico che è stato un effimero
stordimento dei sensi (così umano!)
e lo credetti l'amore, il solo vero,

e mi accecò, non vidi più che lei:
il mio pensiero, il cuore, non sapevano
che il suo volto, il suo corpo, e non vedevano

che lei, e non s'accorsero che lei,
gelida, come estranea, m'irrideva
senza pietà: era lei che m'uccideva.

BOLLETTINO DI SANGUE

Londra: Jessica e Holly, due bambine
di dieci anni, sono state sgozzate
in campagna. A Parigi: violentate
tre donne (erano giovani, già chine

sui sogni della vita), e poi ammazzate
senza pietà, in un bosco. Nelle prime
luci d'alba sul mare, stessa fine
per Franca D. a Quercianella. Andate

via così dalla vita, e l'impassibile
natura ha offerto la splendente festa

del suo scenario. Forse a quella sorte

sono state chiamate? È inquisibile
il destino? Dimmi Francesco è questa
che tu chiamavi la sorella morte?

IL PORTONE

È possibile mai che appena poco
dopo la mezzanotte, come ladri
lungo i muri si scivoli, e ad un fioco
rumore si sobbalzi? Sono quadri

consueti. Ma se a rifugio invoco
la campagna sognata da mio padre
che sgomento! E mi dico è stato un gioco
da ragazzi (ma prima come squadri

i passanti!) raggiungere il portone,
infilare la chiave. Certo è bello
essere a casa, al sicuro... Chi è quello

che esce dall'ombra e ha in mano una pistola?
Si avvicina. Non dice una parola.
Mi sfila il portafoglio. Da padrone.

IL FURTO

È entrato un ladro. Era giorno. Ha forzato
una finestra dopo aver distorta
la serratura. E poi non ha rubato
niente. Neppure uno spillo. E non conforta

questa notizia insolita. Ha vagato
nelle stanze deserte e ha fatto scorta
fraudolenta d'immagini e ha lasciato
l'impronta della mano su ogni porta

e dappertutto nell'aria il suo fiato
come un marchio. E ora so che resterà
inquietante fantàsima sospesa

nella casa, per sempre. Ma l'offesa
è d'avere la nostra intimità
spiata. Questo: è questo che ha rubato.

L'OMBRA E LA LUCE

(2004-2010)

IL PERCORSO

I MIEI LIBRI

I miei libri. Li guardo
sugli scaffali, e mi dicono gli anni
che io vissi di loro,
                    mi dicono
le lunghe notti in cerca di parole
come un ebbro entomologo nel folto
d'una boscaglia,

di parole che forse cadranno
nel pozzo dell'oblio,
ma che dettero
febbre ai giorni,
                    miei libri
che lascio dono d'amore a chi dopo
di me verrà.
               Per ricordarmi,
                              mio segno
d'esserci stato.

DORMIVEGLIA

Quali fantasmi gli occhi della mente
vedono, quando in bilico
sta per nascere il sonno
e s'allontana spegnendosi
la trama dei pensieri.
                      Il cielo
in quei miraggi è limpido
come dipinto dagli angeli
e le rose non sanno
che debbano sfiorire.
E tutto viene incontro

alle mani già tese
e la carne,
questa debole carne, non è mai
né stanca né sazia!
E nella torpida
virtuale realtà del dormiveglia il cuore
si rasserena se fuggono
gli spettri che l'assediano.
Tutto consola e lenisce.
E allora siano perdonate
le fughe in quei fantasmi della mente
che da un mondo lontano ci raggiungono
come una pioggia imprevista che spezza
il fuoco dell'estate.

I MORTI

I morti, loro, i più cari, mi vengono
sempre accanto,
e mi parlano,
con gli occhi e le mani mi parlano,
e li vedo
non come vane ombre
che il sole cancella, ma vivi
in uno spettro luminoso,
quelli
più legati al mio sangue, che mi tendono
le braccia come per stringermi,
e gli amici
che troppo in fretta
senza voltarsi per un addio...
portandosi
via una parte della mia
vita con loro,

i cari morti mi vengono
sempre più accanto
per consolarmi.

Li vedo che s'aggirano
la notte nella mia stanza,
rassicuranti, a dare
lievito alla speranza.

MIA MADRE A CAMPO DI MARE

Era a Campo di mare quell'estate
che tu lungo il filare d'oleandri
che tanto ti piacevano,
in una spola d'amore fra le case
di tua figlia e tuo figlio, camminavi.

Ti guardavo arrivare da lontano
e non pensavo (e avrei dovuto!),
che quei tuoi passi svelti
erano gli ultimi su questa terra.

E ora qui, nella stanza
dove mia moglie è seduta
nella poltrona che ti cedeva, vincendo
la tua resistenza, mi volto
alla mia vita ormai
più lunga della tua
(e te ne chiedo
perdono, come d'un torto)
e m'accorgo
che in tanti anni non t'ho detto mai
grazie.

ALLA SPERANZA

Restami accanto, speranza, non cedere.
Non credere se dicono
gli anni che porto addosso,
– e contando

quelli che suppergiù
mi restano –
sussurrano
che già sarebbe giunta
l'ora, per me, di saltare
quel fosso.
Resisti,
sorridimi con la tua luce
in quest'ombra che avanza,
tu mia materna mano che mi guidi
fra questi fogli, tra queste
fragili carte affannate.
Non restare in disparte
quando imbocco una strada
nuova, che mi conduce
a fare un'altra prova.
O a progettare sognando
un lontano domani
(che non vedrà
l'aurora, ma sognare
è amare ancora)
come se fosse infinita
la vita,
anche se sono
(ma l'ho sentito dire
dagli altri
e li perdono)
ormai vicino a morire.

IL SEGNO

E dimmi quando
si comincia a morire.
Se una mattina aprendo la finestra
e in cielo ride la luce, una nuvola
nera passa sul sole

e l'oscura:
è quello forse
il segno?
O quando
sul giardino splendente
come una furia s'abbatte l'uragano
e scende precoce la notte
e anche i fiori s'arrendono
disfatti in un pantano,
o quando,
mentre la festa fra gli amici impazza
e m'abbandono
(la musica
mi porta via)
smemorato
e all'improvviso
sono solo,
e mi pesa sul cuore e mi ferma
la nostalgia?

NON ANDARTENE

Ti prego non andartene, resta
qui dentro me, ch'io possa
amarti e goderti
e amare in te
questa luce che dice
ritorna sempre il giorno avanti
non ti fermare,
e quest'alito ardente
dell'estate che scalda
i sensi e li moltiplica,
e amare
questo corpo inquietante,
con le sue valli, con le sue colline,
che esalta le geometrie del mondo e quando
gli occhi e le mani si accostano

fermano il cuore,
e struggimenti e dolori
in quella febbre scolorano,
ti prego
non andartene ancora
dolce vita che fuggi.

IL BANCHETTO

Esca, prego! È già stato servito
anche il caffè.
(Chi c'è
che m'invita
drasticamente ad uscire?)
Non voglio
ancora alzarmi, lasciare
questa tavola.
Arrivano
i nuovi commensali,
prendono posto vociando
come padroni, comincia
un'altra favola.
Fingo
d'essere anch'io con loro
perché lei non mi veda.
Per rimanere m'aggrappo
alla bottiglia di grappa,
e ancora goloso mi servo
un'altra fetta di torta.
La sento
che sbircia, m'aspetta
laggiù dietro la porta.
Mi accendo,
per distrarla, nascondermi nel fumo,
anch'io una sigaretta. Ma lei,
che fruga nel pensiero,
ora spegne la luce, mi coglie

con le mani nel piatto,
insaziato, che tento
di godere il banchetto
fino all'ultimo fiato.

IL NOCCHIERO

Che lungo viaggio potrai farmi fare
con due sole monete?
È dunque breve il salto?

So che m'attendi
per farmi traghettare
da queste dolci rive a quelle oscure
che già prevedo tremandone, là dove
solo per grazia troverò la luce.
Ma tu, gentile nocchiero, non staccarmi
gli occhi di dosso,
perché non mi ferisca il desiderio
di voltarmi.

DOMANI

Volevo dirlo e non l'ho detto, e ora
se n'è andata, non sa, non può saperlo
più, e non potrà ascoltare
quelle parole che volevo dirle
e in lei sarà rimasto
un amaro sospetto annidato.
Ho aspettato. C'è tempo – mi dicevo –,
c'è tanto tempo... Domani.
E all'improvviso basta
una breve notizia sul giornale,
soltanto poche righe che mi dicono
è troppo tardi ormai,
non ci sarà domani.

ESTATE

(A Pippo Cirillo)

Con gli occhi chiusi, stordito,
all'abbraccio del sole m'abbandono,
alle sue dita insinuanti che scivolano,
a quelle sue carezze che sfiniscono
come un piacere proibito.

E in quell'amplesso rovente si brucia
l'incombente roveto del pensiero
con tutti i rami che si aggrovigliano,
ma altre piante fioriscono
nell'ebrietà.
Non vedo,
non sento più nulla, lontana
mi culla la voce del mare
mentre il sole m'indora e mi fa
eterno per un'ora.

SOGNO LIVORNESE

È questo vento caldo,
questo scirocco che viene dal mare
ora a chiamarmi indietro indietro a Livorno
nel silenzio irreale
d'una città veduta dietro un vetro.
Mi volto e sono io
con i calzoni di moda alla zuava
fra i miei compagni di scuola
(le dita unte di frati
fritti, lo zucchero
appiccicato alle labbra),
io che ora
una musica inseguo correndo
verso il Pancaldi e mi perdo
fra le cabine, è un labirinto, soffoco,

ma suona un'orchestrina e lieto ballo
vanitoso nei primi
miei pantaloni lunghi.
Ecco, ad un tratto
la musica è lontana, risucchiata
da una sirena che crea
attorno a sé il silenzio, e inutilmente
si leva il vento fra i portici,
non c'è altra voce ormai
che quella delle bombe che deflagrano
e vago in una strada di macerie,
e in quel deserto d'uomini
io cerco lei, la chiamo, ma il suo nome
si scioglie in un lamento
(più nessuno che amavo, più nessuno)
e dalla nebbia di polvere un tram
che vola sale in alto ad incontrare
la Madonna sul monte (forse Lei
potrà salvarmi!) e cerco di raggiungerLa
ma cado, *non sum dignus*,
e ora grido spaventato aiuto
aiuto! Perché vedo, gigantesco,
venirmi incontro ghignando una piovra
che m'avviluppa e mi soffoca
con la sua oscena chioma di tentacoli.
Ma ecco, a liberarmi
la sveglia!
E mi vedo
sgomento nello specchio
già vecchio in quest'afa di Roma.

"Frati" è il nome che danno a Livorno alle ciambelle che hanno il pregio di venir fritte davanti al cliente e poi immerse nello zucchero che così si appiccica, gustosamente per i bambini, sulle labbra. "Pancaldi" è il nome di un elegante stabilimento balneare. La Madonna sul monte è la Madonna di Montenero, celebre santuario su una collina nei pressi della città.

UN ANNO

È già passato un anno
e sembra ieri
che mi venisti incontro
correndo. Ed io pensai: che foga
di vita in lui, che giovinezza ancora
intatta, suscitando
in me qualche rimpianto, e mi parlasti
dei tuoi progetti.
E ora,
mentre qui, in questo tratto di strada
dove ti vidi allora, corrono all'impazzata
le motorette e le macchine, tese
a chi sa che traguardo, tu sei
dove solo il ricordo può raggiungerti.

Soltanto un anno. Che vento furioso,
che frana il tempo!

MEMENTO

ADDIO ALLA FIGLIA

(A Memi Apuleo, al suo dolore)

Non piange.
                    Con le lacrime
è fuggito dagli occhi anche il sonno.
                                        Ora finge
di non saperlo, non vuole saperlo
(cosa può fare nella sua impotenza?)
che è sua figlia che è morta.
                                  Che è morta
senza aspettare il suo turno, ribelle
contro le leggi della natura,
                                  e non vuole
che qualcuno le dica che è morta, vorrebbe
finalmente dormire...
                            e sognarla
nel suo gioioso correre
dietro al cane sui prati,
                             ricordarla
così, viva, per sempre,
se la carezza del sonno venisse
a consolarla.
                    E forse allora
al risveglio
nella casa più grande dove nessuno risponde,
in quella immobilità del silenzio
                                      finalmente
piangere.

LA PORTA CHIUSA

(All'amico Mimmo Giuliani,
psicanalista che amava i giocattoli e il gioco)

C'è, nel silenzio,
un Babbo Natale che suona
i piatti.
(Ma nessuno
lo asseconda nel ritmo
battendo le mani).
Nessuno
siede al tavolo verde che attende
per il tressette
("Il tressette
cancella i pensieri che turbano,
dà pace").
E il cane
inutilmente gira a vuoto
con la palla di gomma nella bocca.

E io adesso perché
apro la porta del tuo studio
e invento in me
la tua presenza, la tua
mano tesa ad accogliermi?

E sono in tanti
(li sento alle mie spalle)
che vogliono entrare
nel disperato bisogno d'ascoltare
le tue parole che mettono in fuga
i mostri della mente, che conducono
alla vita che torna.
Ma tu
hai chiuso per sempre la porta.
Inutilmente
l'amore impotente ha cercato

di opporsi col dolore
all'ostinata tua fretta d'andartene.
Io lo so
che tu sei qui per sempre,
ma ti nascondi allo sguardo che ti cerca
nella cortina ferale di fumo
della tua sigaretta.

EPICEDIO PER UN SUICIDA

(A Gino, ancora incredulo)

Perché? È soltanto questa
la parola che inutilmente
annaspa senza risposte
nel buio della mente.

Era così avvilita
spenta la tua giornata
da non farti più credere
nel dono della vita?

Perché? Forse sentendoti
soffocare nella tua stanza
hai risposto all'invito
perentorio dell'infinito?

Sul tavolo una lettera
alla tua donna amata:
una tua disperata
richiesta di perdono.

Forse di fronte al vetro
di quella notte nera,
hai pensato: non posso
più ritornare indietro.

E forse hai chiesto aiuto
dicendo una preghiera?
O hai pensato che Dio
ti avesse abbandonato?

Che eri rimasto solo?
O hai sentito, in quel volo
senza luce di cielo,
che ti aveva salvato?

Quanti forse e perché
lasci dietro di te.

QUEL PORTONE

C'è dietro la mia casa, a filo
d'aria non più di venti metri
un luogo
(e posso
quasi sentire le voci e i lamenti)
dove si va soltanto per morire.

È in una strada ombrosa piena d'alberi
che l'aria verde dei prati preannunzia
di Villa Sciarra.
In quel luogo,
un giorno è entrata, strappandosi
dal cuore la speranza
una poetessa nel fiore degli anni.
E ora che il suo *"corpo
si è fatto musica"*
l'uomo che ha amato la riporta
con un poema alla vita immortale
della memoria
e le parole incise nel silenzio
sono l'ombra del pianto.

Quando io passo in macchina davanti

a quel portone
inutilmente tento
di correre per non udire
quel memento che sale,
quel rinnovarsi in me
del preavviso,

e senza ch'io lo voglia s'allontana
il piede dal pedale
del gas, e già rallento
e come chiamato mi volto
a lei con una prece che l'aiuti
e la triste memoria dei suoi versi.

I poeti, cui la poesia allude, sono la compianta Giovanna Sicari e Milo De Angelis. La citazione fra virgolette è tratta da una poesia di De Angelis.

MICOL, NEL FIORE DEGLI ANNI

(Alla figlia del poeta Daniele Cavicchia)

Qui, dietro una piccola finestra
che ha il vetro che ancora si appanna
c'è lei che è morta.
È morta, anche se il suo
tenero cuore continua
fiocamente a resistere.
Lei
che è morta
ai gesti, alle parole, ai segni
che noi usiamo ogni giorno,
ma è viva
nella sua fulgida luce che i nostri
occhi ciechi non vedono.

Questa finestra è un oblò che s'apre
sul mare oscuro dell'infinito

e ci respinge impotenti,
noi, e sua madre e suo padre
giù nella terra da dove
vorremmo gridarle che corra
dalle compagne che l'attendono.
Ma siamo muti, fissi a quell'angelico
volto già esangue, e vorremmo
per un solo momento richiamarla,
e non riusciamo a capire quell'eclissi
che a poco a poco ce la porta via,
né dove, in quale altrove la conduce
la luce folgorante del suo volo.

LETTERE

A UGO ATTARDI

In una foto giunta con la posta
per un invito ad onorarti ancora
nel tuo valore, hai gli occhi
che guardano fissi nel vuoto
con la struggente malinconia
di un lago nella nebbia, e forse vedono
già quella porta che s'apre per accoglierti.
E io in quegli occhi cerco inutilmente
la tua febbre di vita, e mi volto
alle note di un tango che mi chiamano
e in quelle note ti trovo,
ma all'improvviso la musica
in un silenzio gelido si spezza.
E tu mi guardi dalla foto come
per dirmi: vedi
che grande lontananza ci separa.

A GIUSEPPE CONTE

Le parole, lo sai, sono suoni
che cercano un'eco, come un insonne
tam tam che nel silenzio
d'un bosco impenetrabile
manda segnali.
Ed io ti sono grato
che a stretto giro di posta mi hai trasmesso
l'eco della tua anima gentile.
Che altro può
desiderare un poeta nel fracasso
del mondo che lo tollera,
se non questo: una mano
vibrante, che suoni lontana
la stessa nota che ha suonato lui.

A DANTE MAFFIA

Quale dolcezza, Dante, quel mattino
saliva dalla spiaggia della tua
assolata Calabria, come una mano in me
che spegne l'inquietudine. E noi insieme
parlando di poesia, lietamente andavamo
fra le piante ventose
che come sentinelle l'adornavano.
Era il mitico mare d'Ulisse, e sentivo
che quella luce alta che avvolgeva
noi e tutte le cose, si faceva
presagio d'altri approdi.
Ora
da questa stanza a quel mare
e a quella luce torno, mentre batte
alla finestra la pioggia
e io rivivo inventandola, a difesa,
quella felice estate
per non vedere quell'ombra
che già dilaga in questo
mio provvisorio esilio.

A DAVIDE RONDONI

Davide,
che emozione
mi hai trasmesso leggendo quella tua
poesia, quasi un racconto,
micro teatro, in cui parli
(e in filigrana il pensiero tremante
del nostro vivere in bilico)
di una donna che muore in un tassì.
È d'estate, sul mare, e non è questa
la stagione, e non c'è
la stagione – tu dici –
"per andar via così".

Ma non c'è mai
Davide, una stagione, non c'è un modo,
sole o luna, canicola o tempesta,
morbo spada veleno o acqua o fuoco,
per cui non gridi a quel brivido la mente,
che si possa accettare quell'uscita
di scena,
o che ci appaia, e sia
soltanto come una partenza, un viaggio.

Ma non è un viaggio se non ha ritorno.
Quell'andar via è per sempre.

LOTTA CON L'ANGELO

MA COME POSSO

1. (L'arbitrio)

Ma come posso – piagato
da tutti i mali da tutte le colpe –
io che non ho le ali,
levare lo sguardo
dalle cose concrete, reali
come la siepe, il bosco, il filare
degli alberi,
                    o da questa
turbolenta città senza pace
nell'illusoria parvenza
di festa,
            o tentare (ma chi
mi dà l'arbitrio?) di vedere
oltre ciò che si tocca (e consola!)
una bocca che vuole offrirsi, il cibo
che appaga il gusto, la gola,
                                        o, al di là
di ciò che chiede risposta:
il dolore del mondo,
l'intolleranza che semina in terra
la guerra,
              il mistero
di questa nostra
inaccettabile morte,
                           o scrutare
(osare) con i miei occhi ciechi
là dove neppure la mente
può spalancare le porte?
                                Io
che ho dentro un groviglio di nubi,
come posso parlare
con Dio?

2. (La rosa)

Ma come posso pregarTi se un vento
che brucia dentro, mi assale
trascinandomi via,
non mi fa
restare qui dove chiami, qui dove
con il cuore e la mente dovrei
e sempre più lontano
mi porta la fantasia

(come un amore malato che non sa
resistere al tradimento).

Ogni giorno, ogni ora
questa lotta estenuante con l'Angelo
che mi divora.

Ti credo, ma non mi basta.
Sento il frastuono nell'anima
del Tuo silenzio.
Ti rincorro e Ti perdo,
Ti cerco e non Ti vedo.

(Nel buio della notte c'è una rosa
che emana più intenso il profumo
come a volermi dire
io ci sono, ricordalo.)

3. (Le mani)

Con queste mani
che hanno peccato e pregato

tenere alle carezze
ma forti per lottare

con queste mani già stanche
che hanno fatto soffrire e godere

che sono state culla
d'un bimbo appena nato

con queste mani ruffiane
che mi coprivano gli occhi

per non farmi vedere che sbagliavo
con queste mani d'ossa che si sfanno

dove già leggo il mio destino segnato
dimmi Tu come posso

io, bussare alla porta del mistero?

IL DONO

Vuoi umiliarmi.
Per questo
mi lasci vivere ancora.
Io fingo
di non capirlo. Vado
nella spavalda illusione di credermi
sempre lo stesso.
Ma poi
gli occhi degli altri che guardano
diventano i miei occhi,
e li annotano,
ad uno ad uno sommandoli,
i segni, i graffi
del tempo.
Sgomento
vedo quello che sono.
È dunque questo: Tu vuoi che mi accorga
che a poco a poco
il tono del canto è più fioco
e mi prepari a renderTi
il Tuo perfetto dono.

LA VITA CHE MI CHIAMA

Fra la Tua lontananza e me che, brancolando
come un cieco, Ti cerco
c'è, a separarci – mio sofferto ostacolo
ad un'alba intravista –
la vita.
          La vita che mi chiama,
la vita che mi tiene
ancorato alla terra come un albero.

Eppure è questo il Tuo dono. E ovunque
volga lo sguardo o il pensiero,
– a uno svolo canoro nel cielo, alla voce
del vento fra gli alberi, alle vette
nevose dei monti, alle inviolate
profondità del mare, ai prati
rasserenanti –
                    trovo
la vita che hai creato, e sento
che qui dimori e vedo
le Tue paterne mani.
                              E allora
perché la vita – carne e sangue – è un peso
per trovare la strada
dell'infinito?
                    Siamo
di fronte a un mare
limpido tanto da lasciar vedere
sul fondo il fuoco rosso dei coralli.
Come si può resistere? È una colpa
il tuffo che risponde a quell'invito?

IL NEMICO

Porto un nemico in me.
                              Se lo tengo
a bada, e lo sorveglio

quando da presso mi incalza
e mi stringe alle corde,
mi morde col suo fiato
mi mette in croce sperando
che io stremato cada,
per un po' finge di arrendersi, ma so
che mi ha braccato,
che non ho scampo sulla sua strada.
Non è mai sazio di ciò che si prende,
chiede altro spazio, alza la voce.

Aiutami
ad annientarlo,
a liberarmi aiutami
da quella croce.
Io posso
offrirTi, come pegno la mia guerra,
spegnere la mia terra che T'offende,
e ridestare
la mia gioiosa voglia di seguirTi.

IL TANGO

Eri dietro la porta.
Ti ho lasciato
fuori, nell'infinita solitudine
della piazza affollata.
Ho finto
di non sentire che stavi bussando,
che mi chiamavi.
(Dovevo saperlo
ch'eri venuto a cercarmi.)
Ascoltavo
le note ardenti di un tango,
ero perduto, chiuso
dentro il mio fango.

DENARI

E ora che mi guardo nello specchio
(già vecchio!)
e mi vedo
(o credo
di vedermi)
m'accorgo
che ho dissipato
la borsa di denari che m'hai dato
alla partenza
senza capire, senza
pentimenti,
aperto
a tutti i venti
che mi portavano.
(Inutili
questi miei fiochi proponimenti,
le mie veloci preghiere
biascicate
fra i denti.)
M'accorgo
che ogni risorsa l'ho persa
perché, distratto, ho lasciato
fuggire i giorni,
sfiorire
la vita sogguardata
come da un treno in corsa.

AL SEMAFORO

(A Franca Alaimo)

Scatta il verde
e come a una diga che s'apre
c'è un fiume che attraversa.
Si perde

lo sguardo in quei volti, in quegli occhi.
È l'ora in cui la città si riversa,
con gli ultimi centesimi di sole,
nelle strade.
Non sa
che sei nascosto fra la gente: e qui
T'aspetto.
Nel petto mi batte
la speranza che ora qui sull'angolo
io possa ad un segnale riconoscerTi.
Ma appena mi raggiunge
il Tuo pensiero a chiamarmi,
a me nemico in questa mia sofferta
contraddizione, scantono.
Ti sfuggo,
fingo di non sentirTi: è questa l'ora
che le stelle si spengono
nel fuoco delle insegne e dalla luce
nasce ruffiana l'ombra che ridesta
i miei fantasmi in agguato
e io rispondo al miele che seduce.

LA NIPOTE

La mia nipote prega.
Prega davanti ad un Cristo sbiadito
nell'ombra penetrante
d'una piccola chiesa rupestre
dove l'amore per l'arte l'ha portata.
Nel vento
della sua primavera
(quando era ancora assetata della vita
e nel silenzio i suoi sogni cantavano),
io la vedevo danzare camminando.
E ora –
come quando un diluvio in piena estate
muta il paesaggio –
turbato,

incredulo,
vedo
che lei diventa all'improvviso un albero:
legno le gambe, legno
le sue braccia contratte
nella pienezza del suo donarsi.

Prega con mute labbra, ormai perdute
quelle parole eterne che da bambina ha imparato.
Prega nel suo pensiero che Lo insegue.
Non sa più riconoscerLo
nelle navate odorose d'incenso.

E io dico: mio Dio
ci sono tanti ruscelli fra le pietre,
Tu non farli perdere
sulla terra, fra i rovi, riconducili
tutti nella salvezza del tuo mare.

L'ANGELO

Angelo che nascondi
le ali per starmi accanto
e mi proteggi quando
attraverso la strada
perché sia sempre salvo
quel bambino che è in me
e non smarrisca mai
la freschezza del cuore,

Angelo che il mio stupore
delle stelle e del bruco,
del colibrì e del mare,
difendi come un fiore
che non deve appassire.

Angelo non mi guardare,

ma vòltati per non vedere
se lascio l'acqua limpida
del ruscello e mi crògiolo
e sguazzo in un pantano
che mi porta lontano
da te che inutilmente
mi chiami, sfiduciato,

Angelo che per me
nascondi le tue ali,
àprile e fammi vento
per destarmi su un prato
immacolato, e che torni
al tuo fianco per sempre
il tuo bambino salvato.

LE ATTESE

Un altro giorno è passato
senza carezze né schiaffi
(come aver camminato sulla sabbia
senza lasciare un'impronta),
senza una pagina scritta, né un verso,
inesistente
come un disegno sull'acqua.
L'opacità mi porge
la sua scheletrica mano.

Ma io lo so che poi,
a un tratto, da lontano, la parola,
nel mio silenzio, a darmi
la ragione di vivere, risorge.

E persino il mio marzo
sempre in subbuglio, è riuscito
a deludermi: ancora non chiama
la natura a destarsi. E io guardo

con sgomento la mia finestra buia.
Tutto il giorno la luce ha tentato
di farsi spazio in un prato di nuvole.
La primavera stenta a decollare.

Ma il fiato della sera
dà notizia del mare.

PREGHIERA DI UN FRATICELLO NOVIZIO

Le nuvole passano, vanno.
Da qui le guardo, fermo nel convento
dove il Tuo amore mi ha chiamato.
Ascolta
l'umile mia preghiera: solo questo
Ti chiedo alzando gli occhi sul Tuo cielo
da questa montagna innevata: fa' ch'io sia
in Te sempre racchiuso
come la linfa nell'albero
che non sa della pioggia e del vento.
Ma le mie mani ancora
hanno memoria della pelle
tenera alle carezze,
e i miei occhi di terra hanno ancora
vivida la memoria...
Vieni Tu
a liberarmi, a mondare
le mie mani che debbono toccarTi,
a lavare la mente
con l'acqua Tua salvifica.
Per sempre
immobile sia la mia vita, non abbia
che passi verso Te l'anima mia
arresa al Tuo volere,
e il silenzio m'avvolga nell'attesa.
Muovano l'aria soltanto
gli uccelli felici che cantano.

IL TUO CORPO

(A Giovanni Paolo II)

Fu da quel giorno.
Salivano
macchie di voci, i canti, le preghiere,
e la folla ondeggiava abbracciandoti.
In te che conoscevi il passo duro
dell'oppressore,
nella memoria del cuore ferito
altre folle facevano ressa, fuggendo
dai carri armati e dai kalashnikov.
Ma per quella tua mano
benedicente, ora avevano pace.
E forse fu per chiudere le porte
al tuo potere salvifico che il male
macchiò di sangue la tua veste bianca.

("Grazie Maria che sei scesa
a farmi scudo alla morte".)

Fu da quel giorno
che è cominciato il calvario,
la tua offerta ostinata, e noi leggiamo
increduli, quel diario.
Il tuo corpo piagato
ha raccontato il dolore.
La croce astile è stata il tuo sostegno:
lei ti portava e tu
fratello e padre accanito d'amore,
chiedevi ancora la vita, da nocchiero
che non vuole lasciare la barca.

Malato come noi,
stanco d'anni e di pena, con il fiato
della morte che umilia
il passo, la parola, e non la mente!,
con il silenzio e lo sguardo ci hai parlato

nell'ebbrezza esibita del donarsi.
Il tuo corpo Vangelo vivente.

PREGHIERA AL PADRE

Padre di tutti che stai
in quell'altrove inconoscibile
dei cieli, e qui in terra,
invisibile e muto,
e vedi il male che ci facciamo
con il corpo e la mente, orgogliosi
di questa nostra libertà di scegliere,
Tu che ti sei umiliato
nella carne dell'uomo,
schernito, frustato, oltraggiato
fino all'insulto estremo della morte
– per noi che non vediamo
che è soltanto una duna che il vento
spazza e cancella, la strada
su cui camminiamo –
fa' che sia
la nostra volontà solo il riflesso
del Tuo paterno disegno incomprensibile,
che nel Tuo nome si possa raggiungere
la concordia del pane fra le genti,
e che non sia la terra
con i suoi incanti, con i suoi legami,
l'ultimo nostro struggente pensiero, ma l'eterna
felicità annunziata.
E raccoglici
nell'infinita Tua misericordia
anche se tante volte, confusi noi T'abbiamo
dimenticato.

DAL LIBRO

L'ANNUNCIO

Entrando da Lei disse: "Ti saluto o piena di grazia, il Signore è con Te."
Luca 1,14

Mi ha ferita una luce. Era accecante.
E quella luce mi ha parlato. Aveva
suoni d'arpa. E la luce
diceva: "Non temere,
io vengo a Te esultante
Angelo del Signore".
(Da me?
Che mai poteva
chiedere a me? Pensai,
già sconvolta, pulendomi
di nascosto le mani sul grembiule.)

Dopo, già esangue, udii
ciò che il mio cuore non poteva reggere.
"O piena di grazia
(e raggiante
divenne l'umile stanza!)
Tu sarai
Madre del figlio di Dio e Madre di Dio".
Dissi: "Venga lo Spirito e m'invada,
passi da me la strada".
Poi fu silenzio e si levò frusciante
il vento delle ali che s'aprivano.

LA PROMESSA

"Bevetene tutti, perché questo
è il mio sangue..."
Matteo 26, 28

E dopo disse: "Bevetene tutti,
questo è il mio sangue". E cosa mai pensarono
loro, storditi, pure avvezzi ai flutti
di quell'oceano d'anima? Guardarono

Lui che levava il calice, e dall'uno
gli occhi andarono all'altro. E: "Sarà vero?"
si chiedevano. E il pane che ad ognuno
aveva dato? Un macigno il mistero

di quelle oscure parole. La mente
come perduta dentro un labirinto.
Ma ecco, in quel silenzio, la lucente

voce: "Andate, rifate il mio cammino.
Lo spettro della morte sarà vinto.
Voi muterete nel mio sangue il vino."

GIUSEPPE

Mio Dio come è possibile
in lei che è tutta luce,
quell'incredibile colpa?
Chi ha osato
sfiorarla?
E io dovrei,
io che tanto l'ho amata e l'amo ancora,
ripudiarla, dimenticare
i nostri giorni felici, lasciarla
alla piazza crudele che giudica,
alle mani che gridano e non sanno
quello che fanno scagliando le pietre
sul suo viso di luce
sul suo corpo che è colmo d'amore,

e far tacere il mio cuore che sanguina?
Cosa sarà di lei,
cosa sarà di me?

Ma nella notte che porta consiglio,
mentre dormiva il suo sonno affannato,
gli apparve in sogno un angelo e gli disse:
La tua Maria, Giuseppe,
porta nel ventre l'aurora
del mondo, Lei sarà
la madre di suo padre
che chiamerai Gesù. E tu non hai
colpe da perdonarle. Amala ancora.

LA PECCATRICE

Ed ecco che una donna, una peccatrice...
venne con un vasetto di olio profumato.
Luca 7, 37

Osò guardarlo e si gettò in ginocchio
a chiedere il perdono, lei che aveva
pubblicamente peccato,
e Gli bagnava i piedi con le lacrime,
li ungeva e li asciugava
con i suoi lunghi capelli.
(Si accendeva
la speranza nell'anima: "Se credo
sarò salva!")
Bofonchiava
la gente attorno: "Non sa
che mestiere faceva?"
"Perché
– disse Gesù guardandoli –
tanto scandalo? C'è
forse un dottore che guarisce i sani?
A chi mi cerca tendo le mie mani.
Poi volgendosi a lei: "Ti ho perdonato
i peccati perché tu hai tanto amato.

(Chi si stupisce? L'amore
è il miele che guarisce).

TOMMASO

Metti qui il tuo dito e guarda le mie mani...
Hai creduto perché hai veduto.
Giovanni 20, 27

Quanti uomini passano che lui non vede.
I carri
mandano polvere agli occhi e gli occhi
hanno immagini dentro che resistono.
Perché
dovrebbe vederlo?
È un uomo
come gli altri, i suoi passi
risuonano pesanti sulla ghiaia.

È già calata la sera negli alberi, la strada
si è fatta buia.
Ma ora, ecco, ad un tratto
cos'è quella luce del viso
che cancella la notte e lo chiama?
Turbandosi
(mio Dio com'è possibile?) lo vede
ora ne è certo: è Lui!
E allora vergognandosi
è il cuore che gli grida
è risorto!
Ma lui povero uomo come può
accettarlo. Ora vuole
toccare con il dito il Suo costato
per credere.
Ed è
un fiume d'acqua torbida il rimorso.

(Questo rimorso sia la nostra fede)

LA TEMPESTA

Saliti poi sulla barca
i suoi discepoli lo seguirono.
Matteo 8, 22

Com'era scura l'acqua che faceva
specchio alle nubi, e come urlava il vento!
E il respiro del mare all'improvviso
s'era fatto nemico e persino
i pescatori avvezzi alle tempeste
erano ormai nella rete
del terrore, e invocavano
(ma Lui dormiva!):
"Signore
siamo perduti, salvaci!"
E Gesù si destò:
"Perché
questa paura – disse –
gente di poca fede?"
E con un gesto
della Sua mano fu placato il mare,
si ritirò nelle sue gole il vento.
"Chi è costui – si chiedevano attoniti –
che al mare e al vento comanda?"

(E per noi
quando perduta nel vento
la nostra barca affonda
farà un gesto a salvarci
dallo sgomento?)

NEL MALE DEL MONDO I: BARCHE DI CLANDESTINI

Ama il prossimo tuo come te stesso.
Dal Vangelo

Io, la mia patria or è dove si vive.
Giovanni Pascoli

(Una madre)

Chi parlò di speranza? Per noi
come una piovra l'ha inghiottita il mare.
E tu perché, desiderato figlio,
non sei rimasto al caldo del mio ventre
per sempre? Perché sei venuto
qui dove tutti gli uccelli
portano il cibo ai piccoli
ma non tua madre,
qui dove prima di me
ti ha voluto la morte?
E ora ti depongo, così pallido!,
sulla fragile bara del mare
e per un poco veleggi al mio fianco,
ma t'allontani sull'onda
e sono braccia i miei occhi che ti seguono.
Poi mi lasci e scompari.
Avrai freddo. Per te
solo una coltre d'acqua.
A lei ora t'affido e che ti sia
materna più della terra.

(I gabbiani)

È un brivido.
Passa
sui loro corpi un'ombra.
Sono i gabbiani!
E vorrebbero
gridarne l'annunzio
(l'angoscia
a quell'albedine d'ali
già vola via),
ma è inutile: non hanno
più fiato nel petto, rubato
da quella sete disumana, e sono
mute piaghe le labbra.

Vorrebbero gridare
perché dopo tanto pregare li ascoltino
gli spiriti santi degli avi
e vengano qui nella barca a strapparli
dall'agonia.
E vorrebbero,
con gli occhi bruciati dal sole,
laggiù dove l'onda s'acquieta,
vedere la terra che allarga
le sue braccia a salvarli:
ma non c'è
più nessuno che faccia un solo gesto
o che rida o che pianga.
Anche il dolore
muore.
E tutto è immoto:
si è spento
con l'ultimo singulto del motore
il fiato della vita.
Tutto è silenzio.
Respira
soltanto il mare.

(Le gambe)

Addio vaste pianure dove correva libero a gara
con le gazzelle nel vento, e dolce l'ombra
inseguiva l'odore dei ginepri.
Erano le sue gambe
come la corda dell'arco
quando è teso davanti alla preda,
e la sua caccia splendeva vittoriosa.

Ora la terra lucente è lontana,
l'ha strappato nel sangue
la morte con il volto imprevedibile
dei suoi fratelli.
                        Ora non c'è
che l'infinita vastità del mare,
l'acqua soltanto l'acqua
che sciacqua nella mente
e la fa delirare.
                        Ma lui
continua ancora a correre
verso orizzonti sognati
e sente i canti lontanare, sente
le invocazioni, i gridi
delle sue donne sgozzate.
                                        Corre
con le sue gambe di ghiaccio schiacciate
in questo abbraccio di corpi contorti
degli ultimi vivi
                        e dei morti.

(La sabbia)

Quale luna più luna di questo
irraggiungibile approdo:
disperato
sogno, miraggio
dove il piede dubbioso si tende
a toccare la sabbia che brucia
di ferro e di sole.
E non c'è abbraccio di donna
che meglio potrebbe scaldare
i loro corpi intirizziti
dal gelo,
né grembo
più accogliente per loro.

Questa è la porta:
aprirla
è l'avventura,
e l'avventura non sai dove conduca.
Da qui, da questa spiaggia,
dove la solitudine più duole,
rinascere,
parlare
con gli sguardi imploranti,
balbettare
nuove oscure parole.

(Una sposa)

Perché mi hai lasciata? Non sapevi
che porto tuo figlio nel ventre?
Perché è stata più forte
del mio amore la morte?
Non sapevi
che metto i miei piedi
nell'orma dei tuoi piedi,
e mi nutriva soltanto
la tua speranza?
Io non avrei dovuto
offrirmi a te,
conoscere
la dolcezza, il piacere.
Oh, meglio
se anch'io fossi caduta
con le mie sventurate sorelle
sotto le lame assassine!
E ora
guardo il mare da questa
terra italiana che abbiamo
tante volte sognato sulle carte.
Ma il mare non mi dice
dove ti sei nascosto,
e tutti gli occhi con pietà mi guardano.
O amore, contro chi ribellarci, sapevamo
che sempre i nostri passi
sono passi sull'acqua, e che la sorte
è una collina di sabbia
che il vento muta a capriccio.
Ora sul mio dolore
anche questo dolore
che tu non abbia come tutti i morti
una stele di sassi nel deserto
dove io possa venire a trovarti
per pregare
e per piangere.

(La pietà)

Da quanti giorni è sul mare la barca?
Maternamente culla
i loro corpi sfiniti.
Da quanti
con artigli infuocati
disegna piaghe sulla carne il sole?
Neppure la notte dà tregua
e col suo fiato gelido
ferma la corsa del sangue nelle vene.
E allora viene
lei e li prende.

E ancora infuria la tempesta,
batte
violento il vento alle fiancate
la barca-bara sbanda
affonda nell'onda si piega
paurosamente sfiora
la pelle del mare.
Esitare
è morire.
E in quella analgesia
dell'anima, i superstiti
con pietà di se stessi e di loro
spingono i morti nel gorgo
verso il silenzio.
E sale, confuso col pianto,
un canto dolente che prega
Allah per i fratelli:
"Fa'
che trovino tende a proteggerli
sulla profonda prateria del mare".

(La patria)

Vivere, che altro chiede?
Ma vivere da uomo
come sognava sua madre
che lo vedeva trepidante crescere,
correre libero tra la foresta e il mare.

Ora sia questa
la nuova patria:
                    la sente
nelle mani già amiche che si tendono,

questa coperta sia
la sua prima capanna
in quel grande villaggio che l'attende.

Davanti al mare, il vento
ascolta che gli porta
il pianto dei ricordi.

(Corri, figlio, nasconditi,
non riusciranno a prenderti).
Ora alza gli occhi
rasserenato alla luna
pensando a sua madre che la guarda
sull'altra sponda del mondo.

NEL MALE DEL MONDO II:
I NOSTRI GIORNI

GLI OCCHI

Non hai che gli occhi, non posso
sapere altro di te,
né immaginare il passo di gazzella
del tuo corpo sinuoso,
vela nel vento,
                                        danza
sulle strade di sabbia.
Ma quegli occhi raccontano
il tuo dolore
anche se fugge a difesa il tuo sguardo
per non incontrarsi col mio,
con questa umana pietà
che ti fa nuda.
                                        Raccontano
violenze, solitudine, la colpa
d'essere nata donna.

NELLA CITTÀ CIVILE

Dimmi dove hai lasciato,
tu che vieni da un'era lontana,
con la memoria del vento che s'occùpa
nelle foreste nere,
e ti frastorna il chiasso delle strade
come quello pauroso delle selve
quando le abbraccia il demone del fuoco,
dove hai lasciato il lamento degli avi
che dicevano fermati, rimani?

Ora sei qui nella città civile

e ti guardi smarrito
dentro il ghiaccio degli occhi che ti guardano
e sei solo

in questa folla ostile che ti sfiora
indifferente,
qui, solo, a ricordare
quella perduta felicità
di correre
libero, a piedi nudi, lungo il mare.

TORRI GEMELLE

È inutile che tenti di non crederlo:
io l'ho veduto volare quell'uomo,
un Icaro impazzito
a testa in giù, le braccia
aperte come ali a remigare
povero uccello morente nel vento.

Ma che vento potrebbe
tendergli per pietà le mani a reggere
quelle ali e fermarle?

Chi sa quali pensieri, e disperate
preghiere, e a quali volti
cari
addio addio
oppure nulla, il vuoto
come in un sogno che smemora
mentre la terra laggiù si avvicina
succhiandolo.
Ma quell'uomo
per me è sempre fermo nell'aria
sospeso
dentro la mia pupilla.

STRAGE IN ISRAELE

Non farmi dubitare
quando scoppia una bomba, della Tua
misericordia,
                    rompi
per questi morti innocenti il silenzio.
La fede langue nei tanti
perché senza risposta quando vede
farsi rosso l'asfalto del sagrato,
sopra le orme del Tuo piede il sangue.

UN GIORNO BELLISSIMO

Era proprio un giorno bellissimo, il sole
accarezzava i giardini, accendeva
le bouganville sulle case, lontana
una donna cantava.

In un salotto borghese tre ragazzi
(come gli altri, a vederli) legavano
per gioco, come dissero, un compagno,
e picchiandolo spegnevano,
come in un rito diabolico, sulle sue
esili braccia, le sigarette,
                                        poi
gli stringevano il collo
con un filo di ferro
                                  e guardavano
gioiosamente guardavano
i suoi occhi imploranti
che si chiudevano.

(Quale macigno sul cuore fermava
l'urlo, la ribellione
della pietà davanti a quella morte?)

(Dov'erano in quell'ora quelle madri
che con dolore li partorirono?
Forse avevano sporte profumate
di frutti e d'erbe.)
Era davvero un giorno bellissimo. La gente
affollava le strade, era un invito
quel primo fiato della primavera.

IL CASSONETTO

Dai giornali: "Un ragazzo extra comunitario nel tentativo di prendere degli indumenti da un cassonetto di panni usati, è rimasto ucciso con la testa dentro per l'improvvisa chiusura del coperchio.

Faceva freddo con quella maglietta
di cotone e i pantaloni corti
nelle notti d'inverno del nord

sola coperta un cielo senza stelle.

Ma, ecco, c'è sull'angolo
un cassonetto di vestiti usati
che è per lui
per gli altri come lui.
E allora pensa
ai maglioni, alle giacche di lana, alle scarpe
che scaldano i piedi.
E cosa aspetti?
gli grida dentro l'amore della vita, aprilo
quel pesante coperchio che ti è ostile
e salvati!
(Non più nemiche notti
interminabili notti
di pioggia e di vento!)
Tremando
già vede sul fondo i colori
ma la morte
che lo aspetta spiandolo
sopra il collo già teso a quel miraggio
gli chiude il cassonetto.
E noi non sappiamo nemmeno
il tuo nome,
né quale Dio hai chiamato
sentendoti morire

ghigliottinato dal gelo
della tua solitudine.

IL TAMBURO

Dai giornali. KABUL. È stato lapidato e poi finito a colpi di baionetta, accanto al figlio dodicenne che piangeva disperato, Mazar Gui, la cui colpa era quella di essere un suonatore di tamburo. Lo hanno ucciso i talebani che cercano di imporre la loro interpretazione fanatica dell'Islam che vieta ogni tipo di musica tranne le nenie coraniche.

Suonavo il tamburo, era musica!
Figlio non lo sapevo
ch'ero blasfemo suonando.

Amavo Hallah, ma tu lo sai che amavo
come nell'aria il canto degli uccelli,
e la voce del vento, la musica.

Le mani sono pietre
i loro occhi coltelli.

(Quali mostri hanno ucciso la ragione?)

Figlio perdona tuo padre
che per questa sua colpa
ti lascia solo nel mondo.

(Chi batte ora il tamburo nel silenzio?)

Figlio non mi guardare
quando il mio sangue innocente
fa rossa la terra.
E non uccidermi ancora
con il tuo pianto.

(Frana il cielo, si è spenta la luce)

Figlio ferito fuggi dal tuo gregge!
E mai ti porti il vento
l'accorato lamento di tuo padre
e un cupo suono di tamburo a destarti.

J'ACCUSE

Ascolta ciò che, incredulo,
ho letto sul giornale:
c'è una donna che ha avuto per destino,
come Maria, di stare in una grotta
in questa gelida notte di Natale.
Ma non c'è il fiato del bue,
non c'è il fiato dell'asino
per il suo bimbo che trema.
(Fredde le gambe, fredde le braccine
e non bastano i baci a riscaldarle.)
La madre allora accende una candela
nella sua disperata speranza
d'inventare il calore,
                                        ma subito
diventa fuoco la sterpaglia, fuoco
che dà la morte.
                                        Nessuno
sente i gridi, i lamenti
nella città lontana nei bagordi
della festa pagana, fra vetrine
inutilmente ammiccanti,
nella città cristiana che non sa
più la pietà e l'amore.

E ho letto nel giornale
che c'è una donna che spende ogni notte
sette migliaia d'euro per dormire.
E allora, ribellandomi (con l'anima
che sanguina), dico: se l'Angelo
che sta al suo fianco vigile
non grida per destare il suo egoismo
vorrei – vergognandomi
per quella madre – strapparla
da quel suo letto d'oro, trascinarla
in fondo a quella grotta
dove prende alla gola l'acre odore

della carne bruciata
(impedirle di piangere se il pianto
può consolarla!)
e dirle – vorrei – per salvarla:
scendi,
            accostati,
                        penetra,
diventa, almeno per un'ora, lei.

COMPIANTO

Per il terremoto in Abruzzo
nel tempo della Passione e della Pasqua

Dio mio, Dio mio perché mi hai abbandonato?
Mt 27, 46

1.

Chi potrà mai dimenticarla
questa lunghissima notte d'aprile
quando il silenzio del sonno
si è fatto grido e il terrore
ha messo in fuga gli uomini dai letti
mentre la terra tremando cancellava
le nostre vane certezze e i nostri fragili nidi. E tremando
come castelli di carte spazzava
le cattedrali erette ad esaltare
l'eterna gloria di Dio.
                        E chi potrà
allontanare dagli occhi i campanili,
preghiere di pietra che si innalzano,
se li hanno visti, increduli, spezzarsi
nella memoria del suono
delle campane che tacciono.
                                E ora

a poco a poco salendo
la luce dolce dell'aprile scopre
spettrale il volto d'una sconosciuta
città in ginocchio sulle sue macerie,
chiusa nel suo silenzio.

2.

Dovevamo
ricordarlo che abbiamo sempre accanto
la morte, e non sappiamo
quando saremo chiamati. La data
è dietro la porta dell'ombra e ci sorprende.
Così li ha colti nel sonno, protesi
a chi sa che progetti, che sospesi disegni,
a quell'umana speranza che dà fiato
alla vita.
(Come lontane appaiono
quelle inutili mete, quelle corse affannate!)

Dovevano ricordarlo
che siamo su una zattera
su un mare che ribolle.

La notte e il giorno non sono
più misura del tempo
per gli uomini che cercano, che chiamano
in attesa di ciò che non sanno, che frugano
fra i calcinacci in cerca
di qualcosa che dica
la famiglia, la casa, un ricordo.

3.

E Dio dov'è?
Perché non è venuto
a camminare Gesù su questa povera

terra, tra queste pietre insanguinate
a ridestare i morti? Siamo tutti
fratelli come Lazzaro.
Perché non è venuto a confortare
questi sbandati superstiti
che come ebbri si aggirano, l'uno
nell'altro vedendo il proprio volto
clownesco per la polvere, rigato
da un pianto incontenibile.
E come non vederlo
che le fraterne mani
che hanno scavato, hanno tolto
ad una ad una le pietre
che soffocavano una voce, un flebile
fiato, un lamento, sono
il riflesso di Dio.

4.

Fra le pietre che cedono, si sfaldano,
da quelle oscure grotte impenetrabili,
quasi luce, ecco appare una treccia
di lunghi biondi capelli,
e a quel segnale le forze
si moltiplicano, cresce
la convulsa ricerca:
esangue affiora
una piccola mano che porta al dito la fede.
E a lui che da un tempo
immemorabile attende, inutilmente chiamandola
non è la mente che da sempre
ne custodisce l'immagine
a riportargli quel suo volto amato,
ma è il lacerante spasmo
del suo cuore diviso a riconoscerla.
E a quel grande dolore
diventa muro nei suoi occhi il pianto.

5.

Qui dove c'era una casa che guardava
quell'amata montagna innevata
(quanti, muti, in attesa
che un miracolo accada!), riemerge
dalla voragine una giovane madre
che tanto stringe abbracciandolo
il suo bambino gelido
che sono un corpo solo,
quasi un calco di gesso
scoperto in un giardino di Pompei.

E come avranno sognato
la loro vita insieme
fino al traguardo della vecchiaia
quei due giovani sposi avvinghiati
in quell'ultimo amplesso?
Quali parole d'amore avrà detto
alla sua donna nell'estasi,
mentre la morte tendeva la mano
sulle sue labbra per soffocarle?

Ma dopo tante ore, tante
che il cuore scoppia a pensarle, ancora viva
oltre il limite umano, gridando
finché la voce ha avuto fiato e un'altra
voce ha risposto finalmente spezzando
quel silenzio di bara, una ragazza
nella sua Pasqua miracolosa
dal suo sepolcro è risorta.

Chi desterà da questo sogno d'incubo
i viventi che più non hanno un tetto e vagano
fantasmi nelle strade
che senza case dilagano
come piazze deserte?

6.

È vicina la Pasqua. E sono i giorni
col volto tragico della Passione, così visibile
in questa città martoriata,
qui dove i morti allineati stanno
uno a fianco dell'altro sul prato
e ricompongono famiglie, condomini,
quasi disegnano le strade
scomparse nei loro palazzi...
E Dio?
Dio che invochiamo in questa
lontananza infinita,
Dio dell'eterna alleanza, ora è qui,
accanto a questi morti, ai sofferenti,
nel Suo silenzio impenetrabile. E tutto
è silenzio. Tace
anche il pianto.

SUPPLICA DI UN RICOVERATO IN UN OSPIZIO

Due parole, ma ascoltale, da questo romitaggio
dove rompe il silenzio solo la voce del mare.
Il mio viaggio, lo sai, finisce qui, qui dove,
ormai spento nell'ombra, non posso che tentare
(ma chi mi dà coraggio, se sgomento ora vedo
che non potrò sperare più nulla dalla vita,
e fingo d'esser saggio per poterlo accettare?)
di voltarmi al passato anche se fu un miraggio
quella falsa promessa al mio caparbio sognare.
Oh come il sangue allora nel suo felice maggio
si credette immortale! (È forse ricordare
la più amara ventura?) Uno sfinito raggio
di luce, come un fiore entra nella mia stanza,
l'ombra di un faggio avanza e m'annuncia la sera,
l'ora più interminabile di questo giorno inutile.
Io so che il tuo linguaggio sa aprirsi alla speranza:
scrivimi, ne ho bisogno. Non posso più aspettare.

1982

ALTRO FIUME, ALTRE SPONDE
(2011-2013)

UN UOMO QUALUNQUE

Nascita, copula e morte / tutto qui...
E se tiri le somme è tutto qui

T. S. Eliot

Ah! Com'è quotidiana la vita!

J. Laforgue

La vita è sogno

Calderón de la Barca

Stavo piegato su me stesso, il mento
appoggiato ai ginocchi, in una sfera
che mi accoglieva, immerso
in un avvolgente umidore, e poi
fu un'esplosione di colori e suoni,
e avevo un volto dolcissimo accanto
e che aspettava ch'io dicessi mamma, e ad una ad una scoprissi
dopo il pianto e il sorriso, le parole.

E che festa l'asilo! Quei giocattoli
su cui, fino a tremarne, mi gettavo.
E poi che meraviglia
coi loro nomi scoprire le cose,
e che ogni cosa esiste perché ha un nome.

Ma un giorno di un'estate, nel silenzio
pomeridiano, con tutte le finestre
aperte sulla strada, una frenata
come uno strappo e un miagolio che sùbito
tace e il mio grido e i miei singhiozzi: "Micio
è stato ucciso!"
Quella
fu la prima scoperta del dolore.

Ero già uno scolaro, e quei libri
con gli animali a colori e i paesaggi lucenti

che fantasie destavano! E papà,
che fa il postino e non ha mai viaggiato,
un giorno, emozionato
come me quando aspetto la befana,
è venuto a prendermi a scuola e mi ha detto:
"Ti porterò a vedere meraviglie,
l'infinita bellezza del creato".
E una domenica mattina
siamo partiti insieme per il mare.

Tutta quell'acqua azzurra fino in fondo
mi spaventò come il sole
di fuoco che laggiù
scompare, forse in un abisso.
E quale meraviglia dove il mare
morde la sabbia, trovare,
trascinate dall'onda, le conchiglie.
Chi ha disegnato tutte quelle forme?
Da quale regno profondo
sono salite a noi per incantarci?

Un'altra volta il viaggio fu in montagna
nei boschi ombrosi, fra gli alberi e sentivo
un melodioso cantare
e ho battuto le mani ma a quel suono
con uno svolo è tornato il silenzio.
E un pauroso silenzio c'era in alto, dove
ho trovato la neve. Ero abbagliato
da tutta quella luce che mi sembrava salisse
come da un grande specchio abbandonato
alle carezze del sole, e mi chiedevo
chi mai l'avesse sparsa,
fin dove giunge lontano lo sguardo,
quella bianca farina gelata
che tutto modella e ricama.

E ovunque andavo quanti fiori ho colto
ma guai se un'ape si avvicinava.

"Come ai selvaggi antichi – mi ha detto
papà prendendomi in giro –
la natura ti mette paura".

Che stagione felice
in quella casa di periferia!
Dalla finestra vedevo passare
gli operai in bicicletta,
fantasmi nella nebbia del mattino
e pensavo che anch'io forse da grande...
ma poi guardavo quegli spazi liberi
dove il pallone era il re
e tornavo ragazzo fra i ragazzi.

E all'improvviso non è stato più
quel campetto di calcio il paradiso,
né al suono del fischietto
mi batteva più il cuore!
Ma lo sentivo scoppiarmi nel petto
se incontravo le belle ragazzine
cresciute insieme a me nella mia classe.
Fino a ieri compagne consuete,
e ora, all'improvviso,
vedute con occhi diversi mi apparivano
chiuse nel loro mistero, sconosciute.
E in me sentii nel basso ventre premere
un'energia che potente saliva
dall'oscura sorgente del sesso.

E poi l'inquieta adolescenza
come un andar per mare in una barca
che non ha vele, portata
dalla corrente tumultuosa senza
la certezza di un porto.
"Una rotonda sul mare
mentre la musica suona". In questi versi
d'una ruffiana canzonetta in voga,
c'è l'atmosfera incantata dell'incontro

con la prima ragazza che ho creduto
di amare. In lei sentivo
che fioriva la mia giovinezza
e soltanto a vederla
le gambe mi tremavano
più che dopo una corsa col pallone.
Ma durò poco: era soltanto un fuoco
di paglia. Non pensai che lo fosse
con la biondina venuta dal freddo
e che sembrava amarmi per la vita.
Ma si infilò nella nostra comitiva
un ragazzo più grande e gli fu facile
in pochi giorni, portarmela via.

Sconvolto
mi rifugiai fra le braccia di mamma
a nascondere un pianto disperato,
e lei, commossa, mi disse: “Figlio mio,
sei tanto giovane, avrai
tutto il tempo che vuoi per incontrare
l’amore che dura una vita”. Ma lei
non poteva capire il dolore
che attraversava il mio petto
e fu per quel dolore che lasciai
quella mia amata spiaggia e i vecchi amici.
Ora, ormai solo,
dalla scogliera più alta guardavo
quel tramonto di fuoco che bruciava
nel mio cuore ferito. E pensai
che forse è meglio non amare mai
se tanto dolore è il suo prezzo, ma capii
che chi non vuole soffrire
non è degno neppure dell’amore.

Mi accanii nello studio e poco dopo
diventai ragioniere. E già s’apriva
nella mia mente infervorata
il mio futuro, un posto, la carriera.

Fui assunto in una banca che segnò il mio destino
perché fra i clienti allo sportello vidi
due occhi azzurri che mi guardavano.
E fu l'amore, quell'amore che spopola
il mondo e rinnova la vita.
E dopo pochi mesi ci sposammo.
Trovammo una piccola casa
solo per noi, e fu come un gioco
pur fra tanti pensieri, comprare
un letto grande, un tavolo, le sedie
e le pentole e i piatti e i bicchieri.

In un mattino di marzo
che col suo fiato annunzia
la primavera (e lo cogliemmo
come un felice auspicio)
nacque mio figlio.
Ero padre!
Ero un capo famiglia,
come sempre sognavo guardando
la foto color seppia del bisnonno
incorniciata in salotto. Lui è al centro
seduto su una sedia coi braccioli e in piedi
la moglie e i figli. Ora anch'io
posso pensarmi al centro
ma non seduto: tutt'altro!
Capo famiglia vuol dire sgobbare
per far quadrare i conti, o mie stanche
monotone giornate tutte uguali
senza spazi di luce.
(Addio
mio vivo spirito un tempo
pieno di sogni!)
Ma mi consola, è grande
la gioia di veder crescere il frutto
della mia pianta,
e quella sconosciuta tenerezza
che ha reso sempre più dolci
le minacciose amarezze.

Brevi e rare le nostre vacanze:
sempre un ritorno a quel mare
della nostra lontana giovinezza. E intanto
chi si accorgeva che il tempo sfogliava
con furia i fogli del calendario?

Ormai in pensione mi sono iscritto
al circolo degli anziani,
dove ho trovato amici nuovi e il tempo
nasconde la sua fuga.
Ma poi, sempre più spesso, invece
di piegarmi con gli altri sulle bocce, resto
solo, seduto in un angolo, a pensare.
Sono pensieri che un tempo scivolavano
e ora mi pesano come macigni.
Penso a ciò che ho veduto alla TV
distratto dalle mie faccende, e che ora
appaiono alla mia coscienza: i bambini
che muoiono falciati dalla fame, e penso
alla tristezza di chi non ha più casa,
e dorme sotto il cielo.
E, quasi con un senso di colpa,
alla miseria che c'è nel mondo.
Ma sopra tutto, guardando
qui le facce dei vecchi che si fingono
immortali giocando come giovani,
penso alla brevità del nostro viaggio.
Io resto chiuso nel mio silenzio
ma per la rabbia vorrei gridare.

Tornando a casa, cambiando il percorso
per un blocco stradale,
ad un tratto mi sono trovato
davanti alla parrocchia che frequentavo poco.
E in quel silenzio dell'ora ho sentito salire suadente
una musica d'organo che celestiale mi è parsa
e sono stato come sospinto ad entrare

e sùbito ho veduta sull'altare
la Madonna dolente che mia madre
aveva sempre venerata.
E più su, nella cupola, l'immagine
del Redentore, e guardandolo
ho pensato che ormai da tanto tempo
io non pregavo e mi sono sentito
abbandonato, come vuoto, impaurito,
e senza accorgermi ho detto:
"mio Dio, io non sono un tuo figlio perduto
e fa' che quando m'avrai perdonato
il tuo silenzio mi parli".
Rientrato in casa mi è parso
che tutto fosse più pulito, e in ordine.

Quando al mattino facendomi la barba,
come se mai fosse accaduto prima,
mi sono guardato allo specchio, e spaventato
ho visto la faccia grinzosa di un vecchio.

Mio figlio ed io – ora penso
con giusto orgoglio paterno – siamo come
due giardini contigui, ma nel suo splende il sole
e i fiori alzano il capo alla luce, e nel mio
c'è sempre l'ombra e per terra si ammucchiano
le foglie secche. E una sera d'autunno
– furioso il vento si accaniva sugli alberi
e strappava le piante – ho veduto
cadere l'ultimo petalo. Allora
nella mia mente che stava spegnendosi
ho chiesto aiuto a Lei: "Vergine madre,
Tu che sei il grembo dell'amore, guardami
nell'ora della morte, e così sia.

Io non ho mai veduto
il mio nome stampato su un giornale ed eccolo
maiuscolo, in neretto e con due date,
così che tutti quelli

che hanno sempre ignorato che esistevo
ora dovranno saperlo
che sono stato nel mondo.
Nel mondo che ora lascio.
Mi portano via. Mi sollevano
in quattro sulle spalle
come se fossi un re.

Poi, a poco a poco, sento
gelarsi il mio corpo
e diventare di pietra, essiccato
il fiume del mio sangue che vivace correva,
e a me chiuso, serrato,
giunge sbiadito il suono di un lontano fervore,
ne assaporo i profumi, m'invadono le musiche
e dico addio addio, nella mia
carne morta che piange.

Ma subito, liberandomi,
m'innalzo, sono solo
dentro una nuvola di luce
che naviga nell'infinito.
È l'anima
che nel suo eterno volo mi conduce.

*****

Questa è la storia d'un uomo
che ha abitato la terra
e di suo padre, e del padre di suo padre
e di tutti quelli che prima nel tempo
sono venuti, e di quelli che verranno:

la solita vicenda
che noi chiamiamo vita.

O sarà invece solamente un sogno?

* *(Nella sua prima edizione pubblicata con il titolo* Vita di un uomo*)*

L'ANIMA

I CONTI

Ogni giorno
– già da quando la prima luce svela
gli alberi nella finestra, e si destano
a poco a poco le voci, e nelle stanze
si disegna il contorno delle cose ed io
stupito mi preparo a un'altra pagina
di quel viaggio che ancora continua –
faccio i conti con Te.

Ogni giorno
– quando prendo la macchina e attraverso
mezza città, e nel frastuono rispondo
al cellulare che suona le prime note di un tango
e ascolto la tua voce che mi dice ricordalo
che ci sei, non ti abbattere, e ingoio
le consuete pillole e faccio
sempre nuovi progetti, dimentico
degli anni, delle mie colpe, e che gli altri
o sono indifferenti o falsi –
faccio i conti con Te.

Ogni giorno
– durante un percorso di risse
che inutilmente sfinisce,
se, quasi a un segnale,
mi ferma il pensiero che il cielo
sarà sempre per me irraggiungibile
nella sua immisurabile distanza,
o quando incombe la notte che m'impaura e sento
voci spente che chiamano,
e lugubri corvi che beccano
nella mia mente –
ho paura
di fare i conti con Te.

IL VENTO

Ho l'anima piena di vento,
di vento che mi scuote e nel subbuglio
senza avere pietà, porta alla luce
quelle pozzanghere che nascondevo, scopre
i vermi sotto le pietre, e strappa
i miei ultimi fiori.

Anima, è il vento che svela
ora quello che sono
e sento
una voce nel vento che grida
che io chieda perdono.

COME LUCE

Prego perché l'anima mia diventi
leggera come luce, liberandosi
dal buio che può spegnerla
il mio peso mortale.

Prego perché ricordandomi
di lei io sappia, abbia un segno,
se sulla terra, nella vita, vale
per quel viaggio che solo lei conosce,
l'amore che si prodiga,
o più efficace sia per spalancare
la porta stretta,
come pedaggio, il dolore.

IL GRIMALDELLO

Penetra, sii grimaldello, scava,
fruga fra le macerie
dell'anima, salva

ciò che è ancora salvabile e raccoglilo
nel Tuo misericorde cuore.
E così l'anima
nel luminoso viaggio verso il porto
sarà libera da ogni tempesta,
veleggerà per acque tranquille
nel mare del Tuo amore.

FIORE APPASSITO

Quello che ero non sono.
E mi volto
a guardare quell'uomo sconosciuto chiedendomi
se l'anima può dividersi
come un fiume in due rami
quando è vicino alla foce,
e poi sperare – se l'Angelo
la conduce per mano – di tornare
alla purezza splendente dell'origine.
E l'anima contrita
è come un fiore appassito che tenta
di ritrovare la linfa che lo salvi,
perché sa che la luce non si è spenta.

NON ANDARTENE

Ti prego non andartene, resta
qui dentro me, ch'io possa
amarti e goderti
e amare in te
questa luce che dice
ritorna sempre il giorno avanti
non ti fermare,
e quest'alito ardente
dell'estate che scalda
i sensi e li moltiplica,
e amare

questo corpo inquietante,
con le sue valli, con le sue colline,
che esalta le geometrie del mondo e quando
gli occhi e le mani si accostano
fermano il cuore,
e struggimenti e dolori
in quella febbre scolorano,
ti prego
non andartene ancora
dolce vita che fuggi.

MIA VITA

Mia vita che proietti
un'ombra troppo lunga
fatta ormai solamente di ricordi
come un fiume che porta cadaveri,
mia vita tu lo sai
che vai verso occidente e solo restano
vuoti giorni sospesi
come tremanti papaveri,
ma al mattino ti affacci alla speranza
e canti ancora, obbediente
al volere che chiede sudditanza.

Vita che m'abbandoni, tu lo sai
che tutta sempre ti ho goduta amandoti,
e per capirti mi sono specchiato
nell'inquietudine del mare,
e ho ascoltato nell'aria la musica
degli uccelli che chiamano la luce
del giorno che ritorna, e ho sentito
che apriva l'anima le sue vele al fiato
del giardino che rifiorisce. E allora
ti chiedo: "È forse
nella bellezza il senso della vita?".

L'ADDIO

"Vado a vedere" disse
con l'ultimo suo fiato, e chiuse gli occhi.
Ma dietro quella quiete
che divorante tensione dell'anima
nell'attesa di quel disvelamento!
Che lungo percorso per dire
quelle parole d'addio!
Come uno speleologo che voglia
penetrare nel ventre della terra,
o uno scienziato subacqueo che scenda
verso l'impenetrabile mistero
degli abissi marini.
E la curiosità che è stata sempre
lo stimolo nei giorni della vita,
maniglia per aprire tante porte,
ora si fa gemella alla speranza
nel viaggio della morte.

IL VORTICE

E poi, nell'ora scritta, senza voltarsi, senza un addio,
confusa nel suo stupore, l'anima
si troverà nel buio di una stanza con una porta socchiusa,
ma avvicinandosi a quello spiraglio di luce che ne emana
non le sarà dato di chiedere (o sapere)
dove la porta conduce.

E subito sarà avvolta da una folata di vento
– librandosi nell'aria come una foglia strappata dal ramo –
ed entrerà dentro un vortice in cui vedrà passare
i mobili di casa che gli antenati conobbero,
e i quadri degli amici, i tappeti
così a lungo pestati e i tanti libri,
sgualciti in fervide notti febbrili, e quei poveri
souvenir che gli furono cari in quel suo tempo fuggente,

futili come tutte le cose che credette essenziali
e che ora le appaiono terribilmente inutili.

E dentro il vortice passeranno sciogliendosi
come la cera al fuoco, le passioni che furono
inferno e paradiso, e quei volti
che parvero agli occhi mortali bellissimi, e persino
l'amore, un raggio che sembra tutto illumini,
si spegnerà in quel buio accecante,
e risucchiati nel vortice
spariranno i ricordi
di quella lontana dulcedine
che dette l'ala a quei suoi giorni brevi.

Di tutto ciò che ha amato
non resterà più nulla, ma soltanto,
dopo quell'infinito viaggio siderale,
un'agghiacciante eterna solitudine.

QUEL BREVISSIMO POCO

Si fa sempre più cupa
la mia tristezza, non c'è
più una carezza
che alleggerisca la pietra
che mi pesa sul cuore.
Si sciupa
nelle mie mani il giorno.
Mi guardo attorno e vedo
solo *monnezza.*

E allora fingo
di lavorare, ma è un gioco
per annebbiare la testa,
immaginarmi vivo
in quel brevissimo poco
che qui mi resta.

ANIMA LIBERATA

Te beata che vai
lassù nei Campi Elisi, leggera
come una piuma nel vento,
anima liberata, che non sai
più nulla del male del mondo,
e perduta nel canto degli Angeli
non puoi sentire i lamenti
di noi viventi che, quaggiù sospesi
su un fragile filo,
aspettiamo.

LA STELLA

In una notte d'estate,
nell'insonnia che portano i pensieri,
guardavo il cielo alla finestra, e a un tratto
luminosa una stella cadente
tagliò il buio, e il mio cuore
turbato ha visto in lei
un'anima che liberata
dalla corrotta materia ripugnante
che ebbe fattezze umane e forse
sfiorò la bellezza, volava
verso una meta sconosciuta.
E ho capito
che alla bellezza che fugge si oppone
altra bellezza, ma eterna, questa: luce
che non si spegne.
E pregando
per lei, anima ignota,
alla mia insonne notte ho dato pace.

CONIUGI

Accadrà
(e, già in bilico, spiamo
i segni, i preavvisi)
che un triste giorno
uno di noi vedrà l'altro morire.
E quella mano che terremo stretta
darà memoria alla mente atterrita
di tutta la passione, di tutta
la tenerezza che ci ha legati
nel nostro lungo camminare insieme.
Quello il momento più intenso
della nostra intimità: noi – soli –
davanti a quel mistero impenetrabile.
Sarà come quando d'estate
dopo un tramonto estenuante all'improvviso
cade la notte: così
quegli occhi che rubarono
tutta la luce del mondo
si spegneranno alla terra per aprirsi
ad una eterna rinascita, e chi resta
udrà, a placare
il disperato suo dolore umano,
la voce levarsi dell'anima.

LA STRADA

Non sono più sicuro
di niente.
Dubito
di me stesso, di ciò che vedo, del mio
essere in questo mondo come un albero
che abbraccia (e vorrei anch'io
che fosse la mia meta)
la terra e il cielo,
confuso

fra tante strade, cerco,
io, incerto come un cieco, quella
che dal buio porti l'anima smarrita
alla luce di Dio.

IL TERZO GIORNO

SENZA RITORNO

Non verrà il terzo giorno.
Inutilmente
restiamo sulla soglia da dove
fino in fondo si vede la strada.
Aspettiamo sperando
che faccia un segno, arrivi,
finché lo sguardo si spegne nel buio.
Ma nessuno ritorna,
la partenza è per sempre.

Soltanto Lui che è salito, Lui che sta
accanto al trono, potrà
chiamarci tutti, tutti insieme, tutti
da tutti i tempi, da tutte le terre
ebbri
di stupore e di gioia, noi in eterno
vivi.

ESISTI

Come ancora resistere su questa
strada incerta che frana,
se non sentissi (ed è come una zattera
offerta a un naufrago)
che la vita da te s'effonde e viene
in mio aiuto a difendermi (io che sono
claustrofobo persino in una stanza)
dalle oscure paure che mi assediano
ora che già intravedo
quell'ombra che sta per raggiungermi.
E come vivere se non sapessi
che esisti, mia salvezza, Tu che incarni
la mia speranza.

RINGRAZIAMENTO

Per la luce che torna ringraziarTi
e per tutte le cose
che riprendono forma, alberi, fiori
incorniciati dalla mia finestra,

e per lei che si desta al mio fianco,
e per il pianto d'un bimbo come un flauto
nel silenzio, e per il canto solare
degli uccelli sugli alberi,
e per l'amore che ostinato dura
ogni giorno che nasce ringraziarTi.

IL CRINALE

Altro non so che ciò che Tu mi dici
essere vero, e Ti credo
come un bambino che aspetta la mamma
che a rimboccargli le coperte andrà
prima del sonno, e spero che giammai
la ruggine del dubbio
corroda il bronzo della fede. E credo
che le parole Tue per me saranno
un'acqua che ristora
questo mio corpo che sa
di morire per sempre e già sente
d'essere sul crinale.

LE PORTE

Basta quel pane, basta
quel vino
e sei vicino.

È fatta di fango e di morte

la nostra pasta,
e ora
Tu, vera vita,
ci spalanchi le porte.

IL LADRO

Io spero (e così sia) che quando
arriverà di soppiatto,
quasi dimenticandomi
che lei è già dietro la porta
mi sorprenda in flagrante
mentre stordito, felice,
a piene mani sto rubando il sole,
il profumo dell'aria, il vento, le farfalle,
il colore dei fiori, le conchiglie
dell'amatissimo mare, l'infinita
sconvolgente bellezza del creato.
E ancora: trascinato
dentro la ragnatela
di seduzioni del mondo
io spero che mi trovi mentre rubo
le travolgenti passioni irrinunciabili,
le struggenti dolcezze,
le tenerezze sfinenti.
Tutto io avrò rubato,
da insaziabile ladro della vita
fino all'ultimo fiato.

L'AUTOBUS

Al capolinea la mattina
ci sono tanti che aspettano. Hanno fretta,
sono impazienti, pensano
a quei piccoli affari che li attendono. E intanto
quasi con tenerezza, guardano

le modeste botteghe, la farmacia, il caffè
la strada familiare in cui si riconoscono.

Ma, ecco, ora che sono sull'autobus,
come calasse all'improvviso un orrido
nero uccellaccio dal cielo, la nebbia
cancella il paesaggio, rende
inconoscibili i volti, e s'accorgono
con sgomento che stanno andando verso
un tenebroso orizzonte di paura.

Dove li porta l'autobus
questa mattina?

LE SPONDE

Si sente dire anche al bar: la vita è questa,
è così. È tutto scritto! Ma noi
non siamo rassegnati al suo progetto
e vorremmo poterla modellare,
la sola vita che abbiamo.
E siamo sempre divisi
nella guerra stremante
fra cielo e terra,
povere foglie vaganti in un fiume che corre
verso una foce ignota, e può sembrarci
persino un viaggio felice fino a quando
fioriscono le sponde.

E dopo? Sembra chiedermi
il tuo sguardo smarrito. Ed io vorrei
non doverti rispondere:
altro fiume, altre sponde.

LA POLTRONA DI VIMINI

Una poltrona di vimini in un terrazzo a occidente
poco dopo il tramonto di una giornata
di una torrida estate.
Tutto è immoto. Non soffia
neppure un fiato di vento tra gli alberi
che disegnano immobili arabeschi
sullo sfondo del cielo.
Il gatto dorme in una macchia d'ombra.
Non si sente il rumore d'un passo
nella strada e non c'è
neppure un suono lontano
che rompa il silenzio. (Anche la vita
non ha più voce.)
                                        Oh, poter deporre
tutto il dolore e la stanchezza
sulla poltrona di vimini e dormire
in questa luce calante.

IL TEMPO

Mi diceva mia madre:
"Il tempo è galantuomo, guarisce
le ferite, lenisce
anche il più grande dolore".
                                                        Ma io
che sono già vecchio e di tempo
me ne è rimasto ben poco, non so credere
che sia un amico: tutt'altro! Misura
il mio fiato, il mio passo,
rende nemico ogni sasso, mi spoglia
d'ogni sbiadita speranza, mi toglie,
al risveglio, l'istinto di cantare
e la voglia che timida è rimasta
di ballare.
                    E poi, sempre

più veloce fuggendo, mi trascina
sospeso sopra un ponte perché guardi
terrorizzato le spume che ribollono
laggiù laggiù, del fiume.

L'INCONTRO

Gli disse: "Io sono
l'ultimo della terra, non ho casa,
non ho un amore, non ho
neppure la speranza".
Parlava
levando lo sguardo dal gradino
della chiesa dov'era seduto, e lui vide
in quel viso di vecchio due occhi luminosi.
Tentò, seccato, di andarsene, ma subito,
stupito, tornò indietro, sentendo
che la corazza di indifferenza
che aveva sempre indossato cedeva,
ed egoista e avaro com'era
si mise in tasca le mani.

Accadde ancora il giorno dopo
conducendolo il suo percorso davanti alla chiesa
e stranamente la sua nevrotica fretta
s'arrestò. Così il vecchio
gli raccontò che la moglie
era morta di parto e il bambino
l'aveva seguita, e che, non essendoci preti
in suo nome l'aveva battezzato.
Ma intanto dalla chiesa saliva
dolce la voce dell'organo e lui, seguendola,
ne fu come pervaso,
e tornando indietro nel tempo si trovò
in una panca a pregare.
Ma quando uscì quel vecchio
non c'era più, né più l'avrebbe visto.

ALL'OSTERIA

"Siamo tutti fratelli", dice un vecchio
per salutare, entrando all'osteria
(un'antica fraschetta dove il vino
è come un fiume). E si può immaginare
l'accoglienza! Schiamazzi,
risate, insulti e uno
che gli dice: "Fratelli? Coltelli!
Guardati intorno, non senti, non vedi
che ci scanniamo ogni giorno?"
E un altro, alzando il bicchiere:
"Brindo a quella gran madre
che ha partorito tanto!"
Il vecchio
si siede, e come parlasse a se stesso:
"Siamo fratelli in Cristo" dice. E scoppia
un finimondo: "In Cristo! In Cristo!
E chi ci crede al tuo Cristo?!"
Allora
il vecchio si alza e gridando
più forte che può: "Non ridete,
incoscienti, noi siamo
fratelli nella morte".

I VECCHI

I vecchi che stanno al balcone
a guardare la gente che passa,
i vecchi che all'osteria
bevono vino e giocano
con carte unte a tressette,

i vecchi che sulle panchine
ricevono l'ultimo sole
prima di andare a dormire,

i vecchi che odorano
di tabacco e d'orina,
tutti uguali, immobili, guardano
lontano il cielo aspettando.

MORIRE

Morire? Certo, è una legge
che è già scritta negli occhi dei bambini,
ma ora
ora che batte nelle vene il sangue,
ora che il cuore
non si è ancora stancato di sognare, e gli occhi
bevono, ingordi, la luce
e i colori smaglianti della terra,
ora che nella mente
c'è un'estate che canta e non s'arrende
all'inverno che preme,
come si può
ora morire per sempre?

IL ROGO

Un rogo! Ma presto, subito, prima
che il tempo con le sue
orride zampe disfaccia
e riduca a putredine umiliante
quei lineamenti, quel volto
che è stato bellissimo
a somiglianza di Dio.
Un rogo subito, che bruci
alte levate le fiamme come quelle
che sono bandiere di fuoco
davanti agli impassibili
occhi divini del Gange
e che spandono dolce nell'aria
il profumo del legno di sandalo!

CANTAVO

Cantavo una volta, cantavo!, ma ora
la voce si è fatta roca, e stento
a dire le parole, a trovare
quelle che possano giungere
nel centro del bersaglio, là
dove il cuore è più vivo, più rosso
il sangue, più celere il suo battito,
dove la vita fluisce
come va l'acqua d'un torrente e canta.

VISIONI ONIRICHE

UN INCUBO

Correvo.
E come avrei potuto
avere un altro passo
nella mia spensierata giovinezza?
Correvo perché al fondo della strada
(la mia, il solo scopo)
c'era una luce accecante che invitava.
Non conoscevo altre mete da raggiungere.
Ma all'improvviso una voce lontana
chiama il mio nome e una mano
si posa sui miei occhi.
E vedo!
Su uno schermo invisibile m'appaiono
tante tremule immagini che poi
qualcuno mette a fuoco
e io devo guardarle.
Ecco (la vedo
in un montaggio di inquadrature)
la mia città già spenta dalla notte,
e dietro un muro che proietta un'ombra
lugubre sul selciato, c'è un portone
orrido, oscuro, e una folla assiepata
in una lunga fila per entrare.
Anche se è estate il cielo
è senza luce di luna e di stelle
e davanti al portone c'è il gelo.
E ora angosciato li guardo
passare ad uno ad uno, e tutti
li riconosco, ora so che li avevo
conosciuti da sempre.

Entra Giovanni, il fabbro, che era noto
perché curò con amore

i cani e i gatti; e il postino
piegato dall'artrosi,
e la vecchina che vendeva i fiori; e Luca
che fu avvolto dal fuoco della stufa.
Ecco una madre che piange con i suoi
quattro bambini che il terremoto ha ingoiato,
tutti col viso sporco di fuliggine.
E poi Roberto, il sacrestano, che prese
in mezzo al petto il colpo di pistola
destinato al suo parroco
che salvò tanti ebrei. E sfila,
come se fosse l'ultima parata,
il generale che restò sul campo
anche quando era persa la battaglia. E bella,
nel suo pallore, la triste Eleonora
che per amore si gettò nel fiume, e Carlo
che gli amici chiamavano il *danseur*
perché vinceva le gare di tango, e accanto a lui
il medico famoso che su se stesso provò
quei farmaci che l'hanno ucciso. (Uguali
tutti al passaggio!)

Non vorrei più guardare, e inutilmente
cerco di allontanarmi, ma una mano
mi costringe davanti allo schermo.
Sento che il cuore mi manca
ora che vedo passare un bambino
che ancora non si regge sulle gambe;
poi Marco, adolescente fulminato
sul campo di pallone, e i tanti giovani
che varcano il portone
con lo stupore negli occhi. Ultima, incede,
lieve come volasse, una fanciulla
che sul portone si ferma
un attimo lunghissimo, e si volta.
Ma a poco a poco il suo bel viso esangue
al primo occhieggiare dell'alba si sfoca,
i lineamenti spariscono e con lei

a quelli che la seguono, già avvolti
nelle fiamme crescenti della luce,
sparisce il volto, non ha forma il corpo,
sono soltanto fantasmi
fluttuanti nel vento.

Ed io nel vento
sento le voci, i suoni, il chiasso: è il giorno
fervente che si desta, e mi pervade
il fiato caldo della vita. E vedo
tanta gente che lascia
le dolci case avvolgenti per correre
ai negozi, agli affari, agli effimeri
illusori traguardi.
Ed ecco, come in una
dissolvenza incrociata, quella folla
vivace si confonde nel mio sguardo
con quella che è in attesa sul portone.
È tutta – ora lo vedo –
la stessa folla, unita dalla stessa
ineludibile destinazione: soltanto
un breve soffio di tempo le separa.
Nessuno può sapere quando accada
che s'apra quel portone.
E ora,
sfuggendo a quelle visioni, riprendo
il mio cammino, ma cauto
e con l'anima inquieta perché sa
di un'altra strada, di un'altra meta.

LA DOMANDA

Ho conosciuto tutte le stazioni
e tutti i porti, e gli scali
di tante parti del mondo e sempre ovunque
mi ha portato questo mio irrefrenabile
ostinato vagare. Ma non ero

io a volerlo, era
la mia anima inquieta a spronarmi
perché non mi dà pace
con quella sua domanda: esiste un luogo
in cui vivere senza che la sua
terrificante presenza ci ricordi
che siamo suoi, la morte?

E sùbito
quasi a volerla sfidare, ho attraversato
una città devastata dalle bombe
ridotta a osceni cumuli di pietre
dove ancora resistono a memento
i minareti spezzati
e nelle strade i morti abbandonati
che imputridiscono l'aria.
Oh con che smorfia di vittoria,
nel cielo fatto nero al suo passaggio,
cavalcava brandendo la falce!

Ed io
per liberarmi dall'angoscia,
dal suo ghigno beffardo, sono andato
a specchiarmi nel mare d'oriente, quel mare
che sapeva cantare l'infinito, e all'improvviso
l'ho veduto levarsi nelle sue onde assassine più alte
dei grattacieli di New York,
come un mostro che sorge dagli abissi
a sgretolare col suo vomito indomabile
le misere case di legno sulle rive.

Non ho trovato scampo
nelle città civili d'occidente:
uomini in fuga rincorsi
dai proiettili, con le vittime
sui marciapiedi affollati e nessuno
che si fermi in un gesto di pietà. E le donne
stuprate fra la gente indifferente.

Mi ricordavo come un sogno l'Africa
con la sera precoce che fa scendere
quasi a toccarlo, il suo cielo stellato, e l'armonia
struggente di suoni e profumi,
e ora trovo una terra insanguinata,
i fratelli che uccidono i fratelli,
e lunghe carovane che vanno
verso un oscuro destino. E sempre
al loro fianco la morte.

E come innalza la morte
i suoi vittoriosi vessilli
in Egitto nella Valle dei Re
dove da secoli dormono illusi
d'essere eterni come gli dei,
di fermare la corsa del tempo,
i Faraoni, che opposero l'oro
all'artiglio cui non si sfugge.
E guardo scorrere il Nilo che dice
che tutto passa, che nulla s'arresta.

E lui, il primo imperatore
della Cina, che voleva obbedissero
ai suoi ordini il mondo intero e il cielo
come poteva accettare
quell'insulto umiliante della morte?
E ora l'occhio già turbato spazia
sulla vallata cinese, ed ecco emergere
dalla profondità della terra, un esercito
di terra cotta: centinaia di soldati,
con i carri e i cavalli, già pronti
per combattere. Ma contro chi?
Contro la grande nemica, contro
quella sua legge per essere eterno.
E noi guardiamo i soldati – queste povere
parvenze d'uomini –
ammirati e sconvolti.

Una mattina, appena dopo l'alba, nel silenzio
della città addormentata, camminavo
in un largo viale a Bombay.
Al centro della strada, allineati,
quasi per disegnare un angoscioso
anomalo spartitraffico,
avvolti nei lenzuoli, come mummie
dormono i poveri. (Sono bianchi sudari
– pensai.)
                Quando fa giorno
passano i poliziotti per toccare
con un bastone quei corpi. Chi è vivo
si alza e si allontana, per gli altri
c'è l'obitorio.
                Sempre,
ovunque il viaggio mi ha portato
ho incontrato la morte.
Ma forse – ho pensato – a Rio, dove l'ebrezza
del vivere diventa inno trionfante
nel carnevale, sfuggirò alla sua
così imperiosa presenza? Ma quasi
rispondendo a un invito
il 2 novembre (il suo giorno) sono andato
nel grande cimitero: che spettacolo
sconvolgente m'avvolse!
Entravano donne tremanti in bichini
che con sassi e candele tentavano
di accendere fuochi di macumbe, ma sùbito,
con i calci e i bastoni, le guardie,
cacciandole, li spegnevano. E intanto
un tumulto di suoni, come a gara
cori, trombe, campane e sovrastante
la voce cristiana dell'organo.
Nell'aria irrespirabile
l'acre odore dei corpi sudati
che alla mente portavano il fetore
d'altri corpi.
                E ora vedo

quale assurda domanda
era la mia: e di tutti
gli uomini uniti dalla stessa sorte.
Ci può essere un luogo ove sfuggire
alla presenza della morte?
Ad ogni tappa ho avuto la risposta.
Qui interrompo il mio viaggio
e non potrei trovare
un più sereno congedo.

È questa l'ora del tardo meriggio
quando nell'aria scende una foschia
che rende incerte, allontana le immagini,
e io sono in una barca che scivola
sul lago di Tiberiade. Il sole
sta calando, e a me si chiudono
dolcemente le palpebre.
E ora vedo
fra quei bagliori un volto. È un volto
d' uomo che porta i segni
di tanta sofferenza, tumefatto
e rigato da lacrime di sangue.
E in quel silenzio sento
la sua voce che dice: "Chi crede
in me, vivrà in eterno".

Mi desto.
È già buio, si accendono
le luci sulle sponde.
Ora
mi si fa chiara, era questa la risposta.
È in noi. Dovevamo
saperlo. Ci sostiene, ci infonde
coraggio, cancella
quelle ombre che crescono
con il tempo che avanza,
sorella al nostro fianco: il luogo
è la speranza.

TRITTICO LIVORNESE

LA NONNA

C’è un’ombra che – cercando
di sfuggire agli sguardi – attraversa
la Terrazza Mascagni, nell’ora
che il sole s’inabissa
insanguinando all’orizzonte il mare.

E poi, quella vagante silhouette
disegnata nell’aria, scompare
dentro l’abbraccio delle tamerici.

Ora quell’ombra, guardinga,
sì affaccia in Piazza Grande
a cercare un portone che non c’è,
ma che lei vede. E sente
come risuona sull’acciottolato
il passo dei cavalli ad annunziare
una carrozza sognata,
che porta chi per lei vuol dire estate.

Ecco, a un tratto, quell’ombra mi si svela,
la riconosco: è la nonna
che ogni anno in ansia mi aspettava,
quell’amorosa nonna che (a difesa
degli attacchi pur giusti di mia madre),
restava sveglia fino al mio ritorno
da una balera all’alba.

Che vento di tristezza invade
la povera ombra vagante
davanti all’antico palazzo
di molte stanze, dove
suo padre mise fuori dalla porta
la bella suffragetta quindicenne

che a tutti i costi si volle sposare.
E ora, vorrebbe, se potesse, chiedere:
“Sta ancora qui la famiglia Morteo?
O forse i signori Doveri?
C’erano sino a ieri!”

Cammina e non si avvede
di quanto tempo è passato:
non è mai sazio il cuore,
non è mai stanco il piede.

Dovevo immaginarlo
che poi entrasse nel porto,
perché il suo aspro afrore
le ricordasse il suo viaggio di dolore:
la lunga traversata
dall’Africa, la tempesta,
e, dentro quel cargo, il suo aborto.

E ora vede se stessa, la sera,
elegante col suo renard,
verso il Teatro Politeama al braccio
del suo compagno che porta
porzioni di baccalà
da infilare sotto i portoni
per i gatti che, forse
per quel lamento umano,
crede spiriti in pena.

Chi tende a lei una mano?
È sempre sola. Vola
di luogo in luogo a cercare
ciò che non può trovare.

E io le vorrei dire, io che forse
più di tutti l’ho amata:
anima cara sta in pace, non c’è nulla
ormai che sia impedimento,

ora che sei tornata
per sempre
nella tua culla.

RITORNO

Torno a Livorno e c'è nell'aria il fiato
del libeccio che scuote
il cielo, e lo fa cupo,
e, spento il chiasso del traffico,
come portata dal vento che m'assale
lontana sento la voce
della mia nonna che grida Luciano
torna indietro, è già l'ora della scuola,
ma io continuo spensierato a correre
sotto i portici bui di Piazza Grande.
Ora, laggiù, come uscisse dall'ombra
vedo mia madre che mi aspetta. È giovane
ma c'è tanta tristezza nel suo sguardo.
Alle sue spalle lo zio con un cenno
mi saluta.

Ogni volta
che scendo alla stazione e in alto vedo
il nome di Livorno, eccoli,
sono già qui, insieme, ad aspettarmi,
mi prendono per mano e mi trascinano
indietro nella nuvola del tempo.
Con le mani tremanti mi accarezzano
e poi, piangendo, a poco a poco
scompaiono.
Ed io, lasciati
ahimè per sempre i calzoncini corti,
sconvolto, (e la mia voce
la porta il vento) grido
non piangete, non siete morti, siete
vivi per sempre sotto questo cielo

che vi rammemora, in queste
amate vie dove suonano ancora
i vostri passi umani.
Voi siete vivi nell'eternità.
Lo sa, lo crede,
anche se dubitante, la mia fede.

L'ONDA

Vorrei morire a Livorno
in una piccola stanza sotto il tetto
da cui si veda il mare.
Questo vorrei se in dono
mi fosse dato scegliere,
quasi fosse un anticipo
del perdono che aspetto.
In quell'ultima
mia ora avrei negli occhi
i cavalloni ruggenti che a schiaffi
mordono le scogliere,
e che a me arriverebbero
come brucianti frustate
per le mie colpe inconfessate...
E il fiato affannato del mare
(quale struggente odore
di alghe e di salsedine!)
diventerebbe per me
voce umana, parole che raccontano
cose lontane e perdute.

E troverei
nel frastuono assordante
dei cavalloni l'eco
delle bombe che scoppiano, il tonfo
sordo dei muri che cadono, e per me
nelle strade deserte apparirebbe
inconsumata la scia

d'ombre che si trascinano.

Ma all'improvviso – mia punizione –
oltre lo sguardo che spazia
là dove il cielo e il mare si confondono,
con stupore e terrore,
vedrei lo schermo che si capovolge,
vedrei me stesso con gli occhi sbarrati
che guardo un'onda gonfiarsi,
montagna d'acqua che sale e precipita,
e come un'idra feroce m'avvolge.

FOGLIETTI
(2004-2011)

NATALE

Nato da sempre, sei qui,
di carne come noi,
venuto per capire
cosa vuol dire morire.

(Perché la morte non sia
castigo, umiliazione,
ma per la tua promessa
divenga resurrezione.)

Sei qui, disceso fra noi
(che non vediamo il sangue
sul tuo viso innocente),
perché il tuo paterno
disumano donarti
possa insegnarci ad amare
come noi stessi la gente.

E doveva apparire una stella
a tre Magi partiti
dal sorgere della luce,
per rivelarci, smarriti,
che tu sei re.

Re d'un regno da dove
tendendoci la mano
puoi salvarci se vuoi.
(Ma quanto, quanto lontano
da noi!)

POESIA

Voglio una poesia
che sia
come una foglia
umile, ma d'un albero
che è sempre verde
e non perde
mai la voce del vento.

O come un fiore
ma semplice,
dei campi,
che parli al cuore, e sia
come un saluto, e dia
alla mano la voglia
lieta di coglierlo.

IL VINO DI CAPRONI

Giorgio, te la ricordi
quella sera d'estate
noi due insieme a Livorno?
Dimentichi delle guerre
che liete passeggiate
fra il Cisternone e il Parterre!
Ma tu continuavi a guardare
intorno, a cercare l'insegna
(ti ricordavi che c'era
da sempre) d'un vinaio:
un fiasco. E l'hai veduto.
Ci siamo avvicinati
e t'ho invitato a bere,
ma tu m'hai detto: "Non posso
nemmeno un dito!"
Ma alla fine hai ceduto
a un solo bicchiere (proibito)
di rosso.

RICORDO DI MARABINI

1.
Salgo con te la chiocciola
di Potenza nel vento
e lassù in alto ci attende
l'Auditorium che già a me s'annunzia
con le note di un piano che subito svaniscono
nel mio dolore fraterno perché so
che questa umana musica
non ti può più raggiungere
nel tuo silenzio. Eterno.

2.
C'è il sole alto che rende
di madreperla il mare
e la spiaggia è infuocata e senza ombre
e tu stai sulla sdraio, le gambe
piegate come un leggio per scrivere
il tuo quotidiano rapporto
d'amore per i libri. Ma ad un tratto
la riga si spezza, si ferma
la tua mano. Per sempre.

3.
Piazza San Marco: ascoltiamo
attorno a noi le *ciacole,*
ma ecco, tic tac, ora passa
una ragazza col fianco che dondola
come una gondola legata a un palo,
ma tu non ti volti a guardarla,
non puoi voltarti più
perché sei nella cassa.

Sono qui ricordate tre città dove ci incontravamo in occasione di premi letterari: a Potenza per il "Basilicata", a Pescara per il "Flaiano", a Venezia per il "Campiello".

LE COSE

Le cose ci guardano, le cose
giunte a noi dal passato,
segnali, ricordi, traccia labile
dei nostri giorni.
                                        Ci guardano
nel nostro vano affannarci,
                                                        immutabili
nelle vetrine, sui piani
degli scaffali,
non sanno il passare del tempo,
testimoni impassibili
degli anni che verranno
che non vedremo
                                        non sanno che per noi
la vita è una sola clessidra
che non si può rovesciare.

LA LINGUA ITALIANA

La mia patria è la lingua italiana:
in lei mi riconosco, in lei ritrovo
il mare, i monti, i laghi
della mia terra, e gli alberi
a me più cari perché di lei mi parlano:
il pino italico anche nel nome e l'argenteo
ulivo che porta pace. E come non vedere,
al solo accento delle sue sillabe,
la vite d'antico sangue che spande
della vendemmia l'afrore nell'aria.

La mia patria è la lingua italiana
che ci affratella di borgo in borgo,
dove il sì suona,
dove la voce dei poeti è canto.

FOIBE

(Al poeta Ciril Zlobec)

Non posso cancellare quelle foibe
dalla memoria che piange e che giudica,
e sopratutto la “granda”,
la più raccapricciante, di cui parla
Sgorlon in un romanzo. Ma non posso
condannare alla storia tutto un popolo
né maledire gli innocenti. Grido
il mio orrore davanti agli assassini
che hanno perduto
anche il diritto di chiamarsi uomini.
Ma non è in quelle spente coscienze
che si misura l'essenza di un popolo.
Lo so se leggo e amo
nei versi il cuore d'un poeta amico.

TRE RACCONTI

(luglio-agosto 2012)

MISSIONE PERICOLOSA

Ricordami!, dicevi
quasi parlando a te stessa
io già un'ombra,
soltanto memoria. E tenevi
gli occhi bassi, cercando
di nascondere il pianto,
e forse stavi guardando
in tante foto custodite in te
i momenti felici di quella nostra storia.
Fu il cigolio della porta che aprivo
a farti alzare lo sguardo
a quel riquadro di luce con cui
entrava in casa la festa del giardino, e intanto
allontanandomi io diventavo
ramo fra quelle piante,
e tu sentisti un fruscio,
poi il ruggito feroce del motore
che ti gridava straziandoti
che andavo via per sempre.

Stavo fuggendo per vincere
la tentazione di tornare indietro
e correvo così velocemente
che i filari degli alberi
diventavano siepe, un muro d'ombra.
Ma ad un tratto (e già stavo rallentando)
mi sentii soffocare da una mano
che mi stringeva: qualcosa
stava morendomi dentro
come si spegne sfinito il giorno quando
il sole si nasconde dietro il mare.

Come potrei non ricordarla,
e il suo paese dove giunsi un giorno
di calda estate, nell'ombra
degli ulivi, e m'incantò il suo mare
che dopo l'ultima curva
mi portò dentro gli occhi l'infinito.
E poi la grande piazza dove vidi
una ragazza bellissima
nella fiamma dei suoi capelli rossi.
Aveva un corpo da chiedersi a quale
dea dell'Olimpo la madre
avesse rubato l'impronta
per una forma così perfetta. Era lei
che passava superba e la guardavo
con i sensi in subbuglio, ubriaco.
E allora chiesi a un vecchio
che davanti alla porta
stava seduto a fumare:
"Nonno,
mi sa dire chi è quella ragazza
con i capelli rossi, e sa per caso
come si chiama?"
Mi guardò
incredulo, con ironia:
"Davvero
non lo sa? Si chiama Nunzia
ed è la figlia..." E mi disse
un nome... un nome che faceva
tremare le vene nei polsi, un nome
che conoscevo, che non potevo
non conoscere,
che tutti cercavano, e anch'io
ero sceso in quest'eden per trovarlo.

Ferma il tuo cuore, spegni il sangue, mi imposi,
quella ragazza non potrai incontrarla,
né potrai mai parlarle. E disperato
mi vennero alla mente

Romeo e Giulietta e dicevo “Nunzia,
Nunzia perché
porti quel nome, rinnegalo”.
La guardavo soltanto da lontano
quando passava fra i tavoli dei bar
e si spegneva il cicaleccio e forse
anche il respiro degli uomini.

Fu il caso
(ma esiste davvero
il caso?), una mattina
di domenica, in un caffè affollato,
io mi trovai al suo fianco e fu quella
la felice e infelice prima volta
che io la vidi in tutta la splendente
sua bellezza, e mi persi
nel verde dei suoi occhi, e dentro me
sentivo che piangevo
per averla trovata e già perduta
come voleva il mio onore.

Ma quanto
durò quell'esilio?
La vidi ancora e parlammo sempre più
vicini, sempre, ormai, più perduti,
assoggettati alla legge del cuore
che ha le sue ragioni
che la ragione non conosce. E così,
senza che lo volessimo, scoppiò
la nostra irrefrenabile passione.

Come non ricordarla? Lei era
al belvedere, in quell'ora ruffiana
quando la luce del giorno a poco a poco
si spegne, ma ancora la notte è lontana
e l'aria si fa rossa e lei guardava
fondersi il cielo col mare, e quasi in trance
arrivai alle sue spalle e la chiusi

fra le mie braccia.
Fu come
se fossi stato avvolto dalla nuvola
del suo profumo, e mi portasse via
e intorno a me si annullasse la vita,
ed io capii che l'amore è solitudine
nel vuoto del mondo, e il mio tremore
soltanto si placò sulla sua bocca.

E chi ci avrebbe più potuto ormai
staccare? Mitilo e scoglio confusi
nel mare imprevedibile.
Nunzia viveva sola (me l'avevano
già detto i paesani) e m'accolse
come il principe azzurro della favola
nel suo misterioso castello. Quasi immerso
in un bosco, era un palazzo
di molte stanze, e sorgeva
dove il paese già corteggia i campi.
In quei meandri provai un imbarazzo,
quasi un senso di colpa, e mi dissi
(perché ora soltanto?) che lei
apparteneva ad un mondo che era ostile
al mio, e tacqui, per amore, ma non dissi
mai il mio mestiere fingendone un altro,
né lei mi parlò mai
della famiglia e del padre. C'era dunque
un velario fra noi, di reticenze,
di sotterfugi (le sue
telefonate guardinghe, a mezza voce),
e mi feriva quell'ombra
quando l'amavo disperatamente.

E un giorno accadde
ch'io rimanessi solo in quella casa
e mi misi a girare nelle tante
stanze a me sconosciute, e mi trovai
davanti a un muro che ancora

odorava di calce, e battendolo
sentii la voce del vuoto.
Sì, del vuoto e capii, con sgomento,
che c'era un segreto rifugio.
Forse era dietro quel muro
l'esito tanto atteso della mia
pericolosa indagine.
Il mio dovere imponeva
che lo facessi abbattere,
ma avrei dovuto insieme picconare
il cuore di Nunzia, il suo amore.
Potevo solo fuggire per salvare
la verità profonda
del sentimento che ci legava, accettando
il fallimento della mia missione.

Fuggire, e forse soltanto così
il tempo non avrebbe cancellato
quel suo volto splendente fra le lacrime,
l'odore del suo corpo, la sua voce,
quella sua voce che ora
mentre io corro all'impazzata (e le fanno
eco, come un lamento,
gli alberi e il vento) grida
disperata il mio nome.

E anche l'aria ne trema.

SIRENA

Fu una mattina lucente. Da poco,
vinta la notte, il sole trionfante
effondeva i suoi raggi, trascinando
l'azzurro riflesso del mare, nella loro
piccola stanza (come un nido
in cima ad un albero altissimo), e rendeva
specchianti le pentole e di cristallo
i bicchieri.

Lei, quasi una fanciulla,
preparava le tazze del caffè e cantava
come ogni giorno al risveglio inseguendo
i sogni ancora vivi della notte, e portandosi
quelle visioni segrete nello sguardo.
Lui lo sguardo teneva
fisso sulla sua donna, ogni giorno
meravigliandosi del suo apparire e sentiva
che ogni giorno cresceva il suo amore immutabile.
Guardava i suoi capelli di rame, il suo corpo
forse scolpito – pensava – da un artista
che aveva in lei compiuto
il suo capolavoro. E si chiedeva
quale benevolo dio
l'avesse apposta creata
perché riempisse la sua solitudine.

Era talmente bella
che i pescatori fermavano le barche
a lungo sotto il faro per guardarla.
E anche loro parlavano
d'un dio benevolo (ed era così nata
la leggenda) che aveva liberato
una sirena dal mare, donandole
le gambe perché lei potesse vivere
quel grande amore che divenne favola.
E da quel giorno il suo nome
fu per tutti Sirena.

La vedevano
in quelle possenti scogliere
che cingevano il faro, là dove
fra pinastri e lentischi e un po' d'erba
viveva una capra,
scendere a salti per mungerla, e fu
in quella mattina, che lei
da quel suo punto d'osservazione
vide arrivare sulla scia di un canto
le barche della flottiglia
dei pescatori amici.
Cantavano felici
per la notte di pesca prodigiosa, e quando
furono ai piedi del faro, sotto gli occhi
di Sirena, mostrarono
tutte le ceste ricolme, e con impeto
gridarono (ma era un canto): *"Vir,*
vir che chist nunn' è pesce, chist
nunn'è sole o pesce, è mare, è mare!
vir l'orate, e i purpi,
vir scorfani e spigole,
vir vir 'e sarde e l'aragoste, vir
chist è o mare che face festa!"
E mentre saliva nell'aria
quel canto di gioia, all'improvviso
(e subito se ne avvertì la minaccia) si levò
sopra quel coro il rombo
prima di uno, poi, distintamente
di due motori. E arrivarono
due lance che si buttarono
addosso ai pescherecci e gli uomini
con le pistole in pugno, gridavano:
"Dateci il pesce, vogliamo
tutto il pescato!"
Ma forse non avevano prevista
quella risposta dei pescatori
che, con bastoni e remi,
senza paura attaccarono le lance,

e quei briganti sorpresi,
perduto il controllo, spararono.
Un proiettile
uccise un pescatore che scomparve
nel mare. E un secondo proiettile
alto volò sopra le teste e giunse
sulla scogliera e colpì in pieno petto
Sirena.
Quale grido
di bestia ferita echeggiò, mentre i briganti
spaventati fuggivano, e tornava,
come una cappa funerea, il silenzio.
I pescatori videro, sconvolti,
un uomo alto e forte che stringendola
teneva in braccio una donna morente.
E sembrava una statua
sopra il suo basamento.

Con lo sguardo velato, con l'ultima
esile voce, Sirena diceva: "Prega, io voglio
vivere ancora un poco accanto a te".
E lui, ormai senza frenare il pianto:
"Non andar via, senza di te non vivo.
Non mi lasciare qui solo".

A lungo sulla costa si parlò
del funerale di Sirena:
lei su un barcone con le vele nere
e dietro tutta la flottiglia in lutto,
e tante barchette più lente seguivano
anche a distanza volendo
partecipare, ed erano la coda
di una lunga cometa di cordoglio.

Alcuni giorni più tardi, in quella stanza
dove tutto parlava di Sirena,
lui accarezzava le tazze che lavava
e quelle tazze erano lei,

e accarezzava i bicchieri e i bicchieri
erano lei. E mentre
i singhiozzi scuotevano
il suo forte torace, all'improvviso
nel silenzio (placato
in quella notte senza vento il mare)
gli parve udire, quasi un sussurro, una voce,
ma una voce non era, e neppure
un fiato, né un respiro,
ma forse solo un pensiero che voleva
farsi parola, e quel pensiero diceva:
"Non pianger più, sono qui,
resterò sempre al tuo fianco,
tu non sarai più solo".
E lui la vide, e fu scosso
da un profondo tremore, e pur con gli occhi increduli
la ritrovò bellissima anche se il volto era esangue.
Lei guardò la sua stanza,
le care amate cose, e forse
perché vivi tornassero i ricordi
poi dalla balconata guardò il mare.

Passarono tre pescatori. E il primo
disse: "Io vedo un'ombra
nel riflesso di luce del faro".
E il secondo: "Quell'ombra
sembra avere la forma d'una donna".
"Oh, sì, la riconosco – disse il terzo – è Sirena!"
E commossi mandarono baci
col gesto delle mani, poi dissero
insieme una preghiera
che da bambini avevano imparata,
per lei, Sirena, l'indimenticabile,
e per quell'anima bella
che era per sempre tornata.

DOCUMENTARIO IN SARDEGNA

Ma come posso raccontare il vento,
che cambia sempre d'umore, il vento
che gonfia il fiato contro le scogliere,
grida negli uragani, piega gli alberi,
fischia nelle vallate, poi cade
in lamenti e carezze.
E ascoltando il suo canto ho deciso
che del vento avrei fatto
la suggestiva colonna sonora
del mio documentario.
E mi chiedevo ancora:
come si può trasmettere
questo profumo dell'aria che inebria?

Ero in Sardegna, inviato
dal direttore che mi aveva detto:
"E da par tuo raccontaci
quella terra che c'era
quando l'Europa non c'era,
e le nuvole in transito sopra il cielo d'Italia
ancora non vedevano
gli Appennini e le Alpi".

E appena fui sul traghetto sentii
che quel viaggio non era fra due sponde
ma fra due ere del mondo, alla ricerca
di un misterioso passato.
E fu per me un'immersione
così piena che mentre navigavo
in quel profondo mare trasparente
(invito irresistibile
a penetrarlo, a entrare nel suo grembo),
vedendo intorno alla nave
barche di pescatori che fra loro
con larghi gesti delle braccia e urli
si chiamavano, e a voce spiegata cantando

tiravano, colme di pesci, le reti,
io mi chiesi se fossero
uomini del mio tempo o già visioni
della mia fantasia suggestionata
da quel ritorno al passato.

E fu il passato che subito
mi venne incontro e, turbato,
sentii che stavo scavalcando i secoli.
Mi trovai in una piana sconfinata,
solo, e davanti a me
vidi un gigante di pietre su un'altura.
Era – ne avevo letto
la storia preparandomi a quel viaggio –
una casa-fortezza, un nuraghe,
una difesa inviolabile
contro i nemici e le belve.
Tutto era immoto come in un dipinto,
ma volavano alti nel cielo
grandi uccelli rapaci e a me giunse
il solo palpito di vita in quella
silente solitudine.

Poi lasciai la mia macchina sul bordo
della strada e m'inoltrai in un bosco
d'alberi d'alto fusto, e quando
da quell'ombra angosciosa,
piena d'oscure presenze e di suoni,
uscii nel sole, vidi,
come fosse caduta tanta neve,
un prato bianco di pecore. Per terra
c'era, sdraiato, un pastore che leggeva.
Stava leggendo, come poi seppi al suo fianco,
un romanzo d'autore alla moda.
Ed io timidamente: "Chi vi porta
questi libri?" gli chiesi.
Lui d'istinto rispose: *"Sa netta mea
chi est istudianne"*.

Ma subito tradusse: “Mia nipote
che è studentessa”.

Quelle parole per magia evocarono
una presenza.
C’era, a pochi passi,
una capanna rotonda, e ad un tratto
il sole già calante si posò
su quel misero ingresso, e illuminata
da quel cono di luce,
apparve una ragazza.
Mi sembrò
una visione irreale, sovrumana, aveva
due carboni nerissimi negli occhi.
E furono quegli occhi che bucarono
il mio cuore da tempo inaridito.
“È mia nipote” – mi disse il pastore –
“è Grazia”.
E fu per me
una grazia davvero che mutò
l’anima del mio viaggio. Lei divenne
la mia sapiente guida
che mi dette occhi nuovi per vedere
e penetrare nel profondo cuore
di quella terra ancora misteriosa.

Io fremevo al suo fianco, guardavo
le sue labbra che ormai mi tormentavano,
ma la sua giovanile allegrezza
mi tenne sempre lontano spegnendo
il desiderio nella sua amicizia, nella sua
leggerezza goliardica.
E un giorno,
mentre eravamo insieme in una strada
campestre, come sospesi
alla bellezza del luogo, sentimmo
in quel silenzio echeggiare uno sparo.
Subito dopo, al fondo della strada,

davanti a noi si presentò un brigante
che imbracciava un fucile a doppie canne.
Io spinsi Grazia nella macchina e subito
altri briganti spuntarono
dal folto della macchia e ci guardavano
come se in noi cercassero qualcuno.
Finché alla fine il capo
ci disse: *"Amu sbagliato"*.

Entrai in macchina e Grazia
che stava tremando si strinse
teneramente al mio fianco.
Allora, ormai guidato dal mio dèmone,
la feci uscire dall'auto
e sollevandola fra le mie braccia come
dopo le nozze si porta una sposa,
la posai dove l'erba
era più folta e accogliente.

Passò più d'un mese in quella
felice irrealtà, e quando
crebbe in noi una struggente tenerezza,
aprendo a lei l'anima mia confusa
ormai scoperta nella sua dolente
fragilità, le dissi:
"Io sono un vagabondo, vado
di paese in paese a cercare
le immagini che ricordino
a chi non vuole sapere che nel mondo
ci sono miseria e dolore; io vado
dove grida vendetta l'ingiustizia,
dove i bambini si sentono
addosso già la morte.
E sono solo, non c'è
mai una parola che mi dia conforto,
mai una mano che mi accarezzi.
Vuoi
restare per sempre al mio fianco?"
Non mi rispose e piegandosi

verso di me nascose
il viso sul mio petto.
E dopo dissi, ma già
s'incrinava la voce: "Sarai
tutto il mio mondo".
Quel suo silenzio
era un macigno sul cuore.
Pensai che tacesse anche il fiato
dell'universo.

Passarono altri giorni
in quella mia cieca speranza.
Ormai dovevo partire.
E una sera, nel vento
che già spezza l'estate, in quell'ora
che trascina la notte,
camminando al suo fianco nel porto
fra le navi già pronte per il viaggio,
le dissi: "Vieni via" (Sentivo
ch'era già mia nell'anima.)

Oh come lungamente
tenne fissi su me quegli occhi tristi!
E per lei, in quel silenzio, suonavano
lontane le campane della chiesa
dove cantavano i suoi anni in fiore,
e nel suo cuore diviso battevano
i piedi i mamuthones.
Ma tentai,
quasi sentendomi morire: "Il mare
è uguale ovunque, come la luna".
"La mia terra – diceva
il suo pensiero che udivo –
la mia terra", e gelava
nelle mie vene il sangue.

Ormai la nave
si staccava dal molo.
Laggiù

sulla banchina, una piccola mano
levata dentro l'aria del tramonto,
ultimi fotogrammi di un amore
che non ho mai dimenticato,
che porto in me come il mare
un tesoro affondato.

GLI ADDII
(2013-2015, inediti)

ALZHEIMER, QUASI UN DIARIO

(A Vera, mia moglie)

PORTAMI CON TE

Portami via con te, non mi lasciare
in questo mondo ostile,
portami nel profondo
oscuro della tua mente,
nei tuoi pensieri di vento
dove i morti e i viventi si confondono
nel tuo abbraccio cristiano.
Portami dove vai,
sarò sempre al tuo fianco
anche se devo piangere
anche se sono stanco.
                    Non lasciarmi
lontano dal tuo volo,
quaggiù,
        sempre più solo.

PRESENZE

Mi dici "siamo fra i morti" e ti aggiri
nelle stanze deserte ascoltando
le mute voci che ti parlano.
                    "I morti
sono fra noi, non hanno
requie, ricercano
i volti, i luoghi,
le immagini che un tempo ebbero care".
E, trattenendo il fiato,
come sospesa, aspettando,
li inviti a tavola. "Ma loro",
dici, quasi piangendo,

"silenziosi scompaiono senza
neppure un cenno d'addio".

UNA CAMPANA DI VETRO

Ti vengo ad abbracciare mentre dormi,
ma da lontano, senza
che le mani ti sfiorino, e mi illudo,
anche se sei perduta nel tuo sogno,
che tu possa sentire
il calore che sale
da me a te, e l'angoscia che mi prende
di non poterti proteggere con una
grande campana di vetro – ricordi? – come quella
della Madonna sul vecchio comò
(e sto a guardarti immobile
ma agitato se respiri più forte),
di non poterti difendere dal fiato
del dolore, da questa inesorabile
umana nostra sorte.

A PRANZO

"Ecco, vedi, è laggiù che mi aspetta.
E arrivano altri due, come faccio?
Devo andare al negozio
a comprare il mangiare per loro".
E intanto aggiunge altri posti
per quelli che verranno.
La badante
quietamente le dice: "È venuto
uno a chiamarli, e sono andati via"
e toglie i piatti in più. Lei si siede
rasserenata. "Non c'è
più nessuno – le dico –. Siamo
rimasti soli
finalmente io e te".

CERCHI ME

Cerchi me. Mi cerchi gridando
"Luciano, Luciano mio, dove sei?
Perché non rispondi?"
Io, sgomento
ti guardo, ti tocco un braccio, ma tu
non mi vedi, forse
quel Luciano che cerchi
è quello che avresti voluto
ch'io fossi, che ti sapesse avvolgere
in un amore granitico senza
crepe né macchie.
Mi cerchi
in queste amate stanze,
nostro nido, rifugio,
nella lunga catena degli anni,
dove tutto ti parla di me, ma tu
non mi vedi, perduta nel tuo mondo
che ti fa irraggiungibile.
E a un tratto,
ti desti, torni alla terra, e mi scopri
vicino a te e: "mi scoppia
il cuore!" mi dici, e tremante mi abbracci.
E un solo pianto ci unisce.
Oh, incontenibile
felicità! Esplosione
d'una luce accecante nella tenebra,
felicità che nasce
da uno straziante dolore.

LA TENEREZZA

"La tenerezza – dicevi
quando già ci lasciava
l'ultima giovinezza –
questa tua tenerezza che m'avvolge

può diventare un ostacolo
alla passione che già s'affioca, un vento
che fa appassire i fiori".
Ma ti smentivo
chiudendoti la bocca con un bacio.
E chi l'avrebbe immaginato allora
che quella che chiamavo
la ricchezza del cuore, in questa nostra
sorprendente vecchiezza, dopo tanti
anni di vita insieme
sarebbe diventata
così dolce e straziante
da rinverdire l'amore.

A LETTO

Le prendo la mano e domando:
"Chi c'è accanto a me?" E una voce
di bambina mi dice:
"Io". E allora ringraziando
con umiltà dal fondo del mio cuore
che duole, dico a me stesso: c'è.
C'è così come vuole
questo oscuro disegno della vita
(e le stringo la mano),
ma c'è!

A ROMA, A ROMA

Ora ti vuoi vestire per andare
a Roma, e inutilmente ti dico
che siamo a Roma, a casa tua, e ti invito
ad affacciarti alla finestra, per vedere
il consueto quadro che conosci
da tanti anni, ma tu ormai indifferente
a quel giardino, a quel viale,

ti vuoi vestire di rosso per andare
– dici stizzosamente – a Roma, a Roma.

AL CIRCO

Stasera ti vorrei portare al circo
che sotto casa ora passa annunziandosi
con la banda, i pagliacci e i cavalli.
Ma che tristezza non poterti dire
"torna indietro con me,
voltati all'emozione che provammo
a Mosca, quella notte!"
(Ci portarono
in un enorme spiazzo imprevedibile
dove tutto era buio. Ma ad un tratto
un palazzo di vetro divenne
come una torcia di luce: era il circo!")

Ora vorrei che tu ti smarrissi
nell'infantile magia del tendone,
sperando che possano i clown
strapparti quel sorriso
che da tempo non vedo;
e che all'improvviso sull'onda
festosa della musica
la tua voce che non sa più parlarmi
mi dica, cantando, scandite,
le riemerse parole
d'una tua amata, antica, canzonetta.

LA CARITÀ

C'è, a sud di Roma, un lungo palazzone
(ben noto alla cronaca nera),
che ferma l'aria benefica
portata dal mare.

Vi regna, incontrastata, la droga
e fra topi e immondizia
giocano ignari i bambini
figli di chi sa quale padre.

E tu giovane colomba,
fra quegli uccelli rapaci,
portavi pane e conforto.
Io t'aspettavo
nell'angoscia, e ti pregavo: "Pensa
ai poveri di qui, dove viviamo".
"No, non ci sono poveri, è un quartiere..."
L'interrompo: "Qui c'è
la povertà truccata
da una borghese dignità che soffre
per non chiedere".
Tacevi, dubitando. Poi hai ceduto
per non farmi più male.
E poco a poco, da vero segugio,
l'hai scoperta: e case e scale,
hai cominciato a spenderti per loro,
col tuo gran cuore cristiano.

UN BARLUME DI LUCE

Ti accarezzo e ti dico:
"Sei tutto il mondo, io vivo
solo perché ci sei".
E tu con uno sguardo
da cui sembra fuggito il pensiero,
mi dici: "No, tu devi
vivere per te stesso".

IL MISTERO

Mi dice un amico, è inutile
che tu insista e ti logori,
lei non capisce.
Ma noi
poco di più, perché
guardando i suoi occhi sbiaditi,
capisco che il grande mistero
non è soltanto Dio.

LITANIA

Quando ti porto per la mano e sento
che sei tornata bambina, e divento
sposo, fratello, padre,
io sto pregando.
Quando alle tre della notte mi svegli
dicendo è quasi mezzogiorno ho fame
e ti porto biscotti e cioccolata,
io sto pregando.
Quando mi parli, mi parli e le parole
sono soltanto nuvole vaganti e cerco
di assecondarti seguendo i tuoi voli,
io sto pregando.
Quando m'accorgo che i tuoi occhi d'acqua
sono appannati da un'ombra che viene
da sconosciute lontananze e piango,
io sto pregando.
Quando ti dico che la colazione
è pronta, e ti aiuto ad alzarti
abbracciandoti con la tua vestaglia,
io sto pregando.
Quando chiami i bambini
che esistono solo per te
e mi piego a cercarli dietro i mobili,
io sto pregando.

Quando apparecchi per otto
che non verranno e dico inutilmente
che siamo soli,
io sto pregando.
Quando mi insulti e mi dici vigliacco,
egoista, schifoso, insensibile,
perché non soffro per chi è sparito,
io sto pregando.
Quando chiami a gran voce la mamma
e inutilmente ti dico che è un angelo,
che è in cielo, e ti ribelli,
io sto pregando.
Quando ti lavo i piedi e li accarezzo,
io sto pregando.

PAROLE

Ti ascolto proteso
alla tua bocca per leggere
ciò che l'orecchio non sente,
quel grumo affannoso di suoni
che con fatica tentano
di diventare parole. E ne colgo
una che dice "ridotta"
e un'altra che dice "oramai".
E scopro con sgomento
tristi segnali allarmanti che dicono
che in quel pensiero spento
talvolta si affaccia il dolore.

GLI OCCHI

Ahi, gli occhi amati, i tuoi occhi,
vivi smeraldi nella luce, e poi,
quasi ad un tratto, hanno perso il colore
come fa il mare dopo una burrasca.

Ma io vi leggo ancora
un'ansiosa richiesta d'amore,
una sfinita tenerezza
a cui m'aggrappo per vivere.

LE GOCCE

Verso nel suo bicchiere ad una ad una
e conto fino a sette le sue gocce.
Ma lei non può vedere,
né io posso contare
quante cadono insieme nel bicchiere
le mie nascoste lacrime.

IL MONOLOGO

Dormi stretta al mio fianco
con la testa appoggiata
sulla mia spalla, cuscino prediletto,
e i tuoi capelli mi fanno il solletico.
Ma io, vincendo il prurito, sto fermo
per non destarti.
                                        A un tratto,
quando ancora la luna
troneggia nel cielo, ti desti. E comincia
il tuo lungo monologo frenetico,
parole che mi sfuggono
come farfalle che volano
senza posarsi mai, e non m'aiutano
tenerezza e preghiere.
E nemmeno la luce dell'alba
che ora invade la stanza
ti riconduce all'inquieto
sonno che non dà pace.

TI SUPPLICO

La notte, il vento quando sulle case
soffia violento e fischia
come un ragazzo che non trova più
la chiave del portone,

così io, quasi a gara,
vorrei gridare alle stelle il tuo nome
perché l'eco nei cieli ripeta
quelle mie care sillabe che legano
il mio vuoto alla vita, e che possa
alla tua anima limpida arrivare
con quel disperato chiamarti,
la mia accorata preghiera:
"Ti supplico:
violenta la natura, non andartene".

LO SPECCHIETTO

Quello specchietto
che tante volte usavi
per vedere se il trucco era perfetto,
ora, per l'ultima volta
io con le nostre figlie (già sospesi
sul temuto verdetto)
tremando lo accostiamo
alla tua bocca aperta
nella vana speranza
che il tuo fiato l'appanni.
No, dove tu leggevi,
serenamente, la vita,
noi vi leggiamo la morte.

IL SUO CORPO

Perché, Gesù Signore, hai permesso
che il sangue si fermasse,
che si spegnessero i battiti del cuore,
che l'aria non avesse più il profumo
del suo respiro,
e così scomparisse il suo corpo,
quel corpo stanco, ma vivo
che con il suo calore
riscaldava il mio sonno.
Insieme a lei
sono scomparsi i mobili, i tappeti,
i quadri, i libri e le stoviglie,
perché la casa – ora vedo – era piena
soltanto dei suoi passi, soltanto
della sua limpida voce e ora,
come uno storno sgomento
dell'infinita vastità del cielo
perché ha perduto i compagni del volo,
così io porto in me la solitudine
del deserto.

UXORICIDIO

Devo ucciderla. Ormai ho deciso.
Ma tremo se dico a voce alta
queste tremende parole che volano
nell'aria come coltelli.
La guardo
con gli occhi pieni d'amore
e vedo i suoi spegnersi
come fiori appassiti.
Chi potrebbe resistere al suo fianco,
povero albero secco
che ha perduto memoria delle foglie.
Devo ucciderla, non posso più accettare

il suo umiliante dolore.
La prendo fra le braccia e le mie mani
– come non fossero mie –
salgono al suo collo di cigno
e, baciandole il viso, lo stringo.
Lo stringo ancora e lei piega
la testa sulla mia spalla, e sento
il suo corpo pesare
e scivolare lungo il mio corpo
– come un'estrema carezza –
fino a cadere. Mi chino
per sollevarla, ma lei
non c'è. È sparita!
E sale
nel silenzio angoscioso della notte,
il cupo rantolo di un moribondo,
ma è l'ansimare di un treno
diretto chi sa a che traguardo,
e dove forse c'è lei.
Ad un tratto,
nell'incertezza del sonno
sento una mano che mi preme il petto:
mi sta venendo addosso
quel treno che mi soffoca,
mentre in affanno mi sveglio.

Agosto 2015

LA SUA BELLEZZA

"Com'era bella tua moglie" – mi dicono,
addolorati gli amici. Ed altri ancora
che non avendola conosciuta
ne ammirano le foto.
E se andavamo ad un festival,
vedendola passare,
le gente chiedeva: "È una diva?"

Ma io la trovavo bellissima
quando era vecchia e malata,
e stava aggrappata al mio braccio.
(Quanta pena i suoi piedi trascinati!)

E allora ricordavo lei ventenne
quando mi venne incontro correndo
per dirmi, tenendomi stretto:
"Mi affido a te per sempre,
portami dove vuoi".

Agosto 2015

A MIA FIGLIA ANNALISA

IL SOGNO

"Mi avete visto camminare?" hai chiesto.
"Noo!? Allora vuol dire
che ho soltanto sognato.
(Perché a quelle parole non fugge
il mio cuore dal petto?)
"I sogni
son desideri" diceva
una vecchia canzonetta, e tu
avevi solo questo desiderio,
così umano (ma quanto irrealizzabile!),
che ti portava indietro indietro a quando
tenendoti la manina
io ti insegnavo i primi passi.
Ormai
potrai inverare quel sogno (e prego
che la speranza non m'illuda) volando
su un tappeto di luce.
E io, tuo padre, con vergogna,
continuo a camminare sulla terra
senza sapere dove devo andare.

IL RITORNO

Dico al marito: "Per caso
è ritornata da te?"
Mi guarda
con stupore. Ha ragione
perché sa che nel percorso
verrebbe prima da me.
Sento suonare il campanello e corro
ad aprire la porta,
ma il pianerottolo è vuoto,
né un passo, né un fiato.
Mi sporgo, guardo

fino in fondo alle scale. Ma è inutile:
non c'è nessuno. Con fede
rimango ad aspettare.
Io so che c'è qualcuno
che ce la può rimandare.

IL QUADRO

Figlia, tenero ramo
di questo vecchio tronco,
perché hai pugnalato tuo padre,
violentando le leggi della vita,
sei passata prima di me,
su quell'orrido rivo?
Eppure lo sapevi (abbiamo pianto
insieme, abbracciati)
che la mamma lasciandoci
aveva già lacerato il mio cuore
immedicabile.

Ti dico queste parole (e ne ascolto
il suono con stupore
come non fossero mie) guardandoti
nel quadro che ho davanti al letto,
dal pittore intitolato "Sorelle".
Tu, quindicenne,
tieni al tuo fianco Serena
che appena ti arriva alla spalla.
Ora
mi chiedo dove sei
e dal buio del dolore inutilmente
l'anima spenta cerca di raggiungerti.
E non ho ormai che lei sola,
la tua sorella incredula
a dare fiato ai giorni che mi restano,
col suo nutrimento d'amore,
lei, l'ultimo fiore
del mio giardino calpestato.

2015

SESTA PARTE
TEATRO

ELOISA ED ABELARDO
Passigli 2007

NELLA SUA LUCE
Pontificia Accademia dei Virtuosi al Pantheon 2009

ELOISA ED ABELARDO

Racconto in versi per tre voci

Una passione che divora,
una lotta estenuante
tra peccato e redenzione

Da tanti anni accarezzavo il progetto di "raccontare" due personaggi che avevo sempre amato: Eloisa e Abelardo. Sentivo che vi erano ragioni profonde, oscuramente speculari, per questa mia predilezione. E così i versi hanno trovato un loro flusso naturale, e scrivendo mi sono accorto che erano gli stessi Eloisa e Abelardo a farsi personaggi narranti. La poesia era diventata teatro, tornava alle sue antichissime origini. E in me riviveva il ricordo di quando da ragazzo, presso l'Accademia d'Arte drammatica di Silvio D'Amico a Roma, avevo frequentato il corso di drammaturgia di Cesare Vico Ludovici, commediografo molto noto fino al dopoguerra. Quel sogno giovanile è rimasto senza sbocchi, e ora ecco Eloisa e Abelardo riportarmi a quel desiderio. In loro ritrovo i temi portanti della mia poesia: l'amore con le sue gioie esaltanti e le sue indicibili pene; la morte, retropensiero che accompagna i nostri giorni, ma che ci fa amare più golosamente il dono della vita. (Avevo scritto: "Quanto ti debbo, sferzi / l'ora il minuto, l'attimo, mi desti / da un torpore colpevole. Da te / prende forza la vita che mi resta"); e soprattutto Dio, interlocutore costante, presenza e assenza che ci conforta e tormenta. Perciò Eloisa e Abelardo non appartengono soltanto a quell'undicesimo secolo in cui vissero, ma possono considerarsi come archetipi delle passioni umane in ogni tempo. Persino la psicanalisi ne dà una lettura che li rende vicini a noi. Quel grande filosofo medievale è un contemporaneo assertore della libertà di pensiero, che accetta l'espiazione come prezzo di una troppo goduta e irraggiungibile felicità. Così Eloisa e Abelardo proiettano sul mondo il significato morale della loro rinuncia insegnandoci, con la loro storia incomparabile, a quali vertici di donazione possa giungere un amore.

L. L.

ATTO PRIMO

Narratore

Settantanove volte già l'estate
aveva invaso i fertili
campi della Bretagna,
in quel secondo millennio che sembrava
non doversi contare
nella storia del mondo, perché "mille
e non più mille" era stata
la profezia funesta.

E in quel '79 di quel secolo
che fu poi definito
quasi un rinascimento,
nel paese chiamato Palais,
a otto miglia ad oriente da Nantes,
nacque Pietro Abelardo,
primo per il talento e per la sua
intelligenza logica che avrebbe
cosparso di veleni la sua vita.
Ovunque un maestro insegnasse
l'arte della dialettica, lì andava
quel ragazzo affamato di sapere
fin quando giunse, ventenne, a Parigi.

Abelardo

Com'era dolce l'aria della sera
in quella primavera di Parigi! Ed io
a quel suadente invito
lungo la Senna andavo a passeggiare.
Ero felice. Le caste donzelle
che mi passavano accanto
pudicamente fingevano
di non vedermi, e abbassavano il viso
che si faceva di porpora. Oh, quanto

io ne godevo! Soddisfatto
di tutti i miei successi, camminavo
come su un palcoscenico.
Ero uscito
appena un'ora prima
dalla scuola del celebre Guglielmo
di Champeaux: la lezione
era finita con un mio trionfo.
Sosteneva che in tutti gli individui
è la stessa realtà, che non c'è
diversità nell'essenza.
Lo confutai, e dopo il mio intervento
si contraddisse e accettò...
Ma suscitai il suo sdegno e l'invidia
– io il più giovane e l'ultimo arrivato –
degli altri discepoli rivali. E quanto più
la mia fama cresceva
più aumentava l'invidia.
Quando più tardi volli
farmi maestro, aprire scuole mie,
da presuntuoso ragazzo qual ero,
mi fecero una guerra che mi tolse
la pace e il sonno, e cominciò così
il mio peregrinare
di paese in paese
fin quando son tornato qui a Parigi
e qui ho avuto la gloria e la ricchezza.

Narratore

Il suo successo valicò i confini
e fece pallido quello di Guglielmo,
ma i suoi compagni non lo perdonarono
e anteposero sempre allo stupore
ammirato per quel precoce ingegno,
l'invidia e l'odio per la sua superbia.
Da lì nacquero tutte le disgrazie
che lo perseguitarono nel corso
della sua vita infelice.

Abelardo

Feci della ragione
la mia arma vincente e della logica
la mia sola bandiera, e le lezioni
sulla composizione del discorso
così larghi consensi riscossero
che alla mia scuola venivano in folla
quanto più le rivali si svuotavano.

Narratore

Quale cattivo consigliere
è il successo, che perfida ruffiana
la ricchezza! Lussuria e superbia
erano ormai le sue ancelle, eppure mai
avrebbe accolto nel suo letto lerce
meretrici, né l'avrebbe appagato
un'avventura facile
con popolane e nobildonne. E fu
mentre lo attraversava un turbamento
della mente e dei sensi, da uomo
vicino ai quarant'anni, che gli apparve,
suo segnato destino, una fanciulla in fiore.
Era fra gli studenti ad ascoltarlo
assorta, come appesa alle sue labbra.
Si chiamava Eloisa,
era rara per grazia, e già nota
per cultura e talento.
Viveva presso uno zio che fungeva
da tutore, il canonico Fulberto.

Abelardo

Aveva il corpo che sogna ogni amante
e gli occhi, gli occhi anche quando li abbassava
lasciavano intorno una luce...
no, non pareva appartenere al mondo.
Inutilmente (ma come avrei potuto?)

cercavo di scacciarla
dai miei pensieri, dalle mie pulsioni
che già mi intorpidivano le vene
e la vedevo, la sognavo sempre,
in tutti i modi in cui l'avrei voluta,
nella mia fantasia che galoppava.

Narratore

E fu quel desiderio insostenibile
a tessere la trama.
Fulberto amava molto
la sua pupilla e voleva che fosse
più sapiente di tutte, e così quando
Abelardo gli chiese d'ospitarlo
nella sua casa come pensionante
per non aver le cure che distraggono
della sua vita pratica, lo zio
pensò, interessato, che Eloisa
avrebbe avuto in lui, grande filosofo
che aveva fama d'esser saggio e casto,
un maestro, e gli disse, ne faccia
una discepola attenta e devota.

Abelardo

Io non speravo tanto. Mi disse
che potevo persino picchiarla
se non era ubbidiente e che potevo
darle lezioni quando avevo tempo
o di giorno o di notte.
                                        Era un invito
che già faceva bruciare il mio sangue.
Abitavo con lei! nella sua casa! e lei
era come un agnello
nella tana del lupo.
                                    La braccavo.
Quel buio delle stanze,
quei lunghi corridoi

dove potevo inseguirla,
e quel fioco bagliore delle lampade,
tutto eccitava il desiderio. Fuori
non avevo più amici, Parigi
era senza richiami. Restavo
sempre più in casa per farmela amica,
per attrarla, e renderla cedevole
alle mie turpi voglie.

Narratore

E ciò accadde, com'era prevedibile.
Ma accadde, e ciò non era prevedibile,
che il suo cuore scoprisse nuovi battiti,
che la passione diventasse amore.

Eloisa

Lui mi guardava ed io
a quello sguardo che dentro
tutta mi penetrava,
con uno sguardo rispondevo
e ne avvampavo stupita.
E lui che prima
mi era fratello maggiore e maestro,
ora, ad un tratto, per quel suo pallore,
per quel nuovo guardarmi,
con occhi nuovi vedendolo, mi parve
quasi uno sconosciuto.
Ma non una parola
venne fra noi a dar voce
a quegli sguardi, a dare
un nome al nostro turbamento. Ed egli
come portato da chi sa che forza
estranea al suo volere
mi fu così vicino che il suo fiato
accarezzava il mio viso
e più non v'era spazio,
né più distanza, era scomparso il mondo

fra noi, ed egli senza
ch'io lo volessi, o lo volesse lui,
la bocca mi baciò tutto tremante.
Ed io discesi come se morissi
dentro un vortice, un fiume
che mi portava.

Abelardo

La sentivo
– com'è un passero implume in una mano –
tutta fremente, e a me
quel suo brivido lungo che tagliava
la sua schiena mi tolse
l'anima, la ragione.
La mia mano,
da me divisa, estranea, andava
timidamente ai suoi piedi accarezzandoli
e poi, esitando,
prese la lunga veste sollevandola
fino ai ginocchi.
Guardai la sua pelle albeggiare
rosata, a gara
con la luce del giorno che s'apre
e dissi a me: che fai? Ma la mia mano
sfiorò quel candore, e senza ch'io potessi
più fermarla, saliva,
e mentre ancora il mio bacio
le chiudeva la bocca, saliva.

Eloisa

Il mare, quando il vento
furiosamente lo scuote, non conosce
quell'ardente tumulto che spaccava
il mio cuore.
Che faceva
quella sua calda mano? Avrei voluto
oppormi a quella carezza, ma ero già

come pietrificata ed era spenta
la voce nella gola,
e nelle orecchie il sangue
era un tuono profondo.

Abelardo

La mia mano esitava, ma per poco,
restava un attimo incerta, poi saliva
più su, più su (e il calore
mi bruciava la palma)
fino a quel nido di fuoco
dove è in fiore la vita.

Eloisa

Sentivo
il suo vigore crescere,
la sua impetuosa richiesta virile
e allora in me il desiderio
– sconosciuta parola misteriosa –
fu vivente realtà che mi sedusse, ed io
fui avviluppata a lui
come un serpente ad un tronco
e la mia carne si aprì per accoglierlo,
e fummo un solo corpo,
fummo un solo destino.

Abelardo

I giochi che l'amore suggerisce
e quanto la passione sa inventare
noi, da adepti vogliosi, provammo.
E le mie mani lasciavano i libri
per cercare i suoi seni sensibili.
Ma tanto amore non si può nascondere
e i miei occhi parlavano, parlavano
le mie mani tremanti, le assenze

del mio pensiero, e gli studenti seppero
dai segni il tarlo che mi divorava.

Narratore

E dopo, fatalmente, pur incredulo
per la fiducia in Eloisa e la stima
per il maestro, Fulberto alla fine
dovette credere a quella verità
che ormai di bocca in bocca già correva.
E fu uno scandalo che travolse tutti.
Ne era affranto Abelardo per la sua
Eloisa, ma lei si disperava
solo per lui, per l'ombra
che il disonore posava sul suo nome.
E ognuno soffriva per l'altro.

Abelardo

L'inevitabile avvenne. Fulberto
me la strappò dalle braccia, ci divise
ed io non fui che la metà di me stesso.
Ma la distanza rende più struggente
la passione, s'impenna
il desiderio, e la vedevo sempre
accanto a me, accarezzavo il suo corpo
che non aveva più nessun segreto
per le mie mani, né per la mia bocca,
mi sfinivo sognandola.

Narratore

Anche se è lento il tempo
della distanza, passarono
i giorni, i mesi...

Eloisa

Non vidi il sangue ma non volli credere.
Tutti quegli spaventi, le fatiche

dei viaggi. Avevo letto che potrebbero...
Aspettavo. E passavano i giorni
e passò il mese. E non accadde... Mi sembrava
che l'ancella guardandomi capisse.
S'era fatto più teso il mio ventre, i capezzoli
erano eretti e gonfi come quando
chiamava il desiderio. Nel mio corpo
sentivo fiorire la vita. Abelardo,
Abelardo, invocavo
nella veglia e nel sonno, divisa
fra la paura e la gioia.
Ed esultante gli scrissi.

Abelardo

Ero padre! Quell'angelo,
quel fiore pallido appena sbocciato
germogliava, mi stava dando un figlio.
E dopo tanto piangere
esplose in me la gioia.

Narratore

La decisione fu rapida.
Mentre Fulberto era assente, Abelardo
rapì Eloisa e la portò a Palais,
suo paese natio, da una sorella,
e lì Eloisa partorì un bambino
che fu chiamato Astrolabio.

Abelardo

Pari al grande dolore, per Fulberto
fu, per lo smacco, l'indignazione
e il desiderio di vendetta. Ed io
su me sentivo il fiato della morte.
Ma non per la paura, fu soltanto
per la pietà di quel dolore, e la colpa
che mi pesava sul petto, che andai

da lui, e per lenire quel suo strazio,
per riparare, promisi ciò che mai
avrei pensato di fare nella vita:
di sposare Eloisa, ma a patto
che le nozze restassero segrete.

Eloisa

Quando lo seppi mi misi a gridare.
Oh mai, mai, avrei accettato questo
mercato vergognoso!
Su me che l'amo la colpa d'esser causa
del suo disonore, del ripudio
dei filosofi, perché il migliore
fra tutti non avrebbe più potuto
interamente offrirsi al suo pensiero.
Quale anatema cadrebbe su me,
su me sola colpevole
d'avere spento il fulgore
della sua mente eccelsa.
Gli scrissi: "Sei creato
per il bene di tutti,
vuoi perdere l'amore del sapere
per il meschino amore di una donna?
Degli antichi sapienti ricordati!
che restavano casti per rispetto
della loro sublime missione.
E dunque cosa ti spinge (sei persino
canonico e chierico!) a scegliere
i piaceri morbosi della carne
e imbrattare il tuo nome di filosofo?
Non ne sarò la causa.
Meglio per me e per te
che io sia la tua amante e non la moglie.
Saprei così che è soltanto l'amore
che può legarti a me".

Narratore

E nonostante il suo vibrante amore
avesse dato frecce alla sua lingua,
per volontà di Abelardo cedette,
e affidato il bambino alla sorella
di lui, una mattina, dopo l'alba,
nella complice nebbia di Parigi
si sposarono. Poi,
quasi furtivamente, separati,
lasciarono la chiesa.
Ma lo zio
non dando peso alla parola data,
per medicare l'onore ferito,
ai quattro venti sparse la notizia.

Abelardo

Povero me infelice! Come posso
ai miei fedeli allievi presentarmi?
E che diranno i rivali invidiosi
di me che ho tradito quella vita ascetica
che era la tradizione dei sapienti?
Quanto adesso mi pesano sull'anima
quelle parole che Seneca disse
a Lucillo invitandolo
a trascurare, a abbandonare tutto,
per essere solo un filosofo! E invece
sono invischiato perdutamente
nella mia vita corrotta. Ed è finita
la mia carriera splendida.

Narratore

Eloisa reagì e andò gridando
negli atenei, nelle chiese, dovunque
avesse fama il nome di Abelardo
che Fulberto mentiva
che era proprio impossibile

che lei si fosse davvero sposata.
Ma lo pagò, e forse giustamente.
Così la vita con lo zio divenne
un inferno continuo: l'angariava,
si mutò in odio l'amore di un tempo.
La tenne segregata, le impedì
ogni contatto umano.
Abelardo soffriva
e si sentiva colpevole e una notte
mentre Fulberto era in viaggio,
la rapì e la nascose
nell'Abbazia femminile di Argenteuil
poco fuori città, dove bambina
era stata allevata e istruita.
E senza prendere il velo, che significa
la pienezza dei voti, lei indossò,
come Abelardo volle,
l'abito religioso delle monache.

Abelardo

Io lontano da lei non resistevo. Tutte,
nella mia mente accecata tornavano
e nei miei sensi, le immagini
dei nostri amplessi, sentivo
ancora ogni suo fremito e l'odore
della sua pelle e correvo
da lei al convento e vincendo
il suo diniego già debole,
ormai senza più freni ci amavamo.

Narratore

Fulberto, inferocito,
pensando che Abelardo
chiudendola in convento,
– vile! – avesse voluto sbarazzarsi
dell'innocente nipote caduta
sotto gli artigli dell'orco, decise

che era giunto il momento che pagasse
tutte le ignobili colpe commesse.
E questa volta, complice
un famiglio corrotto di Abelardo
architettò una vendetta crudele.

Abelardo

Dormivo. A un tratto
– non era un sogno, no
non era un incubo! –
un terremoto mi destò. Cos'era?
Non capivo. Il sudore
mi scendeva negli occhi ad accecarmi,
ma sentii che una selva di mani
mi teneva bloccato sul letto
e mi strappava i panni, e in quelle tenebre
vidi il bagliore d'una lama. Allora
fu la mia forza nel divincolarmi
quella d'un toro infuriato, e gridavo
con tutto il fiato del petto, ma fu inutile
quella mia disperata resistenza.
Lottavo non per sfuggire alla morte,
la morte che tutto cancella,
ma quell'orrenda minaccia
che mi fu subito chiara.
Quella lama
s'accanì sul mio sesso e fece un lago
di sangue sul lenzuolo. Ed io sentivo,
libero ormai, la vita
che mi sfuggiva.
Meglio
la morte, cento volte
la morte, quella morte che attendevo
ora nel flusso di fuoco
che svuotava le vene.
Ma la morte
fu beffarda, e non venne.

Evirato
d'ogni sogno, strappato
dalla vita più vera, dall'amore,
ridotto come pianta
inaridita che non dà più frutto.
Nascondermi, fuggire
dove nessuno veda,
dove nessuno sappia.

Narratore

Ma appena giorno fu fatto, una folla
di studenti, di amici
era già radunata sul portone
e ai suoi gridi, ai lamenti rispondeva
con altri gridi e pianti, e ciò accrebbe
in Abelardo dolore e vergogna.
E frattanto le guardie acciuffarono
due assalitori venduti
e come pena del contrappasso
anche a loro tagliarono i testicoli
e cavarono gli occhi. A Fulberto
confiscarono i beni.

Abelardo

Addio mia gloria, finiti
i miei ambiziosi sogni di studioso.
Tutte le porte mi saranno chiuse.
Abominevole agli occhi di Dio
sarò, come gli eunuchi,
fetido e immondo. Con quale coraggio
potrò mostrarmi alla gente?
Mi guarderanno tutti di soppiatto,
ammiccando, irridendomi.
Resterò solo per sempre e la vergogna
sarà la mia compagna. E come posso
vivere con il peso del dolore
che ho dato a chi mi ama?

È giusto, è giusto
che la mano di Dio m'abbia punito
dove più forte ho peccato.
Isolarmi,
lasciare il mondo per sempre.

Narratore

Prese allora la strada del convento.
Fu la vergogna, non la vocazione
a spingerlo a quel duro passo, e scelse
nei pressi di Parigi
la regale Abbazia di Saint Denis.

Abelardo

Quella campagna un tempo tanto amata, i boschi
che in gioventù mi offrivano
con l'ombra un più profondo
ascolto dell'anima e un vivido
stimolo del pensiero,
quegli stormi di uccelli che accendevano
le mie domande, il mio sentirmi parte
della natura, fraterno
con tutte le creature
nel coro del creato, e ringraziavo
innalzando una muta preghiera,
quella campagna adesso
sembrava ostile al mio sguardo,
quasi nemica, e spronavo il cavallo
per sfuggirla, perché non più quel cielo
fosse sopra di me,
ma solo il tetto d'una cella ormai.

Narratore

E la regale Abbazia di Saint Denis,
dal 600 chiesa della corte, accolse
Abelardo che fece quella scelta

per il bisogno di fuggire il mondo
non per una chiamata della fede.
E prima aveva chiesto ad Eloisa
che in quel monastero d'Argenteuil
dove già si trovava, prendesse
"spontaneamente" il velo.
E ciò, come lui volle, fu adempiuto.

Abelardo

Mio Dio, cosa mi resta
della mia vita ormai?
Il mondo mi respinge e vengo a Te
ma sono vile a chiederTi rifugio.
A che vale l'offerta di me,
di un uomo che non deve
vincere desideri, tentazioni?
Non é una donazione
questo mio voto, ma possa
la Tua misericordia
accogliermi pentito
nel Tuo grembo di pace.

Narratore

Furono in molti a piangere
con Eloisa e tentarono
invano di sottrarla a quella vita
d'ombra che l'attendeva
per sempre, d'impedire
che la sua giovinezza diventasse
come una rosa che senza fiorire
si china sullo stelo, ma lei disse
con la voce spezzata dalle lacrime,
che doveva pagare quel sacrilego
male fatto a Abelardo sposandolo.
E prese il velo, e fu monaca.

Eloisa

Mio Dio, mio Gesù, Tu lo sai
che il mio amore è là fuori,
che sono indegna d'essere Tua sposa,
ma io sarò fedele a questa veste
che protegge e dà forza per vivere.
Ma Tu perdonami se pregherò
per quell'uomo infelice
e che ho tanto amato e amo, e non dovrei!,
ancora, ancora con tutta me stessa.

Narratore

L'Abbazia di Saint-Denis peccava
– come molti conventi in quel tempo –
di corruzione, e l'Abate
era il più dissoluto. Abelardo
pieno di nuovo fervore, si oppose
al malcostume imperante e lo fece
con violenza verbale, ma ottenne
solo d'essere inviso ai confratelli
che furono ben lieti di concedergli
di tornare ai suoi allievi
che da ogni parte venivano a cercarlo.
E Abelarlo poté, poco lontano,
ritirarsi in un eremo;
ma fu tale la folla di studenti
che non bastò lo spazio, né bastò
la terra intorno che coltivavano
per potersi sfamare.

Abelardo

Nella mia veste di monaco
fui sempre più teologo
che filosofo, senza tralasciare
le arti liberali più richieste;
poi per rispondere ai loro quesiti

sui fondamenti della nostra fede
scrissi un trattato su *L'unità*
e trinità di Dio.

Narratore

Fu proprio quello
l'amo che offrì ai nemici per colpirlo.
I maestri Alberico e Lotulfo,
e il "vescovo", e il legato pontificio
chiesero un'assemblea
nella città di Soissons per condannarlo
per eresia. Nei giorni del Concilio
ogni mattina Abelardo parlava
in piazza dei principi della fede
come li aveva esposti nel suo libro.
E la gente ascoltava affascinata
e commentava: "Nessuno interviene?
Nessuno polemizza? E allora è chiaro
che Abelardo ha ragione. Lo vogliono
condannare per forza". Ma tacevano
i suoi nemici e il legato pontificio
che stava al loro gioco. Parlò invece
– molto stimato per la sua pietà –
soltanto il vecchio Vescovo di Chartres.

Il Vescovo di Chartres

Tutti sapete che l'uomo
che avete davanti è famoso
per cultura e talento e che ha offuscato
la fama dei nostri maestri,
che la sua vigna ha esteso
da un mare all'altro i suoi tralci.
Ora se voi – ma non lo voglio credere –
soltanto per malanimo vorrete
anche se giustamente condannarlo,
vi dico: ricordatevi
che molti verranno a difenderlo,

e in verità vi dico: nel suo libro
non trovo nulla che possa accusarlo.

Abelardo

Gesù mio, tu conosci il mio cuore,
neppure un'ombra c'è nel mio pensiero
che possa farmi accusare d'eresia.
Io dico, e non scalfisce la pienezza
della mia fede in Te,
che non la pratica, non l'esercizio
della memoria conduce a conoscere
la verità, ma soltanto
l'intelligenza, la ratio
che si deve applicare anche alla fede,
come alla teologia vanno applicate
le chiare regole della dialettica.
Io questo affermo nel Tuo santo nome.

Narratore

Ma nonostante la calda e sincera
perorazione di quel santo Vescovo,
accelerando i tempi
per vincere gli ostacoli,
quella congrega di nemici suoi
(dove ognuno era complice dell'altro),
ad Abelardo impose di gettare
con le sue mani, il suo libro nel fuoco.
E Abelardo, piangendo, lo fece.

Abelardo

Dio, che sei l'unico giudice
dei giusti, perdonami il veleno
che ho usato contro di Te
nella mia cieca disperazione
quando come un demente t'accusavo
di avermi abbandonato. Tu lo sai

quanto dolore per quella ferita
che ha attraversato l'anima
più crudele dello strazio del corpo
di cui almeno m'accusavo colpevole.
Ma ora invece innocente,
io che sempre do luce
alla tua fede,
sono la vittima d'un oltraggio
che è una macchia indelebile al mio nome.

Narratore

Ma le disgrazie non dettero tregua
ad Abelardo. Tornato al Convento
dove i frati l'odiavano, un giorno
discutendo coi frati sull'origine
di San Dionigi il patrono di Francia,
contrastò l'opinione dell'Abate
e fu accusato (lui accusato sempre)
d'essere ostile all'Abbazia e al re.
Temendo ritorsioni,
e addirittura il carcere, Abelardo
notte tempo fuggì dal convento,
ma sentendo che aveva
sul collo una minaccia di scomunica,
dovette farvi ritorno.
Alla fine intervenne
Luigi VI in persona
che gli concesse di allontanarsene
purché ufficialmente non entrasse
in un'altra Abbazia
così che al suo monastero
non fosse tolto l'onore
che gli dava il suo nome.

Abelardo

Ero libero!

Mi ritirai in un eremo

vicino a Troyes e alcuni estimatori
mi donarono un piccolo terreno
ed io vi feci sorgere
un oratorio di canne e di stoppie
che dedicai alla Santa Trinità.
Ed ecco, i miei discepoli scoprirono
quel mio rifugio nel deserto:
dalla città e dai villaggi intorno,
lasciando il conforto degli agi,
con i carri e i cavalli arrivarono.
E con le loro mani costruirono
le capanne per viverci, e mangiarono
il pane duro e le erbe che trovavano
per nutrirsi del mio insegnamento.
Così in loro viveva lo spirito
della lezione di San Gerolamo
del quale io mi sento l'erede:
"Se qualcuno con godimento guarda
le donne belle, i giochi
del circo, lo splendore delle gemme,
le vesti sontuose, le gare
degli atleti, i cibi raffinati,
in lui la libertà si è incatenata
e attraverso il dominio dei sensi,
come da una finestra
è penetrata la morte".

Narratore

Insieme al vento che scuoteva i pali
delle capanne, giunse fino a lì
l'invidia per minare
la pace di Abelardo,
ma il suo veleno ne aumentò la gloria.
Così tanto che il piccolo oratorio
non bastò più e gli allievi
senza esitare ne costruirono
uno più grande di legno e di pietra.

Abelardo

Io l'avevo fondato nel nome
della Santissima Trinità,
ed era poco più di una capanna,
ma ora questo nuovo, ricordandomi
che vi ero giunto in fuga
dai miei persecutori,
lo dedicai allo Spirito Santo
e lo chiamai "Paracléto", il quale
"d'ogni tribolazione ci consola".
Ma quell'insolito nome a un luogo santo
aprì nuove polemiche
ed io temetti ancora
che su di me pendesse una scomunica.

Narratore

Ogni assurdo pretesto era valido
per quella cieca persecuzione, e stanco,
già provato nel fisico, illudendosi
d'essere almeno protetto, Abelardo
acconsentì di diventare Abate
di Saint-Gildas de Ruys
nella Bretagna inferiore,
ma si trovò in un paese selvaggio
di cui ignorava la lingua, fra monaci
corrotti che tentarono
in tutti i modi di ucciderlo
col veleno e la spada. Frattanto
le suore di Argenteuil
delle quali Eloisa era Priora,
furono con la forza
scacciate dal convento
per un antico contratto.

Abelardo

Vedendo quelle suore

esuli e senza casa
lessi il segno che Dio mi mandava
e regalai con tutte le sue terre
il Paraclèto a quelle mie sorelle.
E non cessò d'inseguirmi
la calunnia. Mi dissero
che in me bruciavano ancora
i desideri insaziati
della mia carne corrotta, e non riuscivo
neanche per un giorno
a star lontano dalla donna amata.
Soltanto Dio conosce
la sofferenza per quelle calunnie.
Tornai allora al convento, ma i pericoli
non finivano: i monaci tentarono
d'avvelenare il vino della messa.
Fuggii, per salvarmi, in un eremo
e un giorno, mentre preso dai pensieri
cavalcavo fra i boschi e la campagna,
passò lontano un cinghiale e il cavallo
s'imbizzarrì e io caddi, e fu Dio
che mi punì duramente spezzandomi
le vertebre del collo. Ma anche in queste
avversità che mi merito
con San Gerolamo dico:
"Ringrazio il mio Signore
d'essere degno dell'odio del mondo".

ATTO SECONDO

Narratore

La storia triste che avete ascoltato
l'ha narrata lo stesso Abelardo
in una lunga lettera a un amico.
E capitò che per caso Eloisa,
da tempo già priora nel Convento
d'Argenteuil, vedesse quella lettera.
Ne fu molto turbata.
La memoria si fece più vivida,
divenne carne e sangue, e violando
il suo pur giusto proponimento
trepidante gli scrisse
dall'Oratorio del Paracléto
che da Abelardo aveva avuto in dono.
Era ormai la Badessa ed era amata
oltre che dai prelati
dalla comune gente che vedeva
con che coraggio quelle suore giovani
pativano la fame ed ogni stento.

Eloisa

Che dolorosa sorpresa, mio carissimo,
la lettera che ho avuto fra le mani!
Come hai potuto lasciarmi
tu mio signore e padre
e sposo e mio fratello,
tu nella solitudine
del silenzio?
                    L'ho letta cento volte,
la so a memoria, e quali sofferenze,
o mio unico bene, vi ho sentito.
E sopra tutto il tragico momento
in cui con le tue mani
hai dovuto bruciare il tuo santo

glorioso libro di teologia.
Chi potrebbe ascoltare
tutto ciò senza piangere?
Così, in nome di Cristo, noi Sue serve
e tue, ti scongiuriamo
che tu ci dia notizia
delle tempeste che ancora t'investono.
E non dimenticarci.
Tu solo, dopo Dio, hai fatto nascere
questo luogo, tu solo hai dato vita
a questa nostra santa
comunità, qui dove si aggiravano
soltanto belve e banditi,
e tuo è il merito di questa piantagione,
ma, per crescere, i teneri virgulti
hanno bisogno d'essere annaffiati,
e tu non vieni con l'acqua
del tuo sapere, dalle tue sorelle.
Non ti ricordi più cosa ho perduto
perdendo te? E che è stato soltanto
per ubbidirti e non per vocazione
che ho accettato di chiudermi in convento,
di cancellarmi dal mondo?
Ed ora tu che sei
sola causa dei miei patimenti
non vieni a consolarmi! Eppure sai
che amavo solo te, e che il mio folle
desiderio non era che per te,
e Dio m'è testimone!,
che non sognavo ricchezze o di sposarti,
e non ho mai voluto
soddisfare la mia volontà
e il mio piacere: solo il tuo piacere.
E se il nome di sposa è più santo
è stato sempre più dolce per me
quello di amante e persino
di sgualdrina. Come hai dunque potuto
dimenticarmi a tal punto

che non vieni a trovarmi e non mi scrivi.
Tu sei troppo sicuro del mio amore
per questo mi trascuri. Invece, un tempo,
quando furiosamente mi cercavi
per soddisfare le tue oscene voglie,
oh, allora mi molcevi
con i tuoi scritti, con le tue poesie.
Rispondimi, o sarò costretta anch'io
ad accettare ciò che tanti mormorano:
che i sensi e non l'amore
t'hanno legato a me.
Ma io non posso credere
ciò che ormai tutti credono.
Non pensi adesso che sarebbe giusto
che tu incitassi all'amore di Dio
la donna che una volta
tu invitavi al piacere?
È quella donna che ora ti prega
di ricordarti di ciò che ti ha dato
e di ciò che umilmente ti chiede.
Mio solo bene, addio.

Abelardo

Non perché ti volevo trascurare
nessuno scritto mio ti ha confortata,
ma per fiducia nella tua saggezza.
Con il tuo esempio e con la tua parola
tu puoi condurre sulla retta via
chiunque l'ha lasciata,
ridare forza a chi non ha coraggio,
esortare chi è incerto,
e per ciò lo sapevo
che il mio consiglio non è indispensabile.
E devo ringraziarti,
sorella mia un tempo tanto cara
nel mondo, ora più cara in Cristo,
perché voi tutte pregate per me.

E quanto siano più gradite a Dio
le preci delle donne puoi capirlo
dal vecchio e nuovo testamento. E tanto
nelle vostre preghiere confido
quanto più mi minacciano i pericoli.
E ancora di questo vi supplico: quando
sarò chiamato a lasciare la vita,
dovunque il mio cadavere si trovi,
sepolto o abbandonato,
portatelo nel vostro cimitero,
nel mio sempre sognato Paracléto
affinché le mie figlie, anzi sorelle
in Cristo, a me devote,
vedendo la mia tomba
siano indotte a pregare ricordandomi.

Eloisa

Oh quale grande dolore mi hai dato!
Volevamo parole di conforto
e tu chiudi la lettera parlando
della tua morte. Volevi
farci piangere? E come
si potrebbe non piangere leggendo
"Se Dio vorrà che i nemici
mi uccidano ..." O carissimo
come hai potuto scriverlo?
Preghiamo Dio di morire
prima della tua morte.
Cosa mi resterebbe
se ti avessi perduto? Oh, povera me,
la più infelice delle donne,
che quanto in alto in te sono salita
così profondo è l'abisso
in cui sono caduta. Il mio destino
mi ha condannata da un eccesso all'altro.
E come è naufragato nel dolore
quell'intenso piacere rubato!

Di quell'amore illecito goduto
nella lussuria più sfrenata, Dio
non ci ha puniti, e, quando
credevamo d'aver purificato
col sacro vincolo del matrimonio
quel letto che così
oscenamente abbiamo usato, quando
eravamo ormai casti e separati,
il castigo è caduto su di noi.
E tu hai pagato di più
che eri il meno colpevole. Me misera
causa di tanto sfacelo!
E come dirmi pentita dei peccati,
per quanto sia mortificato il corpo,
se è sempre viva in me
la voglia di peccare, e brucia ancora
la stessa passione di un tempo?
Si può frenare la carne, ma è difficile
strappare i desideri
che ancora mi ossessionano la mente
e tornano negli occhi quelle immagini
che neppure la notte danno requie
e turbano i miei sogni. E addirittura
mentre ascolto la Messa, quando l'anima
nella preghiera dovrebbe librarsi
verso i cieli purissimi, anche allora
quei fantasmi compaiono e rivivo
quei momenti eccitanti
e m'abbandono, e mi sembra
d'essere ancora lì fra le tue braccia.
E temo che talvolta
qualcuno possa leggermi negli occhi
le scene che ricordo.
E allora: "me infelice,
– dico a me stessa –
chi potrà liberarmi
da questo corpo di morte?

Su te è scesa la grazia privandoti
del desiderio e liberando l'anima,
ma in me la giovinezza e la memoria
eccitano ancora i sensi e a quelli cede
la mia fragilità. E se la gente
la mia purezza esalta, mi vergogno
della mia ipocrisia: la virtù
non risiede nel corpo, ma nell'anima;
se loda il mio fervore religioso,
della mia ipocrisia mi vergogno
perché nella mia vita, e Dio lo sa,
ho avuto sempre cura
di non offendere te più che Dio
e soltanto per tua volontà
e non per amor Suo
son diventata suora.
Non mi lodare, dunque, e non mi chiedere
di pregare per te, ma ti supplico,
con le preghiere aiutami,
perché solo da te può venire
qualche rimedio alla mia incontinenza.
Non invitarmi ad essere virtuosa
dicendomi che "avrà la vittoria
chi ha saputo combattere".
Io preferisco sfuggire i pericoli.
Ovunque Dio voglia mettermi
nel più lontano infinito del cielo,
in quel momento nascerò alla gloria.

Abelardo

Ti scrivo, o sposa di Cristo,
per alleviare le tue sofferenze
e farti capire che è giusto
che Dio ci abbia puniti
dopo le nozze e non prima. Ricordi
– ed eravamo allora già sposati –

quando venni a trovarti in segreto
nel Monastero di Argenteuil dov'eri
nascosta, vestita da monaca? E come
la più sfrenata libidine ci vinse
quando capimmo ch'eravamo soli
nel refettorio buio?
Nessun freno ci pose il luogo sacro
né l'abito con cui ti travestivi
e che ora invece giustamente indossi.
E voglio ricordarti
le sconcezze, quegli atti lussuriosi
di cui godemmo prima di sposarci.
Che dire poi della tremenda beffa
che ho fatto al tuo tutore, approfittando
vilmente della sua grande fiducia?
Per tutte queste cose la giustizia,
anzi la grazia divina, ha voluto
che tu portassi per sempre quell'abito
con cui avevi peccato.
Vedi, c'è dunque un disegno
della divina Provvidenza
per ricondurci sulla retta via
che anche dal male ha generato il bene.
Ricordati com'eravamo schiavi
dei nostri sensi insaziabili. E quando
tu cercavi di opporti alle mie voglie
ricorrevo persino alla violenza,
e dunque era giusto che Dio
mi impedisse per sempre di godere
privandomi dello strumento
con cui sconciamente peccavo.
Meritavo la morte,
Dio m'ha dato la vita.
Pensa alla sofferenza del Cristo
che senza colpa ha pagato
le colpe di tutti. Per Lui
sia il tuo dolore, sorella, il tuo pianto,
per il tuo sposo divino

che ha accettato la morte per redimerti.
Piangi per chi ti ha salvata,
non per chi ti ha sedotta.
Diciamo dunque con San Paolo:
"Signore Tu ci hai uniti,
e Tu ci hai separati.
E fa' che si concluda
ciò che hai iniziato con misericordia:
e in cielo eternamente
unisci a Te coloro
che prima hai separato
qui nel mondo, Signore
che sei nostra speranza, nostra attesa,
nostra consolazione, benedetto
ora e nei secoli, amen".

Narratore

Non scese mai la pace
nella vicenda umana di Abelardo,
il suo pensiero fu sempre l'ostacolo.
Nei suoi anni più tardi
scese in campo un terribile avversario,
Bernardo di Clairvaux.
Questo futuro santo fu implacabile
contro Abelardo e per tredici
enunciati stralciati dai suoi libri
lo tacciò d'eresia.
Mal consigliato, Abelardo, sicuro,
chiese un Concilio al Vescovo di Sens,
che si tenne nell'anno del Signore
mille e centoquaranta,
ma vi fu accolto in veste d'accusato
e non, come credeva, quale attore
d'un dibattito alto sulla fede.
Sconvolto, rifiutò
d'accettare la disputa e fidente
nella propria innocenza

volle affidarsi al giudizio del Papa.
E prese la strada di Roma.

Abelardo

Ah quanto gli anni e il continuo soffrire
pesano sulle mie spalle, e mi rubano
il respiro nel petto, mi frenano
il passo, cancellano
ogni residuo barlume di speranza
e mutano il profumo della vita
nel fiato fetido della morte.
Quanto lontano il tempo della gioia!
Io seguo il mio destino
d'essere sempre un fuggiasco.
Soltanto il Papa può ancora salvarmi.
A Roma dunque, a Roma!

Narratore

Ma la strada era lunga e la stanchezza
l'allungava ogni giorno
e a metà del cammino Abelardo
fu invitato da Pietro il Venerabile,
che molto lo stimava,
nell'Abbazia di Cluny.
Qui ad Abelardo giunse la notizia
della scomunica di Papa Innocenzo
che ordinava al contempo che i suoi libri
fossero dati alle fiamme. E accadde a Roma
nella parrocchia di San Pietro in Vincoli.

Come si guarda ora? Cosa dice
di sé, voltandosi
alla sua vita, ora che già la sera
distende le sue ombre e tutto torna
chiaro davanti agli occhi della mente,
ora che è diventato quasi
spettatore di se stesso: un altro

era nella lontana giovinezza,
e superbia e lussuria sono fatui
fantasmi spenti dal tempo
e gli dà forza la luce del Cristo
ora che può, vicino, contemplarlo.
Ma come sopravvivere
a una condanna che tutto cancella
il suo pensiero, e lascia
una immagine falsa di sé? E allora
quell'atto di fede richiesto
che non pronunziò per non dare
soddisfazione a Bernardo,
lui lo scrisse per lei,
per Eloisa, la sola persona
di cui voleva la stima per sempre.

Abelardo

Eloisa, sorella,
un tempo a me cara nel mondo,
ora più cara nel Cristo.
Tu sai che la mia logica
ha suscitato tanta ostilità.
I miei nemici elogiano il mio ingegno
per negare ch'io sia fedele a Cristo.
Ma perché tu non abbia
dubbi su me, ti dico che ho fondato
la mia coscienza cristiana sulla pietra
sopra la quale Cristo ha edificato
la sua Chiesa. E che credo nel Padre
e nel Figlio e nello Spirito
Santo, e in Dio vero e uno
nella sua Trinità.
Credo che il figlio di Dio
si è fatto figlio dell'uomo
per la nostra salvezza
e che partecipa di due nature.
Credo che è morto ed è risuscitato

e tornerà dal cielo dove regna
per giudicare con i vivi i morti,
e non potrei gloriarmi
di chiamarmi cristiano
se non credessi di dover risorgere.
È questa la mia fede.

Narratore

Anche se Pietro Abate il Venerabile
volle intercedere per Abelardo
presso il Papa Innocenzo, il filosofo
era ormai vecchio e malato e decise
di restare a Cluny dove parve
non essere l'uomo di prima, tutto dedito
alla preghiera e al lavoro, come sempre.
E lì, due anni dopo, in una dolce
sera d'aprile, venne a liberarlo
soavemente la morte. E l'Abate
scrisse la triste notizia a Eloisa.

Il Venerabile Pietro

Alla venerabile e carissima
sorella in Cristo,
Eloisa Badessa, il suo umile
fratello Pietro, Abate di Cluny.

La provvidenza di Dio ci ha concesso
d'aver avuto fra di noi quell'uomo
del quale sempre con amore il nome
sarà pronunciato, quell'uomo
che ti appartiene, il maestro Abelardo.
Tutta Cluny può lodare
la santità, l'umiltà, la costante
devozione con cui fra noi lui visse.
Leggeva, scriveva e pregava.
Ma poi vedendolo più sofferente
per la scabbia e il suo male misterioso,

gli procurai un rifugio
nel Monastero di Saint-Marcel
nell'amena campagna di Borgogna.
Rigenerato dal clima,
quando lo consentivano
le sue forze minate, lavorava
intensamente, e pregava.
Sorella venerabile e carissima,
l'uomo al quale tu fosti
legata nella carne, e poi col nodo
della divina carità, ora Cristo
al tuo posto l'ha accolto nel suo cuore
e te lo custodisce perché un giorno
quando verrà il Signore con la voce
dell'Arcangelo e suonerà la tromba
di Dio dall'alto dei cieli,
per Sua grazia ti sia restituito.
Ricordati sempre di lui
in Gesù Cristo,
addio.

Narratore

Eloisa rispose ricordandogli
che il suo Abelardo voleva
riposare al suo fianco al Paracléto,
e Pietro il Venerabile
che molto lo stimava,
dopo l'assoluzione dai peccati,
furtivamente, di notte,
rubò il corpo e lo donò a Eloisa.
Altri ventidue anni la Badessa
restò nel mondo aspettando con fede
che avrebbe un giorno felice
ritrovato Abelardo.

Come avrebbe potuto la Leggenda
non avvolgere dentro la sua nube
gli infelicissimi amanti. E raccontò
che quando il corpo di Eloisa

fu deposto vicino al suo sposo, Abelardo
tese le braccia per stringerlo a sé.

E voi che, partecipi,
avete ascoltato il racconto
di questa incomparabile
storia d'amore e di pianto,
per sempre custoditene
con pietà, la memoria.

NOTA

Pur essendo "Eloisa ed Abelardo" un racconto (anche se in versi e a tre voci), e così immaginato, può configurarsi come un "oratorio", adatto quindi alla lettura scenica o persino offrire la possibilità di una resa teatrale. (Come del resto è già accaduto, e con buon successo, per iniziativa del regista Alfredo Traversa del "Teatro della Fede" di Grottaglie.)

Sia dunque consentito all'autore, che non ha voluto scrivere note nel testo per non interrompere la continuità emotiva della lettura, di indicare come, immaginandoli in scena, vede i suoi personaggi.

Il NARRATORE è uomo del nostro tempo e pertanto veste abiti moderni. Parla, da un angolo del palcoscenico, rivolto al pubblico o ai due protagonisti della vicenda intervenendo fra i loro dialoghi.

ABELARDO è un uomo affascinante, di raffinata eleganza, e sia il suo comportamento che il tono della sua voce, sono propri di chi è pienamente sicuro di sé. Dopo essere stato evirato indosserà il saio del frate.

ELOISA è giovanissima e molto bella. Si immagina che anche lei, di ottima famiglia, sia molto elegante. La troveremo con il travestimento di un abito monacale dopo che Abelardo l'ha nascosta nell'Abbazia femminile di Argenteuil per sottrarla al tutore che (e forse giustamente) l'angariava. A quell'abito aggiungerà poi il velo, che sta a significare che ha pronunciato i voti ed è quindi diventata suora. Ciò avviene dopo che il suo sposo è stato evirato e si è fatto frate.

LA SCENA unica può rappresentare la stanza di Abelardo a casa di Eloisa. Un letto, un tavolo da lavoro, uno scaffale. Quando i due amanti sono ormai separati e si scambiano lettere appassionate, cioè nel secondo atto, con piccoli accorgimenti, quella stanza di Abelardo può diventare quella del convento di Eloisa. Per indicare la loro lontananza può essere sufficiente un elemento divisorio o un gioco di luci che isoli chi parla.

Per suggerire l'epoca in cui si svolge l'azione basterà un qualsiasi elemento che rimandi all'architettura del tempo.

Vorrei qui osservare (anche se il cattivo gusto scandalistico di certa stampa ha trovato talvolta in questa tragica vicenda lo spunto per parlare di rapporti erotici tra una monaca e un frate) che non vi fu mai un amplesso fra i due amanti quando erano soggetti a voti di castità, perché Eloisa e Abelardo abbandonarono lo stato laicale dopo che il filosofo era già stato evirato. Bisogna ancora precisare che Abelardo pur essendo canonico e chierico (attributi che non comportavano al-

cun voto) aveva piena facoltà di unirsi in matrimonio, come appunto ha fatto, in chiesa. L'impedimento a sposarsi gli derivava, come emerge dal testo, dal suo essere filosofo in un secolo in cui quell'alto impegno culturale era così totale da esigere moralmente il celibato.

RINGRAZIAMENTI

Desidero ringraziare due amici che mi sono stati vicini durante la stesura del testo: lo psicanalista dr. Domenico Giuliani, che ha dato una lettura moderna e acuta dei due amanti; e il dr. Fabrizio Settimio per la sua generosa e meticolosa ricerca storica.

L. L.

NELLA SUA LUCE
SEQUENZE DELLA VITA DI SAN PAOLO

Racconto in versi a più voci

Questo testo è stato scritto in occasione dell'anno paolino 2008 per l'annuario della Pontificia Insigne Accademia di Belle Arti e Lettere dei Virtuosi al Pantheon di cui faccio parte. Successivamente questo oratorio, con numerose varianti, è stato stampato in un libro autonomo dalla stessa Accademia, con l'arricchimento di drammatici disegni dello scultore, anch'egli accademico, Angelo Canevari, e soprattutto della cortese prefazione dell'allora Arcivescovo, oggi Cardinale, Gianfranco Ravasi.

L. L.

IL NARRATORE

Appena in cielo le stelle han disegnato
le loro immote geometrie, e la luna
s'è aperta a far lume alla notte,
nel dedalo
delle stradine sgusciano furtive
ombre che vanno a nascondersi
nelle taverne di Gerusalemme.

Tra i farisei convenuti con lo zelo
dei difensori delle loro leggi,
Saulo, il più forte, il più crudele, scaglia
invettive che sono
pietre infuocate contro la marmaglia
che vuole ancora diffondere il verbo
blasfemo di quel Gesù di Nazaret.

SAULO E ACCOLITI

Dobbiamo farli tacere per sempre!
Raccontano persino che Gesù
che è morto crocifisso,
sarebbe ritornato da quel luogo
da cui nessuno torna.
E chi può crederci?
Sostengono che sia resuscitato
e che l'hanno veduto sulla strada
e che uno di loro ch'era incredulo
gli ha toccato il costato.
Anch'io l'ho visto
quand'ero un bambino, ma appeso
sulla croce con altri due ladroni!

E raccontano, i complici, la favola
che abbia persino chiamato dai morti
un certo Lazzaro, un suo amico!
Ah questa
è proprio bella! Peccato
non essergli amico. E chi sa che un giorno…

Non ci scherzate, e state attenti voi;
divulgano fandonie con parole
che sanno accecare la mente,
per cancellare negli animi
la nostra fede di farisei, ma noi
saremo duri, inflessibili.
Quei loro ragli d'asino
li faremo tacere per sempre!

IL NARRATORE

Correva l'anno 33 dopo Cristo
e in quella terra dove ancora l'eco
della Sua voce s'udiva,
una persecuzione dei cristiani
a macchia d'olio s'estese dalla fertile
Galilea che ne conobbe i miracoli
fino alla Samarìa.
Il diacono Stefano, accusato
d'essersi opposto alla Legge, si difese
contro i potenti del Sinedrio.

UN TESTIMONE

Io c'ero e ho sentito
Stefano, quel sant'uomo che accusava
i sacerdoti del Sinedrio d'essere
sordi di cuore e d'orecchi alla voce
dello Spirito Santo, e assassini
del Giusto. E disse ancora
– me lo ricordo con gli occhi levati
al cielo – che vedeva Gesù Cristo
alla destra di Dio nella gloria.
Potete immaginare la reazione
furiosa! Si gettarono
sul suo fragile corpo e lo dettero
in pasto a quelle belve della folla.
"Gettate pietre" ordinava
Saulo, come un capo, istigando

quegli istinti imbestiati, orgoglioso
di quella spada che portava al fianco
da cittadino romano qual era.
Non riuscivo
a guardare quel sangue d'innocente. Stefano,
a imitazione del Cristo, morì
pregando Dio d'accogliere
la sua anima (e a me parve felice!)
e perdonando i suoi persecutori.
Ma Saulo non ancora
appagato dal sangue di quell'atroce vittoria,
con le sue mani devastò la chiesa,
e strappò dalle case uomini e donne,
per consegnarli alle guardie, colpevoli
d'esser rinati nella fede in Cristo.

SAULO E LA SUA DONNA

Dimmi Saulo perché,
tu che sei generoso nell'animo
e aiuti i bisognosi anche cristiani,
poi li perseguiti?
Lascia
che la tua donna che t'ama ti chieda
di placare il tuo spirito ardente
contro di loro.
Ascoltali: ripetono
ciò che il loro maestro ha insegnato:
che la legge è l'amore.

Tu non sai
il male che possono fare!
Guai a chi li crede!
Vogliono,
con parole che spengono
la facoltà di capire, di distinguere
il vero dal falso,
cancellare la nostra antica fede.
Io devo sgominarli fino all'ultimo.

IL NARRATORE

"Incatenarli, incatenarli tutti
quei traditori cristiani!"
Era questo
il disegno perverso di Saulo
che ottenne dal Sinedrio di cercarli
fino in Siria, a Damasco.
E cominciò quel viaggio
scritto nel suo destino.

UNO DELLA SUA SCORTA E UN GIUDEO

"Senti che cosa accadde.
Era già l'ora
che le ombre s'allungano e noi
già vedevamo vicine le mura
di Damasco, ed ecco
all'improvviso,
come quando si rema contro vento
ed è fatica persa
perché la barca non sfonda
quell'onda che l'avversa,
il suo cavallo,
quello di Saulo dico,
frenando il suo schiumoso galoppare
s'impennò,
levò alto un nitrito che spezzò
in quel deserto il silenzio, e a me parve
un grido di paura".

"Ma c'era
qualcosa a spaventarlo?"

"Nulla, nulla,
né una muraglia né un fosso
né un visibile ostacolo a fermarlo".

"Ma forse
solo per voi invisibile? E voi

cosa vedeste?"

"Vedemmo che il cavallo,
imbizzarrito, scalciando
disarcionò il suo padrone che cadde
giù nella polvere. E Saulo
che come invasato guardava
in alto con gli occhi già spenti
da una luce accecante".

"Lo disse lui
di quella luce?"

"Sì, gridando. E cos'erano
diventate le sue pupille! Sassi
ributtanti d'opaca madreperla.
E poi, tremando come trema al vento
una giovane palma,
disse che aveva udito
una voce, una voce come un suono
d'arpa. E pare che a lui sussurrasse:
'Saulo, Saulo, perché mi perseguiti,
perché mi neghi?'
Questo ci disse.
Ma quella voce
soltanto lui l'udì.

IL NARRATORE

Per vari giorni Saulo
non ebbe la vista, accecato
nei suoi occhi mortali da quella
folgorazione divina,
così che meglio potesse in sé racchiudersi
per contemplare quella grande luce,
fonte d'eterna gioia,
che pervadeva l'anima mutata.

Ma dopo che, mandato dal Signore,
andòAnanìa a toccargli gli occhi e caddero

scaglie dalle sue palpebre murate,
libero ormai dal macigno
di quella orrenda colpa, Saulo
è uscito dalla notte
per entrare nell'alba
del primo giorno della nuova vita.

"Battezzami" gli chiese
Paolo, ma Ananìa, dichiarandosi indegno,
chiamò un tale Giuseppe detto Barnaba
da Cipro, che sull'angolo
d'una strada, con l'acqua d'una fonte
fece di lui un cristiano.

MEDITAZIONE DI PAOLO

Quanta vita ho perduto del Tuo amore.
Le nostre strade divise,
mentre Tu mi aspettavi.
E camminavo nel buio come talpa
che non vede la luce.
Ora è la Tua
misericorde luce che mi porta,
che mi segna la strada.
Ero sordo e ora sento,
ero cieco, e ora vedo.
Cantano
gli uccelli e ne palpita
l'aria, porta il vento
la gioia del cielo fra gli alberi, e sei Tu
che vieni in loro a chiamarmi.
Come potrai perdonarmi
l'odio, la cecità, il mio superbo
sfidarTi, mio Signore,
Gesù di carità?

ANANIA E PAOLO

"Vieni, devo portarti dai fratelli,
anche se so che appena
dirò Saulo, a sentire il tuo nome
terrorizzati fuggiranno".

"Non dirlo
mai più quel nome. Io l'odio
come tutto che in lui si riconosce.
Chiamami Paolo e sia questo il nome
dell'uomo nuovo che in Gesù è rinato".

"Andiamo, non temere, sono certo
che quando parlerai anche gli scettici
sentiranno la luce del tuo spirito".

PAOLO AI CRISTIANI DI DAMASCO

Ecco, io vi dico, fratelli, di credere
che Dio ha mandato il figlio per salvarci
dal peso del peccato e dalla morte.
Gesù che già esisteva
prima che il tempo esistesse,
nato fuori del tempo, per noi,
per amor nostro, è nato
nel tempo facendosi uomo
uguale a noi nella carne, compartecipe
di tutti i nostri dolori terreni,
fino all'estremo oltraggio della morte.
Ma dopo tre giorni è risorto.
E in questo credo. Questa è la mia fede
e Cristo stesso mi ha detto
di portarla fra tutte le genti
dove la Sua parola
non è ancora arrivata, ed io vorrei
raggiungerlo presto, ma dovrò
vivere ancora, restare nel mondo
per portare nel mondo la salvezza.

IL NARRATORE

Non c'è nemico che sia più nemico
d'un ex amico, e Paolo
– da predatore divenuto preda –
ne fa l'amara esperienza: Damasco
è tutta una prigione. E chi potrebbe
evadere da quelle sue possenti
mura di cinta, o peggio dalle porte
che mai le guardie abbandonano!
E allora ecco l'idea: dentro una cesta
calata a braccia, nella notte, Paolo
fugge e comincia così
quel viaggio ininterrotto in terra e in mare
da un capo all'altro del mondo, ben sapendo
che patimenti, e dolore, sono il prezzo
per parlare nel nome del Signore!

MEDITAZIONE DI PAOLO

Non più la spada al mio fianco: la parola
sia la mia spada! Che penetri
come una lama nell'anima
di chi m'ascolta e accenda
la speranza in quel Dio
che conobbe la terra degli uomini,
le sue vane lusinghe, e il dolore,
che da uomo morì per amore.
La mia parola darà testimonianza
della sua morte e della sua innegabile
resurrezione annunciata.

IL NARRATORE

Gerusalemme chiamava nel suo cuore
e Paolo ne ascoltò
l'irrinunciabile voce e vi tornò.
Ma per i suoi due volti
la città gli era ostile: i cristiani

si ricordavano ancora di Saulo,
ed era un traditore della Legge
per i giudei. Ma Paolo senza ascoltare
gli inutili consigli di prudenza
volle andare a pregare nel tempio
dove fin dall'infanzia trovò Dio.
E preparò lo spirito all'incontro
desiderato e temuto con Pietro.

PAOLO E PIETRO

"Pietro, umilmente ti prego,
parlami di Gesù, Tu che per grazia
hai fatto i passi dentro i suoi passi,
e le parole che ha detto hai ascoltato
dalla sua voce, dimmi
quale ricordo..."

"Una sera eravamo
riuniti a parlare di Lui quando a un tratto
la nostra piccola stanza rifulse
tutta di luce, e dalla porta chiusa
entrò Gesù, il Crocifisso. E come il sole al termine
del suo viaggio diurno quando scende
acceca gli occhi al viandante, così
noi ne fummo abbagliati".

"Dimmi, dimmi..."

"E noi, affamati, golosi di quella
fulgida luce, di quella Sua verità
così incredibile che ci donava,
lo toccammo, toccammo le sue mani
bucate, toccammo il suo costato..."

"Te beato
che sei stato al suo fianco! Dimmi ancora".

"E poi, com'era entrato,
Gesù lasciò la stanza, e noi restammo
tramortiti d'amore..."

"Oh come viva
arde in me la speranza!"

MEDITAZIONE DI PAOLO

Chi, se non fosse Dio,
sarebbe giunto umiliandosi,
a quell'inarrivabile sopportazione
d'ogni dolore? E chi padrone
d'ogni sua decisione avrebbe scelto
di morire, e morire di croce? L'ha voluto
perché capissimo (noi così lontani!)
che quel sacrificio di sé
era un atto paterno d'amore,
d'un amore che dona e che non chiede,
per noi, per liberarci
con la sua morte dalla nostra morte,
e dai nostri peccati.
Con la sua atroce morte ci ha salvati.
E io saprò trasmettere
la pienezza di fede che mi porta?,
mostrare a chi non vede
con le mie povere parole umane,
la Croce?

PIETRO E PAOLO

"Questi pagani convertiti in Cristo
devono anch'essi come i giudei sottoporsi
alla circoncisione, o gli altri penseranno
che siamo noi a non voler rispettare
la legge di Mosè".

"Ma noi sappiamo
che Dio ha mandato lo Spirito Santo
sui pagani e li ha resi uguali a noi.
Perché si vuole dunque che si imponga
anche a loro quel giogo che portiamo?"

"Ma sono in tanti a dire che bisogna
imporre quella legge anche ai gentili.

Altri ancora venuti
dalla Giudea hanno detto ai fratelli
che se non si faranno circoncidere
non potranno salvarsi".

"No, Pietro, noi
sappiamo che la legge che ci salva
è quella d'amore di Cristo. E anche il cibo
che era vietato veniva da Dio, e nulla è impuro
di ciò che Dio ci dona. Non ci sono
due salvatori, Pietro! Uno soltanto!
morto e risorto per donare a noi
la vita eterna, vincendo la morte".

IL NARRATORE

Era quell'ora della sera
che porta ancora per mano
la luce morente del giorno
quando a Paolo si accostarono con gli occhi
pieni d'anima orante, due lebbrosi
che gli toccarono la veste.
Paolo
accarezzandoli, disse: *"Andate*
e ringraziate il nostro Dio".
E loro
l'uno nell'altro facendosi specchio,
ora colmi di fede e di letizia,
lodando Gesù Cristo,
quasi correndo si allontanarono.
E nell'aria aleggiava
la luce del miracolo. L'apostolo
nel consenso vibrante
di spiriti protesi ad ascoltarlo
a lungo ancora parlò di Gesù.

UN TESTIMONE

Mentre l'ultimo raggio scivolava

dalle colline al mare in quel tramonto di fuoco,
e la folla inneggiando si disperdeva, io vidi
un'altra folla tumultuante accorrere...
(Giudei, fu detto, di Antiochia
e Icono)
che, gridando,
con le mani levate si gettarono
su Paolo, e quando lo videro in terra,
accusandolo d'essere il nemico
della legge dei padri, con le pietre
senza pietà lo colpirono.
E io che gli ero accanto, quando colse
il soffio di Dio per guarire
quegli infelici, atterrito guardavo
il suo viso di sangue
e più non seppi trattenere il pianto.

MEDITAZIONE DI PAOLO

Gesù mio, lo sapevo
quanto per il Tuo nome avrei sofferto,
ma se Tu vuoi allontanami
la grandinata di pietre che spaccano
la mia carne e ne fanno
una fontana di sangue e di dolore.
Ma no, perdonami non ascoltarmi!
Io devo ringraziarTi per il dono
di questa sofferenza perché pago
per quelle pietre che uccisero Stefano
per mia colpa, mia grandissima colpa.
E ora, ecco, lo sento, è lui che viene
nel Tuo nome a strapparmi dalla morte.

UN TESTIMONE

Triste sera del mondo fu quella!
I suoi aguzzini, non sazi
di tutto quel sangue innocente,
gettarono il corpo di Paolo

a volo in mare giù dalla scogliera.
E finalmente morto lo credettero.
Ma nessuno può dire come fu
che quel salto che avrebbe ucciso un toro
sfracellato o affogato, lasciò Paolo
illeso, come se, materna, l'aria
fosse stata una culla, una mano
che dolcemente l'ha deposto in mare.

NARRATORE

Un mattino all'inizio dell'estate,
quando il tempo clemente poteva aiutarli nel viaggio,
Barnaba e Paolo lasciarono Antiochia.
Raggiunta Tarso, la strada che sale fino a Iconio
attraversa l'infido e stretto passo
della catena del Tauro, così detto
"Porta della Cilicia". E chi non potrebbe, tremandone,
immaginare gli ostacoli che ai viandanti si oppongono,
e di briganti e di belve i continui pericoli,
e i malanni e gli stenti, e l'infuriare del vento
tra gli anfratti dei monti!
Poi la deserta pianura dell'aspra
Licaonia, e quindi Derbe, Listra e, finalmente,
Iconia e Antiochia di Pisidia nel cuore
della regione romana della Galazia.
E non perché Dio desse forza
alle sue gambe pregava
Paolo, ma al suo spirito quando
di tappa in tappa, agli amici e agli ostili
predicava la fede nel Signore
risorto. E così ovunque
per tutti gli ottocentoventicinque chilometri
percorsi a piedi per quella missione
per la quale era nato una seconda volta.

DUE GIUDEI CRISTIANI

"Un giorno Paolo mi ha detto che voleva

imparare un mestiere per vivere e che fosse
utile ovunque lo Spirito Santo
gli indicasse di andare".

"Un mestiere che sia
utile sempre e in ogni luogo, quale?"

"Sì, d'inverno e d'estate!
Viaggiando
per campagne e deserti Paolo ha visto
tanti animali morti
uccisi per cibo e per culto, e lasciati
alle carogne, e ha pensato
che le pelli potessero servire..."
"Per che cosa?"

"Per fare tende. E dice che può farle
anche di tela, o di canapa. E servono
ai soldati nei loro accampamenti,
e nei cortili delle case quando
manda il cielo infuriato i suoi scrosci
di pioggia, o i dardi infuocati del sole.
Persino sulle navi per chi dorme
all'aperto sul ponte..."
"E perché
è così facile farle ovunque vada?

"Perché per questo lavoro ha bisogno
soltanto d'un coltello, un po' di spago
e qualche ago. E lavorando parla:
usa quel suo lavoro come un cuneo
per penetrare nei cuori e li seduce
per condurli alla fede del Signore".

MEDITAZIONE DI PAOLO

Come soltanto vivere
per gli altri? È in mio potere
volerlo, ma potrò, senza il Tuo aiuto,
compiere sempre il bene?

Gli altri, questa parola che la nostra
umanità dilata e che dovrebbe
cancellare nei cuori l'egoismo,
quell'io che sempre vuole sovrapporsi,
sapremo pronunziarla con il cuore?
E come è dunque difficile, forse
quasi impossibile il sogno di prendere
come modello il Cristo!

IL NARRATORE

Tante chiese ha fondato Paolo, come rose
nel deserto dell'anima pagana, e di tutte
ha preso cura, padre amoroso e sapiente,
con le sue visite, con le sue lettere.
Ma ovunque ha trovato giudei
che s'opponevano al suo dire accusandolo
di calpestare la legge dei padri.
Inutilmente Paolo citava
le scritture che loro conoscevano
per poterli convincere
che Gesù era il Cristo annunciato, e che doveva
morire e poi risorgere.
Così, spesso
(anche questo nel prezzo del suo compito!)
violenti tafferugli si stringevano
su Paolo, e tante mani colpendolo
gli insanguinavano il viso, e una siepe
di folla lo stringeva a soffocarlo.

UNA TESTIMONE

Vidi anch'io quella scena
che il mio cuore non resse.
Paolo parlava di Dio, e il suo volto
era come di luce. E diventava
sempre più bello, e pensavo
che mi sarebbe piaciuto che un giorno
fosse così mio figlio,

e diceva ai giudei che non capivano
le sue parole, che era più proficuo
parlare ai pagani,
e ad un tratto,
come quando nel vento
sembra muoversi il grano, la folla
cominciò ad ondeggiare gridando
che Paolo proclamava
un Dio contro la Legge,
una selva
di mani gli fu addosso
per colpirlo sul viso.
Io tremavo e pregavo
per l'innocente e per loro, e mi accorsi,
senza capire, che Paolo
già intriso del suo sangue,
come non fosse vestito d'un corpo,
era scomparso da quella folla.
Questo ho visto e vi dico.

PAOLO AI CORINZI

Io vi porto, fratelli, la parola
di Dio che ci ha mandato
suo figlio per salvarci,
ma gli abitanti di Gerusalemme
non l'hanno riconosciuto e con loro
i grandi sacerdoti, e benché fosse
senza colpa, innocente,
è stato condannato a morte sulla croce.
Poi come tutti gli uomini ha subito
per sua scelta, l'umiliazione
del sepolcro. Ma Dio non ha permesso
che la sua carne imputridisse, Dio
dalla sua morte l'ha risuscitato.
Per molti giorni è apparso
ai suoi discepoli che a noi sconvolti
danno testimonianza ed io vi dico

di credere in Gesù
che per noi uomini è morto, di credere
che dopo tre giorni è risorto
primizia di tutti i defunti
che dopo Lui verranno.
Perché se in Adamo moriamo
tutti nel Cristo risorgeremo.

NARRATORE

Accadde a Listra: Paolo
(e Barnaba era al suo fianco) parlava
di Gesù, e c'era un uomo
seduto ad ascoltarlo,
seduto dalla nascita sulle sue gambe inutili.
Paolo lo guardò e lesse in lui
la fede.
Gli si accostò e gli disse
(e fece insieme
un gesto con la mano): "Alzati! Su!"
Quell'uomo sentì un fuoco sconosciuto
nei piedi, nei ginocchi, e nelle gambe
(lo raccontò) come un formicolio,
e a quel gesto si alzò
e, come invasato, ballava,
e la folla in delirio gridava
" miracolo!, miracolo!" e gridava
che erano dèi discesi fra di loro,
che erano Giove e Mercurio
e già portavano un toro infiocchettato
per farne un sacrificio.
Turbati, Paolo e Barnaba a gran voce
vincendo il frastuono: "Noi siamo
uomini come voi!, non siamo dèi!,
e vi portiamo la parola
del Dio che vi ha dato
la terra e il cielo, il sole
e la luna, il fuoco e l'acqua, e ora,

ma Lui soltanto, ha guarito
il paralitico che avete visto.
E vi diciamo: il solo Dio è Gesù".
Ed essi, convertendosi, credettero.

MEDITAZIONE DI TIMOTEO

Quando è venuto a Listra e l'ho ascoltato
ha scritto il mio destino.
Mi ha chiesto di seguirlo e l'ho seguito.

Come il pane che lievita al caldo
e cresce, la parola
saliva, dilagava,
quella sua
parola d'anima, e puro
folgorante pensiero,
e come sotto
una volta che i suoni moltiplica,
come un sasso nell'acqua che fa cerchi,
sempre di più si diffondeva e in tanti
l'ascoltavano e pieni di gioia
stupiti si scoprivano fratelli
in quella verità del Cristo Dio
che lui con tanta fede seminava.
E come avrei potuto non seguirlo,
come un'ombra che tace al suo fianco,
da quando al primo sguardo mi ha parlato
e in me è disceso lo Spirito Santo!

IL NARRATORE

Accadde che una notte a Troade dove giunsero
guidati dallo Spirito che ne aveva impedito
altre mete cercate, a Paolo apparve in sogno
un macedone in piedi che gli chiedeva aiuto
per la sua gente e così fu svelata all'apostolo
la volontà di Dio, d'annunciare il Vangelo
in Macedonia, e verso quella lontana terra

partirono scegliendo la lunga via del mare.

PAOLO E COMPAGNI

"Le vele sono tese. Hanno portato
già le ceste dei viveri a bordo,
è l'ora, Paolo, imbarchiamoci".

"È questa
la prima volta che salgo su una nave".

"Sei fortunato, è sicura come tutte
le navi che prendono il mare
dal grande porto di Troade".

"Ma noi
siamo gente di terra e ci portiamo
qualche timore addosso".

"Non averne.
Se avremo, come dicono,
i venti favorevoli, saremo
in pochi giorni a Neapoli e sarà
tutta tua, Paolo, la Macedonia...

"Dobbiamo
prima arrivarci, ma mi dà conforto
il pensiero che pure sulla nave
hanno bisogno di tende sul ponte
contro il freddo, la pioggia e la furia
violenta dei marosi, ed io potrò
lavorare parlando di Dio
che mi detta parole che saranno
un cuneo in ogni cuore,
che penetrandolo saprà sedurlo
alla fede nel mio Gesù Signore".

MEDITAZIONE DI PAOLO

Come non ringraziarTi sempre e ovunque
Dio che hai creato questo infinito

mare che unisce le terre e consente
agli uomini di incontrarsi. Io queste onde
cavalcherò come i pesci e i vascelli
perché arrivi il Tuo Verbo alla gente,
fino all'estremo orizzonte di questa
distesa d'acqua che muta
come il cuore dell'uomo e la mia povera
mente non sa immaginare
nel suo confine forse irraggiungibile
come la quiete dell'anima,
come l'attesa visione del Tuo volto.
E grazie per le creature che la popolano
e che a noi danno sostentamento,
e per il vento che ci fa navigare,
e per la luna che a notte
crea sentieri di luce fra le scogliere infide
e ci conduce salvi alle mete agognate.

PAOLO ALL'AREOPAGO DI ATENE

Da tanto tempo sognavo di venire
in questa vostra città così famosa
per bellezza e cultura, e ho veduto
che avete molti templi e molte statue
che onorano gli dèi. Dunque voi siete
d'animo aperto ai cieli dello spirito
e sapete pregare, sapete
che la preghiera è un colloquio con ciò
che sta sopra di noi, con ciò che è eterno.
E ho trovato un altare
con l'iscrizione: "Al dio ignoto". Ebbene
ora io vengo a rivelarvi il vero
Dio, che ha creato il mondo,
la terra e il cielo, e tutte le creature
in cui la vita palpita, ed è qui
con noi, dentro di noi. È stato un vostro
poeta, Arato, che ha scritto: "Di lui
noi siamo la stirpe". E se siamo

suoi figli, figli di Dio, come credere
che siano Dio quelle piccole statue
di pietre rare, d'argento o d'oro:
come poterlo credere,
che sia Dio ciò che l'uomo ha creato
con le sue mani. Dio
è in cielo e ci ha mandato, per salvarci,
il suo unico figlio che per noi
si è fatto uomo, e da uomo
ha conosciuto il dolore e la morte.
Ma Dio dopo tre giorni l'ha chiamato
da dove mai si ritorna: è risorto!
E alla fine del tempo verrà
a giudicarci, e in verità vi dico
che il suo nome è Gesù.

UN DISCEPOLO

Era una sera del sabato, a Troade, e noi
riuniti al terzo piano di un palazzo
stavamo attorno a Paolo che spezzato
il pane, così ripetendo
il gesto di Gesù, il Suo comando,
di Lui parlò fino alla notte, e a un tratto
un giovane, Autico, che l'ascoltava
stando seduto su una finestra – forse
vinto dal sonno – cadde
giù nel cortile.
Paolo subito accorse
ai gridi del parenti che piangevano
il loro caro morto, e, abbracciandolo,
"*non turbatevi* – disse – *perché vive*".
E consolati, e sconvolti
da quel gioioso stupore,
si convertirono lodando Dio.

PAOLO AI ROMANI

Io vi dico che voi

rispettate la Legge, il suo spirito,
se come fratelli vi amate.
E ancora vi dico: se peccate
contro i comandamenti: di non cedere
alla carne che chiede, che fa spegnere
la mente nel sangue che vince,
di non cedere
alla violenza che porta fino a uccidere,
o al desiderio delle cose d'altri
fino a rubare,
se voi
vi amate l'un l'altro io vi dico
che siete salvi perché i comandamenti
in uno solo tutti si compendiano:
"Ama il prossimo tuo come te stesso".

IL NARRATORE

Quanti viaggi, e quante terre, e quanti
volti nella memoria gli si affollano!
Per quattordici lustri ha calpestato
questa nostra dimora provvisoria
e Paolo è vecchio e stanco, e sente
che il suo tempo sta ormai consumandosi
come la cera d'un lume e allora scrive
agli amici: "*So che Cristo sarà*
sempre glorificato nel mio corpo
sia ch'io viva o che muoia. Per me vivere
è Cristo, e solo morire è un guadagno
che ho sognato per tutta la mia vita".

PAOLO A TIMOTEO

Figlio mio, mentre scrivo sta calando
la sera, vedo l'ombra
farsi sempre più fitta e io sento
che anche il mio giorno scende
verso l'ultima porta. È giunto il tempo
ch'io vada dal Signore.

E quando si raggiunge questo sublime traguardo
e, terminata la corsa, posso voltarmi, ti dico
che sempre con pienezza di fede ho combattuto
la mia battaglia e ora attendo
il giudizio del Giusto. Ma ti dico
che se ho potuto portare alle genti
la parola di Dio, io so che ho avuto
Gesù Signore al mio fianco a salvarmi
dalla morte che è apparsa tante volte
come un ostacolo sulla mia via,
e che in eterno mi salverà
nel suo Regno, nei cieli.
E così sia.

IL NARRATORE

Quando fece ritorno
nella sua amata Gerusalemme
Paolo fu avvertito che i giudei lo accusavano
di non seguire le leggi di Mosè e le voci,
– come quando si batte sulla pelle
d'un tamburo, di notte, nel silenzio –
dilagarono e accesero un tumulto
e la gente gridava: "Uccidetelo!".
Ma accorsero le guardie per difenderlo, e Lisia,
il potente tribuno, dopo averlo
incatenato come un malfattore,
ordinò che poi fosse flagellato
per fargli confessare i suoi reati.
Ma Paolo, guardandolo
negli occhi, a sfida, gli disse:
"Ti è lecito
percuotere così
un cittadino romano?"
Intimorito, Lisia
il giorno dopo gli tolse le catene
e lo mandò al giudizio del Sinedrio.

Ora è solo.
Lontani
i suoi fedeli più cari, lontane
le folle piene d'amore inneggianti
a Cristo. E ora invece,
rumoreggiando, la piazza piena d'odio,
invoca la sua morte.
E già, temendo lentezze nel giudizio,
quaranta congiurati sono pronti
per ucciderlo.
Ma lo seppe,
Lisia, per una spiata, e dispose
che al calar della notte, duecento
soldati e settanta cavalieri
scortassero Paolo
dal governatore Felice
nella vicina Cesarea.

"Ti ascolterò – disse Felice a Paolo –
quando verranno quelli che t'accusano".
E i giudei mandarono un famoso
avvocato, Tertullo che, indicando
con disprezzo l'apostolo, disse:
"Ha provocato, questa peste d'uomo,
in tutto il mondo, sommosse fra i giudei".
E i giudei convenuti confermarono
la sua accusa.

PAOLO

"Ora posso difendermi?
Dio stesso mi ha chiamato
alla luce dal buio in cui vivevo.
Mi accusano perché con fede spero
nella resurrezione. Ti confesso
che servo il Dio dei padri,
che credo nella Legge e in ciò che scrivono
i profeti, che credo
che Gesù Cristo è risorto dai morti

sconfiggendo la morte".

IL NARRATORE

Felice,
prendendo tempo, per non decidere,
lo rimandò in prigione.
Quando giunse, a succedergli,
Porcio Festo, i giudei
tornarono implacabili alla carica
con un elenco di accuse, chiedendo
l'uccisione di Paolo.

IL GOVERNATORE PORCIO FESTO

"Ma sono
soltanto controversie
riguardanti la vostra religione,
e su un certo Gesù che sarebbe
morto, e che Paolo afferma
ritornato fra i vivi.
Non vorresti
Paolo andare a Gerusalemme
per farti giudicare dal Sinedrio?"

IL NARRATORE

Ma Paolo si appellò, come romano, a Cesare.
E allora Festo disse che l'avrebbe salvato,
ma avendo chiesto, insolente, il giudizio di Cesare,
decise che da Cesare fosse spedito a Roma.
E fu così che nonostante il tempo
fosse inclemente, e tutti sconsigliassero
un viaggio in mare, Paolo si imbarcò
andando incontro al suo scritto destino.

I SUPERSTITI DEL NAUFRAGIO

"Navigavamo tranquilli con il vento
che a piene gote soffiava sulle vele,

quando, ad un tratto, un'onda…"

"Un'onda, dici?

Una montagna, e più alta
delle colonne del tempio…"

"È proprio vero, e correva
verso di noi, inseguendoci, e sommerse
la nave, strappò gli alberi,
delle vele superbe fece stracci, e noi
fummo sospinti giù verso l'abisso
su un prato d'alghe e con un cielo d'acqua".

"Risalivamo ormai senza più fiato e ancora
le dure mani dell'onda ci spingevano
verso la morte".

"Eppure, ricordate?,
che a un'altra morte pensavamo, a quella
che a Roma ci attendeva
se avessimo perduto il prigioniero.
E tutti i nostri occhi lo cercavano
in quel mare in tempesta".

"Albeggiava
e mentre un sole pallido
dava un volto alla scena, come tanti
spettri, vascelli irreali,
i pezzi della nave galleggiavano. E Paolo
appariva e spariva
tra i flutti e vedevamo
la lunga chioma bianca che s'apriva
a pelo d'acqua come una medusa".

"E ti ricordi il braccio, quel suo braccio
teso in alto, e la mano…"

"Oh, quella mano
evocava, non so perché e ne tremo,
quasi due mani giunte…"

"Sì, quella mano

pregava".

"E udimmo la sua voce che gridava
Gesù Signore, salvaci!
E in quel frastuono
dice qualcuno di noi d'avere udito
un'altra voce, una voce come fosse
un sibilo dolce di vento,
che dalla lontananza rispondeva
'Sarete tutti salvi'".

"E un altro
dice d'aver veduto,
mentre emergeva dai flutti e già vicina
alle sue mani si offriva una zattera,
accanto a Paolo, un'ombra..."

"Un'ombra?"

"Era, sì, evanescente, ma tutta
di luce, e illuminava
l'ultima frangia svanente
della tempesta, e la luce indicava
la terra già vicina, la salvezza.
Forse non era un'ombra..."

"Allora, dimmi...dimmi... forse pensi?..."

"Sì, a un Angelo!"

UN CRISTIANO DI ROMA

Come possiamo vivere braccati
come animali, sfuggendo
d'ora in ora agli agguati. Nerone
vuole che siano condannati a morte
tutti i cristiani. Le guardie
frugano nelle case, dentro i vicoli e noi
viviamo come talpe nascondendoci
nei labirinti della Suburra, ma ovunque
Gesù è con noi.

Nerone
non lo sa che noi siamo
come un serpente a cui taglia la coda
ma la rifà più forte
e il suo corpo vivente si moltiplica.
Ora un dolore,
un grande dolore mi affligge:
si è saputo che è giunto Paolo in ceppi
per lasciare qui a Roma la vita. Fu da lui
ch'ebbi la grazia della fede, e lui
mi disse: *Porta il Cristo*
dentro di te, cammina
sempre nella sua luce.

UNA CRISTIANA DI ROMA

Ma non tutti i cristiani di Roma
provarono pietà per Paolo: non vollero
alleviare la sua solitudine
con le visite.
Paolo
pensava che diffondere
senza timore il Vangelo
potesse rianimare una comunità svilita.
Ma sapevano tutti che Nerone
in quel periodo aveva altri problemi,
temeva una possibile rivolta
e non era prudente ricordargli
la caccia dei cristiani.
Ma c'era anche il rifiuto (come già
era avvenuto in altre chiese, forse
per eccesso di zelo)
d'una possibile piena assunzione
d'autorità non richiesta perché Roma
era la loro chiesa, e quanto
avevano tutti sofferto
per quella loro chiesa
e bastavano ormai le loro forze
per farla uscire dall'acqua stagnante.

IL NARRATORE

Paolo era vecchio. Il suo volto scavato
raccontava le sue sofferenze.
Ma gli occhi erano fiaccole
di luce.
Ecco, era giunto
alla meta. Finalmente
l'avrebbe incontrato! Da quanto
era questo soltanto
il suo struggente desiderio:
conoscerLo, restare eternamente
con Gesù. E non era
forse per questo che le sue gambe instancabili
si erano fatte di pietra, e grimaldello
la sua parola per vincere
i rifiuti ostinati? Era Dio
che aveva disposto che fosse
l'apostolo delle genti, e per questo
contro il suo cuore anelante, dovette
scegliere sempre la vita. Rimandare
quel supremo momento di gioia. E ora
l'incontro con Gesù tanto agognato
è arrivato per mano
dei suoi persecutori.
E come può accadere che un fendente,
che l'attimo spalanchi
l'eternità?
Non sente
che le guardie lo tirano, e le corde
che gli stringono i polsi fanno solchi
nella sua carne, non sente
gli insulti. Sa che questo
è il momento. Era scritto. Non c'è
senza che Dio non voglia,
foglia che cada.
Sul volto
ha disteso una maschera che ha nome

beatitudine. E allora
benedicente si avvicina al boia
e sollevando i suoi capelli bianchi
offre il suo esile collo alla spada.

SETTIMA PARTE
VARIE

LA FARFALLA VANESIA
Paideia 2001

STORNELLI PER SETTE VOCI
L'Informazione 1994

LUNA D'AMORE
Newton&Compton 1989

Poesie per bambini da

LA FARFALLA VANESIA

DUE AMICI

Ci teniamo per mano
facendo la stessa strada
ogni mattino per andare a scuola.
Se stiamo insieme i nostri sogni volano,
ci portano lontano.
Diciamo le stesse parole,
studiamo gli stessi libri
e sono uguali le cose che amiamo.
Siamo due amici felici.
Stiamo seduti nello stesso banco,
lui è nero, io sono bianco.

CASTELLI IN ARIA

C'è un bimbo tanto povero,
ma proprio tanto povero
che quando soffia il vento
non può che alzarsi il bavero
della sola giacchetta
che gli sta corta e stretta.
Ma quando viene il sole
sorride ed è contento.
Di che cosa è contento?
Del profumo di viole
che dentro l'aria sente,
della luce del cielo,
del passo degli uccelli,
di quel loro cantare,
del fiorire del melo
e d'ogni germogliare,
della lieta corrente
del fiume che va al mare,
di tutte le parole
che sente dalla gente.
È contento di niente.

Ma sogna. Quando avrò
pochi soldi, ma pochi
– per i castelli in aria
per i poveri giochi,
non ne servono troppi! –
prenderò il bastimento
e me ne andrò per mare.
Il sogno non ha intoppi,
e già lo fa contento
quel povero sognare.

LA PUPAZZA

C'era una volta una bambina
che viveva in una baracca
senza più tetto, fatta
di cartoni e di latta,
che stava ai piedi di una collina
tutta di spazzatura. Ma per lei
era come il paese dei balocchi,
un invito all'avventura,
e guardandola aveva
tanti sogni negli occhi.

E frugando frugando le manine
che tutte le mattine
tanto a lungo cercarono,
che cosa mai trovarono
fra torsoli e cartacce,
un gatto morto, le bucce
delle patate, due vecchie babbucce,
la frutta marcia e le erbacce?
Sentite – oh che allegrezza! –
una pupazza di pezza.
Malata, poverina,
senza le due braccine,
ma che importa, con due lunghe treccine

fatte di fili di luce e con gli occhi
dipinti di blu che specchiavano
il cielo che guardavano.

Si misero a suonare
per festeggiare l'evento,
le lattine bucate
le pentole sfondate
e tutte le posate
e a quel coro festoso si unì il vento.
Ora stringeva al seno,
felice, la sua pupazza,
e accarezzava il vestito
scolorito, ma tutto di trine,
cantando la ninna nanna
come le altre bambine.

L'UCCELLINO E L'ECO

Cip cip fa l'uccellino
sul ramo del susino.

Cip cip felice canta
e tutto il mondo incanta.

Ma a un tratto cosa sentono
l'aria la luce e il vento?

Uno sparo! Uno sparo!
Ah che momento amaro!

Il canterino è morto
caduto giù nell'orto.

Più quel canto non sentono
l'aria la luce e il vento.

Ma si commuove l'eco:
ruba il cip cip ed ecco
lo porta in alto, in volo,
come fosse un assolo

d'un cantore divino.
Sì, è morto l'uccellino

ma resta il cinguettare
i cuori a far sognare.

LE FORBICI

Le forbici sono due coltelli
che s'amano come fratelli
e stanno stretti abbracciati.
Se vedono un foglio di carta
si danno un gran daffare
per poterlo tagliare.
E uno va di qua
e l'altro va di là
per rispettare i patti.
Poi stanchi, affaticati,
tornano a riposare
soddisfatti, abbracciati.

SIRIO

Non va a letto. Resta desta
per mostrarsi alla finestra
perché sa d'essere bella,
la più bella fra le belle,
Sirio, diva delle stelle.
Ma vien l'alba e la sequestra.

Così sempre si cancella
ogni cosa che era bella.

IL MATRIMONIO

Disse un giorno un conchiglio a una conchiglia
– e la guardava con occhi di triglia –
"Vuole con me formare una famiglia?"

Quella conchiglia, che era signorina,
e per davvero molto timidina,
gli dette una veloce sbirciatina.

Poi un'emozione forte la colpì
nel petto e tutta notte non dormì
ma la mattina gli rispose "Sì".

E disse al padre: "Me ne voglio andare,
io sono stufa di dover restare
tutta la vita chiusa in fondo al mare.

C'è tanto mondo non m'importa niente
di cosa possa pensare la gente:
perciò ho deciso di cambiare ambiente".

"Voi andrete incontro a giorni molto afosi"
disse una vecchia zia, ma gli amorosi
emersero felici a farsi sposi.

E cuore a cuore, mano nella mano,
presero casa sopra un bel divano
dove il sole non era più lontano.

Ma a poco a poco, stando all'aria immoti
scoprirono d'aver nemici ignoti
che li ridussero a due gusci vuoti.

E questa storia del proverbio è prova:
"Chi lascia la via vecchia per la nuova
sa ciò che lascia ma non quel che trova".

LA FARFALLA VANESIA

Una giovane farfalla
che è tutta azzurra e gialla
si specchia in uno specchio
e soddisfatta dice:
“Ho proprio un bel colore
e sembra quando volo
che vada in alto un fiore.
Ho ali di velluto
dipinte di vernice:
non c’è un insetto solo
degno di starmi a pari.
A me tutto è dovuto.
La vanesia va in giardino
per trovare la sua rosa,
la più rossa! E vi si posa.
Ma chi avrebbe mai pensato
che vi fosse un “occupato”?
Sta mangiando a capo chino
un goloso Maggiolino.
Un po’ offesa la farfalla
va a cercar la rosa gialla:
ma ci fa la merendina
la Cetonia smeraldina.
“Non m’importa, non mi piace!”
dice, ma per darsi pace.
E lasciato quel giardino
vola all’orto lì vicino.
“Oh che fiori senza uguali,
qui non troverò rivali,
e mi toglierò le voglie
col profumo delle foglie
e coi fiori della menta.
Gode sol chi s’accontenta.

IL MONDO

Giro giro tondo
come è bello il nostro mondo
così grande così tondo!
Sembra proprio sia una palla
che stia su nel cielo a galla.

Lassù appeso cosa fa?
Lui va a spasso tutto il giorno
e fa tante capriole
mentre corre attorno al sole.
E se a un tratto è senza fiato
per la corsa e più non vede
da lontano quel suo raggio
che lo scalda e lo conduce,
vien la luna dal gran prato
delle stelle e gli fa luce,
e nel viaggio lui procede.

Anche quando è capovolto
– ma nessuno se n'è accorto –
guarda un po', non fa versare
né un bicchiere né una goccia
né dai fiumi né dal mare,
e quell'acqua è proprio tanta!
E non cade da lassù
– e di questo se ne vanta –
mai da un melo, mai da un pesco
né una mela né una pesca,
e neppure un fico solo
mentre il mondo capitombola
in quel suo stupendo volo.

E poi passi per gli uccelli
che han le ali e non lo sanno,
con la testa fra le nuvole,
da che parte il mondo vada,

ma le mucche come fanno,
e i gattini e i cani e i galli
gli sciacalli e gli zebù
come fanno a non cadere
quando stanno a testa in giù?

E anche noi che per la strada
camminiamo un po' sbadati
– meno male! – non vediamo
che ci siamo rovesciati.
Giro giro giro tondo
com'è buffo il nostro mondo
dove sembra assurdo il vero
che a pensarci è proprio un tuffo
dentro un mondo di mistero.

IL TRENINO

Tempo fa in un mattino
pieno di sole e di vento,
un piccolo trenino
che era arciscontento
di dover sempre andare
sugli stessi binari,
sempre due, sempre pari,
cominciando a sbuffare
pensò: che il mondo impari
che viene anche per me
la voglia, almeno un giorno,
e non so dir perché,
di far quel che mi pare.
E guardandosi intorno
vide campagna e mare,
pieni di fiori i prati,
e sentì cinguettare
i passeri beati,
e lanciando il suo fischio,

senza temere il rischio,
continuò la sua corsa
sull'erba e si fermò.

Scesero i passeggeri
stupiti anzichenò
ma presi dalla morsa
di quell'incanto, accolsero
quel dono volentieri.
Del tempo non si accorsero,
volavano i pensieri
lontani, più leggeri
in quel bel paesaggio.
E chi coglieva i fiori
chi si dava all'assaggio
della frutta, o, scordato il passato,
dormiva sognando sul prato.
Ogni angoscia cadeva.
Sbocciavano gli amori,
la vita risplendeva.

E il trenino guardava
soddisfatto e pensava:
qualche volta si dà
proprio con poco la felicità.

IL TRENO

Passa veloce il treno,
veloce come un baleno,
ed è subito festa
per la bambina che resta
con le manine alzate
assorta a salutarlo.
È lungo come un fiume
e si chiede chi sa
dove quel treno va

e dagli occhi le volano
i sogni come piume.
E vorrebbe fermarlo
magari un momentino
per salirci un pochino,
ma chi potrebbe farlo?
Nemmeno la mamma, nemmeno,
la potrà accontentare:
va via come il vento quel treno.

Ma a un tratto che succede?
La mamma si mette a guardare
lassù in alto e che vede?
(e quasi non ci crede):
che tutto il cielo è illustrato.
C'è un gran cavallo alato
le navi, le barchette
castelli di fate e casette
e fiori giganti su un prato.

Guarda cosa ha lasciato
il treno! – la mamma le dice.
Per te l'ha disegnato
col fumo che è come il suo fiato.
E la bambina è felice.

LA PAPPA

Quando è l'ora della pappa
una pupa piccolina
più cattiva di una lupa
strilla e scappa.
– Non la voglio quella ciccia!
E per fare un dispettuccio
con il sugo si impiastriccia.
– Se non mangi la carnina
resterai sempre piccina.

– Non m'importa, non la voglio.
Voglio solo il civingame.

C'è chi invece ha sempre fame:
la sua ciccia il fratellino
gliela ruba dal piattino
e poi lesto si nasconde
perché viene canzonato
e gli dicono che è tondo.

Così accade anche nel mondo
e non sembra ci sia niente
per cambiar le carte al gioco:
troppa gente mangia poco
mangia troppo poca gente.

IL NUOTATORE

Resto a galla! Mamma, vedi,
proprio come la mia palla.
E se muovo braccia e piedi
io cammino sopra il mare,
ma sdraiato a testa in giù,
come i pesci che passeggiano
e si lasciano guardare.
Sembra proprio che una mano
forte sotto il mio pancino
mi trascini da lontano.

Non sei tu, Gesù Bambino,
che mi reggi da lassù?

IL MEDIO EVO

È l'Astolfo un bel bambino
che sta sempre in un castello:

gira corre scende e sale
ma il castello è sempre quello.
Quando lascia quelle sale
ed il suo maestro saggio,
per andare a fare un viaggio,
dietro al padre, quel bambino
va a cavallo a un cavallino.

Lui non sa, benché sia nobile,
com'è fatta un'automobile,
e persino, caso strano,
non conosce un aeroplano.
E se fa una passeggiata
può soltanto andare a piedi
piano piano senza fretta
perché proprio non sospetta
che già l'abbiano inventata
la veloce bicicletta.

Perché Astolfo, poveretto,
quando venne in questo mondo
– bello biondo e riverito
come il figlio di un Pascià –
si trovò nel Medio Evo:
ma nessuno gliel'ha detto
e l'Astolfo non lo sa.

Una scelta da
STORNELLI PER SETTE VOCI

Le sette voci, a cui allude il titolo, sono quelle di Elio Filippo Accrocca, Lea Canducci, Elena Clementelli, Luciano Luisi, Silvio Ramat, Ugo Reale e Giovanna Vizzari, prefate da un saggio di Walter Mauro su questa tradizione popolare toscana. Come ricorda Luisi, "le tante presentazioni di questa raccolta fatte in vari paesi con nostro grande stupore furono accolte dalla banda e da piazze gremite di gente che ci aspettava". L'ultimo stornello di questa raccolta è posteriore all'edizione del libro pubblicata nel 1994.

D. M.

Fior di lattuga,
sembra che io cammini su una riga,
ma sono sempre in un altrove in fuga.

Fiore di lino,
con i miei sogni me ne vo lontano,
vedo il mare nell'acqua di un catino.

Fior di mughetto,
sento il tuo odore dentro il letto sfatto,
ma non un cuore che ti batte in petto.

Fior di mirtillo,
lo so che vai con questo e vai con quello,
ma nel mio sangue hai messo il tuo sigillo.

Fiore di noce,
per te cammino sempre sulla brace,
ma son felice se mi metti in croce.

Fiori a corolle,
come ridemmo che a due amanti folli
fosse servita zuppa di cipolle.

Fiore di pesca,
mi giri attorno come fa una mosca,
ma il tuo sguardo puttano non m'adesca.

Fiore di pesca,
è stupido quell'uomo che ci casca,
non vede l'amo nascosto nell'esca.

Fior d'amaranto,
degli anni che t'ho amata ho perso il conto
e son felice di restarti accanto.

Fiore dei fiori,
sono nei tempi già supplementari,
ma spero d'arrivare anche ai rigori.

Dalle traduzioni di

LUNA D'AMORE

Questa "Luna d'amore" è nata sotto l'impulso di rappresentare, attraverso le poesie di ogni tempo e cultura, l'immutabilità dell'uomo di fronte alla passione amorosa; quella passione che ne condiziona il cuore e la mente e le costanti reazioni di fronte all'ardore del desiderio, nella felicità e infelicità del possesso, nel dolore della separazione e nella sublimazione della memoria. Così le quattro parti dell'antologia vogliono raccontare la vicenda dell'amore, rispecchiandola nelle fasi della luna: luna crescente l'innamoramento; luna piena, il desiderio, la passione; luna calante, il distacco, l'assenza; luna cinerea, il rimpianto, la memoria. Ovviamente, essendo questa una selezione, non può esprimere compiutamente la complessità dell'analogia.

L. L.

LUNA CRESCENTE
(L'innamoramento. L'oggetto d'amore)

EMILY DICKINSON

Che sia l'amore tutto ciò che esiste
è ciò che noi sappiamo dell'amore;

e può bastare che il suo peso sia
uguale al solco che lascia nel cuore.

MARINA IVANOVNA CVETAEVA

L'amore
è lama? è fuoco?
Più quietamente – perché tanta enfasi?
È dolore che è conosciuto come
gli occhi conoscono il palmo della mano
come le labbra sanno
del proprio figlio il nome.

RUFINO

Solo godere è vivere!
Scordiamoci
tutti gli affanni: il nostro tempo è breve.

Ora a me Lieo, e la musica e corone di fiori,
a me l'ebrezza delle donne!
È questa
la mia ora. Nessuno
del domani ha certezza.

WILLIAM SHAKESPEARE

Oh in che maniera posso mai cantarti
sapendo che tu sei di me la miglior parte?
Cosa mi dà un elogio che a me stesso io faccia?
E che cos'è lodarti se non lodare me?
Proprio per questo allora dobbiamo separarci
così che il nostro amore non sia più indivisibile
ed io da te lontano possa alfine donarti
quello che ti è dovuto, e che tu sola meriti.
Oh assenza che tormento tu dovresti soffrire
se l'amaro riposo non avesse il consenso
di trascorrere il tempo nei pensieri d'amore
che dolcemente ingannano il tempo ed i pensieri.
E tu, assenza, m'insegni a fare uno di due
lodando ora chi resta da qui tanto lontano.

ANTONIO MACHADO

Solitudine, mia compagna sola,
dea del prodigio, che hai voluto farlo
non richiesta!, di dare la parola
alla mia voce, dimmi: con chi parlo?

Rifuggo ormai la chiassosa brigata
e senza amici solo pena c'è
con te, signora, nel viso velata,
sempre velata se parli con me.

Non muterò per quanto mi rinnovi,
penso; non è l'enigma quel sembiante
che nell'intimo specchio appare nuovo,

altro è il mistero: la tua voce amante.
Discoprimi il tuo volto ch'io li trovi
fissi su me i tuoi occhi di diamante.

PABLO NERUDA

Mi piaci se rimani come assente in silenzio,
e mi ascolti lontana né la voce ti sfiora.
E sembra che i tuoi occhi siano volati via,
e sembra che la bocca te l'abbia chiusa un bacio.

Poiché l'anima mia vive in tutte le cose
tu sorgi dalle cose e di me sei ricolma
dell'anima. O farfalla di sogno tu somigli
all'anima mia, tu somigli alla parola malinconia.

Mi piaci se rimani come persa in silenzio.
Sei chiusa in un lamento flebile di farfalla
e mi ascolti lontana né la mia voce ti giunge:
lascia allora che taccia anch'io col tuo silenzio.

E con il tuo silenzio lascia che io ti parli
che è chiaro come lampada, semplice come anello.
Tu sei come la notte che è costellata e muta.
Il tuo, così lontano, è un tacere di stella.

Mi piaci se rimani come assente in silenzio
distante e dolorosa come se fossi morta.
Allora una parola ed un sorriso bastano
a dirmi non è vero, a rendermi felice.

ALCEO

Accoglimi, ti prego,
io sono qui a cantare
davanti alla tua porta:
ti prego fammi entrare.

PAOLO SILENZIARIO

Volevo dirti addio, ma la mia voce
s'è spenta, e sono ancora
qui accanto a te: ho paura
della tua lontananza
più della notte nera d'Acheronte.
Tu sei la luce del giorno, ma il giorno
non parla e tu mi doni la tua voce
che è più dolce di un canto di Sirena.
La mia speranza vive in quella voce.

ARTHUR RIMBAUD

D'inverno ce ne andremo in un vagone rosa
 con dei cuscini blu.
Staremo bene. Un nido di baci folli posa
 dove ti accucci tu.

E abbasserai le palpebre per non veder dal vetro
 fare smorfie le ombre della sera,
queste mostruosità ringhiose, branco tetro
 di lupi neri e diavolaglia nera.

A un tratto sulla guancia ti sentirai graffiata...
Un bacio come un folle ragnetto che s'agguata
 nel collo scenderà...
E tu mi dirai: "Cerca!" reclinando la testa,
e a lungo cercheremo quella bestiola lesta
 che molto viaggerà...

WILLIAM SHAKESPEARE

Non piangere per me quando mi saprai morto,
non oltre il suono tetro della campana lugubre
che dà notizia al mondo che io sono fuggito

dalla sua codardia per vivere coi vermi.
Anzi, se leggerai queste righe, dimentica
la mano che le ha scritte: io t'amo così tanto
che vorrei scomparire dalla tua cara mente
se il pensiero di me può portarti dolore.
Oh se mai tu posassi gli occhi su questi versi
quando forse sarò già sfatto nella terra,
ti prego non chiamare il mio povero nome
ma lascia che il tuo amore con la mia vita muoia.
Così che il mondo accorto non veda mai che tu
soffri ancora e ne rida, quando non sarò più.

LUNA PIENA
(Il desiderio. La passione)

SAFFO

Come violento sui monti
scuote le querce il vento,
così Amore ha travolto
l'anima mia, la ragione.

SAFFO

È già esangue la luna, e le Pleiadi
son diventate nell'albore pallide.
Già metà della notte è fuggita.
Già la mia giovinezza m'abbandona.
Ed ora sono, nel mio letto, sola.

CHARLES BAUDELAIRE

Amo, o bellezza pallida, le tue sopracciglia abbassate
    dove sembra trascorrano le tenebre;
e quegli occhi nerissimi che tanti pensieri han chiamato
    che proprio non son funebri.

Gli occhi che son d'accordo, con i capelli tuoi,
    con la tua chioma elastica,
quegli occhi che mi dicono con languore: "Se vuoi,
    tu che sei amante della musa plastica,

nutrire la speranza che in te abbiamo eccitato
    e tutti i gusti che ti fan piacere,
vedrai come sia vero, dopo averlo provato,
    dall'ombelico al sedere;

sopra due seni colmi tu larghe troverai
    due medaglie di bronzo,
e sotto un ventre liscio, di velluto, bistrato
    come ha la pelle un bonzo,

un vello così ricco che può fare pariglia
    con quella enorme capigliatura
così ricciuta e soffice, che in densità t'eguaglia
    o Notte senza stelle, o Notte oscura!".

FEDERICO GARCÍA LORCA

E io che la portai al fiume
credendola ragazza
e invece era sposata.

Fu di notte a San Giacomo
e quasi per dovere.
Si spensero i lampioni
e si accesero i grilli.
Le toccai, dietro un angolo,
i seni addormentati
e di colpo s'aprirono
come i giacinti a mazzi.
Della sua veste l'amido
suonava alle mie orecchie
come pezza di seta tagliata
da dieci coltelli.
Senza luce d'argento
sono cresciuti gli alberi
e abbaia un orizzonte
di cani lontani dal fiume.
Oltre i rovi di more,
oltre i giunchi e le spine
feci un buco nel fango
per la sua testa folta.
Io slacciai la cravatta.

Lei si levò il vestito.
Io cintura e pistola.
E lei quattro corpetti.
Né spigo né lumache
hanno pelle più fine,
né i cristalli alla luna
mandano più splendore.
Le cosce mi sgusciavano
come pesci sorpresi,
metà piene di fuoco,
metà piene di gelo.
Ah quella notte corsi
il cammino più bello
su una puledra accesa
senza briglie né staffe.
E non dirò, da uomo,
le cose che mi disse.
La ragione m'induce
ad essere discreto.
Sporca di baci e rena
la portai via dal fiume.
Col vento si battevano
le spade dei giaggioli.

Con lei mi comportai
come deve un gitano.
Le regalai un cestino
grande, di raso giallo.
Non volli innamorarmi
perché avendo marito
disse ch'era ragazza
quando andavamo al fiume.

VIDYAPATI

Io mi avvicino al letto
e lui ride e mi guarda.
Frecce di fiori vanno

in giro per il mondo.
Oh, il gioco dell'amore!
Come posso descrivere
la sua voglia, il suo ardore!
Quanto più m'abbandono
più cresce la sua gioia.

Io mi sfilo la gonna,
e lui furtivo afferra
la mia ghirlanda. Vinta
ora è già la mia mente
e non ha più confini.
Ma la mia vita è persa
nei lacci del suo amore.
Lui beve le mie labbra.
Con il cuore che freme
lui mi strappa i vestiti.
Come non è più mio
il mio corpo se lui
con foga lo accarezza.
Ed io vorrei frenarlo
ma cedo a quell'ebrezza.

VIDYAPATI

Lui cerca le sue labbra,
ma lei piega la testa.
Non vuole che lui tenda
le mani sopra il seno.
Per difendersi stringe
la fascia ch'era lenta,
ma tutta imporporandosi
già il desiderio svela.
La fanciulla è sensibile,
molto esperto è l'amante,
come lo giocheranno
il gioco dell'amore?

Già sbocciano i suoi seni
chiusi nelle sue mani,
verdi susine acerbe
che diventano rosse...

Ardenti le sue unghie
vanno decise ai seni,
e le ciglia di lei
come luna s'incurvano.
Acceso dal suo viso
si chiede fino a quando
potrà ancora la luna
fra le gonne celarsi.

FEDERICO GARCÍA LORCA

Io vorrei stare sopra le tue labbra
per spegnermi alla neve dei tuoi denti.
Io vorrei stare dentro il tuo petto
per sciogliermi al tuo sangue.
Fra i tuoi capelli d'oro
vorrei eternamente sognare.
E che diventasse il tuo cuore
la tomba al mio che duole.
Che la tua carne fosse la mia carne,
che la mia fronte fosse la tua fronte.
Tutta l'anima mia vorrei che entrasse
nel tuo piccolo corpo,
essere io il tuo pensiero, io
il tuo vestito bianco,
perché tu t'innamori
di me d'una passione così forte
che ti consumi cercandomi
senza trovarmi mai.
E perché tu il mio nome
vada gridando ai tramonti,
chiedendo di me all'acqua,

bevendo, triste, tutte le amarezze
che sulla strada ho lasciato,
desiderandoti, il cuore.
E intanto io penetrerò nel tuo
tenero corpo dolce
essendo io te stessa
e dimorando in te, donna, per sempre,
mentre tu ancora mi cerchi invano
da Oriente ad Occidente,
fin che alla fine saremo bruciati
dalla livida fiamma della morte.

EDWARD ESTLIN CUMMINGS

Mi piace il mio corpo quando sta con il tuo
corpo. È davvero una cosa nuovissima.
I muscoli ho migliori e ho più nervi.
Mi piace il tuo corpo, mi piace
quello che fa, mi piace come lo fa, mi piace
sentire la spina dorsale del tuo corpo e le ossa,
e quel monte fremente sodo-liscio che voglio
ancora e ancora e ancora
baciare, e tutta mi piace baciarti,
mi piace dolcemente accarezzare
l'eccitante arruffio del tuo pelo magnetico,
e quel-che-c'è-che-viene
su dalla carne che s'apre...
E grandi briciole d'amore gli occhi,

e forse mi piace il brivido
di te così completamente nuova
sotto di me.

MACEDONIO

Sei qui! Tu, all'improvviso e mi sorprendi stupito
mentre più il desiderio mi divora e l'immagine
che di te custodivo, ora la mente stravolge.
E tremo, e la mia voglia spasima dentro il petto,
e l'anima sprofonda in un gorgo d'amore.
Mia terra, sono un naufrago: stringimi al seno, e salvami.

LUNA CALANTE
(Il distacco. L'assenza)

GUILLAUME APOLLINAIRE

Io penso a te, mia Lou, mentre sono di guardia.
Vedo lassù il tuo sguardo negli occhi delle stelle.
Tutto il cielo è il tuo corpo, consolante illusione
nata dal desiderio che attizzano le raffiche
attorno a me soldato perso nei suoi pensieri.

Amore tu non sai che cosa sia l'assenza
e forse non puoi credere che sembra di morire.
Ogni ora all'infinito cresce la sofferenza.
Quando il giorno finisce si comincia a soffrire
e quando torna la notte la pena ricomincia.

Amore, io spero ormai soltanto nei ricordi.
Nel loro specchio tornano giovinezza e bellezza.
Invecchierai, amore, invecchierai un giorno.
È lontano il ricordo come un corno da caccia.
O lenta, lenta notte, o mio fucile peso.

JUAN RAMÓN JIMÉNEZ

È l'ora!
Il sole
tramonta... Addio!

– E quello che ti porta sono io. –
Addio! Addio!
E dimmi: t'allontani?
Vieni verso di me? No, non arrivi!
E non arriverai?
Tu questa notte

andrai vagando insonne
per la mia veglia esaltata.
Questo mio amore piangerà nel fondo...

– No! Ora tu, minuto, non esistere!
Manca! Non essere!
E che la vita intera
smarrisca la sua rotta
nel tuo fallimento, minuto! –

Ma precipita il sole... La campagna
splendente ormai diventerà remota,

sempre più simile a questa
mia tristezza immutabile.

– Il treno attraversa il mio cuore. –

Tu vai!
          Addio!
                    Oh, vieni!
                              Addio! Addio!...

SAFFO

Davvero vorrei essere già morta.
E lei che ormai più non frenava il pianto,
lasciandomi, mi disse:
"Che atroce sorte dobbiamo patire
o Saffo: t'abbandono
contro me stessa".

                    Ed io risposi: "Va'
e sii felice, e di me custodisci
il ricordo per sempre. Tu sai
quanto fu grande l'amore.
                              Ma se tu

dimentichi, oh allora, se dimentichi,
io voglio ricordarteli
i momenti felici, e le ore
che noi bruciammo amandoci;

e le ghirlande di viole e di rose
che al mio fianco fiorivano
fra i tuoi capelli,
e le collane intrecciate di fiori
che al mio esile collo cingevi;

e come di unguenti regali
profumavi il tuo corpo quando a me
giacevi accanto tenera a placare
il desiderio.
E ricordati
quelle feste sfarzose, e i sacrifici
divini, e i boschi sacri e le danze
dove noi fummo come una insieme".

RUFINO

Con la mia mente faccio al cuore scudo
contro gli attacchi che gli muove Eros,
e che non possa vincere m'illudo.

Contro un dio da mortale lotterò!
Ma se anche Bacco scende a dargli aiuto
quale speranza di difesa avrò?

LUNA CINEREA
(Il rimpianto. La memoria)

GUILLAUME APOLLINAIRE

La tromba suona e risuona.
Suona, si spengono i fuochi.
Il mio povero cuore ti dono
per uno sguardo dei tuoi begli occhi
un solo moto della tua persona.

Sono le dieci, tutto è spento,
ascolto russare la caserma,
viene dal Nord il vento,
la luna mi fa da lanterna.
Grida un cane alla morte il suo lamento.

La notte si consuma lenta lenta,
rintoccano le ore lentamente.
Tu che fai o mia bella indolente
mentre vegliando il tuo amante
ti sospira lontana e si tormenta?

E io cerco nel cielo stellato
dove sono le stelle gemelle –
Mio destino che al tuo è legato
ma dove sono le nostre stelle?
O cielo, campo di grano incantato!

...

La notte si consuma dolcemente.
Sereno alfine m'addormento.
I tuoi occhi che vegliano il tuo amante
non sono forse, mia bella indocile,
le nostre stelle del firmamento?

KONSTANTINOS KAVAFIS

Corpo non ricordare
soltanto le passioni
che hai destato e quei letti che t'accolsero,
ma i desideri che per te splendevano
apertamente negli occhi e velavano
le voci anche se il caso fu a volere
che non giungessero al loro compimento.
Ora che tutto è lontano nel tempo
e sembra quasi che a quei desideri
tu ti sia abbandonato – ricordati
come gli occhi brillavano guardandoti,
come per te tremavano le voci,
ora, corpo, ricordalo.

CATULLO

O infelice Catullo, rinuncia alla follia.
Rassegnati e convinciti che ciò che è stato è stato.
Vi fu un tempo che il sole per te rifulse limpido
quando eri prono al capriccio della fanciulla che amavi
come nessuna donna sarà amata così.
E lei come cedeva felice alle pazzie
a quei giochi d'amore che tu sempre inventavi.
Oh davvero quei giorni raggiavano per te.
Ora lei non ti vuole; e tu sii forte, rinunzia.
Non inseguirla se fugge, non tormentarti più,
ma torna alla ragione e ostinato resisti.
Addio fanciulla, ormai Catullo più non cede,
non ti cercherà più, né implorerà un tuo sguardo,
ma tu ne soffrirai di non essere amata.
Povera te, che vita è quella che ti resta?
Chi avrai ancora intorno? Chi più ti vedrà bella?
E chi amerai? A chi si dirà che appartieni?
A chi darai i tuoi baci e morderai le labbra?
Ma tu Catullo, inflessibile, non cedere, resisti.

KONSTANTINOS KAVAFIS

Era volgare e povera la stanza,
nascosta sull'equivoca taverna.
Dalla finestra si vedeva il sordido
vicolo cieco. E dal basso salivano
gli incessanti schiamazzi d'operai
che giocavano a carte in baldoria.

Eppure là, su quel giaciglio fetido,
ebbi il corpo d'amore, ebbi le labbra
voluttuose e arrossate dall'ebrezza,
di tale ebrezza arrossate, che anche dopo
tanti anni, scrivendone ora in questa
casa deserta, ancora me ne inebrio.

ARTHUR RIMBAUD

1.

Sull'onda calma e cupa dove dormono i cieli
Ofelia immacolata placidamente va,
va come un grande giglio, sopita in lunghi veli.
Nei boschi si diffonde dei corni l'ansietà.

Più di mill'anni Ofelia dentro la sua tristezza
passa, fantasma bianco, sull'acqua eterna e nera,
più di mill'anni sono che la sua dolce ebrezza
mormora la sua storia al soffio della sera.

Le bacia i seni il vento e in corolle dispiega,
cullati dalle acque, languidamente i veli.
Un salice piangente sopra di lei si piega.
Sull'ampia fronte assorta si chinano gli steli.

E le ninfee s'adunano, gualcite, a sospirare.
Da un ontano che a volte distoglie dal riposo
fugge un brivido d'ali da un nido al suo passare.
Dagli astri d'oro scende un canto misterioso.

2.

Pallida Ofelia, bella come neve, violento
un fiume t'ha strappata alla tua verde età!
È che dalle montagne della Norvegia un vento
cadendo t'ha parlato dell'aspra libertà!

Perché nel soffio ignoto che t'ha sconvolto il manto
dei capelli, il tuo spirito stranieri accenti udì;
e il tuo cuore la voce della natura al canto
delle notti e nel pianto degli alberi scoprì.

Perché al rombo del mare, un rantolo possente,
il seno troppo umano e acerbo si turbò;
e un mattino d'aprile un povero demente,
bel cavaliere pallido, a te s'inginocchiò!

Povera folle, al sogno – la libertà, l'amore,
e il cielo! – ti sciogliesti come la neve tu.
A quel miraggio spense la voce lo stupore.
Sgomentò l'infinito la tua pupilla blu.

3.

Ed il Poeta canta che, a notte, sotto cieli
di stelle, cerchi i fiori che avevi colti già,
e che sull'acqua ha visto, sopita in lunghi veli,
Ofelia immacolata che come un giglio va.

BERTOLT BRECHT

È stato molto tempo fa, e ormai
non so più nulla di lei che una volta
era tutto.
Ma tutto
passa.

GIUDIZI CRITICI

Fra gli stranieri

Ho letto poesie di Mario Luzi, di Clemente Rebora (un prete, cosa rara), di Luciano Luisi, di Alfonso Gatto e anche di Salvatore Quasimodo, e mi sono sembrate, in tutta laicità, senza apologetica né dogmatismo, il riflesso di un umanesimo cristiano raro in Francia con quegli accenti.

Georges Mounin
Poesia e società, Ed. Marietti

La sottigliezza verbale si affina nella seconda parte di *Racconto e altri versi* (le poesie d'amore) e raggiunge un respiro altamente lirico che si annovera fra le più rare bellezze della poesia pura.

Jean Bautista Torellò Barenys
"Arbor", Madrid, dic. 1950

Nei versi di guerra come in quelli della sequenza *L'amore* (in *Après-guerre,* Debresse, Parigi) Luisi si rivela un autentico temperamento poetico. Il suo stile, asciutto, privo di qualsiasi fioritura, si adegua a meraviglia alla materia tremenda cui accennavamo. L'ispirazione e il linguaggio si fondono perfettamente: la prima non è mai debole: ha un carattere d'urgenza, di necessità, che ne sottolinea il valore. Noi aspettiamo con ansia i prossimi versi di Luciano Luisi.

Robert O. P. Nuffel
"Marginales", Bruxelles sett-ott. 1951

Il libro di Luisi (*Racconto e altri versi*) meriterebbe più ampio commento, ma basterà l'indicazione a far cercare questo volumetto che, fra i tanti che il recensore archivia, passano nello scaffale delle cose da rileggere di tempo in tempo.

Carapace
"Giornale del Popolo", Lugano 8 nov. 1950

A Luciano Luisi, grande poeta, con affettuosa grande ammirazione

Joseph Tusiani, New York, 26 luglio 1993

dedica al libro *Il ritorno,* Schena ed., 1992; ora anche in *A Luciano Luisi per i suoi 90 anni,* a cura di Cecilia Perri, Edizione La mongolfiera, Castrovillari 2014

Racconto

Luciano Luisi ci presenta la sua raccolta *Racconto e altri versi* e nessuno che abbia sensibilità estetica potrà disconoscere che un nuovo poeta sia nato. [...] Bisogna riconoscere che la guerra con le sue distruzioni è stata una grande alleata di Luisi: gli consente di tornare, sia fisicamente che in spirito, là dove lo legano cari, teneri ricordi [...]. Ne nasce un tono che è peculiare del Luisi, non certo una mera derivazione letteraria, e come tale va considerata la sua maggiore conquista artistica attuale.

Aldo Capasso
"Sicilia del Popolo", 1° sett. 1949

Luisi dà, specialmente nelle dieci liriche di *Racconto* una misura piuttosto notevole delle sue possibilità. È un poeta in cui il motivo dominante (l'irrequietezza della passione) viene appunto "raccontata" con una varietà psicologica e insieme un abbandono sentimentale che lasciano indovinare una non incerta vocazione.

Giacinto Spagnoletti
"Humanitas", nov. 1949

Racconto e altri versi costituisce la somma delle conquiste, conseguite, dopo faticose esperienze sentimentali e linguistiche, da una nuova generazione.

Mario Guidotti
"Il quotidiano", 24 nov. 1949

Può sembrare ambizioso volere identificare la storia di un giovane poeta di oggi con tutta la poesia recentissima. Sta però il fatto che ogni volta un poeta si consegna crea il suo tempo, gli dà un nome e un significato [...]. Questa potrebbe anche essere la storia di Luciano Luisi come si presenta con il suo recente *Racconto e altri versi*. Anzi lo è [...]. È passata la guerra, un mondo è crollato, ma il poeta non cerca rifugio nei paradisi personali, ma accetta. Le rovine, i negri, le prostitute, le desolazioni sono per Lui immagini della vita... Diventano dunque un circuito lirico, un fluire dal passato nel presente. Diventano quella sua parola di appena velata modulazione, eppure densa di una carica lirica che si trasmette e fluisce senza iati al verso intero, alla strofa, alla pagina, ritmata dal passo sicuro di chi ha accettato la sua condizione di uomo e va con le memorie, con tutto se stesso, e dunque oltre, perché è proprio questa, la condizione per non fermarsi, per non tornare indietro, per vivere.

Luigi Fallacara
"Il Mattino dell'Italia centrale", 28 dic. 1949

C'è in Luisi l'esperimento del linguaggio diretto, della parola nuda, scoperta; ma c'è anche la liricizzazione della parola, la traiezione addirittura della parola ad orizzonti di magico plurilinguismo, ed è lì che i problemi recenti e perenni di questa nostra umanità si fanno presenza viva e vitale.

Giuseppe Zagarrio
"Vox", 18 apr. 1951

Piazza Grande

Insomma a Luisi è capitato il più prevenuto dei suoi lettori, ma è proprio per questo fatto che io vorrei si rallegrasse e si confortasse dei meriti della sua operetta, la quale deve essere pur buona e indubitabile se ha avuto la forza di sostituire a un'immagine tutta sentimentale, e per ciò radicatissima, una più vera e più corrispondente (più universale) immagine [...]. Mi pare che Luisi abbia saputo risolvere, per proprio conto, quello stridente dualismo ch'è nei poeti più giovani, tutti più o meno tesi nel tentativo di conciliare la cronaca (e c'è invero in queste paginette un'innegabile aura neorealistica che è un tributo al presente) con la virtù della parola-memoria, voglio dire con la virtù di quella polivalente parola, propria del linguaggio poetico, che è stata la più grande riconquista dei nostri maggiori poeti di questo secolo. [...] Voglio consumare queste ultime righe per sottolineare un altro segno significativo in Luisi, e precisamente quello della probità (della castità morale) della sua rappresentazione, la quale, senza diminuir mai la tragedia nell'idillio, nemmeno la violenta fino alla scoperta polemica. Segno, anche questo, non trascurabile mi sembra, della serietà con cui egli lavora.

Giorgio Caproni
dalla prefazione a *Piazza Grande,* 1953

Non occorre un folto volume di versi per darvi il senso e la misura di un poeta genuino e farcene intendere e gustare il messaggio di canto. Talora bastano soltanto sette componimenti come in questa *Piazza Grande* di Luciano Luisi. Più di una volta, scorrendo le pagine di questo volumetto mi è capitato di interrompere la lettura quasi per dire grazie al giovane poeta: ringraziarlo del dono di poesia, di schietta e toccante poesia che ci ha dato.

Bortolo Pento
"Gazzetta padana", 15 dic. 1953

Diremo subito che *Piazza Grande* di Livorno (accanto alla Ferrara di De Pisis, a certe strade di Betocchi, al Sud di Quasimodo, la Roma di Cardarelli, la Parma di Bertolucci, il lago di Sereni) nella consapevole voce di Luisi, a pieno diritto, si aggiunge alla toponomastica poetica italiana.

Alberico Sala
"Il Tempo di Milano", 22 dic. 1953

Luisi muove da una realtà drammatica, quella della sua Livorno durante e subito dopo l'ultima guerra, per evocarne, in un controluce di elegia, figure ed episodi di particolare orrore. Ingegno portato se mai, più all'epica che alla narrativa, Luisi riesce talvolta a riassorbire il mordente della cronaca – pur così forte in lui – nei modi della memoria, dando al suo discorso un'intima concitazione.

Arnaldo Bocelli
"Il mondo", 6 apr. 1954

Luisi è indubbiamente uno dei poeti più sensibili di questa raccolta. Per lui valga quello che è stato detto per Menichini e Accrocca con i quali ha in comune la prudenza stilistica, la concisione dell'immagine, il culto della parola lirica, la chiarezza della rivelazione sentimentale, la fede nella poesia come sintesi trasfigurante della passione. Luisi rappresenta, nel pensiero critico che ha guidato questa raccolta, la strada migliore della nuova poesia.

Mario Cerroni
da *Poeti italiani del secondo Novecento,* Labor 1955

È il "Lamento del soldato negro" che dà una misura più larga delle possibilità dell'autore. Questa poesia dovremmo un po' tutti rileggerla perché davvero si inserisce in una collezione, in verità un po' magra, dei nuovi modelli, perché in essa il problema del linguaggio è totalmente risolto in armonia con i contenuti nuovi.

Francesco Lala
"L'esperienza poetica", giu. 1955

Grazie della dedica, ma quando si scrivono autentici capolavori come “Lamento del soldato negro” non si è veramente discepoli di nessuno, tanto meno del suo

Corrado Govoni

da una lettera ora anche in *A Luciano Luisi per i suoi 90 anni,* a cura di Cecilia Perri, Edizione La mongolfiera, Castrovillari 2014

Le nuove poesie accentuano l’azione drammatica e, in genere, gli elementi oggettivi e reali dei poveri fantasmi umani: il ritmo si fa robusto e solenne, icastici i gesti del sangue e della morte.

Oreste Macrì

“L’albero”, sett. 1954, poi in *Caratteri e figure della poesia italiana contemporanea,* Vallecchi 1955

Non si può facilmente dimenticare la “Segnorina pugliese” di *Piazza Grande* (... e sei come di pietra fra le statue: / Nessuno potrà calpestare / questo tuo corpo che non ha più forme) [...]. Nonostante l’accoglimento di tutte le sollecitazioni, anche quella della cronaca... e di elementi operanti quasi in azione drammatica, la poesia di Luisi è unitariamente e squisitamente lirica.

Ugo Fasolo

dalla pref. a *Ho viaggiato tutta la notte,* in *Nuovi poeti,* Vallecchi 1958

Per giocare con simili fili della memoria senza essere né banali né melliflui, occorre quella grande misura di stile e di grazia che i buoni poeti conoscono. E poeta Luisi è davvero.
Non gli farò ora lo scherzo di mettermi a indagare e svelare alcuni dei segreti raffinati della sua officina, e non servirebbe a molto tanto è limpida e chiara, e direi onesta (solo un po’ malinconica ma ognuno ha il suo pedale) è la sua vena. Vorrei dire invece che a quasi cinquant’anni di distanza le più antiche poesie dedicate a Livorno non hanno perso nulla, e anzi il tempo le av-

valora di un fascino e di un mistero che sono la patina della vera poesia. Che città, e che aria, e che luce, e che mare nella Livorno di allora, viene proprio da esclamare rileggendo.

Lorenzo Greco
dalla pref. di Luciano Luisi, *Livorno storia e memoria,* Editrice Nuova Fortezza LI, nov. 1994

Ci viene consegnata, oltre quel tempo, una delle più delicate e struggenti poesie dell'area livornese, una "Giostra nel Duomo" che continuerà a girare nella nostra memoria (con una suggestione quasimodiana da Ilaria del Carretto), i cavalli sfrenati "senza angeli in sella" mentre i piedi docili della prostituta sbriciolano i santi delle vetrate abbattute.

Giuseppe Favati
dall'antologia dei poeti dell'area livornese *Piazza Grande,* curata per i "Quaderni della Labronica", luglio 1984

Un pugno di tempo

I principi della non violenza, del rispetto dell'uomo, la forza della fede, vengono alla superficie anche nell'esperienza personale di un nostro giovane poeta, Luciano Luisi. Egli ha scritto un poemetto intitolato "Per un viaggio in India" dove il valore profondamente etico della miseria del popolo indiano coinvolge la situazione individuale dell'autore. Luciano Luisi ha scritto – durante il suo viaggio in India al seguito di Paolo VI nel 1964 – quasi la cronaca del suo incontro con la non-retorica. Egli illustrò in quei lontani mesi alla televisione il percorso del Pontefice e intanto si avviava nel cuore a un pellegrinaggio che era quasi una crisi della coscienza moderna [...]. Ciò che ha maggiore importanza nella lezione di civiltà che l'India dà oggi al mondo è forse il contrasto fra la nostra morbosa paura di morire e l'immortalità dei soggetti meccanici: il Luisi vorrebbe tornare alla "morte che non impaura". E allora l'India diventa la geografia, nella nostra mente e nel tempo disponibile, dell'equilibrio antico che appare oggi distrutto nella nostra esasperata ricerca di perfezione. Ecco che il continente delle piaghe diventa per il Luisi una specie di paradiso ritrovato, un ritorno in se stesso, quasi un perdono. "La mia casa / è qui, fra questi uomini / delle tribù avvilite dell'estremo / Sud che ora salgono a Bandra cantando". E poi: "Ma io salgo con loro m'intono / al loro canto e ritorna l'infanzia. / La cercavo".

Salvatore Quasimodo
"Tempo", 10 gen. 1967

Una voce singolare e rilevante nel panorama contemporaneo, nella quale il senso del nulla e del vuoto – mai tuttavia pervenuto all'angoscia – è corretto dalla ricerca di un "ubi consistam" e dalla speranza. Memoria e rimpianto hanno colmato provvisoriamente questo vuoto sino a quando l'antica e immutata voce della passione non ha indicato il prossimo come termine di consolazione e di solidarietà umana, come meta finale e motivo sostanziale di vita. Su questo approdo, arduo e raro, la poesia di Luisi trova un tono di gravità che l'arricchisce sorprendentemente: segno di una conquista che, come sempre nei casi probanti, non è soltanto lirica ma anche morale.

Claudio Marabini
"Il resto del Carlino", 20 sett. 1967

Il fatto più importante da sottolineare nel giudizio critico attorno a questo libro (*Un pugno di tempo*), mi pare consista nella sua prodigiosa intercambiabilità e dinamica: il Luisi ha spesso frapposto e anticipato le date di composizione, non ha osservato cioè strettamente la cronologia della stesura e delle pubblicazioni; eppure, alla fine il lettore si trova di fronte a un discorso straordinariamente coerente, in cui il viaggio dalle tenebre del sentimento alla luce della ragione si compie e si realizza al vivo di un processo lucido nel quale vanno a confluire tutti i dati legati alla pena del vivere.

Walter Mauro
"Il Telegrafo", 28 sett.1967

Le sue poesie sono l'itinerario di uno spirito che si cerca, prima nella esteriorità delle cose, negli accadimenti di un tempo tragico, pieno di violenze e rovine, con le sole pause di avventure dei sensi, di amori di periferia, poi, via via nella sostanza delle cose, in una visione non più egocentrica, ma allargata alla vita di tutti, alla "storia degli altri", tramite la pietà, l'amore quale comprensione e carità.

Arnaldo Bocelli
"La Stampa", 6 ott. 1967

Il breve poemetto che Luciano Luisi ha composto "Per un viaggio in India" tocca temi e scuote sentimenti profondi. È, in certo senso, la storia di una rivelazione. Il timbro appassionato che talvolta sfocia apertamente nell'oratoria, si giustifica con il segno di una crisi che travolge gli stessi limiti della comune affabilità letteraria, insieme con abitudini e certezze morali di antico segno. Così come spesso poeti di altre stagioni hanno narrato la storia di una evasione, il poeta di oggi preferisce narrarci la storia di un incontro con la realtà. La sorpresa, l'innesto vitale, non sta più nell'assenza ma nella presenza. Il mondo si riempie di significati e di appelli, di inquietanti fantasmi che ci chiamano in causa. L'autobiografia non è più salvezza o rifugio, ma banco di prova.

Geno Pampaloni
"La Fiera Letteraria", 6 ott. 1966

[...] e allora, quando si presentano libri come *Un pugno di tempo* la confidenza verso la poesia si ritrova intatta: la commozione riattinge vecchie nostalgie; le cose si organizzano in sé senza la necessità di schemi critici. Per riprova, anche sotto un profilo sociologico, la poesia torna ad essere popolare nel significato più congeniale: nel senso, cioè, di riconoscersi spontaneamente e immediatamente nell'itinerario del poeta.

Francesco Grisi
"Il Corriere di Roma", 15 marzo 1968

Senza tanti giri va detto che *Un pugno di tempo*, se va a segno, è perché contiene un personaggio, che, spinto da una profonda sfiducia nella vita (e nella storia), si butta su un "vivre pour vivre" che possa fargli dimenticare le vecchie ferite, stordirlo in qualche modo, e non importa che si contraddica, non importa che si autodenigri [...] purché la corsa dentro ai fatti, agli esseri umani, alle cose [...] dia l'illusione di recuperare il terreno e il tempo perduti. Anche gli amori si fanno concitati, per mancanza di fiducia franano presto dal sentimento in una sensualità tutta da assaporare e da scontare poi con mille rimorsi [...] anche la morte cessa di apparire un dramma, per divenire consolatoria presenza in chi già la conobbe da ragazzo, nella guerra.

Alberto Bevilacqua
"Oggi"
[Non è stato possibile risalire all'esatta data di pubblicazione]

Luisi ci ha dato recentemente con i versi di "Per un viaggio in India" uno dei momenti più alti della poesia italiana contemporanea, uno di quei momenti in cui la commozione e lo smarrimento di un'anima si solleva affettuosamente a fare da emblema alla generale condizione umana in una prospettiva nuova di speranza e di impegno.

Vittorio Vettori
da *La storia letteraria della civiltà italiana*, Giardini 1969

Luisi ha restituito i sentimenti e le passioni alla giovane poesia italiana.

Salvatore Quasimodo
Dichiarazione rilasciata alla radio dopo il Premio Chianciano assegnato a Luisi per *Un pugno di tempo*

Da individuale la presenza d'amore si fa universale, anelito, coralità. La parola, disancorata dal vibrante ancoraggio delle prime stagioni, si modifica in accenti più evoluti e dalla resa più drammatica... *Un pugno di tempo* è un libro che non consente a sofistificazioni e che rivela quell'impegno morale e stilistico di cui si va perdendo la traccia.

Elio Filippo Accrocca
"Momento sera", 29 sett. 1967

Le liriche raccolte in "Messaggio a mio padre" rappresentano forse il momento più alto della sua attività lirica, tramato sul filo di una piega elegiaca che ogni tanto si condensa in immagini straziate, folgoranti, accompagnate da un fitto intrecciarsi di domande preoccupate che trovano risposte soltanto nell'approdo alla riva della fede.

Gian Antonio Cibotto
"Fatti", 27 ott. 1967

Questo libro (*Un pugno di tempo*) ha nel suo interno "stagioni" molto segnate e scandite, nuclei tematici molto riconoscibili. Ma la coerenza del libro sta esattamente in un anelito di inquietudine in un continuo consumarsi per andare al di là delle prime immagini offerte dal tempo, nell'attesa sempre rinnovata di un incontro. Esso si disegna quindi con tensione continua fra vocazione poetica ed esperienza umana, come una definita storia umana. Luisi non si rifiuta al mondo, alla realtà, anzi gli affida il compito di rivelarlo a se stesso. In questo fondo religioso, partecipe, umile quanto più ansioso di una verità che lo appaghi, sta la costante di una poesia che ci richiama senza soste alla nostra responsabilità di figli del tempo, di consumatori di vita.

Geno Pampaloni
"La nostra Rai", ott-nov. 1967

Vent'anni e più di poesie, al di là di quelli che possono essere i pregi formali, di queste liriche va sottolineata una caratteristica di questa raccolta: la fedeltà ad una vocazione poetica che non si smentisce mai. [...] Non si può non rilevare a continuità di un linguaggio sempre sorvegliato, sempre proteso verso una castigatezza di dettato.

Salvatore Chiolo
"Tempo libero", marzo 1968

A percorrere tutto il "corpus" della poesia di Luisi ne esce una immagine persuasiva di un discorso lirico che attinge ai sentimenti e ai casi della vita, le occasioni più spontanee, risolvendole in composizioni naturalmente musicali, con personali elaborazioni degli atteggiamenti stilistici di questi ultimi vent'anni sulla linea dell'amore, della pietà umana, il poeta giunge alle soglie dell'assoluto.

Alberico Sala
"Corriere d'Informazione", 4 dic. 1967

Con Luisi si può, si deve ancora parlare di "canto", il che non impedisce alla sua poesia di dare testimonianza, persino in termini crudi, della realtà dei nostri giorni che al canto fa sempre meno posto. Testimonianza che si comunica nella temperatura del "pathos", con il registro di una virile malinconia, ora dolce e tenera e sensuale, ora aspra e ferita come nelle liriche ispirate dalla guerra e dalle sue rovine dove si arriva quasi al limite di rottura del gridato.

Gino Nogara
"Il Giornale di Brescia", 23 dic. 1967

Un libro esemplare del travaglio poetico scontato dalla "quarta generazione". L'impiego dei moduli stilistici propri di una stagione, certe immagini e parole che insistono, la grazia visiva, il recupero non feticistico degli oggetti, fanno del libro la testimonianza persuasiva d'un lavoro che si afferma oltre l'ambito privato.

Alberico Sala
"Corriere della Sera", 7 dic. 1967

Luisi non è di quella specie di scrittori che custodiscono gelosamente una verità individuale da ogni contaminazione con i diversi episodi della quotidianità, ma è piuttosto un uomo il quale, consapevole dei limiti di qualunque interiore certezza, si sforza di ricavare da ciò che incontra e vede i motivi più adatti a fargli maturare in se stesso la definizione di quell'idea tanto malferma e precaria che è appunto l'uomo. Luisi aspira ad essere più che può, un testimone diretto e [...] sa che il suo rischio è la dispersione dell'unità nel molteplice come per tutti coloro che ambiscono alla raffigurazione di una realtà polivoca piuttosto che personale: non per caso la quarta parte del libro si intitola "Coralità dell'uomo".

Silvio Ramat
"La Nazione", 9 apr. 1968

Amar Perdona

Il poeta [...] è qui disarmato, nudo, inerme, di fronte alla tempesta nata con l'uomo stesso, l'amore. L'amore qui evocato e sofferto da uno che ne parla – per rivelarlo, ma non per congiurarlo – come in confessionale, e lui stesso usa la parola preghiera, perché l'amore – dice – se è peccato (ma può davvero esserlo) ottenga il più comprensivo perdono.

Ivo Prandin
"Il gazzettino", 22 sett. 1979

Il nuovo libro è una calda riprova che qui l'essenzialità e, insieme, la ricchezza della parola incidono un quid di più avanzato, un esito ancora più completo. Amar perdona nel significato dantesco [...] della nostra incapacità di resistere all'amore [...] liriche amorose, dunque, le più spontanee e le più complesse, le più semplici e le più ardue. Ma liriche anche e soprattutto dettate dall'amore in un senso che trascende il rapporto a due per definirsi colloquio universale.

Achille Di Giacomo
"Il tempo", 22 apr. 1979

Si sente in queste liriche una magia di chiaroscuri che si alternano e si rincorrono come in un mondo di favola, la stessa vocalità dei versi, agevola questo incanto di luci, che sono, poi, sentimenti, sono segni che ritmano un canto dolcissimo "che non veda quell'ombra, / che non senta quei passi". [...] Mi piace questa poesia che si affida al linguaggio e al silenzio, ma anche all'onestà del cuore antico, che nel parlare di amore, grida, si inceppa, ricorda e soprattutto parla la lingua dell'altro.

Cosimo Fornaro
"Corriere del giorno", 9 mar. 1980

La vita che non muta

[...] una parola rinnovata dalla più positiva esperienza novecentesca, condotta, oltre la letteratura, alla sua nuda verità [...]. Segno di grande maturità, frutto di autentica vocazione, questa raccolta (*La vita che non muta*) conferma una delle voci più limpide della nostra poesia, nella quale si trovano i fili della migliore tradizione lirica, annodati in una sensibilità che tende a risolvere, al cospetto di una realtà perenne, la precarietà del vivere.

Claudio Marabini
dalla motivazione per il Premio Pandolfo, 1980

Una poesia, dunque, che direi esemplare in questi nostri giorni di confusione e assai purtroppo di autentica truffa letteraria [...]. Il risultato è una chiarificazione dell'umanità, vera e profonda, un alto e toccante livello di poesia nella scoperta meravigliosa di "non essere solo".

Franco Fano
"Il popolo", 26 giu. 1980

È subito evidente che Luisi non è poeta timoroso della musicalità, anzi della melodia portante, della quale fa una delle principali ragioni e forze del suo verseggiare, né teme i sentimenti, come già rilevò Quasimodo affermando che aveva restituito i sentimenti e le passioni alla giovane poesia italiana (e questo già nel 1968). Sentimenti, non sentimentalismi: ragion per cui pena e pietà, ambascia e trepidazione, tenerezza e, appunto, stupore innervano e variano le poesie. La nuova raccolta è indubbiamente notevole nell'attività del poeta livornese specialmente quando egli viene preso dall'incantamento per la natura: allora si formano paesaggi perfetti, giustamente amati e definiti con una voce autentica nella sua facile riconoscibilità.

Enzo Fabiani
"Gente", 18 lug. 1980

Luciano Luisi, in *La vita che non muta* raggiunge forse il culmine più alto della sua poesia, che mai come qui è poesia affettuosa e virile, tesa alla contemplazione degli uomini e delle cose, e tuttavia, sempre pronta a trasmigrare altrove, a darsi e a darci la precaria consolazione di un recupero che per essere esistenziale è tuttavia a sufficienza centrato nell'eterno.

Massimo Grillandi
"Osservatore Politico Letterario", sett. 1980

Le poesie sono state suggerite al poeta dal giardino della sua casa al mare, dove egli ha visto svolgersi le fasi del ciclo vitale, la lotta per l'esistenza [...]. Vento, alberi, fiori, piante, cavalli, uccelli, insetti, stagioni, ore e colori sono presenze amiche salutate con lo struggimento di un linguaggio affabile e raffinato, tenero e assorto, in cui la bellezza del verso e l'importanza del discorso si compongono in un'esemplare unità.

Ugo Reale
"Avanti!", 23 ott. 1980

Una serena meditazione, un colloquio con sé e col mondo, coi vivi e coi morti, osservati senza illusioni o nostalgie, ma con completa accettazione che s'identifica con l'abbandono lirico, in versi ariosi e solidi nei quali confluisce un'intera vita pervenuta alla sua più intensa maturità psicologica ed espressiva.

Mario Picchi
"L'espresso", 24 mag. 1981

La vocazione al lirismo ha in Luciano Luisi radici molto antiche. Tutti i suoi libri ne contengono le più struggenti testimonianze, ma *La vita che non muta* ne è, veramente, la proiezione più completa. È probabile che la matrice celebrativa e naturalistica di quasi tutte le liriche qui riunite abbia esaltato ancora più tale vocazione. In sostanza tutte le poesie inneggiano alla natura in un'unica visione dell'eterno e misterioso rincorrersi di vita e morte.

Giuseppe Tedeschi
"L'Unione sarda", 24 mag. 1981

È un libro di straordinaria trasparenza, che gioca le sue carte migliori in versi nitidi e cesellati, in ritmi slegati da un antico tempo di imposizioni, ma cadenzati da occulte vibrazioni, da soffi vividi, mitigati appena dal senso di una misura lirica al limite tra un distaccato senso onirico e un allusivo descrittivo.

Dante Maffia
"Rassegna salentina", ott. 1981

La lettura si veniva mutando a poco a poco in una disposizione alla solidarietà, al dire di continuo "anch'io", come per partecipare a quella piccola ventura che è la biografia di ognuno di noi, tutte così simili se si tolgono le scorze di cui qualcuno può amare di cingersi; si mutava, infine, in quella "serena disperazione", per dirla con Saba, che crediamo sia fra gli atteggiamenti più coscienti e più nobili che l'uomo possa assumere e della quale dobbiamo ringraziare Luisi per averci concesso qualche momento di godere.

Giuliano Manacorda
"Rapporti", dic. 1980

C'è un fondo di dolcezza e di mestizia in queste evocazioni... in questo colloquio con il padre. Qualcosa di più di un colloquio. Luisi invia un messaggio e la cara immagine la vediamo scolpita nel suo carme, con ritmi e sequenze tra le più incisive della poesia contemporanea.

Giovanni Fallani
"L'Osservatore Romano", 15 marzo 1981

La Sapienza del cuore

Questi due sentimenti, amore e religione, sono i cardini attorno ai quali ruota la fenomenologia poetica di Luisi e perciò non sono possibili restrizioni cronologiche o biografiche. Essi sono il lievito trasfigurante delle vicende esistenziali, sia nell'ora truce dei lupi, sia nel tempo della luce e della serenità: sono una sorta di categorie ordinatrici nel nome delle quali si compone l'armonia del mondo e quella degli uomini [...]. È facile intendere a che cosa allude, allora, questa "sapienza del cuore" di Luisi. È facile intendere il perché di questo consuntivo, di questo rendiconto di una vita. Osservata dal finale angolo visuale, la quarantennale esperienza poetica di Luisi è stata una lunga, paziente, fedele, puntuale rivisitazione dei giorni della vita: poesia come conta dei giorni trascorsi, come memoriale dei momenti vissuti, come magistero di una sillabazione intenta ad acquisire l'organicità del linguaggio finale: appunto, la sapienza del cuore.

Donato Valli
da una presentazione de *La Sapienza del cuore*
a Taranto, nel 1986

Mi sembra che la sezione "I possibili amori" soverchi le altre e forse dichiara Luisi, più di quanto egli non sembri volere, poeta d'amore. Se da una parte i difficili anni pieni e maturi della vita, in cui si fa strada, fino ad irrompere, la devastante idea della vecchiaia e della morte, contribuiscono a rendere più teso e straziante il discorso lirico con timori, abbandoni, dedizioni totali, rimorsi, rimpianti, improvvisi empiti d'amore, in chiaroscuri (anzi, si direbbe, un "piano forte" di tensione e di parola), dall'altra proprio l'essere ormai quell'esperienza di vita ristretta ad una "filza di parole", ne amplia oltre misura il significato e il potere "d'attrait" sul lettore che vi si riconosce per mille implicazioni di sentimento e di vita, riconfermandosi la poesia, proprio per il suo potere simbolico e mitico, l'unica espressione capace di rappresentarne il senso profondo e comune. Noi dobbiamo a Luisi gratitudine viva per averci fatto sentire cose che erano dentro di noi, ma oscure e senza parola.

Michele Dell'Aquila
da una presentazione de *La Sapienza del cuore*
a Taranto, nel 1986

Scrittore finissimo e di gusto impeccabile, Luisi si è sempre ritagliato un luogo appartato dove manifestarsi come poeta... dove poter svolgere le trame della poesia legata ai giorni della felicità e della disperazione, della solitudine e dello sconforto, del rimpianto e del canto pieno della vita salvata dai sentimenti [...]. C'è in Luisi un amore per la vita e le sue forme, struggente e miracoloso. Luisi merita di più di quello che ha avuto e sicuramente un posto di eccellenza nel nostro secondo Novecento.

Dario Bellezza
"Il Mattino", 16 dic. 1986

Luisi tende all'architettura o, al limite, alle misure del racconto lirico, del poemetto, quasi che egli avvertisse il bisogno di non arrendersi al primo urto di una impressione o di un sentimento, ma di ritentare più volte le corde o di scavarvi dentro ostinatamente in cerca di chiarezza. Nascono così le lunghe serie di liriche rette come da un dibattito intimo centrato – beninteso per vie tutte personali – sull'eterna contesa che attraversa ogni cuore d'uomo: quella tra impulsi vitali e richiami della coscienza, risolta se non per equilibri precari e vittorie provvisorie: il coraggio di indossare di nuovo la vita e di far fronte alle disillusioni in vista di nuove eventuali contese e, perché no, di nuove illusioni. La sapienza del cuore di cui egli parla è, tra l'altro, proprio questo.

Mario Pomilio
"Il Mattino", 2 marzo 1987

Oltre però a certe corrispondenze, a certi rimandi intertestuali, a certi ricalchi lessicali, appare evidente la lezione leopardiana nell'amara constatazione del dramma della vita, del peso ineluttabile della morte, sola salvezza e riposo [...]. Luisi è però poeta del nostro tempo. La civiltà tecnologica è presente nei suoi versi con l'invadenza dei mass-media, dei giornali, delle pellicole, del treno e dell'aereo, specie del telefono: croce e delizia della comunicazione amorosa. Testimonianza vissuta e intensa, seria e commossa, questa che Luciano Luisi ci offre nel sincronismo della parabola poetica, frutto di una lunga e fedele militanza nel campo delle lettere.

Liana De Luca
"L'eco di Bergamo", 15 lug. 1987

La poesia di Luisi si è scavata una sua personale forma che definirei di poesia che si organizza per sequenze, che si organizza in poemetti, e direi che il poemetto che racconta, anche in modo contaminato, non letterariamente puro, letterariamente fuori dalla mischia degli stili, ebbene questo poemetto è stato proposto da Luisi, già negli anni '40-50 e precede i più celebrati che sono andati per la maggiore quando la poesia ha imboccato la strada degli anni '70.

Silvio Ramat
da una presentazione a Padova nel 1988

Questa poesia con il suo canto basta a se stessa. È un canto che può sembrare talvolta sgorgare *ex abundantia cordis*, ma bisogna intendersi perché appunto il titolo ci parla di "Sapienza del Cuore". Si tratta di una sapienza effettivamente istintiva, ed è la sapienza che appartiene alla tradizione dei poeti autentici alla quale sicuramente dobbiamo ascrivere Luisi. Una poesia, la sua, che ha il privilegio della continuità, del sapersi rinnovare senza tradirsi, e questo è un riconoscimento che possiamo fare non a tutti i poeti.

Silvio Ramat
da una presentazione a Venezia, dic. 1988

Quarant'anni al servizio di una vocazione lirico-narrativa, di ricerca interiore. Il titolo, tratto dai Salmi, indica in quel cuore messo a nudo di baudelairiana memoria, non solo una possibilità di "sapienza", ma anche un centro privilegiato di esperienza. Luisi organizza i suoi materiali biografici in versi dove una segreta ragione metrica imprime alla lunga introspezione storica un ritmo quasi biologico, simile proprio al pulsare di un cuore, al respiro di uno sguardo umano.

Mario Baudino
"La Stampa" - Tutto libri, 7 nov. 1987)

Luisi è un lirico come pochi oggi sanno esserlo, e, meglio, hanno l'ardire di esserlo visti l'ingiusta diffidenza e il supponente discredito con cui il genere è sovente considerato. Un lirico moderno che ha fatto esperienza del cammino novecentesco della poesia senza voltare le spalle alla tradizione classica e concedendosi, sia pure per rari episodi, e non per sfizio letterario, a riminiscenze trecentesche e stilnoviste, filtrate da una memoria che è al contempo cultura e vissuto.

Gino Nogara
"Il Gazzettino", 5 marzo 1987

La sua battaglia l'ha vinta: non solo la sua voce ha un timbro inconfondibile, ma è anche limpida eppure carica di magiche risonanze, e per di più si fa ascoltare da chiunque abbia orecchi per sentire. La leggibilità della raccolta è infatti un'altra delle sue caratteristiche di fondo... senza cedimenti di gusto e di tono.

Davide Puccini
"L'Albero", dic.1987

Luciano Luisi, nella sua opera quarantennale *La Sapienza del Cuore* rivela una limpidità di scrittura e una ricchezza di umanità non facilmente riscontrabili nella sua generazione.

Giuliano Manacorda
Letteratura italiana d'oggi, Editori Riuniti 1987

Se l'incidenza violenta e drammatica del reale si fa in Luisi maieutica per un linguaggio in presa diretta con le cose, sul vivo della cronaca, l'archetipo leopardiano si avverte nell'esigenza di chiarezza espressiva, di un significante che non si astragga dal bisogno di "comunicare", dal rapporto con "l'altro" che scavi circolarmente da "dentro" a "fuori", parola "anteriore" e significato "ulteriore" sulle radici del vissuto[...]. Anche nelle poesie più recenti, senza escludere quelle che potremmo definire "ecologiche", le pulsioni degli oggetti sul soggetto, del reale sul linguaggio sempre si decantano nel filtro dell'emozione-meraviglia, dove la natura si fa proiezione d'una sapienza e di un mistero che ci trascendono. È questa la "religio" che nell'intera esperienza poetica di Luisi si è sottesa, e non è un caso che *La sapienza del cuore* prenda il titolo dai Salmi, confermando il senso di una poetica che nella parola privilegia un rapporto di interrelazione, di amore dell'"altro", tra bellezza e mistero, nel cuore dell'universo vivente.

Alberto Frattini
"Humanitas", dic. 1987

È infatti il vento una delle metafore ossessive del poeta, simbolo pulsionale, referente semantico surdeterminato, che rappresenta ciò che non può essere dominato, che può esprimere vita e morte, affanni e passioni. Un tempo dell'Es, irrisolto e iterativo che comporta anche questo continuo proiettarsi, viversi, immergersi, compenetrarsi nella natura, con gli eventi e i ritmi naturali. E il vento è ancora misterioso personaggio che esprime il senso dell'inconoscibile, dell'inafferrabile, della morte che spesso tormenta il poeta senza però atterrirlo, senza togliergli la possibilità di godere della bellezza, dell'arte che, eterna e sublime, può irriderla e vincerla.

Lea Canducci
"Punto d'incontro", ag. 1988

Il libro di Luisi meriterebbe un discorso molto complesso, anche perché consentirebbe al critico di andare a rileggere questo quarantennio di esperienze poetiche e però contemporaneamente anche la resistenza di un timbro individuale, molto netto e molto forte e che – come dire? – esprime un desiderio di chiarezza che viene raggiunto e realizzato nella pagina.

Cesare De Michelis
da una presentazione a Venezia, dic. 1988)

C'è nella poesia di Luisi il senso della vita come ritmo lento e pausato del sangue che pulsa, e della linfa che scorre, si segna in un rapporto stretto e mobile dell'uomo con i tre regni della natura. Si impone su tutto un che di sacro di fronte a cui la voce del poeta si fa discreta, umile, elegiaca. Coesistono nei versi di Luisi una religiosità naturale e un senso pagano dei cicli eterni che legano in immagini sistole e diastole, salita e discesa, vita e morte, superando lo stesso principio di contraddizione. Quanto alla scrittura che è limpidissima e che ha messo a frutto gli insegnamenti migliori della tradizione novecentesca, essa predilige una strutturazione ellittica, con sapiente impiego di interne corrispondenze ritmiche.

Paolo Ruffilli
"Gazzetta di Parma", 30 lug. 1981

Forse alcune fra le più belle liriche d'amore, dopo quelle di Cardarelli e di Ungaretti, si possono leggere nel nuovo libro di Luciano Luisi (*La sapienza del cuore*). Un amore inquieto, dolente, amaro, ma che fa da controcanto all'idea della vita salvata dai sentimenti. [...] Luisi è un poeta attento al linguaggio, sa captare certe parole adattandole ai concetti con grazia, sa esprimere con grande naturalezza quelle sensazioni oscure che sono la fonte prima di una musicalità dell'anima e della poesia.

Giancarlo Pandini
"Avvenire", 7 febb. 1987

Un itinerario lungo e assai coerente che si è infiltrato dentro molte stagioni di ricerca formale, ma che appare segnato dalla singolare tenacissima volontà di una poesia catturata dal fuoco ragionativo della sua cadenza sillabica e fluente. È lo spazio (la "sapienza") dei sentimenti che Luisi fa ostinatamente suo, proprio procedendo per illuminazioni progressive che si conquistano sul campo (il campo di un verso netto che alle lusinghe spesso pericolose del metro sciolto, sa opporre una prosodia modernamente recuperata); i propri diritti allo "sguardo" poetico. In questo quarantennale esercizio si potrà distinguere un "prima" e un "dopo". Il prima è una sorta di movimento chiaroscurale di immersione fenomenologica nella "realtà". Il dopo è la limpida "distanza" che sa distillare le sue occasioni su una lavagna di una lacerazione, di una impossibilità di ricongiungimento che ha il suo apice in alcune bellissime poesie d'amore, un incrocio di toni, sottotoni e smorzati amalgamati da Luisi sul registro di una voce che dice speranze, ossessioni e angosce.

Renato Minore
"Il Messaggero", 11 febb. 1987

Luisi è poeta emotivo, sensitivo e visivo [...]. Non si pensi tuttavia che Luisi sia poeta mosso soltanto da sensibilità etica e figurativa: spesso rivela, nel registrare eventi privati e politici, una forte attitudine drammatica. Serpeggia inoltre nel quadro delle sue emozioni-commozioni anche una tonalità sapienziale.

Raffaele Crovi
"Il Giorno", 18 gen. 1987

In Luisi vi è la radice di una umanità essenziale che si è mantenuta intatta nei decenni del suo fedele attento tirocinio letterario. In lui la forza dell'archetipo psicologico, umano e linguistico, ha esercitato una forza di attrazione ben più robusta delle sirene del rinnovamento e dell'avanguardia.

Carlo Sgorlon
"Il piccolo", 22 marzo 1987

La Sapienza del cuore, il titolo (bellissimo!) che Luciano Luisi ha dato alla raccolta completa delle sue poesie, è veramente la definizione più appropriata tanto delle premesse quanto degli esiti del suo lavoro di poeta. Nasce, la poesia di Luisi, da una intensa esperienza di sentimenti, ma non i sentimenti abbandonati a se stessi, affidati al caso di un disordinato erompere, bensì pensosamente rivissuti e ricomposti in una armonia che è insieme sensibile e spirituale: generatrice quindi, di una "sapienza" che si articola e distende in una visione al tempo stesso pacata e partecipe della vita. E non si tratta soltanto di una vita individuale, ma, attraverso lo scavo negli strati profondi di una comune umanità, essa diviene valida testimonianza della vita di tutti.

Margherita Guidacci
da *Poesie d'amore*, Newton Compton, 1985

Luisi è poeta di echi e cadenze classiche, spesso montaliani, ricco di un pathos insieme tenero e doloroso, di una generosità che sa catturare il lettore.

Donatella Bisutti
"Mille Libri", 29 apr. 1990

Se l'anelito religioso si respira in tutto il libro, è però nella parte terza che esso riesce a conferire più solido spessore al discorso poetico, poiché è lì che Luisi viene a confrontarsi più scopertamente col tema della morte. L'occasione è offerta dalla scomparsa del padre, ma la riflessione si allarga fino ad abbracciare il mistero della vita sentita come semplice *"parvenza di luce"*. In diciotto lasse di varia stesura Luisi ci ha dato un poemetto che a nostro avviso rientra fra le cose più belle che siano mai state ispirate alla figura del padre.

Vittoriano Esposito
da *Poesia, non-poesia, anti-poesia del '900 italiano*, Bastogi 1992

Da questo numero iniziamo a fornire una "Hit Parade" di poesia, unica del genere in Italia. Non è infatti, la solita classifica dei libri più venduti, ma un "insieme" di coefficienti di vendita, di premi letterari ricevuti, di recensioni pubblicate. I dati raccolti, unitamente a segnalazioni da parte di operatori editoriali, vengono elaborati e trasformati poi in punteggio. La classifica si riferisce ad

Autori italiani viventi, a libri editi negli ultimi due anni e ad avvenimenti del 1987.

PRIMA PUNTATA..PUNTI

1) Luciano LUISI *La sapienza del cuore* (Rusconi) 90
2) Dario BELLEZZA *Serpente* (Mondadori)...........................80
3) Luciano ERBA *Il tranviere metafisico* (Scheiwiller) 70
4) Roberto PAZZI *Calma di vento* (Garzanti)..........................65
5) Maurizio CUCCHI *Donna del gioco* (Mondadori) 60
6) Nelo RISI *Le risonanze* (Mondadori) 55
7) Roberto MUSSAPI *Luce frontale* (Garzanti) 50
8) Emanuele OCCELLI *Le bianche teneramente soffici mani* (Italscambi) 30
9) Liana DE LUCA *Mediterranee* (Cappelli)...........................25
10) Maria Benedetta CERRO *Ipotesi di vita* (Lacaita) 20
11) Paolo RUFFILLI *Piccola colazione* (Garzanti)....................18
12) Amedeo GIACOMINI *Presunto inverno* (Scheiwiller) 15
13) Edo Felice SCHIAVONE *Io e il mio sud* (Cappelli) 13
14) Gianni RESCIGNO *Tutto e niente* (Genesi) 12
15) Rosario DE CRESCENZO *Il respiro del tempo*...................10

Poesia "In", "Controcampo", Torino, marzo-apr. 1998

Nella poesia di Luisi il ricco repertorio della spiritualità contemporanea trova l'esempio più provvido: una spiritualità modulata su ritmi d'ansia, di intense agnizioni, su dialettiche e segni che disvelano i grumi inappagati del tempo-vita, o la falsa ebbrezza delle navigazioni arrestate alle cifre soltanto psicologiche e storiche degli avvenimenti; nella sua scrittura il fondamento spirituale è segreta materia di pietà, esigenza di introspezione con gli atti confidenti e commossi di chi sa di dover avventurare sé oltre la compiutezza posticcia delle conoscenze e oltre le colonne d'Ercole dei giorni, senza comunque avere la certezza di recidere sempre i nascosti vincoli e gli accattivanti profili del mondo.

Vito Moretti
da *Insidie e divagazioni*, Ed. Tracce, 1992

Il Silenzio

Parlando de *La Sapienza del cuore,* a Luisi riconoscevo qualche priorità e merito, a cominciare da una convinta sperimentazione del poemetto, privilegiato adesso anche ne *Il silenzio.* Non per istanze narrative, ma per la fiducia in una sorta di "macchina" o "stampo" che si rivela effettivamente capace di sorreggere e condurre, segmento dopo segmento, la linea di un pensiero, di un assillo, a un massimo di resa, di evidenza icastica, di tenuta. Dico subito che in proposito il gruppo più efficace, più rappresentativo nel libro odierno mi sembra "A tu per tu". Sono ventisette modulazioni sulla morte, anzi sulla Morte, soggetto apertamente richiamato, più e più volte, nel corso del *Silenzio,* e con più forti ambizioni nel trittico "Luoghi", in un angoscioso percepire quanto misconosciuto sia il ruolo delle "vittime", per usare un termine caro ad Alfonso Gatto. Violenza, ingiustizia, di ieri e di oggi. Qui la poesia tenta la corda anche della coralità come si conviene di fronte alle immagini, o ai fantasmi, della Morte nella Storia. Ma se questa è una delle (ineludibili) manifestazioni del perenne dissenso di Amore e Morte, a me pare che Luisi, come accennavo, lo esprima col suo più toccante colore nell'assedio implacabile di "A tu per tu": qui la vita è misurata nella fisicità della propria finitudine, ora per ora, nei suoi limati, risicati argomenti di spazio e di tempo. Giacché dove si abita da soli, è difficile che ci sia quietamente posto per due, Vita e Morte. Sbaglieremmo tuttavia a lusingarci delle melodiose docilità della memoria, o del pathos del vaticinio, isolandone momenti di straordinaria trepidazione: il desiderio di salutare gli alberi uno per uno, la figura della magnolia che fiorirà anche domani, una volta "andato via" il poeta che l'aveva piantata... No, questo nucleo lirico-evocativo ha risalto se e in quanto cospira con la parte dell'ospite fatalmente atteso fra le mura di casa. Ho detto "cospira", il predicato illustrando, in questa sezione, ma non in questa solamente, lo spicco di qualcosa di inafferrabile ma insieme di assolutamente fisico, il "fiato" (e gli omologhi "soffio", "alito", "vento"...). E ancora: "quello che più mi sgomenta [...] è che basti un tuo flebile soffiare sulle pagine / per cancellarle [...]. Diventeranno al tuo fiato solo una spenta cenere..."; o, successivamente: "via / quelle mie care sillabe che furono / i miei fili col mondo, e via, svaniti, / gli occhi, le bocche, i visi dentro un gorgo, / foglie disperse al vento del tuo fiato".

Silvio Ramat
dalla prefazione

Nell'ultima sezione "Verso strade d'ombra", è tutto un giovanile rammemorare ora lieto, ora malinconico, dentro una grande sapienza di laboratorio, dove la presenza della rima e di un verso strettamente metrico sono [...] un tentativo riuscito di realizzare l'equazione famosa di Paul Valéry tra il senso e il suono.

Luciano Roncagli
dalla motivazione per il Premio Minturnae 1999

Con una chiarezza linguistica esemplare, che si potrebbe definire "classica" per la fermezza della versificazione, nella tradizione alta del Moderno, Luisi afferma, alle soglie di un paventato silenzio, i temi della finitudine, ma anche, con forza, della persistenza della bellezza, e lo sgomento della nostalgia, ricomponendo comunque nell'unità degli affetti il misterioso disegno dell'esistere. [...] Una poesia fertile e distesa, ininterrotta, capace di organizzarsi narrativamente nella durata del poemetto lasciando intatta la tensione lirica.

Roberto Sanesi
dalla motivazione per il Premio Brianza 1999

Quella di Luciano Luisi è una poesia innervata di pensiero, una continua riflessione sull'essere, un accostamento alla morte, una nuovissima, personale forma di intendere l'essenza dell'esistere, del soffrire, del ricordare [...]. Prima del poeta c'è l'uomo, un uomo di intenso sentire, un "noi" che parla per tutti con le nostre parole non dette. [...] Come fa un poeta a sapere che noi attendevamo di leggere quelle cose e non altre? Mancava da tempo un silenzio così eloquente.

Aldo Onorati
"Voce del Sud", 3 giu. 2000

Si ritrova qui la voce schietta di Luisi che va dritta al cuore delle cose, la densità di un ritmo che non concede tregua, e le immagini trovano una loro consistenza compatta, un loro respiro d'infinito. Ma si badi, il linguaggio, pur curato e levigato, non spadroneggia, perché al poeta interessa ancora quella "sapienza del cuore" che fu il segno distintivo del suo ultimo volume.

Dante Maffia
"Poesia", n. 121, ott. 1998

Questo libro conferma Luisi oltre che presenza esemplare della nostra vita letteraria, fra le voci centrali della poesia di questo nostro tempo.

Aldo Perrone
"Corriere del Giorno", 2 lug. 1998

A creare questa sensazione amara ma necessaria sono i versi che incontro in una bella raccolta poetica di un amico, Luciano Luisi, che molti conoscono come cronista culturale della televisione. Il titolo è emblematico, *Il Silenzio* [...]. Come sempre, la poesia non ha bisogno di molte precisazioni. Ci colpisce, ora ferendoci, ora consolandoci. Qui, ci ferisce, "sorprendendoci" come fa la morte, presenza inattesa che ci invita all'"ultimo colpo di dadi", che recide il fiore della gioia ma che necessariamente spegne la vita e la speranza: Luisi, infatti, nella dedica che mi ha riservato parla di "versi che guardano già oltre".

Gianfranco Ravasi
"Avvenire", 20 ago. 1998

Luisi vuole dare forma o tenuta a ciò che è indicibile, a ciò che non è rappresentabile. [...] La poesia di Luisi appare tutta raccolta intorno all'immagine di quell'ombra recuperata: attraverso il filo, la forma della memoria toglie al ricordo della pietà del suo declino, la sua radice di fantasma del tempo, oscura ogni presenza della morte come possibilità di innesto discorsivo proprio nel senso della memoria. Ma il valore conservativo della memoria è da prediligere rispetto alla sua ansia progettuale. Memoria è musa fragile e ostinata che indaga e rovista nei margini, nel lavoro e nelle fantasie perdute, nelle immagini infrante e nell'accumulazione del niente. [...] In questa immagine la poesia tutta si distende, nei suoi toni evocativi, drammaturgici, affranti, di una trasparenza comunicativa intessuta di lancinante senso dell'essere e dell'esserci.

Renato Minore
"Idea", n. 12, 1998

Luisi accosta severamente il pensiero della morte sorretto da quella sapienza che pure in un dettato intimistico, lo aveva sostenuto, fuori da ogni confusione, nella chiarezza di un sentimento divenuto stile, che sopporta egregiamente la qualifica di lirico, in ragione di una realtà mai persa di vista sia di cose, di affetti, di pensiero, nella regia di un io dignitoso e tenace.

Maria Grazia Lenisa
"Punto d'incontro", sett.-dic. 2000

Il silenzio riconduce ad una sua identità di "inesorabile umana sorte" quale è quella della breve verità che ogni vera poesia afferma. E tutto, allora, in questo libro è immagine calata sulla realtà, o realtà investita da immagini e sentimenti che sono la corsa e i pensieri dell'uomo violati e, ad un tempo, salvati dalla parola. È la parola che diventa racconto per Luisi: la parola evita la cancellazione e la poesia in essa si riconosce attraverso il silenzio che – scrive Ramat nella prefazione – "è celebrato come apice d'ogni possibile dire".

Giuseppe Marchetti
"Gazzetta di Parma", 9 sett. 1998

Il doppio segno

In verità qui c'è molto dei pittori, ma ancor più, com'è naturale, c'è Luisi, con le sue variazioni esistenziali, con la sua affabilità, la sua gentilezza [...] per rendere anche l'immagine dell'altro. [...] Si vedano ad esempio la poesia dedicata a "Donna con gallo" di Domenico Purificato con i versi finali in cui funzione salvatrice dell'arte, sentimento del tempo, senso della natura e passione umana si fondono in un'alta partecipazione.

Giuliano Manacorda
I limoni. La poesia in Italia, Ed. Caramanica 1994

Luisi sviluppa un dialogo fitto, vibrante, con la figura evocata dell'artista, documentando la sua partecipazione emotiva, quella apparizione che è arte e insieme vita, vita palpitante. Lo splendido "Commiato" di Emilio Greco che è occasione offerta al poeta per una confessione esistenziale [...]. Non seguiremo tutti i momenti dell'iter di Luisi fra le opere prese in esame nel suo libro. Ci fermeremo, per concludere, sui versi dedicati, con alto magistero formale, alla "Cavalcata" di Aligi Sassu: sono cinque distici a rima baciata che danno al lettore l'immagine dei cavalli, l'interpretazione della loro corsa che ha per meta, fra nitriti e impennate, Thanatos!

Vico Faggi
"Oggi e Domani", marzo 1995

La poesia di Luisi appare particolarmente adatta a questo tentativo di dialogo. Essa infatti sa coniugare la semplicità del suo dettato poetico – che non rinuncia talvolta, anche all'uso della tanto vilipesa rima – e che sopra tutto si affida all'intensità delle proprie immagini liriche, al sapiente uso dei verbi e dei suoi tempi, attraverso i quali si costruisce l'intera architettura di ogni poesia – con l'altezza delle tematiche trattate e con la forza simbolica delle ambientazioni suggerite dalle opere d'arte via via analizzate e commentate. Ma vi sono tre liriche che sintetizzano in modo mirabile l'esito complessivo di questo percorso e che lo riassumono nell'intensità della loro esatta formulazione: "Acque profonde", "Cavalcata" e "La bellezza intravista".

Carmelo Mezzasalma
da una presentazione a Firenze, febb. 1995

Nonostante

Nell'ultima raccolta di Luisi (*Nonostante*), interamente composta di sonetti, non solo lo schema delle rime è sempre impeccabile, ma, all'occasione, l'autore ne aggiunge anche di interne, e lo svolgimento del discorso è talmente naturale che il lettore si dimentica di trovarsi di fronte a un sonetto. Quanto sia raffinata l'arte di Luisi si può vedere dal fatto che nei pochi casi di rime imperfette si serve di quelle consacrate dalla tradizione, come le ipermetre: dicesti / prestito, mordono / sordo, o quelle all'occhio andartene / vene, libero / pensiero.

Davide Puccini
"Le Muse", nov. 2004

Luciano Luisi, livornese, giornalista televisivo, collezionista di conchiglie, narratore (bellissimo il suo romanzo autobiografico *Le mani nel sacco*), è poeta di consolidato e accreditato talento. *Nonostante* (la sua ultima raccolta di composizioni in versi [...] a cui è stato attribuito con voto unanime della giuria il premio internazionale per opere di poesia edite) è un libro di grande fervore etico e stilisticamente emozionante, che affronta e decifra i temi della convivenza civile e familiare, gli affetti amorosi e i sentimenti di amicizia, e la condizione esistenziale della vecchiaia, descritta (nei suoi turbamenti, nelle sue apprensioni, nei suoi interrogativi sulla memoria del passato e le proiezioni del futuro) ad occhi asciutti, con passione, sincerità e pudore.

Raffaele Crovi
motivazione per il Premio Internazionale ad invito
Senigallia 2005

(Su "La Madre" da "Barche di Clandestini":) È una morte per acqua che, con dolente intensità, da epigramma dell'antologia palatina, piange e deplora la voce del testo, in un affollarsi di immagini (e di piani di lettura) che chiamano in causa sentimenti e valori essenziali [...] non c'è pianto che basti alla Pietas di questa Mater Dolorosa ripiegata sulla perdita del suo figlio, sul frutto "desiderato" del suo ventre, perito sul mare di un'avventura micidiale, fino al punto di maledire che sia nato, nell'atto stesso in cui l'affida all'infinito dell'indifferenza dei marosi: dove trovare altre parole per deplorare lo strazio di una vita insensata, spesa a insegnare un benessere deludente e irraggiungibile, più tremende di queste, di un cuore materno che non si rassegna alla crudeltà di un *discidium* senza neppure la consolazione delle lacrime.

Vincenzo Guarracino
da un'edizione numerata dedicata
al vincitore del Premio Senigallia 2005

Splendido libro sulla senilità da parte di un uomo che pur fiutando "sentore d'addio" ascolta il proprio sangue ancora curioso nel mistero del fluire del tempo. "Il fiume della vita è sempre in piena" scrive Luisi, e ci parla delle persone, delle cose che ama "vacui dei domestici" che non è cristiano amare ma che rappresentano un pacifico riposo dopo le ansiose gare col mondo. [...] La poesia di Luisi è un'isola nel sovente melmoso territorio della lirica contemporanea. Concilia l'uomo con l'uomo, senza proporgli evasioni e fughe insensate.

Curzia Ferrari
"Letture", marzo 2005

In pochi libri come in quest'ultimo di Luciano Luisi intitolato *Nonostante* i versi sembrano sgorgare per un'intima necessità dell'animo dell'autore, ed in pochi come in questo, contenuto e forma così compiutamente coincidono. Qui infatti l'emozione naturalmente si traduce in poesia, senza apparente sforzo, e ciò perché Luisi ha veramente qualcosa da dire e lo esprime in maniera schietta e genuina servendosi dello schema chiuso del sonetto che egli rinverdisce con lo slancio degli incipit e degli enjambement, con la perentorietà delle chiuse e con il gioco sicuro delle rime, in una foga di canto che trascina.

Elio Andriuoli
"Nuovo contrappunto", apr.-giu. 2005

Un grande apparente ossimoro si documenta nel diario poetico di Luisi: la spiritualità di un uomo carnale. Lo diceva Eliot nei suoi splendidi *Cori de la Rocca*: "Gli uomini che hanno visto il momento in cui l'eterno è venuto a intrecciarsi con il tempo hanno poi proseguito bestiali come sempre ma non hanno più potuto distogliere gli occhi da quel punto". Luisi sa bene tutto questo, lo mette in scena "spudoratamente" in questo *Nonostante* che si apre con una splendida invocazione all'anima perché resti qui sulla terra. Quella invocazione precede una sezione intitolata "Senilità" in cui il dettato piano e la delicata costruzione dei sonetti, lungi dal pesare come accade in altri meno vivi scrittori, entra senza scrupoli nella coscienza di un tempo personale difficile e formidabile, a cui si lega, secondo l'ampiezza della coscienza civile del poeta, l'ultima sezione "I fatti del giorno", dove con l'istantanea profonda della poesia si giudica senza giudicare l'epoca e i suoi protagonisti noti e ignoti. Il titolo, del resto, indica il termine con il quale si passa dall'annotazione di una colpa e di un limite alla certezza di una speranza, di una positività. [...] Nei passi del suo umile e fastoso diarietto Luisi dissemina il senso riacquisito di esser quel che è nonostante se stesso. O, meglio, di esser quel che è con tutto se stesso.

Davide Rondoni
"Poesia", ott. 2005

Attenzione a considerare Luisi, malgrado la sintesi, la fluidità espressiva, la limpidezza delle immagini, il lirismo (tanto sottolineato dalla critica), un poeta semplice e facile. In Luisi c'è il lirismo ma anche la sua trasgressione, c'è la presa diretta sul reale, ma anche una metafisica interrogazione della verità. Con questi sonetti Luisi arriva fino al vertice della sua arte che è, sì, piana e seducente, ma il verso finale arriva sul viso come uno schiaffo improvviso, ma quasi in una logica da maledetto guastafeste toscano.

Paolo Fabrizio Iacuzzi
dalla presentazione del Premio "Il Ceppo" 2005

La poesia di Luciano Luisi può senz'altro essere indicata come significativa e paradigmatica, di un nuovo orientamento strategico per la ricomposizione del linguaggio poetico ereditato, oramai sclerotizzato, nonché un segnale autorevole e convincente dell'uscita dalla crisi del linguaggio poetico del tardo-moderno[...]. Luisi colpisce nel segno quando ripristina la forma sonetto della tradizione, calandola su una colloquialità che conserva tutta la freschezza e l'agilità del linguaggio naturale, pur nella sapiente adozione di una narratività che saremmo tentati di definire sobria e spoglia, metricamente e musicalmente ineccepibile con le rime che conservano la naturalezza del quotidiano.

Giorgio Linguaglossa
"Poiesis", n. 34-35, 2005-2006

Luciano Luisi sa bene che l'uso poetico del linguaggio è un uso ritmato, simbolico, narrativo e rituale, che si modula sempre sul battito del cuore e l'andamento del cammino. Per questa ragione, la sua parola poetica resiste a ogni compiacimento sentimentale alla fine di tutto, ma si apre miracolosamente alla vita e proprio nel momento in cui il dolore apre solchi di imprendibile angoscia. [...] In questa nuova raccolta, per così dire, balza in primo piano con l'evidenza della realtà dell'anima lungamente vissuta e sofferta.

Carmelo Mezzasalma
"Feeria", dic. 2006

Poesie d'amore

Oggi sembra che un bisogno paradossale colga i narratori e i poeti, che l'istinto creativo porta a parlare d'amore [...]. C'è chi non si è arreso, c'è chi ha creduto che un dialogo fra i sessi sia tuttora ineliminabile. Luciano Luisi è un esempio attendibile [...]. Molti, memorabili versi.

Alberto Bevilacqua
"Grazia", 12 apr. 2005

Su questa tematica si concentra, per molti aspetti, l'intera ricerca poetica di un'anima sempre protesa all'infinito, al punto che si potrebbe tracciare un vero e proprio diagramma esistenziale, perché dantescamente, il modello sentimentale si propone come paradigma di una inesausta ricerca della verità. Stilisticamente il poeta, se da una parte si ispira alla tradizione platonico-petrarchesca, nel costruire di testo in testo una vicenda sentimentale, "specchio" di un cammino interiore, dall'altra se ne distacca per un robusto senso di realismo [...]. E proprio in uno stile composito, in cui si uniscono descrizione con allegoria, si può indicare il tratto più originale della produzione di Luisi.

Giuliano Ladolfi
"Atelier", marzo 2005

Si tratta ancora una volta, di testi che offrono una ulteriore prova dell'arte raffinata del dire poetico di Luciano Luisi, basata su una non comune sapienza tecnica che sa giovarsi del mobile gioco degli enjambements e del veloce richiamo delle rime [...]. A lettura ultimata ci si accorge di aver incontrato un poeta autentico, capace di esprimere con schiettezza i propri sentimenti e soprattutto di fermare le proprie emozioni in versi genuini e di grande rigore formale e sanno veramente parlare al cuore degli uomini.

Liliana Porro Andriuoli
"La nuova tribuna letteraria", 95, anno XIX, III trimestre

L'ombra e la luce

Il mistero del tempo è lo sfondo, agostiniano e petrarchesco su cui si disegna la filigrana del libro, e non solo nella prima sezione che non per caso porta il titolo "Nel tempo". Ma Luciano Luisi non si lascia sedurre – e poteva facilmente accadere – dalle Sirene dell'elegia, la sua è una tempra di lottatore e la malinconia del tramonto, "il semaforo rosso al fondo della strada", opera come elemento propulsore di una ricognizione a largo raggio fatta di irruzioni perentorie nel corpo opaco del mondo, della Storia, nel mistero di Dio, che affianca quello del tempo, e che non finisce mai di tormentarci e di lasciarci spossati e sbigottiti.
Una carezza, a volte, questi versi di Luisi, e a volte una

frustrata che costringe a dimenticarci, a rispecchiarci nel volto martoriato del nostro prossimo, a confrontarci con il male del mondo che, se è una ferita nel corpo di Dio, è anche lo stigma del fondo cupo, forse irrimediabile, su cui si fonda il fragile assetto del nostro essere. E il brivido della colpa serpeggia come la scarica elettrica di un fulmine nella sezione "Barche di clandestini", dove, in un grappolo di sette componimenti, Luisi traccia un affresco straordinario – e terrificante – del dolore senza tempo e senza risposta che si consuma in occhi sbiaditi di uomini e donne che sognarono una vita "umana" e vivono sul mare l'ultimo oltraggio della terra. Le barche del dolore, le madri che abbandonano al sudario del mare i bambini uccisi dal freddo e dalla sete scandiscono un paesaggio infernale da dove i dannati della terra rivolgono, per l'ultima volta, al Dio sconosciuto ed a ognuno di noi, una muta domanda che squarcia, come l'urlo di Munch, il silenzio impenetrabile dell'universo. Luciano Luisi giuoca dunque su più tavoli la scommessa di questo suo ultimo libro. Un libro lacerato dall'inquietudine moderna, aperta a tutte le frontiere, ma trattenuto sull'orlo dell'abisso da una *pietas* foscoliana che non rinuncia all'illusione della speranza, pur nella stretta del cuore.

Mario Specchio
dall'introduzione

La poesia non è religiosa solo quando si manifesta come atto di fede e preghiera, ma anche quando si interroga sul silenzio ultimo delle cose, quando cerca di valicare una soglia indipendentemente dal fatto che il poeta sia supportato dalla fede o spinto dal dolore. Esiste però anche una poesia che da un istintivo afflato religioso prende forma e genera visioni, qualunque sia l'oggetto su cui si posa lo sguardo dell'autore. Luciano Luisi appartiene a tale famiglia di poeti, in cui tensione religiosa e tensione poetica si fondono naturalmente, e non a caso il suo mondo è complesso e inesauribile, a imitazione della vita intesa come il suo generante mistero.

Roberto Mussapi
"Luoghi dell'infinito", ott. 2008

[...] Un canto struggente che ci sostanzia di radici di affetti, di amore, di fede, di nostalgia, di dolore, senza mai rinunciare al sogno e alla speranza, la luce "nonostante" l'ombra. Poesia che mette a fuoco la vita nella poliedricità dei suoi aspetti, nel tessuto profondo che la lega indissolubilmente alla morte, Eros e Thanatos. Una poesia che nasce dalla riflessione sulla condizione umana, sul fluire del tempo, sul rapporto tra l'io, gli altri ed il mondo. Una visione personale che diviene corale e cosmica.

Lorenza Rocco
"Silarus", sett.-ott. 2011

[...] La cifra poetica di Luciano Luisi, una sorta di visionarietà dentro i confini della realtà visibile [...]. *L'ombra e la luce* è un libro di intensa potenza lirica e di elementare ispirazione. Ma il poeta scruta la trama che collega i due mondi, la simbolica compresenza: non esisterebbe ombra senza luce [...]. Una linea tradizionale, lirica e spirituale, più che metafisica [...] e in tale contesto i suoi versi spiccano per una forza sorgiva innegabile [...] e migliorano con gli anni.

Roberto Mussapi
"Avvenire", 18 ag. 2011

L'accento più tenace di Luciano Luisi è quello di un pathos tragico e delicato, abbeverato al dolore e aperto alla speranza. Il poeta lo trova nella terra sconfinata del ricordo, nelle cronache delle carrette del mare, nelle riscritture del vangelo e nel senso del tempo fra ombra e luce.

Daniele Piccini
"Famiglia Cristiana", n. 32, 2011

Luciano Luisi, nome storico della poesia italiana, con *L'ombra e la luce* ci dona un libro di sicura forza e rara delicatezza nella equilibrata "classicità" che gli è riconosciuta; un poeta che guarda alle semplici cronache dell'uomo con grande umiltà, che vigila su se stesso con una "serena disperazione" [...] il suo è un accorato appello al recupero di una umanità perduta alla forza dell'amore che contrappone al destino. Le poesie più intime segnano ed emozionano per la dolcezza e per quel sincero porsi nel complicato pulsare dell'età avanzata, in quello strenuo afferrare la luce, in quel "guardare scorrere calmo il fiume della vita".

Loretto Rafanelli
"Liberal", 12 marzo 2011

Luisi ha guardato la realtà sempre attraverso le vicissitudini umane, che di per sé mostrano il senso della precarietà e dello sgretolamento, rimane intatto, e forse più accentrato e magicamente raffinato e sentito, anche quello che Georges Mounin chiama il "riflesso di un umanesimo cristiano, raro in Francia con questi accenti" e rimane la musica di Luisi così dolce e persuasiva così densa di risonanze che a volte sembra nascere dai corti circuiti prodotti dal cuore. Leggere le poesie di Luisi commuove. Ciò sarebbe uno scandalo per avanguardisti e minimalisti, postmoderni e post di qualcos'altro. Io dico con Abraham Byehoshua, che qualsiasi scrittore o poeta dovrebbe abbracciare il lettore che piange leggendo il suo libro.

Dante Maffia
"Proa-Italia", n. 7-8, 2011

L'ombra e la luce muove da una triplice ispirazione: privata, biblica e civile, scandita in altrettante parti, ma legata proprio al rincorrersi dei motivi religiosi che fungono spesso da basso continuo. Il modulo dominante è quello morale dell'esame di coscienza, acuito dall'età avanzata dell'autore, che incrementa, al riparo com'è dai tumulti e dagli affanni della vita attiva ("siamo alla stessa finestra a guardare / scorrere calmo il fiume della vita"), la sua naturale disposizione al raccoglimento e le conferisce un senso ultimativo, proprio di chi si sente prossimo al traguardo, già dentro il tempo del *redde rationem*: "tutto tende al semaforo /che segna rosso il fondo della strada".

Giuseppe Langella
da *Tendenze religiose nella letteratura italiana più recente*,
"Polifemo", 2013

Altro fiume, altre sponde

Il libro ha una compattezza che supera le evidenti diacronie (dichiarate e non) e la varietà di respiro più che di tono o di stile. Che la misura sia lunga e narrativa o breve e di fulminea rasoiata non si percepiscono smagliature o cadute. E anche quando la memoria un po' tergiversa e il poeta lascia spazio al cronista o al viaggiatore curioso, ci sono le sferzate del cuore, le redini improvvisamente tese del rovello interiore che impediscono la discesa nel diaristico. [...] Vedrete che in questo scorcio di viaggio non prevale un senso di abbandono. Ma una tensione ancora, che si accenna qua e là in certe scene, in certe mezze parole o mezze visioni, e in alcuni momenti di sospensione, quando ogni gioco si dirada. Una tensione conoscitiva, non placata in una dimensione solo storica e fisica che non mantiene ciò che pur promette. Una tensione a cui tutta la vivente materia del ricordo e del presente partecipa per obbedire all'incanto che le ha attraversate. Perché Luisi è poeta dell'incanto. Che non è uno stato beota del pensiero, ma il suo sorgivo potere, la sua forza primaria. Togliete l'incanto dallo sguardo di un poeta e avrete un buon saggista, forse, un buon commentatore, forse, un buon giornalista, forse. Ma un artista mai. E agli artisti, e al parlare segreto della natura e del profondo dei cieli e del cuore, quando si sconfina dalla vita nella vita (strattonati da un evento o declinando per le scalinate del tempo) ci si rivolge. Per questi e altri motivi il libro che avete tra le mani è un dono per restare più umani.

Davide Rondoni
dalla prefazione

Ancora una volta Luisi dimostra di essere il poeta della *Sapienza del cuore*, il poeta che ha saputo annotare i minimi sussulti della condizione umana, cogliendone l'essenza positiva, anche nell'immaginario angolo in ombra del giardino leopardiano. Va sottolineato che Luisi è rimasto fedele ad una poesia sostanziata da un lirismo corposamente lieve, in cui ha travasato le magie dei sentimenti e i sussulti che squarciano i veli della superficie, per farci guardare nel profondo.

Dante Maffia
"Poesia", n. 299, dic. 2014

È difficile [...] coniugare semplicità e profondità, e, in ogni caso, non è più una via praticata, visto che oggi si preferisce ammantare la poesia di oscurità spacciandola come indizio certo di intelligenza e originalità. Luisi [...] sceglie i modi di un colloquio con il lettore, ma senza mai scadere nella banalità dell'espressione, e senza allentare la sua vigilanza sull'impatto globale del testo anche dal punto di vista ritmico; poiché le rime sono poche, ma le assonanze e consonanze parecchie, e le figure di suono e significato sempre varie ed eleganti. Nel suo complesso il libro è una domanda sul senso della vita terrena e sull'altra, sconosciuta ma illuminata dalla promessa cristica dell'eternità.

Franca Alaimo
"L'immaginazione", genn.-febb. 2015

POSTFAZIONE

IL VIAGGIO LIRICO E UMANO DI LUCIANO LUISI

di Dante Maffia

Il 1944 è l'anno in cui si comincia a fare il bilancio delle distruzioni e delle perdite che la Seconda Guerra Mondiale ha portato, ma è anche l'anno in cui la speranza della rinascita sociale e culturale si profila all'orizzonte. Luciano Luisi ha soltanto venti anni, ha assistito alla profanazione di tutto, al crollo dei valori, alla negazione dell'umano e sente di essere quasi fuori luogo con la sua sensibilità acuta, col suo dolore che abbraccia uomini e cose, amici e nemici. Una guerra, avvertirà Salvatore Quasimodo, muta lo sguardo e la sostanza degli uomini, ne fa esseri diversi di quel che erano prima. Se così non fosse, noi saremmo macchine con ingranaggi asettici, privi di quella sapienza del cuore che sarà il lume costante al quale Luisi si rifarà in ogni circostanza, in ogni occasione, e il lievito per ogni crescita. Il suo esordio avviene proprio nel 1944, ed è immediatamente notato e discusso, anche se non si accoda al novero di quei poeti che si inventano un mondo per moda o per esigenze d'essere nella mischia. Egli espone il suo dissenso "soltanto verso ciò che sembrava meritarlo", non contesta con proclami, con adesioni esteriori, con l'immergersi in esegesi sociologico-letterarie travestite di lirismo. Non s'era lasciato aggregare dai rigurgiti post-ermetici (ma naturalmente subisce il fascino di certo ermetismo al punto che nelle *Note* a *La sapienza del cuore*, documenta "un giovanile debito verso l'ermetismo" riportando una poesia scritta nel 1943), non aveva scambiato "la volontà d'essere oscuri per una poetica" e adesso non si unisce al coro dei neorealisti (anche se viene inserito in una antologia di poeti neorealisti per i temi trattati), che scambiano il documento per accensione poetica. Luisi è ben consapevole che per ottenere esiti poetici di rilievo è necessario far diventare il dato reale un dato obiettivo e universale che sappia anche far percepire le emozioni.

La premessa è per chiarire che Luciano Luisi ha, fin dal suo esordio, una maniera personale di fare poesia, una maniera che bada soprattutto alla sintesi, alla fluidità espressiva, alla limpidezza delle immagini. Egli certamente, essendo un lettore avido ed assiduo, transita attraverso le varie controversie pullulanti negli anni quaranta, ma non si imbriglia in nessuna teoria, in nessun atteggiamento che lo porti lontano dal suo modo d'essere, che è, inizialmente, lirico-narrativo e spesso intimista, come affermò Quasimodo nella motivazione scritta per il Premio Chianciano attribuito a Luciano Luisi nel 1967.

Ecco, fermiamoci un attimo su liricità, narratività e intimismo. Luisi ha, come dono naturale, l'armonia, il canto, quella musica interiore che organizza il verso e ne fa uno stiletto, un'arma che arriva sempre a destinazione, perché non cerca strade tortuose, labirinti, strapiombi, ma rettilinei, piazze, spazi immensi e solatii. I componimenti di Luisi non temono, per esempio, analisi strutturalistiche, hanno corrispondenze perfette, ogni parte concorre all'insieme, ogni sillaba presta all'altra il suo fiato per organizzare la sinfonia. Ma, naturalmente, non si tratta soltanto di sinfonia che dimentica il tema e si contorce per variazioni; le poesie di Luisi hanno il calore della vita, le parole sono proprio *consequentia rerum* ed è per questo che arrivano al lettore, è per questo che il lettore viene catturato in una partecipazione che s'allarga in cerchi concentrici.

Giorgio Caproni ne comprese la portata quando nel 1953 scrisse la prefazione per *Piazza Grande* e scrisse che Luisi "ha saputo risolvere quello stridente dualismo che è nei poeti più giovani tesi nel tentativo di conciliare la cronaca con la parola-memoria che è stata la più grande riconquista dei nostri maggiori poeti di questo secolo".

Evito di proposito di soffermarmi su dati tecnici che pure hanno una rilevanza importante in Luisi (valga per tutti il gioco delle rime, mai prevedibile e neppure però ricercato; e valga la sua scelta lessicale che si incentra nella ricchezza della tradizione) e mi fermo soprattutto sulle scelte tematiche, perché egli è uno dei pochi poeti italiani capaci di esprimersi ad alti livelli sia quando trattano d'amore, di amicizia, di dolore, di felicità, del paesaggio, delle radici, del mare. Il suo dono più grande è quel suo saper piegare la parola alla propria dimensione per spremerne accordi inusitati, per ricavarne sinfonie che sanno dilatare lo spazio e il tempo creando uno spazio magico e un tempo fuori dal tempo. È questo uno dei motivi per cui egli ha potuto restare fedele a un'idea di poesia che sa dare nutrimenti estetici senza ribaltare la condizione originaria del fare, convinto che la poesia, come ha scritto Cocteau, è un valore, e non l'illusione di un valore.

Prendiamo uno dei suoi primi testi, per esempio *Amore in periferia*, del 1945. Luisi fotografa, insieme alla realtà, le atmosfere, quella levità che sta nelle cose e detta il fulgore imponderabile del senso, l'imprendibile dei nessi che fluisce come un vento segreto:

L'amore nascerà in periferia,
oltre le case, oltre i fumi che segnano
l'ultimo lembo di città, sui prati
odorosi di felci.
Ce ne andremo
a fianco per le strade sconosciute
dove s'affondano i passi nella terra,
ci fermeremo in vista di borgate

quando solo per noi sarà discesa
la sera a consumare la città.

Forse in quell'aria leggera
non potrà più inseguirci lo sgomento
contro la nostra voglia
d'essere ancora giovani.
Con un abbraccio sereno
ci coprirà la notte: nel suo manto
sola luce il tuo seno.

Si noti come il poeta argomenta le sue affermazioni senza sprecare antefatti, senza scendere in particolari risibili e quindi irrilevanti ai fini del disegno che sente in sé. La periferia così diventa un luogo ideale, quello non contaminato dai commerci umani, quello salvato dalle bombe, dalle paure. I prati sono odorosi di felci, l'aria è leggera, la luce viene dal seno della donna. Un idillio? No, perché la proiezione verso un futuro possibile d'amore è soprattutto un atto di volontà per superare gli ostacoli prodotti dalla guerra. Luisi si serve di simboli appena percettibili, non carica gli eventi e non appesantisce nessun elemento che deve rendere il tutto. Poteva, per esempio, ricorrere a contrasti tra città e campagna (tanto di moda all'epoca), o poteva caricare le tinte del "rifugio" periferico facendo della periferia un paradiso e invece crea soltanto la possibilità dell'alternativa, in modo che la coppia possa avere fiducia nel domani. Non è citata la guerra, non appare il dolore o la memoria del dolore, tutto è come consumato in un antefatto diventato fiato degli eventi, raggio di speranza affidata a quel seno che è luce.

L'esempio lo si può estendere senza tentennamenti ai testi riuniti in questa edizione sotto il titolo *Una stagione di guerra*, e cioè *Racconto*, *Piazza Grande* e *Sere in tipografia* perché il poeta nasce già compiuto al suo apparire e poi, però, lavora di bulino, scava, approfondisce, ma sostanzialmente resta fedele a se stesso, come è stato più volte ripetuto. Una coerenza che Luisi ha pagato a caro prezzo perché non ha voluto e forse saputo tradire se stesso e neppure il "linguaggio emozionale e ritmato" di cui parla l'*Encyclopaedia Britannica* quando definisce la poesia.

Egli ha davvero "restituito i sentimenti e le passioni alla giovane poesia italiana" in quegli anni difficili, come disse Quasimodo parlando del suo lavoro. La sua parola essenziale, il suo essere lirico e trasgressore del lirismo con invenzioni linguistiche accattivanti ed efficaci, il suo saper trattare argomenti che apparentemente sono appannaggio della metafisica, hanno fatto di lui un poeta nuovo, da seguire con attenzione passo dopo passo. E non è dunque casuale che uno dei più agguerriti critici del Novecento, Georges Mounin, in *Poesia e Società*, lo citi accanto a Mario Luzi, Clemente Rebora, Alfonso Gatto e Salvatore Quasimodo.

Ho notato che più d'uno studioso della poesia di Luciano Luisi ha insistito sul dato biografico come se questo fosse una colpa pesante. Mario Baudino parla addirittura di "materiali biografici in versi", Manacorda di "disposizione alla solidarietà". Credo che abbia colto in pieno la valenza di Luisi sicuramente Arnaldo Bocelli che parla di una "visione non più egocentrica ma allargata alla vita di tutti, alla storia degli altri". Qui sta il nucleo rilevante dell'itinerario del poeta, l'aver saputo far diventare universalità il suo sentire, il suo punto di vista, il suo racconto sofferto, i suoi amori, il suo vagabondare, il suo viaggiare, il suo collezionare.

Luisi è una scoperta costante, un indomabile curioso, un insaziabile uomo in cerca di segreti. È vero che è subito arrivato a scrivere come un saggio che ha compreso ogni cosa, ma mai si è adagiato su una qualsiasi posizione, mai ha voluto godere di traguardi, di raggiungimenti. Goethe distingueva tra i poeti che subito sono capaci di dire tutto e quelli che a poco a poco arrivano a dire tutto. Luisi appartiene a una terza categoria, ai poeti che sono stati capaci di dire tutto subito e che poi hanno continuato a essere insoddisfatti. È rimasto sostanzialmente un bambino (nell'accezione di Brancusi e non in quella pascoliana) il cui sguardo sa meravigliarsi e incantarsi, stupirsi e rigenerarsi:

Altera vai dove la folla s'apre
al tuo passaggio. Ai tavoli
dei caffè di Via Veneto
il tuo fittizio esercito è schierato,
spegni il fiato coi fianchi
e porti i seni come una bandiera.

Da lontano ti guardo, escluso al mondo
amaro che t'invischia.
Passa un ragazzo, fischia
sulla tua scia, ripete
il gesto che t'elegge
regina, e così scendi
nell'euforia la china, ti protendi
al tuo salto mortale senza rete.

È stato Michele Dell'Aquila a scrivere che Luisi è poeta d'amore "più di quanto non sembri volere". Quando affronta questo argomento i suoi versi si tendono come archi e trovano una felicità espressiva davvero di rara efficacia. Ne *La pianta carnivora*, dove compaiono testi scritti dal 1957 al 1961, si possono leggere poesie raffinate e compiute. Non fu per caso che un critico agguerrito e profondissimo conoscitore di poesia come Giancarlo Vigorelli avesse scelto per dare l'avvio alla Fenice degli Italiani *Un pugno di tempo* di Luciano Luisi.

Ma quel che in qualche misura meraviglia è la duttilità del poeta nel saper affrontare i temi più svariati senza, ancora una volta, negare nulla di sé.

Un poeta che sa così bene districarsi nei giochi d'amore descrivendone le sottigliezze, le sfumature, le accensioni, le attese, i compimenti, si potrebbe pensare che affrontando, per esempio, la poesia civile non sappia essere altrettanto convincente. Al contrario: fin dall'inizio, quando echi della guerra e delle nefaste conseguenze entrano nel mondo di Luisi, egli non disvia il discorso, non lo dirotta su allegorie o su metafore azzardate. Prende atto dello scempio, lo metabolizza e poi lo fa affiorare qua e là come elemento di un discorso che va organizzato all'interno del più vasto discorso della vita. Se non avesse fatto così, avremmo avuto accenti di retorica, lamenti, forse recriminazioni e la poesia civile sarebbe diventata un insopportabile discorso retorico. Egli invece macera ogni esperienza nella totalità della sua esperienza di uomo, e trae da tutto indicazioni che si trasformano, poi, in baluginii di immagini, in racconti lirici, in accensioni che hanno la magia della sorpresa.

Anche le città che compaiono e vanno a far corpo nella produzione di Luisi si inseriscono in questo affresco immenso. La memoria riporta in superficie una geografia estremamente variegata e sembra che il poeta arrivi da luoghi sognati, ma a un certo punto particolari quasi irrilevanti ci avvisano della tenacia del suo amore, e così Livorno, Milano, Parma, Foggia, Ginosa, Santa Luce, Roma escono dalla nebbia del ricordo e della memoria e diventano sostanza d'un viaggio che non ha fine. Non c'è mai la tentazione della cartolina nelle poesie dedicate alle città. Luisi sa entrare e uscire dal proprio corpo e dalle proprie emozioni e ne sa trarre quel lievito necessario che serve a illuminare la sua identità. E quando si reca in India scopre che niente può passare invano nel cuore e nella mente:

Ora so: la mia vita
non può ricominciare
come ieri. C'è l'India
in me che morde come una ferita.
Scava nei miei pensieri. Mi volto
e la ritrovo come amica mano
che sorregge.
Lo sento ora che gli alberi
nitidi e secchi mi vengono incontro

nel cielo terso di questa invernale
alba romana che suona a distesa,
e dai tetti si levano
come fiori le cupole.

Nonostante abbia affermato che Luisi resta se stesso dal suo esordio ad oggi, egli ha sempre avuto delle svolte e degli scavi enormi. La coerenza è da assegnare alla sua poetica, ma gli approdi a cui lui ha sempre teso sono stati molteplici, naturalmente. Una sorta di scossone è avvenuto, se non vado errato, nel 1964, proprio con il poemetto da cui ho citato questi versi, *Per un viaggio in India.* Afferma Geno Pampaloni che questo scritto "tocca temi e scuote sentimenti profondi. È, in certo senso, la storia di una rivelazione. Il timbro appassionato, che talora sfocia apertamente nell'oratoria, si giustifica come il segno di una crisi che travolge gli stessi limiti della comune effabilità letteraria, insieme con abitudini e certezze morali di antico segno. Così come spesso poeti di altre stagioni ci hanno narrato la storia di un'evasione, il poeta di oggi preferisce narrarci la storia di un incontro con la realtà... Il tempo, la memoria, il passato si mostrano ora vuoti (il mio pugno di tempo che si logora); e a riempirli c'è una nuova aspettazione, la ricerca, l'attesa. Di più: il Luisi respinge come provvisori quelli che sono o poco fa si chiamavano 'i movimenti del cuore': non gli basta commuoversi, vuole conoscere per ragione, essere salvo per 'mente'".

Da questo momento in poi i sussurri impercettibili del tempo puntano a sorprendere l'eterno e l'infinito e più s'annoda stretto il rapporto del poeta col Divino più egli esce da se stesso consegnandosi interamente all'essenza.

Parafrasando un'affermazione di Carlo Bo mi vien fatto di dire che ormai Luisi va alla ricerca della verità, perché non vuole tradire se stesso, e che la sua vita è stata una poesia ininterrotta, un rincorrere la pagina in cui versare ogni grumo e ogni accensione, ogni patema e ogni scoppio di gioia. Ecco perché la sua poesia ha avuto una crescita sicura e si è fatta giorno dopo giorno necessaria e sempre più schietta, limpida, essenziale.

Non mi stancherò di ripetere questo concetto, perché oggi la poesia è un mare di confusione; si stenta a trovare una via maestra, un ideale in cui confluire e da cui, naturalmente, uscire per far sentire la propria voce inconfondibile.

A questo proposito vorrei accennare al lettore Luisi, onnivoro, sempre teso alla scoperta, curioso, avido di esperienze, mai chiuso davanti al testo e pronto a riconoscere la bellezza. Come tutti i poeti veri egli è aperto agli altri, ma poi guarda in sé, scava in sé, cerca l'essenza del suo mondo e la rimette ogni volta in discussione. Non per il gusto della scommessa, ma perché sa che soltanto in questa maniera si può crescere e arrivare al rigore e allo splendore della forma, come diceva Sergio Solmi, "a quell'ardore di vita paradossalmente ritrovato attraverso la distruzione sentimentale e la negazione teoretica".

Tutta la poesia di Luisi sembra scaturire da lampi che improvvisamente si sciolgono in dilagare di colori, di percezioni. Frasi, figure, paesaggi, nomi, incontri, tristezze, esultanze nelle sue pagine diventano immediati messaggi d'amore, anime che anelano a congiungersi con la dolcezza dell'infinito. Luisi è brillante e convincente quando il suo respiro ha sussulti che stigmatizzano i momenti rari dell'esistere, ma diventa ancora più motivato e più profondo quando si apre alle *suites*, ai poemetti. Allora egli è capace di dipanare ombre e luci dal groviglio del sentire e farne emblematiche radure che s'imprimono nel lettore e lo inchiodano allo stupore, all'ebbrezza e perfino alla paura.

Urlano le sirene
contro i cieli d'Arabia.
L'uomo insonne stanato dai letti provvisori
con tutto il suo terrore d'animale
fugge. (La civiltà

come i palazzi di cemento armato
è inutile.) Ora scopre la fame
come un ginocchio gelido che preme sulle viscere.

Fu evidente che la musa di Luisi aveva camminato senza sosta restando immobile nel mutamento, al punto che Claudio Marabini scriverà che si tratta di "una parola rinnovata dalla più positiva esperienza novecentesca, condotta, oltre la letteratura, alla sua nuda verità, e che conferma una delle voci più limpide della nostra poesia nella quale si ritrovano i fili della migliore tradizione lirica, annodati in una sensibilità che tende a risolvere, al cospetto di una realtà perenne, la precarietà del vivere". E io parlai, tempo addietro, di straordinaria trasparenza, di versi cadenzati da occulte vibrazioni, da soffi vividi, mitigati appena dal senso di una misura lirica al limite tra distaccato senso onirico e allusivo descrittivismo. Le sue radici meridionali gli hanno sempre dato molta luce e molto calore e hanno reso possibile quel connubio scintillante delle sfumature che sono la ricchezza del suo mondo poetico. Ma nel libro in questione Luisi va oltre e tenta la strada più suggestiva del nostro Novecento, quella della poesia onesta, percorsa da Umberto Saba e portata ad esiti incomparabili. Leggiamo *La quaglia* di Luisi, tratto da *La vita che non muta*:

Ho veduto una quaglia. Camminava
con dolore, stupita, sull'asfalto
davanti al mio cancello.
Ho capito guardandola cos'è
il peso della vita.
Ed era il cielo così bello in alto
fra gli alberi e le case
che invitava a volare.
Ma oramai troppo lontano, irraggiungibile
per lei senza più fiato.
Sta affogando – ho pensato – nel mare
di quel suo grande salto.

Non è facile trovare in tutto il Novecento versi così convincenti. Luisi ha camminato sempre avanti con la convinzione che l'autenticità e la fede pagano e pagano oltre misura. Non si è negato agli entusiasmi, non ha chiuso la porta a nulla. Ha però sempre filtrato letture ed esperienze, ha distinto, valutato e quando nel 1986 ha cominciato a scrivere *Il silenzio* ha sentito tutta la leggerezza della vita, la verità del sogno inappagato, l'infrangersi della materialità che batteva dolentemente sul fondo del nulla. Una nota leopardiana si è insinuata nel suo pensiero-sentimento, nel suo corpo abbarbicato a luci e ombre in continua lotta. Il collezionista di conchiglie è uscito dal guscio della sua rotonda creatività e si è dato in pasto alle belve dei labirinti, imprevedibili mostri che ingoiano il senso e preparano il vuoto. Così il silenzio delle conchiglie, "che è molto più innanzi rispetto alle facoltà della parola", ha trovato il punto rivelatore e ha spinto il significato dell'Essere oltre la barriera del visibile. Perché, come dice Silvio Ramat, "le conchiglie sono i miracolosi numeri della Creazione, disegni enigmatici in superficie e nel profondo, ai quali dà credito e carisma non la passione del collezionista incuriosito ma ancora l'intelligenza del poeta, incline a ravvisare la perfezione e il segreto della perfezione in creature altre da lui". Questo atteggiamento etico Luisi lo ha portato in tutte le sue azioni, senza deroghe, perché il senso del divino lo ha accompagnato nonostante la sua iniziale distrazione.

Ancora una volta il linguaggio curato e levigato non spadroneggia. La sapienza del cuore si è arricchita ed è diventata sapienza della mente e dell'anima. I sentimenti ancora hanno un posto particolare, come ho già scritto su "Poesia", però si sono dilatati in un abbraccio immenso e s'illuminano a vicenda, riuscendo a diventare dialogo fra mondi lontani, fra fragilità che anelano alla compiutezza.

La memoria rincorre il tempo passato con una sorta di nostalgia lieve che non ha scorie e rimpianti e tuttavia ripercorre con tenerezza avvenimenti che ormai si sono dissolti nella consunzione e nello sfinimento. Ma non v'è, effettivamente, nulla di angoscioso e il silenzio si riempie di presenze palpitanti e fa tornare in pienezza volti, gesti, parole senza tinte cariche, senza frustrazioni. Così i particolari acquistano un rilievo maggiore e spesso finiscono per diventare emblemi di una condizione, occhi che rinverdiscono un'epoca:

Ti guardo, a me abbracciata, in una foto
di non so quanti anni indietro indietro
fino a sfocarsi nella mia memoria.
E siamo tanto giovani
da apparire, per gli altri, sconosciuti.
Non ricordo chi fu che l'ha scattata
né in che luogo. Ma gli occhi
e il tuo sorriso, e la testa che reclini
sulla mia spalla, mi fanno sentire
il vento, il vento gioioso
d'una giornata d'autunno con il sole.
E vedo gli alberi, un viale, e forse accanto
a noi due biciclette: perché nel nostro sguardo
c'è l'ansia della corsa, come se
quella foto ci avesse fermati
mentre già vedevamo – e a quello tesi –
un lontano traguardo felice.

Ma nello stesso libro ci sono le ventisette parti di *A tu per tu,* introdotte da Michelangelo, da Giobbe e da un suo verso tratto da *Per un viaggio in India.* Il colloquio con la morte è serrato, ma non cruento. La consapevolezza di Luisi domina la scena e l'amarezza si stempera perfino in gioia del presente, pur sentendo l'inesorabile fiato della dissolvenza:

E ora, a poco a poco,
come fossi un ruscello
che si prosciuga nel suo lungo viaggio
mi rubi i nomi dalla mente, quasi
per annunziarti: via

quelle mie care sillabe che furono
i miei fili col mondo, e via, svaniti,
gli occhi, le bocche, i visi dentro un gorgo,
foglie disperse al vento del tuo fiato.

E altrove:

E sento
che sempre più stretta è la porta.

Ma tu non afferrarmi a tradimento
mentre il rombo del sangue
come un torrente sotterraneo ingorga
il mio pensiero spento,
prima che sorga a diradare l'ombra
del mio silenzio il vento.

Ma nell'ultimo periodo Luciano Luisi è tornato con maggiore insistenza alla levigatezza della forma e si è spinto a scrivere sonetti. Non gli è stato difficile, ha da sempre coltivato il dato tecnico anche se non se n'è fatto condizionare. La scommessa non è di poco conto, il sonetto, come ha dimostrato Ugo Foscolo scrivendone una breve storia, o nasce in un unico fiato senza tentennamenti e senza ripensamenti o finisce per diventare accademia, esercitazione. È evidente che da qualche decennio si avverte l'esigenza di tornare a fare poesia nel rispetto di regole che, ovviamente, vanno poi trasgredite. È il caso di Giuliano Dego, di Patrizia Valduga, di Andrea Zanzotto, di Frasca, di Raboni e di altri, ma Luisi vi aggiunge un anelito in più, di marca baudelairiana, che è quello di ritmare nella forma chiusa e rigida l'universo dello spirito. Dal rispetto della forma deve cominciare un cammino che non può affidarsi ai giochi e ai capricci del momento. Nasce così *Il confine,* registrazione di una crisi profonda, di un desiderio invadente di Dio che passa attraverso lacerazioni inenarrabili e pone domande su domande sparse in mille direzioni. Così la poesia si fa teologia, secondo quanto afferma Boccaccio nel commento dantesco, anzi ontologia, per quel che ne pensa Charles Maurras, "poiché la Poesia porta soprattutto sulle radici della conoscenza dell'Essere".

Eppure mi sembra che Luisi abbia da sempre seguito questa traccia e abbia agito coerentemente, anche in questo caso: però non aveva piena consapevolezza del suo trovarsi all'interno delle inquietudini religiose. È probabile che non avesse ancora compreso, come dice Jacques Maritain ne *Le frontiere della poesia e altri saggi*, che "le idee di Dio non sono come i nostri concetti", cioè "dei segni rappresentativi tratti dalle cose, fatti per introdurre in uno spirito creato l'immensità di ciò che è, e rendere tale spirito conforme a delle realtà esistenti (attuali e possibili), indipendenti da esso. Esse precedono le cose, creano le cose".

Adesso Luciano Luisi vive nella "persuasione" (il termine è preso da Michelstaedter) che Dio sia presente in ogni granello di pulviscolo, e lo ascolta, lo vede agire in ogni sfumatura, in ogni azione umana, pur continuando a porsi domande angosciose. Adesso Luisi riconosce il dono della vita, non la attraversa indifferente o preso da affanni quotidiani:

Affido ormai la mia speranza a questa
manciata d'anni (o di mesi? o di giorni?)
ma tutti tesi a godere la festa
della vita, con gli scenari adorni

d'azzurro e verde, con la sua foresta
di passioni, e gli struggenti ritorni
della memoria, e l'attenzione desta
ad ogni appello che il cuore frastorni

dalle sue angosce. Essere vivi, vivere,
null'altro conta, nulla può offuscare
la bellezza del dono, farmi scrivere

che sarà sempre più spenta, avvilita
la mia giornata, da dimenticare
che ogni minuto, ogni secondo, è vita.

Il confine evita la preghiera propriamente detta e scandagliando nella propria esistenza, annotando lo svolgersi degli eventi attuali (le distrazioni, i soprusi, le violenze, le guerre, le aberrazioni), compie una sorta di summa di ciò che è stata ed è la vita del poeta. Questa volta però non c'è quella sensualità compiacente che ha accompagnato gli altri libri, qui tutto è diventato diario della memoria, piacere dei ricordi, degli incontri, considerazione pacata sul senso del vivere. Egli sa che "ricade / tutto il male su tutti" e si domanda perché l'Angelo non viene a insanguinarsi le ali nei momenti terribili a cui è sottoposto l'uomo, ma proprio in ciò poi vede un disegno alto e sente il fremito felice di una voce lontana. Vede "i tanti lutti / dove l'amore tace" e si dibatte nel dubbio, senza il quale, dicevano Montaigne e Pascal, Dio sarebbe una certezza priva di stimoli, vuota circostanza. Il passato di Luciano Luisi, a questo punto, non è più "un cavallo" che egli cavalca "verso strade d'ombra", ma, insieme al presente, è il senso della sua vita da consegnare a Caronte, poiché "le felici farfalle" della fede e della speranza "si posano" ormai e macchiano "quel verde ridestato" ch'era stato sepolto lungamente nella crosta dell'effimero. Ecco, il poeta ormai sa che appartiene alla morte, che però non è la fine di nulla, anzi è il principiare dell'alba eterna, della luce che non avrà tramonto.

Aveva ragione Dario Bellezza, "Luisi merita sicuramente un posto di eccellenza nel nostro secondo Novecento".

La pagina di Luciano Luisi, adesso, si è sciolta interamente. Lirismo, narratività, pensiero si sono fusi in un timbro lieve di immagini che sembrano fiorire nella preghiera. E tutto è racchiuso nella forma del sonetto, quasi che il poeta abbia paura di veder sfumare nell'indistinto il suo essere giunto a parlare per impennate di luce, per analogie che hanno, a un tempo, la più calda e scoperta umanità e la più insaziabile avidità di cielo.

Il poeta è giunto, attraverso un percorso che via via lo ha alleggerito della zavorra terrena, in una zona in cui le ombre si vanno diradando o, come direbbe Eugenio Montale, in cui si ha la percezione che "il vuoto è il pieno e il sereno la più diffusa delle nubi". La parola è greve di umori, è pesata come si pesa l'oro dal gioielliere, e così la confessione si scioglie in brividi e si stempera in una comunione che riconosce perfino il dolore come creatura da abbracciare. In questi sonetti che nascono con l'esigenza di mettere ordine nel flusso enorme di pensieri, di esperienze e di sentimenti, Luisi sintetizza la sua vita con piglio baudelairiano e, soprattutto, ciò che lo ha reso sensibile nelle infinite qualità umane. Così tutto transita e si ricompone in una interezza che prima era impossibile vedere e valutare appieno. Certo, il poeta rifarebbe gli stessi suoi "dolcissimi errori" e tuttavia si domanda che cosa resta di ciò che fu "bimbo, ragazzo, giovane" (stagione che più non riconosce, ma che lo ha portato allo stato attuale). E allora le cose amate lo attraversano, il vecchio divano diventa un "pezzo di vita", il ticchettio della Olivetti gli arriva nel ricordo "quasi l'ala / d'una sublime musica".

Un lungo elenco di volti, di emozioni, di eventi sfilano al cospetto del poeta: la moglie, gli amici, un regista, un poeta slavo, un pittore, la madre. Gli accenti sono robusti, ma anche dolci. Sembra che Luisi sull'onda di certe esperienze riporti passato e futuro al presente. È nell'istante del vivere che si gioca la partita; in quell'istante sogni e speranze, progetti e dolori, gioie e amori vanno a finire in una partita doppia da cui dovrà scaturire la filigrana del domani. Certo, si tratta di un domani affidato al Divino, ma le azioni contano, ci ricorda Luisi, e contano l'amore, la generosità, l'onestà, la dignità.

Ecco, potremmo perdere l'anima per cose di poco conto, ma la vita chiama, chiama con la sirena della bellezza, e così il poeta apre la sua anima in totale abbandono:

Perdonami, vorrei, se mi chiamassi
poterTi dire: "Sono pronto, vedi
come senza esitare muovo i passi
più duri nel seguirTi". Ma Tu chiedi

che non mi volti, come se lasciassi
non la vita, la vita che concedi
come dono, vorresti che scordassi
le impennate del sangue, i verdi arredi

della terra, le lusinghe che mordono,
ma mentirei: io posso solo offrirTi
la fidente speranza d'un ingordo

della vita. Lo so che vorrei dirTi
che al Tuo richiamo non sarò mai sordo,
ma ho ancora tanta voglia di tradirTi.

Credo che questo sonetto dia con estrema chiarezza la condizione umana in cui si trova Luisi. Ed è proprio in questa "contraddizione" che diventa fulgore e fede persuasiva il suo stato d'animo. Egli crede fermamente perché sente pulsare la vita, perché ama "i verdi arredi / della terra", e non perché è ormai fuori dal gioco dei desideri. Ancora una volta la lezione di Pascal diventa dono per entrare, con "la sapienza del cuore", oltre che con la pregnanza dell'anima, nello spirito di Dio. Non è blasfemo chi ama la vita, chi ha "tanta voglia" di tradire il richiamo dell'eternità, è che "il fiume della vita è sempre in piena" e perciò non sarà una croce che potrà chiudere il viaggio popolato di sogni e di chimere.

Luciano Luisi con questo libro riesce a penetrare in una dimensione molto particolare che pone la vita a fronte della promessa eterna. Ma non esclude il baratto, la fretta, l'accettazione delle sue azioni. Un uomo è come ha amato e vissuto, ed è anche la possibilità di restare fortemente attaccato al libero arbitrio prendendo atto a fronte alta del nuovo senso che gli viene offerto per l'ultimo viaggio. È vero, con Dio non si può patteggiare, ma Dio comprende la voglia del tradimento quando questo è compiuto in nome dell'amore.

Luisi, come Mario Luzi, a cui è stato legato da affetto, da amicizia e da sincera stima, è uno di quei rari poeti che crescendo ha sempre di più affinato i suoi esiti, sempre più dato una resa poetica con un passo avanti rispetto alla sua produzione precedente. Non si è chiuso, non ha rimuginato, non ha imitato se stesso e la dimostrazione è stata puntuale. Per esempio ne *L'ombra e la luce* (Lanciano, Carabba, 2010) viene spontaneo domandarsi se il lievito di malinconia diffuso in queste pagine sia un approdo della maturità del poeta oppure una nota costante che lo accompagna fin dall'esordio. È bastato andare a rileggere *Racconto, Piazza Grande* e *Un pugno di tempo* per accertare che Luisi ha guardato la realtà sempre attraverso le vicissitudini umane che di per sé mostrano le ferite della precarietà e dello sgretolamento. Rimane intatto, e forse più accentuato e maggiormente raffinato e sentito, anche quello che Georges Mounin chiama "il riflesso di un umanesimo cristiano raro in Francia con questi accenti", e rimane la musica di Luisi così dolce e persuasiva, così densa di risonanze che a volte sembra nascere da corti circuiti prodotti dal cuore. Un po' quello che si può riscontrare nei versi di Giorgio Caproni il cui percorso mi sembra molto simile. Anche Luisi infatti negli ultimi anni ha disossato il linguaggio, lo ha reso il più possibile essenziale, con rime che scattano all'improvviso e danno vigore alle immagini, con cadenze che sembrano avere assorbito i riflessi del cielo in una giornata di sole. Sì, perché nonostante egli sia pervaso dalla malinconia della fine, ha sempre in sé il canto dolce della vita, ecco il motivo per cui ombra e luce combattono tra loro, si parlano, si sfidano, si scontrano, si riappacificano, si nascondono a vicenda. In una delle poesie più belle della raccolta, *Il segno*, il poeta non fa mistero della sua pena e si chiede:

E dimmi quando
si comincia a morire.
Se una mattina aprendo la finestra
e in cielo ride la luce, una nuvola
nera passa sul sole
e l'oscura:
è quello forse
il segno?
O quando
sul giardino splendente
come una furia s'abbatte l'uragano
e scende precoce la notte
e anche i fiori s'arrendono
disfatti in un pantano,
o quando...".

Ovviamente la domanda non trova risposte, probabilmente non le cerca nemmeno, vive come una sorta di silenziosa presa di coscienza di ciò che accade misteriosamente attorno all'uomo.

Gli ultimi cinquanta anni della poesia italiana sono stati inquinati da troppi sillogismi e da troppi pregiudizi, da genericità e imperizia, da triti intellettualismi e dunque resta difficile districarsi agevolmente nel ginepraio artificioso di presenze poetiche che hanno accampato la loro presenza senza meriti. Luciano Luisi invece ha dovuto combattere una dura battaglia con tutto quel che gli passava davanti subito dopo lo scoppio convulso delle avanguardie. Mentre in Francia Mounin ne parlava come uno dei grandi del nostro secolo e in altri paesi del mondo veniva invitato e stimato calorosamente e riconosciuto, in Italia subiva, silenziosamente, un ostruzionismo che mirava alla distruzione di qualsiasi poeta che sapesse coniugare cuore, anima, cultura e intelletto. I compagni di viaggio come Giorgio Caproni, Margherita

Guidacci, Ugo Reale, Elio Filippo Accrocca, Biagia Marniti, Enzo Nasso, Lino Curci, Angelo Maria Ripellino, Elena Clementelli, Enzo Fabiani, Pietro Cimatti, Francesco Tentori, per fare soltanto qualche nome, vissero, insieme a lui, una stagione di fervida autonomia, io direi gratuita, perché la poesia poi trova sempre la strada per esistere e imporsi: il tempo è galantuomo. Del resto la stessa sorte toccò a Saba, a Cardarelli, a Quasimodo, a Vigolo, a De Libero. Avvenne il disconoscimento totale, fu come se la poesia del passato, tutta, avesse perduto senso. “Ma”, scrive Mario Specchio, “Luciano Luisi non si lascia sedurre – e poteva facilmente accadere – dalle Sirene dell’elegia” e, dico io, neppure dalle Sirene dell’attualità a tutti i costi. Ha seguito tranquillo la sua natura con la convinzione che la linea maestra avrebbe presto ritrovato la sua strada, quella appunto citata da Specchio: “Il mistero del tempo è lo sfondo, agostiniano e petrarchesco su cui si disegna la filigrana del libro”.

Il testo è organizzato come un vero e proprio romanzo, strutturato in parti, ognuna delle quali presenta dei capitoli. *Nel tempo* è la prima, suddivisa in *Interni, Il banchetto, Memento* e *Lettere.* La seconda, *Nel suo segno,* è suddivisa in *Lotta con l’angelo* e *Dal libro,* la terza, *Nel male del mondo,* è suddivisa in *Barche di clandestini* e in *Cronaca dei giorni.* I titoli indicano la complessità del libro, quasi un’ansia di voler comprendere nell’insieme i temi più scottanti del proprio io e della società che ci circonda.

Questa peculiarità del visitare e ragionare del “dentro e del fuori” è sempre appartenuta al poeta. Qui si fa più impellente e prepotente e i problemi personali (l’amore, la fede, la morte, gli affetti, l’amicizia, il “dubbio che tormenta, / senza cedere al vento”), riflessi in quelli universali (le barche dei clandestini, il ricoverato, il barbone del cassonetto, la poetessa che muore di cancro) si fanno canto aperto, dispiegato e capace di riportare ogni problema nel circuito dell’intero mondo.

Così gli altri entrano in noi e noi negli altri e il male del mondo si trasforma in qualcosa a cui bisogna pensare, contro cui bisogna reagire. Mi pare che l'amarezza con la quale Luisi tratta gli argomenti civili trovi una soluzione linguistica e poetica di rara efficacia. Mi piace ripetere in varie occasioni che affrontare temi scottanti di questo genere porta il rischio della retorica e del lamento. Luisi evita accuratamente questo rischio e la ragione è semplice, egli si compenetra nella condizione umana della povera gente, se ne fa una colpa e grida al mondo il dolore, quel dolore sordo e immaturo che i poveri cristi affidati alla sorte non sono in grado di esprimere.

Dunque il poeta diventa portavoce di una fiumana di derelitti, il difensore di una catena di emarginati e lo fa emarginandosi, diventando immigrato e barbone, senza tetto abruzzese, morto in Israele, vittima delle Torri Gemelle nel momento del collasso fino a che il suo corpo, come quello di Giovanni Paolo II, non si fa "Vangelo vivente". A quel punto "Tace / anche il pianto", e "Anche il dolore è un dono".

Questo libro è davvero complesso e composito, con un'orchestrazione il cui pentagramma si dilata in molte direzioni tanto da non trascurare nessuna delle corde che sono appartenute al poeta dall'inizio. Gli elementi che hanno sostanziato la sua poesia Luciano Luisi li riapre con una nuova dimensione, con una pacatezza che ha qualcosa del mondo orientale, di certi atteggiamenti etici del sufismo o del buddismo o, se volete, di Seneca o di Montaigne. Ogni cosa è macerata e vivificata da un abbraccio di tenerezza in cui entra silenziosamente anche l'amorosa pazienza della moglie Vera. Lo sguardo del poeta sul mondo e sulla sua condizione umana si è fatto limpido e quella malinconia che accompagna pensieri, emozioni, sensazioni e sentimenti ha qualcosa di cristallino, di estremamente prezioso, tanto da far dire a Dio:

Sgomento
vedo quello che sono.
È dunque questo: Tu vuoi che mi accorga
che a poco a poco

il tono del canto è più fioco
e mi prepari a renderTi
il Tuo perfetto dono.

Leggere le poesie di Luciano Luisi commuove. Ciò sarebbe uno scandalo per avanguardisti e minimalisti, per post moderni e post di qualcos'altro. Io dico con Abraham B. Yehoshua, che qualsiasi scrittore o poeta dovrebbe abbracciare il lettore che piange leggendo un suo testo. *Altro fiume, altre sponde* (Nino Aragno Editore, 2014) è strutturato come una sinfonia, con gli spartiti del dolore e della perdita, del rimpianto e delle nuove acquisizioni, del vissuto e del sognato e perfino del ritrovato.

Luciano Luisi ha addestrato la sua penna imitando il volo delle rondini che a sghimbescio, a volte, acciuffano un insetto e tagliano l'azzurro del cielo con acrobazie strabilianti.

Davide Rondoni, nella bella prefazione, dice che "Luisi è il poeta dell'incanto. Che non è uno stato beota del pensiero, ma il suo sorgivo potere, la sua forza primaria". È dentro questa indicazione che bisogna leggere *Altro fiume, altre sponde* per poter cogliere le sottili annotazioni sull'amore, sulla morte e sulla vita. Leggiamo *I coniugi*:

Accadrà
  (e, già in bilico, spiamo
  i segni, i preavvisi),
che un triste giorno
uno di noi vedrà l'altro morire.

La costante consapevolezza di Luisi è lucida e ci pone dentro le vicende umane, sue ma non più sue dal momento che le condivide e le rende universali, con tale calore e tale strazio da farci sentire il passo della morte che lo accompagna quotidianamente. Eppure non c'è nulla di pessimistico, non è il buio a dilagare e a dettare le sue coordinate. Dietro il quadro ampio del dissolversi dei giorni sentiamo, nella domanda che il poeta si fa, per esempio in *Morire:*

[...] ora che il cuore
non si è ancora stancato di sognare, e gli occhi
bevono, ingordi, la luce
e i colori smaglianti della terra,
ora che nella mente
c'è un'estate che canta e non s'arrende
all'inverno che preme,
come si può
ora morire per sempre?

Un'ingordigia di vita, il passo di un'alba che deve sorgere per non essere soffocati dal peso della dissolvenza.

Ancora una volta Luciano Luisi dimostra di essere il poeta della "sapienza del cuore", il poeta che ha saputo annotare i minimi sussulti della condizione umana cogliendone l'essenza positiva anche nell'immaginario angolo in ombra del giardino leopardiano.

Bisogna sottolineare che Luisi è rimasto fedele a una poesia sostanziata da un lirismo corposamente lieve, mi si passi l'ossimoro, in cui ha travasato le magie dei sentimenti e i sussulti che squarciano i veli della superficie per farci guardare nel profondo.

Anche quando ripercorre le strade e le piazze della sua città, Livorno, non offre ritagli di immagini o cartoline illustrate, ma lievito di una identità mai abbandonata, mai disconosciuta, anzi sempre difesa e amata, tanto che gli sorge spontaneo quel

Vorrei morire a Livorno
in una piccola stanza sotto il tetto
da cui si veda il mare.

Conosco l'intera produzione poetica di Luisi, che Mario Specchio ha definito "monumentale", e posso tranquillamente affermare che in questa raccolta c'è l'intero catalogo di quelli che sono stati gli interessi dell'intera sua esistenza. Una sorta di sintesi che tocca i punti cruciali di un mondo ricco di incontri, di viaggi, di letture, di scritture, di grandi soddisfazioni. Ma la sostanza poetica è rimasta intatta nel suo fulgore di necessità quotidiana, al punto che poco tempo addietro ha sentito il bisogno di scrivere anch'egli una lettera al giovane scrittore alla maniera di Rilke.

Se dovessimo seguire Luisi nel suo percorso, dovremmo anche noi compiere un interminabile viaggio attraverso mille andirivieni, e sempre con quell'incanto di cui ha parlato Rondoni.

Sì, perché il distillato delle parole del poeta porta a immergersi nel suo mondo con una sorta di complicità che non si attenua nemmeno quando la morte aleggia e si mette accanto, perché a un certo punto appare una sirena,

[...] talmente bella
che i pescatori fermavano le barche
a lungo sotto il faro per guardarla.

Ecco il tocco magico del poeta d'amore (Luisi ha scritto liriche d'amore tra le più belle di sempre), il suo saper raccontare i brividi e le sensazioni, le folate di frenesia che la bellezza emana. Ed anche se "la vita è una sola clessidra / che non si può rovesciare", Luisi canta a voce piena e continua a volare a sghimbescio come fa la rondine. Imprendibile e casto, denso ed emozionante, e seppure "con l'anima inquieta" consapevole che c'è "un'altra strada ... un'altra onda".

Tutto si evolve e tutto incessantemente muta, ma Luisi sembra volerci dire con questo splendido libro, e con tutta la sua poesia struggente (per usare un aggettivo che ormai è diventato carico di pesi insoliti), che la vita non bisogna "sciuparla nel gioco consueto degli incontri e degli inviti fino a farne una stucchevole estranea", come suggeriva Konstantin Kavafis.

E lui non la sciupa, vive la quotidianità nel religioso silenzio della poesia, accoratamente e densamente, scavando dentro di sé con la curiosità di un adolescente che cerca le pepite d'oro delle sue perdite e delle sue rinunce, dei suoi approdi e delle sue dissolvenze.

Gli inediti dimostrano quanto egli abbia saputo essere fedele a se stesso e sempre pronto a traghettarsi in nuove esperienze purché fosse salvaguardata la sua integrità umana e la sua dignità di poeta.

Io che lo conosco e lo frequento da decenni posso affermare che Luisi non è mai sceso a compromessi col mondo letterario e mai ha cercato di imporre se stesso. Un solo esempio: quella di Luisi è stata una fede totale nella poesia al punto che non ha mai confidato a Montale (che pure frequentava abitualmente) di essere poeta. Questa edizione che raccoglie l'intera sua produzione manifesta il percorso di questa fedeltà, facendoci comprendere che davvero "la poesia è il mondo, l'umanità, la propria vita fioriti nella parola". Perché questo libro gronda di vita e riesce a prestare al lettore la leggerezza di un passo cadenzato sulla bellezza e sull'amore, sul dolore e sulle attese. Una ennesima conferma viene dagli inediti in cui tra tutti spicca la figura di Vera in immagini fulgide, in versi che fanno sentire la verità quotidiana come un taglio sul cuore. Io vi ho avvertito perfino, nel sottofondo, un lieve strascico jacoponiano, il dolore che si fa congiungimento con una terrestrità nuova, direbbe Arturo Onofri e, allo stesso tempo, congiungimento con quell'aurora celeste che accende di alta spiritualità la poesia.

Credo che rileggendo tutta l'opera in versi di questo uomo per il quale la parola "gli altri" ha avuto un grandissimo significato, di questo autentico poeta, potremo avere, finalmente, la misura di un'anima integerrima, di una personalità che ha saputo distillare dalle emozioni misteri e accensioni che sono riusciti a farci entrare nella dimensione di un altrove a volte sognato e altre volte intravisto in bagliori rapidi. La poesia di Luciano Luisi è densa di carnale spiritualità, è lievitata e sa di vissuto, sempre, perché si tratta di poesia vera e ricca di sfumature accattivanti.

Un avvertimento importante: si badi all'uso degli aggettivi di Luisi. Colgono essenze che altrimenti si sarebbero perdute nei meandri della vaghezza. Egli è preciso, quasi maniacale nello scrivere e riscrivere di continuo, sa che le "parole sono pietre" e che possono servire ad alzare un muro se utilizzate da un muratore, ma possono fare male se buttate in faccia, o possono creare quella sostanza imponderabile che macera dentro ognuno e fa poi fiorire indicazioni necessarie per comprendere le ragioni del vivere e del morire.

La consapevolezza di Luciano Luisi, consapevolezza umana e culturale, civile e spirituale, è un dato accertato, eppure non ha mai fatto una formulazione programmatica, ha seguito i suoi impulsi e ha assecondato la sua natura (ovviamente sempre coltivando ogni aspetto critico che potesse contribuire a illuminarlo nel suo percorso) e i risultati sono davanti a tutti, corposi, densi, vivi, ricchi di quel pathos necessario che serve a rendere i versi staffilate di costanti scoperte, a renderli viaggio ininterrotto.

Il fascino più grande di tutta la poesia di Luisi, con una accentuazione molto particolare che sembra avere attinto alla *pietas* virgiliana un alone caldo e intrigante, è quella voce segreta che resta quasi timidamente nascosta tra le righe e che sembra qualcosa di non attuato e pronto ad attuarsi. Negli inediti questo restare in disparte e guardare palpitando gli accadimenti ha preso tuttavia una coloritura in cui avvertiamo che, come dice Gesualdo Bufalino occupandosi di Charles Baudelaire, "è il silenzio il meno tollerabile fra i supplizi".

Il silenzio è pesante come un macigno e Luisi lo vive disconoscendo le affermazioni dannunziane ("Il silenzio era vivo / come un'anima sparsa") e immergendosi nel suo dolore-silenzio come un condannato che sente ingiusta la punizione.

Ma la limpidezza espressiva è diventata ancora più tersa, e sembra di udire, accanto alla sua voce disperata, un coro di voci antiche che l'accompagnano, e non per consolarlo, ma per ribadire al mondo che le perdite sono sempre di tutti e che l'amore vissuto come un'opera d'arte, giorno per giorno inventata e reinventata, non è finita nella dissolvenza, ma è sempre lì, viva, fulgida, faro da seguire, luce che sostanzia il canto. Ecco perché gli inediti hanno un'armonia maggiore di canto, una profondità di toni e di allusioni: la terrestrità di Luisi a cui ho accennato, adesso è ancor di più impastata di paradiso, di un cielo di parole il cui lamento ritrae in lampi e in sintesi perfette la sua anima straziata e il sorriso luminoso di Vera.

BIBLIOGRAFIA

Antologie con poesie

M. Cerroni, *Poeti italiani del secondo dopoguerra*, Labor, 1955, pp. 118-226.

E.F. Accrocca, *Antologia poetica della Resistenza italiana*, Landi Editore, 1955, pp. 214-216.

E. Falqui, *La giovane poesia*, Colombo Editore, 1956, pp. 341-348.

S. Quasimodo, *Poesia italiana del dopoguerra*, Schwarz Editore, 1958, pp. 191-198.

C. Govoni, *Splendore della poesia italiana (le più belle 300 liriche di tutta la nostra letteratura dalle origini ad oggi)*, Casa Editrice Ceschina, 1958, pp. 918-947.

G. Ravegnani, G. Titta Rosa, *L'antologia dei poeti italiani dell'ultimo secolo*, Marsilio, 1963, pp. 1277-1282.

M. Camillucci (a cura di), *Roma nei poeti e nei prosatori contemporanei*, Edizioni Staderini, 1964, p. 98.

E.F. Accrocca, *Roma paesaggio e poesia*, Edizioni Canesi, 1965, p. 140.

R. Laurano, G. Salveti (a cura di), *Le cinque guerre (poesie e canti italiani)*, Nuova Accademia, 1965, pp. 306-314.

M. Uffreduzzi (a cura di), "*Così fu sera, poi fu mattina*". *La poesia dei cattolici italiani 1909-1968*, prefazione di Luciano Luisi, Società Edizioni Nuove, 1968, pp. 293-302.

T. Della Valle (a cura di), *Ravenna, poeti per una città*, Edizioni A. Lungo, 1968, pp. 219-220.

A. Noferi (a cura di), *Prima biennale della poesia italiana*, Giorgio Duva Editore, 1969. p. 118-119.

A. I. Cecchini (a cura di), *Poeti toscani del Novecento,* Editalia, 1972, pp. 181-189.
G. Vigorelli (a cura di), *Almanacco internazionale dei poeti 1973,* Borletti Editore, 1973, p. 144.
M. Uffreduzzi (a cura di), *Poeti italiani di ispirazione cristiana,* Sabatelli Editore, 1979, pp. 181-188.
A. Pensato (a cura di), *La Puglia nella poesia,* Edizioni Schena, pp. 147-151.
A. Manuali, B. Sablone (a cura di), *Poesie d'amore del Novecento italiano,* Bastogi, 1981, p. 141.
A. Frattini, M. Uffreduzzi, *Poeti a Roma 1945-1980,* Bonacci Editore, 1983, pp. 97-111.
F. Zagato, *Poeti in piazza,* Edizioni del Leone, 1984, pp. 116-122.
G. Favati, *Piazza Grande (Antologia critica di poeti dell'area livornese),* Quaderni della Labronica, 1984, pp. 131-139.
F. Zagato, *Poeti intorno al mondo,* Edizioni del Leone, 1985, pp. 92-96.
F. Doplicher, U. Piersanti, *Il pensiero, il corpo (Antologia degli ultimi venti anni della poesia italiana),* Quaderni di Stilb, 1986, pp. 255-256 e 402-403.
F. Pansa (a cura di), *Poesie d'amore (Poeti italiani contemporanei presentati da scrittrici),* Newton Compton, 1987, pp. 305-310.
F. Grisi, *Il Natale, storia e leggende,* Newton Compton, 1988, p. 301.
C. Siniscalco (a cura di), *Incontro con De Chirico,* Edizioni La Bautta, 1988, pp. 28-29.
M. Uffreduzzi, *Poeti italiani di ispirazione cristiana del Novecento,* Sabatelli Editore, 1989, pp. 61-76.
S. Morico (a cura di), *La mia Roma,* Newton Compton, 1989, pp. 17-18.
Aa. Vv., *Cinque poeti alla Casa del Petrarca (Antonietti, Creati, Doplicher, Guidacci, Luisi),* Ente Provinciale del Turismo di Arezzo, 1989, pp. 61-76.
L. Zaniboni (a cura di), *Il respiro del mondo,* Edizioni Agielle, 1989, pp. 28-31.
B. Costa (a cura di), *Contrappunti perversi,* Edizioni Il Pellicano, 1990, pp. 120-121.
G. Weis, R. Reim, *Poesia '90 (Quaderni d'Europa),* Edizioni Il Ventaglio, 1990, p. 56.
F. Sabatini (a cura di), *Al tempo di Portonaccio (Accrocca, Ciuffini, Di Raimo, Luisi),* Bardi Edizioni, 1991, pp. 63-73.

E. CLEMENTELLI, W. MAURO, *Il fiore della libertà*, Newton Compton, 1993, p. 78.
A. PAOLUZI, *Un canto nella notte mi ritorna nel cuore*, SEI, 1995, pp. 22, 49, 56.
G. VACANA, G. MINNOCCI, *Antologia poetica della Resistenza italiana*, Amministrazione Provinciale di Frosinone, 1995, pp. 91-92.
E. ANDRIUOLI, S. GROS-PIETRO (a cura di), *L'erbosa riva*, Genesi Edizioni, 1998, pp. 209-220.
V. GUARRACINO, *Infinito Leopardi*, Edizioni Aisthesis, 1999, pp. 58-59.
G. VERBARO, *L'amorosa avventura*, Abramo Editore, 2000, p. 82.
E. CERQUIGLINI (a cura di), *La voce dolce di Resa (Omaggio a Rosita)*, Stamperia dell'arancio, 2000.
S. ALBISANI (a cura di), *Poeti nel tempo del Giubileo*, Edizioni Paideia, Firenze 2000, pp. 181-191.
G. RAVASI, *Preghiere (l'ateo e il credente davanti a Dio)*, Mondadori, 2000, pp. 185-186.
G. LADOLFI (a cura di), *Così pregano i poeti*, San Paolo, 2001, pp. 26-27.
F. LOI, D. RONDONI (a cura di), *Il pensiero dominante*, Garzanti, 2001, pp. 231-232.
D. MAFFIA, *Poesia a Lucca*, Lions Club Lucca - Pacini Fazzi, 2003, p. 160.
R. CROVI, *Parole di passo (trentatré poeti per il terzo millennio)*, Nino Aragno Editore, 2003, pp. 151-158.
D. MAFFIA, L. ODOGUARDI (a cura di), *Poesia all'alto Jonio*, Pacini Fazzi, 2004, p. 214.
A. LACCHINI, C. TOSCANI (a cura di), *Regina poetarum (Poeti per Maria nel Novecento* italiano), San Paolo, 2004, pp. 149-156.
V. GUARRACINO (a cura di), *Ditelo con i fiori*, Zanetto Editore, 2004, p. 161.
A. CLEMENTI, A. MANNA (a cura di), *Poesie per Karol*, Anemone Purpurea, 2005, p. 23.
P. MAFFEO, *Poeti cristiani del Novecento*, Edizioni Ares, 2006, pp. 256 e 392.
F. PANSA (a cura di), *Poesie per anime gemelle*, Newton Compton, 2009, pp. 211-214.
F. MANESCALCHI, *Poesia del Novecento in Toscana*, Edizione di Associazione Novecento Poesia, 2009, pp. 117-119; 203-204; 289.

A.M. GIANCARLI (a cura di), *La parola che ricostruisce (poeti italiani per l'Aquila),* Edizioni Tracce, 2010, pp. 57-61.

Antologie scolastiche

G. AMICI, *La poesia italiana nel primo secolo dell'unità nazionale,* Edizioni Ponte Nuovo, pp. 273-275.
N. FERRARONE, *Nuove mete,* Edizioni La Prora, 1962, p. 391.
R. DONATI, N. CAPPONI, *Diamanti,* vol. III, Signorelli, 1971, pp. 689-692.
L. FUZZI MARRI, A. FRANCESCHINI, *Tempo di leggere,* vol. III, Edizioni Scolastiche Bruno Mondadori, 1973, pp. 471, 474.
N. MARZIANO, G. CONTI, G. BARUFFINI, *Storia e antologia della letteratura italiana,* Edizioni Scolastiche Bruno Mondadori, 1973, pp. 1235-1237.
C. ARGENTINA, E. COSTA, U. ROMA, *Domani,* vol. III, Loffredo Editore, 1977, p. 392.
G. GALIZZI, I. GUASTALIA, M. IAGULLI, R. PIAZZA, *L'immaginazione, la scrittura,* vol. II, Minerva Italica, 1988, p. 181.
G. RIGHINI RICCI, *Ombre sul Nilo,* Edizioni Scolastiche Bruno Mondadori, 1990, p. 181.
N. DI STEFANO BUSÀ, *Poeti e Muse (La parola, il tempo),* vol. V, Lineacultura, 1995, p. 79.

Riviste e periodici con poesie

ACCADEMIA, 1 apr. 1949.
BANCO DI LETTURA, apr. 1981.
CONTRAPPUNTO, mar. 1975 / mar.-apr. 1986.
CRONISTORIA, anno 11, nn. 7-8.
DOMANI, 17 giu. 1949.
DOMENICA, 16 dic. 1945 / 5 mag. 1946.
ECHI D'ITALIA, mar. 1969.
EPOCA, 3 mar. 1968.
GALLERIA, mar. 1978.
GAZZETTA DEL LIBRO, 31 dic. 1958 / 1 apr. 1959.
GENTE, 26 ott. 1966.
GIOIA, 8 feb. 1988.
GRAZIA, 22 mar. 1987 / 12 apr. 1987.
I FIORI DEL MALE, gen.-apr. 2012.

IDEA, feb. 1969.
IL CORRIERE DI ROMA, 4 ago. 1966.
IL GIORNALE DEI POETI, gen.-feb. 1961 / gen.-feb. 1973 / mag. 2003.
IL NUOVO UMANISTA, 19 dic. 1953.
IL PUNTO, gen.-mar. 1958.
IL RAGGUAGLIO LIBRARIO, mar. 1943.
IL VANTAGGIO, giu. 1978.
INTERVENTO, n. 84.
INVENTARIO, Editoriale Italiano, anno V, ott.-dic. 1953, pp. 77-83.
INVENTARIO, ott.-dic. 1958.
ITALIA CONTEMPORANEA, nov. 1949.
ITALIA MODERNA PRODUCE, nov. 1961.
ITALIA TURISTICA, lug. 1977 / mag.-giu. 1983.
L'INFORMATORE LIBRARIO, lug. 1978.
LA BATTANA, mag. 1960.
LA DOMENICA, ott. 1988 / 18 nov. 1990.
LA FIERA LETTERARIA, 24 ott. 1946 / 13 mar. 1947 / 6 giu. 1949/ 25 ott. 1950 / 27 mag. 1951 / 22 mar. 1953 / 8 ott. 1956 / 6 ott. 1966 / 8 giu. 1973/ 18 mar. 1975.
LA RIVOLTA, 26 gen. 1991.
LA SITUAZIONE, gen. 1959.
LA VERNICE, nn. 8-09-10, 1967.
LA VIA, 11 giu. 1949.
LA VITA, 11 dic. 1980.
LE ARTI, dic. 1967.
LETTERATURA, gen.-apr. 1956 / mag.-ago. 1958 / nov.-dic. 1965.
LYRIA, lug. 1992 / dic. 1992 / mar. 1993.
MOMENTI, giu. 1949 / gen. 1951.
NUOVA RIVISTA ITALIANA DI PRAGA, set.-dic. 1994 / lug.-dic. 1997.
NUOVO CONTRAPPUNTO, gen.-mag. 1995 / apr.-giu. 2002 / apr.-giu. 2011 / gen.-mar. 2012.
OGGI E DOMANI, mag. 1978 / dic. 1981 / ott. 1993 / gen.-feb. 2005.
ORIGINE (Lussemburgo), estate 1966.
PAGINE NUOVE, gen. 1949 / mar.-apr. 1949.
PIAZZA NAVONA, giu. 1978.
POESIA, gen. 1994.
PUNTO D'INCONTRO, gen. 1979.

QUADERNI DI MONTESANTO, dic. 1978.
QUEST'ARTE, mar. 1984.
RESINE, I semestre 1993.
ROMA NOSTRA, mar. 1977.
SILARUS, lug.-ago. 1970.
SINOPIA, dic. 1985.
SPIRITUALITÀ E LETTERATURA, 26 dic. 1994.
V.I.P., gen.-feb. 1966.
VITA, 12 mar. 78.

Quotidiani

CORRIERE D'ITALIA, 25 lug. 1956.
CORRIERE DELLA SERA, 25 apr. 2002 / 19 mag. 2002.
GAZZETTA DI PARMA, 8 gen. 1953.
GIORNALE D'ITALIA, 25 lug. 1954 / 25 mar. 1956.
Il GIORNALE DEL POPOLO, 10 mag. 1946.
IL GIORNALE DELLA SERA, 21 nov. 1947 / 19 lug. 1948 / 14 nov. 1948 / 16 nov. 1948 / 23 nov. 1948 / 4 gen. 1949 / 8 mar. 1949 / 16 apr. 1949 / 23 giu. 1949.
IL MESSAGGERO, 14 feb. 2006.
IL POPOLO, 6 apr. 1947 / 17 apr. 1950 / 19 ott. 1951 / 23 dic. 1951.
IL QUOTIDIANO, 17 apr. 1949 / 25 dic. 1966.
IL TEMPO, 12 dic. 1980 / 26 apr. 2000.
IL TIRRENO, 6 set. 1949.
L'ORDINE, 4 apr. 1950.
LA PROVINCIA, 1 dic. 1990.
LIBERAL, 18 apr. 2009 / 1 nov. 2009 / 15 gen. 2011.
MESSAGGERO VENETO, 17 set. 1967.
MOMENTO SERA, 21 feb. 1966 / 25 nov. 1966 / 8 dic. 1967 / 24 mag. 1968 / 22 giu. 1968.
VOCE DEL POPOLO, 1953.

Poesie in cartelle d'arte

G. STEFANINI, serigrafia a colori e la poesia *Il fuggiasco* di L. Luisi.
A. SUGHI, Tre opere grafiche dipinte a mano e tre poesie d'amore di L. Luisi. Edizioni Graphis.

O. Tamburi, *I fiori*, cinque litografie a colori con testo critico e una poesia di L. Luisi, Ghelfi Editore.
P. Basile, *Quattro conchiglie per lei*, quattro incisioni e quattro poesie di L. Luisi, presentazione di F. Ulivi, Edizioni Labirinto, Roma 1984.
E. Treccani, *I giardini*, cinque litografie a colori e cinque poesie di L. Luisi, Edizioni Galleria Punto Blu, a cura della Galleria "La seggiola" di Salerno, Salerno 1970.
E. Benaglia, *Icaro*, litografia a colori e poesia di L. Luisi, Edizioni Il Ventaglio, 1991.
D. Cantatore, litografia a colori e il poemetto di L. Luisi *Lettera da Ruvo*, Bandini Editore, 1984.
B. Caruso, *Medusa*, acquaforte con poesia di L. Luisi, Il Bulino, 1991.
N. Gobbi, tre litografie a colori con poesie di E. F. Accrocca, A. Frattini e L. Luisi, presentazione di E. Maizza, Centro Internazionale della Grafica, Venezia, 1980.
R. Bussi, dieci incisioni a colori, con poesie di E. F. Accrocca, R. Lucchese, L. Luisi, F. Tentori. Prefazione di F. Bellonzi, Centro Internazionale della Grafica, Venezia, 1980.
R. Bussi, *Il tempo dell'uomo*, dieci incisioni a colori, con dieci poesie di E. F. Accrocca, G. Caproni. R. Civello, A. Frattini, R. Lucchese, L. Luisi, M. Luzi, M. Pomilio, M. Stefani, F. Tentori. Prefazione di G. Petroni, trad. francesi di J. Camilly, Edizioni RSB, Roma 1981.

Libri e riviste con testi critici

A. Frattini, *Poeti italiani del Novecento*, Edizioni Accademia "Cielo d'Alcamo", 1952, Luisi pp. 175-177.
O. Macrì, *Caratteri e figure della poesia italiana contemporanea*, Vallecchi, 1956, Luisi pp. 307-309.
A. Frattini, *La giovane poesia italiana e straniera*, Edizione del Fuoco, 1959, pp. 131-133.
A. Vallone, *Aspetti delle poesia italiana contemporanea*, Nistri Lischi, 1960, pp. 225-227.
M. Guidotti, *Lo scrittore disintegrato*, Vallecchi, 1961, pp. 146-150.
L. Cherchi, *I contrasti della nuova poesia*, Luigi Maestri, 1961, pp. 48-49.

A. Frattini, *La giovane poesia italiana*, Nistri Lischi, 1964. pp. 151-155.
F. Bruno, *La poesia d'oggi 1945-1965*, Edizioni del Sestante, 1966, pp. 68-70.
S. Quasimodo, *Un anno di Quasimodo*, Immordino Editore, 1968, p. 144, L'India e il rispetto dell'uomo.
V. Vettori, *Storia letteraria della civiltà italiana*, Giardini, 1969, pp. 540-541.
S. Turconi, *La poesia neorealista italiana*, Mursia, 1977, pp. 82 e 214-216.
Quinta Generazione, lug.-ago. 1977, Poesia nuova 1955-1960.
R. Tanturri, *I simboli del malessere. La poesia italiana 1964-1975*, Munt Press, 1977, pp. 35-107.
G. Manacorda, *Letteratura italiana di oggi*, 1965-1985, Editori Riuniti, 1987, p. 61.
F. Marescalchi, *L'area fiorentina nella quarta generazione*, Quartiere, 1967, p. 51.
M. Guidotti, *Essere e dire*, Vallecchi, 1973, pp. 112-114 e 124.
L. R. Patané, *Guida alla poesia italiana del dopoguerra*, Giannotta Editore, pp. 441-444.
A. Bocelli, *Letteratura del Novecento*, Sciascia, 1975, p. 30.
A. Bocelli, *Posizioni critiche del Novecento*, Palombi Editori, 1979, pp. 188-189.
G. Zagarrio, *Febbre, furore e fiele*, Mursia, 1983, *L'elegia di Luciano Luisi*, pp. 349-351.
D. Marianacci, *La cultura degli anni*, Bastogi, 1984, *Luciano Luisi: quando la letteratura fa spettacolo*, pp. 66-70.
V. Moretti, *Tra insidie e divagazioni: Luciano Luisi e la poesia come riscrittura della verità*, Edizioni Tracce, 1992, pp. 395-401.
G. Manacorda, *Letteratura nella storia*, Sciascia, 1989, pp. 117-119.
E. Esposito, *Poesia non poesia anti poesia del Novecento italiano*, Bastogi, 1992, pp. 284-287 e 630-634.
V. Rossi, *Letture*, Il Ponte, 1993, pp. 14 e 74.
G. Occhipinti, *L'ultimo novecento*, Bastogi, 1993.
V. Esposito, *L'altro Novecento nella poesia italiana*, Bastogi, 1995, pp. 64-67.
V. Esposito, *La poesia etico-civile in Italia*, Bastogi, 1997, pp. 113-115.
V. Esposito, *La poesia etico-religiosa in Italia*, Bastogi, 1998, pp. 164-166.

V. ESPOSITO, *Luciano Luisi e la poesia colloquiale del Novecento,* in *La poesia onesta,* Bastogi, 2006, pp. 213-214, 233, 297.

G. LINGUAGLOSSA, *Appunti critici,* Scettro del Re, 2002, pp. 211-212.

D. MAFFIA, *Poeti italiani verso il nuovo millennio,* Scettro del Re, 2002, pp. 25, 26, 232, 233, 292, 306.

G. LINGUAGLOSSA, *La nuova poesia modernista italiana,* Edilet, 2010, pp. 45-48.

Miscellanea

F. ALAIMO, *Luciano Luisi, una vita come poema,* Edizioni Lepisma, 2009, collana diretta da D. Maffia, L. Reina, M. Specchio.

LETTERA IN VERSI, newsletter di poesia di "Bomba Carta" n. 29, numero dedicato a Luciano Luisi, pref. di R. E. Giangoia, intervista a cura di Elio Andriuoli, con Antologia poetica e critica, http://bombacarta.com/wp-content/uploads/letterainversi/letterainversi-029.pdf.

POESIA E VITA, *Omaggio a Luciano Luisi,* della insigne Accademia Pontificia di Arti e Lettere dei Virtuosi al Pantheon, a cura di V. Tiberia, con interventi critici di B. Ardura. D. Maffia, R. Civello, e antologia poetica, Ediart, 2004.

POLIMNIA, Trimestrale di poesia italiana, n. 8, ott.-dic. 2006, dedicato a Luciano Luisi, con antologia poetica e critica.

C. BISCEGLIA, *Luciano Luisi: un poeta lirico narrativo nel panorama della letteratura italiana contemporanea,* tesi di laurea all'Università di Pavia, corso di laurea in Musicologia, relatore prof. F. Monterosso. 1999-2000.

D. PERTICA, *Salotto in libreria: Luciano Luisi,* Nuova editrice Spada, 1982.

POETI DEL MONDO A FIRENZE, Fondazione "Il Fiore", Comunità di San Leolino, *Incontro con Luciano Luisi,* 6 giu. 2003.

D. LUCE, *Intervista a Luciano Luisi,* in *Benvenuti tutti, incontri con giornalisti e scrittori famosi,* Garzanti, 1981.

UOMINI E LIBRI, intervista a Luciano Luisi, *Sperimentazione e poesia,* 8 dic. 1974.

P. RAGNI, Intervista a Luciano Luisi, Silarus, sett-ott. 2010.

A. MANNA, *Nostalgia dell'inconoscibile,* incontro con Luciano Luisi, Letteratura, 11 feb. 2012.

G. MAZZA, *In conflitto con la mia fede "incredula". Intervista a Luciano Luisi,* "Espresso Sud", set. 1997.

G. Fontanelli (a cura di), *"E la via di Livorno è un bel romanzo", Livorno nei suoi poeti*, 1970.
G. Fontanelli, *La cultura a Livorno nel dopoguerra*, Città e regione, ago.-set. 1977.
L. De Luca, *Storie*, Settimanale della radio vaticana, 7 giu. 2013.
R. Martini, *La poesia di Luciano Luisi*, Tesi di Laurea in Lettere, Università di Padova, Relatore S. Ramat.
L. Greco (a cura di), *Omaggio a Luciano Luisi, poeta livornese.* Comune Notizie, gen.-giu. 2014.
M. T. Barbato, *Luciano Luisi: settant'anni di poesia dal secondo dopoguerra a oggi*, Tesi di Laurea in Letteratura Italiana Moderna e Contemporanea, a.a. 2013-2014, Relatore C. Chiodo, Università "Tor Vergata", Roma.
C. Perri (a cura di), *A Luciano Luisi, gli amici per i suoi novanta anni*, La mongolfiera, 2014.

Recensioni su giornali e riviste

Racconto e altri versi

A. Capasso, *Letture di contemporanei: Luciano Luisi*, "Sicilia del Popolo", 8 set. 1949.
L. Fallacara, *Poesia e tempo*, "Il mattino dell'Italia centrale", 28 dic. 1949.
M. Guidotti, *Poesia di Luisi*, "Il Quotidiano", 21 nov. 1949.
G. Spagnoletti, *Critica letteraria*, "Humanitas", nov. 1949.
M. Guidotti, *Poesie di Luisi*, "Il Quotidiano", 24 nov. 1949.
A. Mazzara, *Il racconto di Luciano Luisi* "La libertà d'Italia", 9 dic. 1949.
A. Grosso, *Vetrina del libraio*, "Il Popolo Nuovo", dic. 1949.
L. Piccioni, *Notizie di giovani*, "L'Italiano", 13 dic. 1949.
G. Etna, *Liriche di Luisi*, "Il merlo giallo", 13 dic. 1949.
Graffiacane, *Dizionario dei contemporanei, Luciano Luisi*, "La libertà", 6 dic. 1950.
N. Festa, *Racconto*, "Pagine Nuove", gen. 1950.
L. Budigna, *Prima scheda per Luisi. La nuova stagione della poesia italiana*, "Le ultime notizie", 10 gen. 1950.
M. Bergomi, *La poesia di Luciano Luisi*, "La Gazzetta", 14 gen. 1950.

G. Cassieri, *Poesia d'oggi: dal "Dolore" a "Racconto e altri versi"*, "Il Giornale della sera", 17 gen. 1950.

S. Sudano, *Luciano Luisi, poeta giovane*, "Il Tirreno", 24 gen. 1950.

G.B. Nieri, *Luciano Luisi, Racconto*, "L'Italia che scrive", feb. 1960.

A. Santelli, *Racconto, poesie di Luisi*, "Ricreazione", feb. 1950.

E. Francia, *Racconto*, "La via", 11 marzo 1950.

M. Franciosa, *Racconto di Luisi*, "La fiera letteraria", 12 mar. 1950.

M. Picchi, *Guerra e amore*, "Il momento", 12 mar. 1950.

G. G., *Racconto*, "Il nuovo cittadino", 30 mar. 1950.

G. Grieco, *Tempo senza poesia?*, "Il giornale di Brescia", 25 mar. 1950.

P. Polito, *Poeti nuovi*, "Il Popolo", 1 apr. 1950.

R. Di Palma, *Strofe di un racconto*, "Brancaleone", 16 apr. 1950.

R. Brignetti, *Racconto di Luciano Luisi*, "Voce del Popolo", Taranto 29 apr. 1950.

C. Martini, *Elogio della poesia "nuova"*, "Prisma", mag.-lug. 1950.

E. Miscia, *Luciano Luisi: Racconto*, "La voce repubblicana", 10 giu. 1950.

D. Tarantini, *Un triste racconto*, "Avanti!", 2 set. 1950.

Carapace, *Recensioni e note*, "Giornale del Popolo", 8 nov. 1950.

A. Diana, *Arte e umanità nella poesia di Luciano Luisi*, "Momenti", n. 2, 1951.

E. Battistini, *Racconto, cronaca poetica di Luciano Luisi*, "Il popolo di Roma", 13 gen. 2951.

E. Nasso, *Racconto di Luisi*, "La giustizia", 5 dic. 1952.

R. Marchi, *Livornesi a Parigi: il poeta Luciano Luisi*, "La Gazzetta", 21 mar. 1952.

J.B. Torellò Baremys, *Cinquenta anos de poesia italiana*, Arbor, dic. 1950.

R.O.J. Van Nuffel, *Ecrivains Italiens, Luciano Luisi*, "Marginales", Bruxelles set.-ott. 1951.

R. Marchi, *Quattro poeti livornesi*, "Rivista di Livorno", nov.-dic. 1953.

M.C.G. *Giovani poeti, Luciano Luisi*, "Gazzetta", feb. 1954.

Piazza Grande

E. MISCIA, *Piazza Grande*, "La voce repubblicana", 9 feb. 1954.
F. WINSPEARE, *Piazza Grande*, "Il Tirreno", 10 feb. 1954.
R. GIANI, *Luciano Luisi: Piazza Grande*, "Idea", 7 mar. 1954.
A. GROSSO, *Una "piazza grande"*, "Il Popolo Nuovo", 17 mar. 1954.
A. DIANA, *Luciano Luisi, Piazza Grande*, "Momenti", mar.-apr. 1954.
E. M. Libri, *Luisi*, "La Nazione", 5 apr. 1954.
A. BOCELLI, *Dove va la poesia?*, "Il Mondo", 6 apr. 1954.
G. ZAGARRIO, *Luisi*, "Vox", 18 apr. 1954.
D. MENICHINI, *Piazza Grande*, "Messaggero veneto", 14 mag. 1954.
G. E., *La Puglia nella poesia*, "La Gazzetta del mezzogiorno", 17 mag. 1954.
N. VERNIERI, *Scrittori d'oggi, Luciano Luisi,* Piazza Grande, "Nuova antologia", mag. 1954.
O. MACRÌ, *Luciano Luisi, Piazza Grande* "L'Albero", set. 1954, poi in *Caratteri e figure della poesia italiana contemporanea,* Nistri Lischi, 1960.
F. LALA, *Piazza Grande*, "L'esperienza poetica", n. 5-6, gen.-giu. 1955.
M. CERRONI, *Poeti italiani del secondo dopoguerra*, "Labor Arti Grafiche 1955". Introduzione a Luisi.

Sere in tipografia

U. FASOLO, Prefazione alla raccolta in "Nuovi poeti", Vallecchi 1958.
G. CASARINO, *Disposizione poetica e componenti storiche in Luisi*, "La situazione", gen. 1959.
M. GUIDOTTI, *Poesie di Luisi*, "Il Quotidiano", 4 mar. 1960.
F. SIMONGINI, *I giovani e la poesia: versi di Luciano Luisi*, "La Giustizia", 3 feb. 1961.
G.B.C., *Sere in tipografia*, "La situazione", feb. 1960.
E.F. ACCROCCA, *Ritorno di Luisi e Andreassi*, "Fiera letteraria", 6 mar. 1960.
M. BAVIERA, *Sere in tipografia*, "Il borghese", 14 apr. 1960.
A. FRATTINI, *Svolgimento di Luisi*, "Il fuoco", mag.-giu. 1960.
B. PENTO, *Sere in tipografia*, "Letterature moderne", gen.-feb. 1961.

N.F.C. *La giovane poesia italiana*, "Il Giornale d'Italia", 21-24 gen. 1964.

Viaggio in India

A. FRATTINI, *Il viaggio in India*, "L'osservatore romano", 22 feb. 1967.
S. QUASIMODO, *L'India e il rispetto dell'uomo*, "Tempo", Milano 18 gen. 1967, poi in *Un anno di Quasimodo*, Immordino, 1968.
G. PAMPALONI, *Nota su Viaggio in India*, "Fiera letteraria", 6 ott. 1966.
E. FABIANI, *Scrisse in cielo il suo poema più drammatico*, "Gente", 8 set. 1967.

Un pugno di tempo

L. GIGLI, "*Un pugno di tempo" fa sprigionare l'assoluto*, "Gazzetta del Popolo, 13 set. 1967.
G. TEDESCHI, *Luisi: una poesia di ricerca morale*, "Il Popolo", 28 set. 1967.
E.F. ACCROCCA, *Un pugno di tempo*, "Momento sera", 29 set. 1967.
M.S., *Un pugno di tempo*, "Il mattino di Napoli", 2 ott. 1967.
W. MAURO, *Un pugno di tempo*, "Gazzetta del Sud", 3 ott. 1967.
A. BEVILACQUA, *I buoni poeti non si sono arresi*, "Oggi illustrato".
A. BOCELLI, *Luisi e Venturi, vincitori del Chianciano: due scrittori, una generazione*, "La stampa", 4 ott. 1967.
F. SIMONGINI, *Un pugno di tempo*, "Avanti!", 19 ott. 1967.
G.A. CIBOTTO, *Luisi, il poeta telecronista*, "Fatti", 21 ott. 1967.
M. GUIDOTTI, *Luciano Luisi redattore poeta*, "L'Italia", 27 nov. 1967.
G. PAMPALONI, *Luciano Luisi. Un pugno di tempo premio Chianciano*, "La nostra Rai", ott.-nov. 1967.
G. GRIECO, *Una vita d'oggi narrata da un poeta*, "Eva", N. 10, nov. 1967.
E.F. ACCROCCA, *Un pugno di terra*, "La Gazzetta del Mezzogiorno", 1 dic. 1967.
A. SALA, *L'amore la pietà*, "Corriere d'informazione", 4 dic. 1967.

A. SALA, *Occhio alla poesia: Luisi,* “Corriere della Sera”, 7 dic. 1967.
M. GUIDOTTI, *Classicità di Luisi,* “L’Avvenire d’Italia”, 17 dic. 1967.
G. NOGARA, *Un pugno di tempo,* “Il Giornale di Brescia”, 23 dic. 1967.
I. DELL’ERA, *Un pugno di tempo,* “Il ragguaglio librario”, dic. 1967.
R. TANTURRI, *Amore e istanze della ragione nella poesia di Luciano Luisi,* “Napoli notte”, 12 gen. 1968.
U. REALE, *Un pugno di tempo,* “Persona”, gen.-feb. 1968.
C. RAVASIO, *Un poeta che va oltre il dialogo delle parole,* “La notte”, 1 feb. 1968.
E.D.S., *Un pugno di tempo: dibattito con l’autore,* “La Nazione”, 17 feb. 1968.
C. DEL TEGLIO, *La parabola di Luisi,* “La Provincia”, Como 5 mar. 1968.
S. CHIOLO, *Testimoni del nostro tempo: il lungo viaggio di Luciano Luisi,* “Tempo Libero”, mar. 1968.
F. GRISI, *Il nostro Novecento letterario. Un pugno di tempo,* “Il corriere di Roma”, 15 mar. 1968.
C. MARSAN, *Un pugno di tempo,* “Nazione sera”, 26 mar. 1968.
S. RAMAT, *Tutto Luisi,* “La Nazione”, 9 apr. 1968.
C. FERRARI, *Liriche di Luisi,* “La Gazzetta di Parma”, 28 nov. 1968.
M. CONTINENZA CARLI, *La limpida voce di Luciano Luisi,* “La Provincia”, Como 27 set. 1969.
G. DELLA MARTORA, *Luciano Luisi, il poeta della verità,* “Napoli notte”, 12 lug. 1972.
C. BENINCASA, *Un pugno di tempo,* “Studium”, ago. 1975.
M. GRILLANDI, *La poesia: Luisi,* “L’Osservatore politico-letterario”, giu. 1975.
G. FALLANI, *Un poeta nuovo,* “L’Osservatore romano”, 15 mar. 1981.

Amar perdona – La vita che non muta – Nella cronaca

A. DI GIACOMO, *Le mutazioni dell’amore,* “Il Tempo”, 23 apr. 1979.
I. PRANDIN, *Febbre d’amore,* “Il Gazzettino”, 23 set. 1979.

C. FORNARO, *Amar perdona. Silenzi e grida di un cuore antico*, "Corriere del Giorno", 9 mar. 1980.
F. FLAMINI, *Fascino d'un poeta dolce e forte*, "Il Gazzettino", 24 feb. 1980.
I. PRANDIN, *La vita che non muta. Lungo canto d'amore*, "Il Gazzettino", 15 giu. 1980.
F. FANO, *La scoperta meravigliosa di non essere solo*, "Il Popolo", 25 giu. 1980.
E. FABIANI, *La bella estate di tre poeti*, "Gente", 18 lug. 1980.
L. TALLARICO, *Il poeta e la vita che muta*, "Secolo d'Italia", 11 ago. 1980.
M GRILLANDI, *Luciano Luisi*, "L'osservatore politico-letterario", set. 1980.
W. NESTI, *La vita che non muta: la chiave di molti perché*, "Corriere del giorno", 8 ott. 1980.
P. MAFFEO, *Vita che non muta*, "Gazzetta di Parma", 9 ott. 1980.
M. STEFANI, *Quando la natura suscita un compiuto sentimento di vita*, "Avanti!", 21 ott. 1980.
G. BELTOTTO, *Pacata malinconia del diario poetico*, "Avvenire", 29 ott. 1980.
A. FRATTINI, *Amar perdona*, *La vita che non muta*, "Il fuoco", gen.-mar. 1981.
M. P. BONANATE, *Poesie come acquarelli*, "Il nostro tempo", Torino, 3 mag. 1981.
G. TEDESCHI, *La vita che non muta*, "L'Unione sarda", 24 mag. 1981.
C. FORNARO, *Nuove poesie di Luciano Luisi*, "Corriere del giorno", 27 mag. 1981.
D. MAFFIA, *La vita che non muta*, "Rassegna salentina", set.-ott. 1981.
P. RUFFILLI, *Vita che non muta*, "Gazzetta di Parma", 3 ott. 1981.
C.G., *Luisi, un poeta che canta l'uomo*, "Il Tirreno", 16 nov. 1980.
D. MARIANACCI, *La vita che non muta*, "Oggi e domani", dic. 1980.
M. STEFANI, *La vita che non muta*, "L'Arena", 4 dic. 1980.
C. TOSCANI, *Quattro poeti*, "Uomini e libri", nov.-dic. 1980.
U.M. PALANZA, *La vita che non muta*, "Idea", nov. 1981.
P. BARLASSINA, *Poesia naturale*, "Studi cattolici", feb. 1982.
B. PENTO, *Poesia di Luisi*, "Il Ragguaglio librario", nov. 1984.
G. VIZZARI, *Poesie nascoste dietro la cronaca*, "L'Umanità", 10 dic. 1980.

La sapienza del cuore

D. Bellezza, *Poeti da non bastonare*, "Il Mattino", 3 dic. 1986.
C. Fornaro, *Luciano Luisi, la sapienza del cuore*, "Corriere del giorno", 23 dic. 1983.
G. Vizzari, *Poesie nascoste dietro la cronaca*, "L'Umanità", 16 dic. 1985.
R. Civello, *Una poesia per i vivi*, "Il Secolo d'Italia", dic. 1986.
C. Toscani, *La sapienza del cuore*, "La Prealpina", 27 dic. 1986.
F. Rossi, *Le ragioni del cuore*, "La Gazzetta del Mezzogiorno", 3 gen. 1987.
G. Mameli, *Se il poeta è giornalista racconta in versi la sua vita*, "L'Unione Sarda", 3 gen. 1987.
R. Crovi, *Versi segreti e parole d'amore*, "Il Giorno", 10 gen. 1987.
G. Manna, *A ritroso nel fiume della vita*, "L'Osservatore romano", 14 gen. 1987.
A. Di Giacomo, *La poesia è come una conchiglia*, "II Tempo", 16 gen. 1987.
L. Torzillo, *40 anni di poesia di Luciano Luisi*, "Specchio del Sannio", 21 gen. 1987.
G. Marchetti, *Sei raccolte fra passato e presente*, "La Gazzetta di Parma", 22 gen. 1987.
F. Fano, *Tempo come vita e come poesia*, "Il Popolo", 23 gen. 1987.
(n. f.), *Luisi, quarant'anni di poesia*, "Libertà", Piacenza 27 gen. 1987.
G. Stella, *Le stagioni di un uomo con La sapienza del cuore*, "Il Giornale di Brescia", 31 gen. 1987.
E. Nasso, *La sapienza di Luisi*, "Specchio economico", 2 feb. 1987.
R. Minore, *Luciano Luisi, cronaca come poesia*, "50&PIÙ", 2 feb. 1987.
R. Minore, *Sapienza, gioco, sequenza*, "Il Messaggero", 11 feb. 1987.
V. Rosso, *La sapienza del cuore*, "Risveglio ossolano", 19 feb. 1987.
G. Tedeschi, *1986: l'anno del boom della poesia nelle librerie*, "Il Popolo", 13 feb. 1987.
C. Marabini, *Quarant'anni di poesia*, "Resto del Carlino", 25 feb. 1987.

W. MAURO, *Il duro tracciato del quotidiano,* "Quotidiani associati", feb. 1987.
V. F., *La poesia di Luisi,* "Resine", gen.-mar. 1987.
G. NOGARA, *L'unica zattera,* "Il Gazzettino", 8 mar. 1987.
C. SGORLON, *Suadente, nitido e quasi "naif",* "Il Piccolo", 22 mar. 1987.
M. POMILIO, *Il coraggio di ricominciare,* "Il nostro tempo", 22 mar. 1987.
L. CECCHI, *Il poeta, un indifeso,* "La Provincia", 22 apr. 1987.
F. MANNONI, *I magnifici quarant'anni della poesia di Luciano Luisi,* "Idea", apr.-mag. 1987.
G. FONTANELLI, *La sapienza del cuore,* "Il Ponte", mag.-giu. 1987.
U. REALE, *Come conciliare sentimento e ragione,* "Avanti!", 7 lug. 1987.
P. GIACOPELLI, *Poesia per leggersi dentro,* "Avvisatore", 8 lug. 1987.
L. DE LUCA, *Un po' di Leopardi nell'era tecnologica,* "L'eco di Bergamo", 15 lug. 1987.
S. GIANNATTASIO, *Alla ricerca delle ragioni del cuore,* "Avanti!", 31 lug. 1987.
A. FRATTINI, *La sapienza del cuore,* "Humanitas", ago. 1987.
I. BORZI, *Le ragioni del cuore,* "Tempo presente", ago. 1987.
T.M. GIARACUNI, *La sapienza del cuore,* "La Vallisa", ago. 1987.
G. VIZZARI, *La poesia come suono,* "L'Umanità", 16 ott. 1987.
M. BAUDINO, *I poeti cercano sogni,* "La Stampa", 7 nov. 1987.
P. LOLLI, *Luciano Luisi poeta e giornalista,* "Ore 12", 15 nov. 1987.
A. FRATTINI, *La sapienza del cuore,* "Humanitas", dic. 1987.
L. CANDUCCI, *La sapienza del cuore,* "Punto d'incontro", ago. 1988.

Luna d'amore – Io dico una conchiglia

V. S., *Tutti i versi dell'amore,* "Oggi", 17 gen. 1990.
F. FANO, *Versi per ritrovare i valori dello spirito,* "Il Popolo", 19 gen. 1990.
R. CIVELLO, *Luisi e l'incontro immutabile,* "Il Secolo d'Italia", 21 gen. 1990.
G. MARCHETTI, *La poesia per amore,* "Gazzetta di Parma", 31 gen. 1990.
G. VIZZARI, *La luna di Luisi,* "L'Umanità", 6 mar. 1990.

V. FAGGI, *Luna d'amore,* "Giornale di Brescia", 31 mar. 1990.
F. NOCILLA, *Scrittori di tutti i tempi fanno i conti con l'amore,* "La Provincia", 3 giu. 1990.
L. BONA, *Luna d'amore,* "L'Unione monregalese", lug. 1990.
V. VOLPINI, *Dalle antologie una poesia più amica,* "Famiglia cristiana", 12 set. 1990.
G. TEDESCHI, *Una luna crescente piena, calante e cinerea,* "Il coltivatore", 9 ott. 1990.
G. FONTANELLI, *A proposito di poeti,* "La parola dei socialisti", ott. 1990.
C. FORNARO, *Luna d'amore e le conchiglie di Luisi,* "Corriere del giorno", 25 feb. 1990.
V. ESPOSITO, *Io dico una conchiglia,* "Oggi e domani", feb. 1990.

Il doppio segno

S. TREVISANI, *Un ponte d'emozioni tra le parole e le immagini,* "Corriere del giorno", 15 giu. 1994.
G. VIZZARI, *La parola e l'immagine ne "Il doppio segno,* "L'Umanità", 19 giu. 1994.
LA STAMPA - "Tutto libri", lug. 1994.
G. ROSATI, *La donna e l'acqua, madri di vita,* "Città domani", 17 lug. 1994.
G. PANDINI, *Il doppio segno,* "Città di vita", lug.-ago. 1994.
V. ESPOSITO, *Il doppio segno,* "Oggi e domani", nov. 1994.
R. CIVELLO, *Luciano Luisi, un poeta per la pittura e la scultura,* "Secolo d'Italia", 12 nov. 1994.
M. DELL'AQUILA, *Il doppio segno,* "Nuovo Mezzogiorno", gen– feb. 1995.
G. PALUMBO, *Il doppio segno,* "Spiritualità e Letteratura", gen.-apr. 1995.
V. FAGGI, *Il doppio segno,* "Oggi e domani", mar. 1995.
A. FRATTINI, *Il doppio segno – Livorno, storia e memorie,* "Libri e riviste d'Italia", mag.-ago. 1995.
G. MANACORDA, *Il doppio segno,* "I Lomomi", 1956.

Il Silenzio

P. MAFFEO, *Una luce nel silenzio,* "L'Eco di S.G.", gen. 1999.
P. RUFFILLI, *Guida in versi alle opere del silenzio,* "Il resto del carlino", 24 set. 1995.

I. SERRA, *Il silenzio si fa poesia*, "Il Gazzettino", 6 ott. 1995.
M. STEFANI, *Un silenzio affollato di presenze, ricordi e significati*, "Il Gazzettino", 3 mag. 1998.
P. BERTÈ, *Luciano Luisi memoria e mistero*, "Il Popolo", 26 mag. 1998.
A. PERRONE, *Il silenzio è poesia per Luciano Luisi*, "Corriere del giorno", 2 lug. 1998.
E. DI SACCO, *Luciano Luisi il poeta del silenzio*, "Gazzetta marittima", 15 lug. 1998.
M. T. F., *Luisi, versi del cuore*, "L'Eco di Bergamo", 23 lug. 1998.
C. BENIGNI, *Luisi, amore e aforismi come antidoto al dolore*, "L'Eco di Bergamo", 26 lug. 1998.
G. RAVASI, *Alle mie spalle*, "Avvenire", 20 ago. 1998.
V. ESPOSITO, *Luciano Luisi e il suo progetto d'amore*, "Oggi e domani", ott. 1995.
V. VETTORI, *Apologia del silenzio*, "Secolo d'Italia", 6 mag. 1998.
R. CARDELLICCHIO, *Poesia del silenzio*, "Il Tirreno", 24 mag. 1998.
R. CIVELLO, *Luciano Luisi, il grido del silenzio*, "Secolo d'Italia", 13 giu. 1998.
D. ADRIANO, *Il silenzio*, "Avvenimenti", lug. 1999.
A. CAPPI, *Il silenzio, la parola, l'interpretazione*, "La voce di Mantova", 17 ago. 1998.
G. VIZZARI, *Il silenzio di Luciano Luisi e le sue voci*, "Pietraserena", estate-autunno 1998.
G. MARCHETTI, *Una strana nitidezza*, "Gazzetta di Parma", 8 set. 1998.
I. PRANDIN, *Il silenzio misterioso è una conchiglia*, "Italia turistica", set. 1999.
D. MAFFIA, *Luisi, il Silenzio*, "Poesia", ott. 1998.
G. NAPOLITANO, *Il Silenzio di Luciano Luisi*, "Il foglio volante", ott. 1998.
A. FRATTINI, *Luciano Luisi: il Silenzio*, "Libri e riviste d'Italia", set.-dic. 1998.
E. ANDRIUOLI, *Dieci anni di poesia di Luciano Luisi*, "Arte Stampa", ott.-dic. 1998.
R. MINORE, *Il poeta e la morte. Il Silenzio di Luciano Luisi*, "Idea", 1 dic. 1998.
V. FAGGI, *Il Silenzio*, "Resine", dic. 1998.
N. FANO, *Il volto vitale della morte*, "L'Unità", 21 dic. 1998.

C. FERRARI, *Col tempo attorno come un cilicio,* "Letture", gen. 1999.
R. MINORE, *Un nemico dentro di noi,* "50&PIÙ", mar. 1999.
G. LADOLFI, *Il silenzio,* "Atelier", 13 mar. 1999.
E. ANDRIUOLI, *Il silenzio,* "Nuovo Contrappunto", gen.-mar. 1999.
T. PISANTI, *L'elegante scioltezza di Luciano Luisi,* "Giornale di Caserta", 3 giu. 1999.
A. ONORATO, *Come un sillabario dell'anima. Il silenzio,* "Voce del Sud", 3 giu. 2000.
M. G. LENISA, *La regia di un io dignitoso e tenace in Luciano Luisi,* "Punto d'incontro", set.-dic. 2000.

Nonostante

G. RAVASI, *"Come le foglie",* "Avvenire", 21 mar. 2004 (*sonetti letti prima dell'uscita de libro, nell'antologia "Parole di passo"*, Aragno, ott. 2003).
G. PANDINI, *Sonetti come limpida verità del cuore,* "La Cronaca", 27 gen. 2005.
G. MANACORDA, *Nonostante,* "Panorama", gen.-mar. 2005.
C. MARABINI, *Diario di letture: i sonetti di Luciano Luisi,* "Nuova Antologia", gen.-mar. 2005.
C. FERRARI, *La vita se ne fugge, il sangue la cattura,* "Letture", mar. 2005.
G. RAVASI, *Un ladro in casa,* "Avvenire", 23 mar. 2005.
R. CIVELLO, *L'umanesimo integrale di Luciano Luisi,* "Secolo d'Italia", 30 apr. 2005.
F. A., *Nonostante,* "Spiritualità e Letteratura", gen.-apr. 2005.
E. ANDRIUOLI, *Nonostante,* "Nuovo contrappunto", apr.-giu. 2005.
S. ALBISANI, *Nonostante,* "Il Portolano", lug.-dic. 2005.
D. RONDONI, *Nonostante,* "Poesia", ott. 2005.
L. CANDUCCI, *Nonostante,* "L'immaginazione", ott. 2005.
D. PUCCINI, *L'arte del sonetto,* "Le Muse", 2005.
G. LINGUAGLOSSA, *Nonostante,* "Poiesis", n. 34-35, 2005-2006.
C. MEZZASALMA, *Nonostante,* "Feeria", n. 30, dic. 2006.
L. ROCCO, *Luciano Luisi, la vita "nonostante"*, "Silarus", set.-ott. 2011.

Poesie d'amore

A. Bevilacqua, *Luisi: testimonianza di un progetto d'amore*, "Grazia", 21 apr. 2005.
V. Faggi, *Poesia d'amore*, "Resine", n. 103, 2005.
E. Andriuoli, *Poesie d'amore*, "Vernice", anno XII, 33-34, 2005.
F. D. G., *Poesie d'amore di Luciano Luisi*, "Latina oggi", 10 mag. 2007.
L. D'Ambrosio, *Una poesia che dialoga con Dio*, "Avvenire", 9 dic. 2007.
L. Porro Andriuoli, *Luciano Luisi, poeta d'amore*, "La nuova tribuna letteraria", 95, 2009.

Eloisa e Abelardo

F. O., *Luisi: vi racconto Eloisa e Abelardo*, "Nuovo quotidiano", 29 mar. 2005.
N. Gem, *Una grande storia d'amore*, "Corriere del giorno", 2 apr. 2005.
L. Lestingi, *Eloisa e Abelardo. La scommessa del Teatro della Fede*, "Corriere della Sera" (Puglia), apr. 2005.
N. Gammallaro, *Grande successo di Eloisa* e *Abelardo*, "Corriere del giorno", 11 apr. 2005.
L. Lestingi, *Nei versi di Luisi la vicenda gotica di Eloisa e Abelardo*, "Corriere della Sera " (Puglia), 25 set. 2007.
E. Andriuoli, *Eloisa e Abelardo*, "Nuovo Contrappunto", apr.-giu. 2008.
T. Scuro, *Eloisa e Abelardo secondo Luisi*, "La gazzetta del Mezzogiorno", 4 lug. 2009.
L. D'Ambrosio, *Eloisa e Abelardo, sconvolgente storia d'amore*, "Il nuovo territorio", 21 lug. 2008.
L. De Luca, *Eloisa e Abelardo*, "Silarus", ago. 2008.
V. Esposito, *Eloisa e Abelardo*, "Oggi e domani", set.-ott. 2008.
G. Lupo, *Eloisa e Abelardo*, "Poesia", dic. 2008.
G. Amodei, *Luciano Luisi e il teatro: Eloisa e Abelardo*, "Nova Marginalia", dic. 2008.
G. Di Giammarino, *Eloisa e Abelardo*, " Polimnia", mar. 2010.

L'ombra e la luce

L. Rafanelli, *Luisi, la semplicità che è difficile a farsi,* "Liberal", 12 mar. 2011.
D. Piccini, *Noi che siamo carrette del mare,* "Famiglia Cristiana", n. 32, 2011.
G. Ladolfi, *L'ombra e la luce,* "Atelier", giu. 2011.
E. Andriuoli, *L'ombra e la luce,* "Nuovo Contrappunto", giu. 2011.
D. Piccini, *L'ombra e la luce,* "Pagine", mag.-ago. 2011.
D. Maffia, *L'ombra e la luce,* "Proa Italia", n. 7-8, 2011.
G. Marchetti, *Sensi e memoria ne "L'ombra e la luce"*, "Gazzetta di Parma", 5 ago. 2011.
R. Mussapi, *La potenza lirica di Luciano Luisi "poeta in disparte"*, "Avvenire", 18 ago. 2011.
N. Di Stefano Busà, *L'ombra e la luce,* "I Fiori del male", sett-dic. 2011.
G. Langella, *La lotta con l'angelo,* da *Tendenze religiose nella letteratura italiana più recente,* "Polifemo".

Altro fiume, altre sponde

D. Maffia, *Altro fiume, altre sponde,* "Poesia", dic. 2014.
F. Alaimo, *Altro fiume, altre sponde,* "L'Immaginazione", gen.-feb. 2015.
E. Andriuoli, *Altro fiume, altre sponde,* "Nuovo contrappunto", gen.-mar. 2015.
P. Rossi, *Altro fiume, altre sponde. Luciano Luisi: la poesia che sa ringraziare,* "Avvenire", 7 gen. 2015.
B. Garavelli, *Altro fiume, altre sponde. Luciano Luisi: versi per combattere il tempo che passa,* "Avvenire", 28 giu. 2015.

INDICE

SECONDA PARTE
LA SAPIENZA DEL CUORE

TERZA PARTE
FORME DELLA BELLEZZA

LA VITA CHE NON MUTA (1980)

IL DOPPIO SEGNO (1994)

QUARTA PARTE
LA SFIDA DEI SENTIMENTI

I POSSIBILI AMORI

SESTA PARTE
TEATRO

SETTIMA PARTE
OPERE VARIE

Finito di stampare
per i tipi della
Nino Aragno Editore
nel mese di aprile 2016
in Torino